새로운 개정 교육과정 반영

BEST 유형 + BEST 기출 총망라

내신 UP

UP
내신업
중간고사 대비
중학 수학 2·2

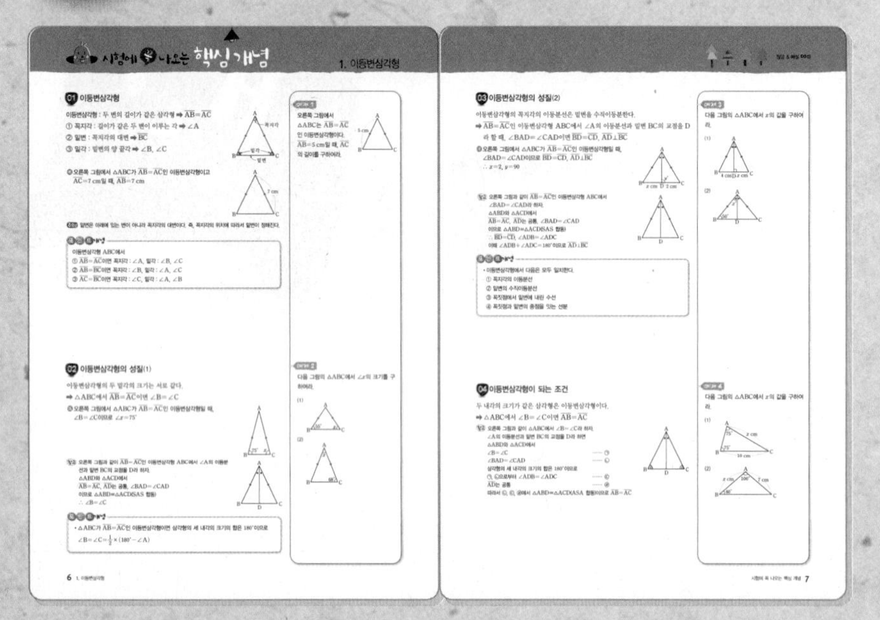

> 시험에 꼭 나오는 핵심 개념

각 단원에서 꼭 알아야 할 핵심 개념을 꼼꼼하게 정리하였고, 포인트 개념을 두어 중요한 개념을 한눈에 확인할 수 있도록 하였습니다.

> 예제

각 개념의 정의와 공식을 단순히 적용하여 학습한 개념을 바로 확인할 수 있는 기초 문제로 구성하였습니다.

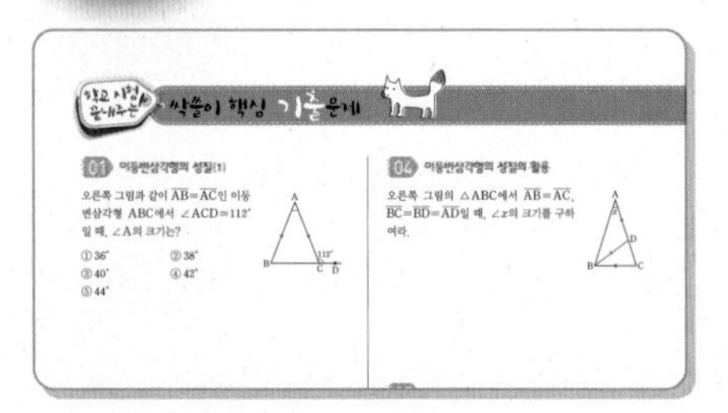

| 싹쓸이 핵심 기출문제 |

전국 1,000여 개 중학교의 5년간 기출문제를 분석하여 출제율이 높은 핵심 25문제를 엄선하여 시험 직전에 최종 확인할 수 있도록 하였습니다.

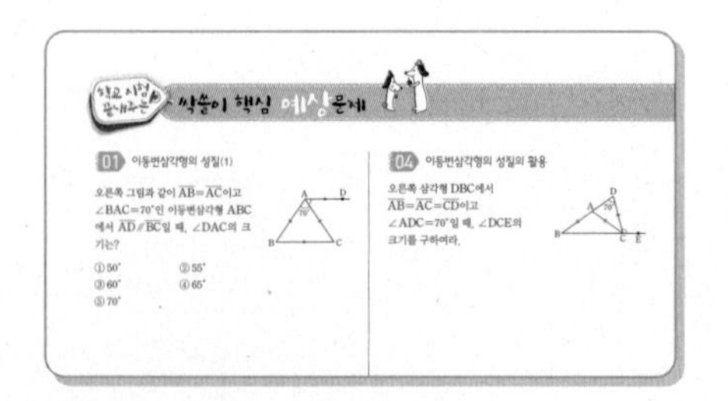

| 싹쓸이 핵심 예상문제 |

싹쓸이 핵심 기출문제의 25가지 유형에 대하여 '숫자를 바꾼 문제', '표현을 바꾼 문제'로 구성하여 25가지 유형을 확실히 익힐 수 있도록 하였습니다.

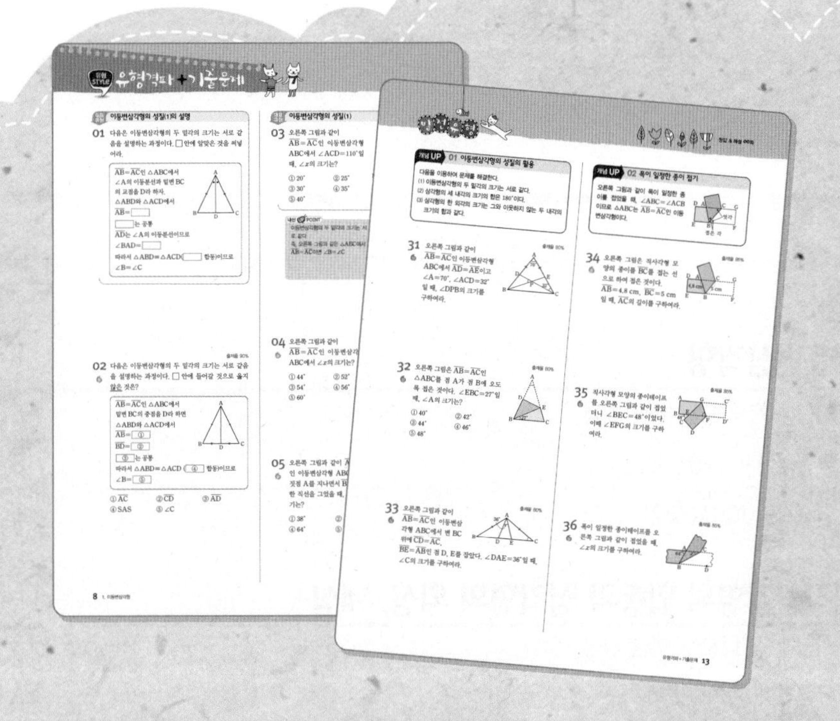

> 유형격파 + 기출문제

2015 개정 교육과정의 새 교과서와 전국 1,000여 개 중학교의 5년간 기출문제를 분석하여 시험에 꼭 나오는 대표유형과 그 유사문제를 난이도, 출제율과 함께 실었습니다.

> 내신 UP POINT

문제 해결을 위한 도움말을 제공하였습니다.

> 발전 유형

까다로운 기출문제를 유형별로 분석하여 발전 개념과 함께 구성하였습니다.

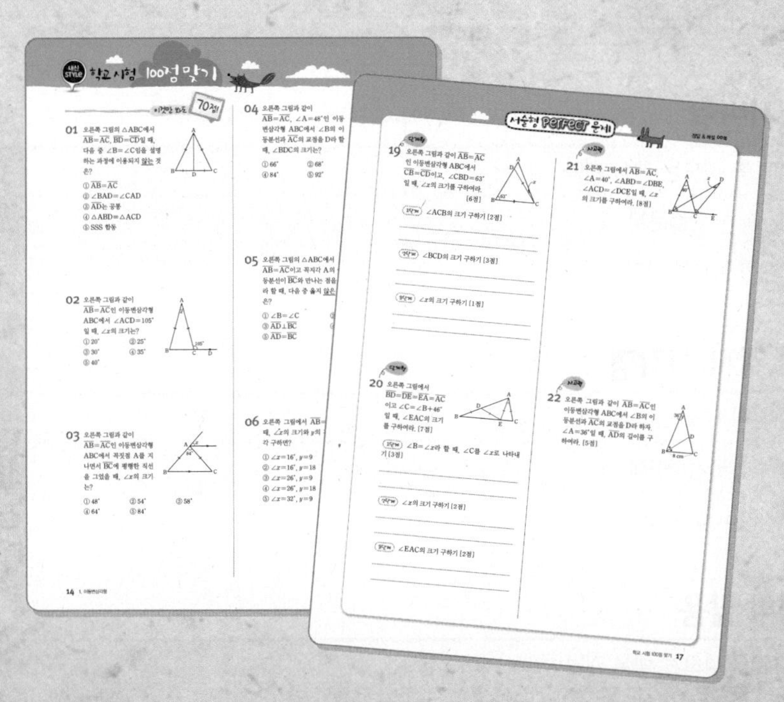

> 학교시험 100점 맞기

전국 1,000여 개 중학교의 5년간 기출 사이클 분석을 바탕으로 중간고사 적중률 100%에 도전하는 문제들을 수록하였습니다.

> 서술형 PERFECT 문제

실제 학교 시험과 유사한 서술형 문제로 단계형, 실생활, 사고력, 융합형 문제를 실었습니다.

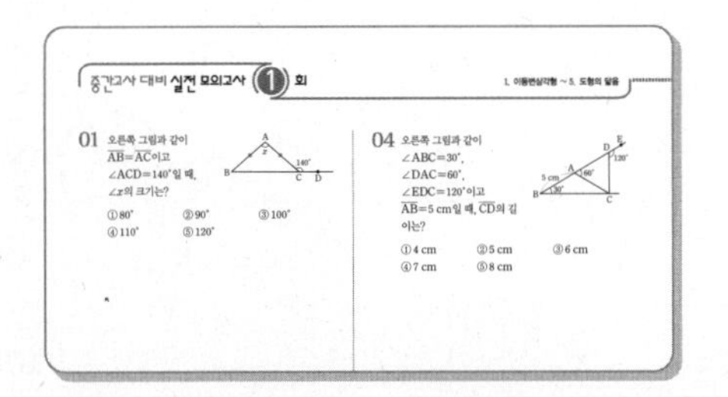

| 실전 모의고사 |

실제 시험과 같이 구성한 실전 모의고사를 총 4회 실어 시험에 대한 자신감을 기를 수 있도록 하였습니다.

Part Ⅰ

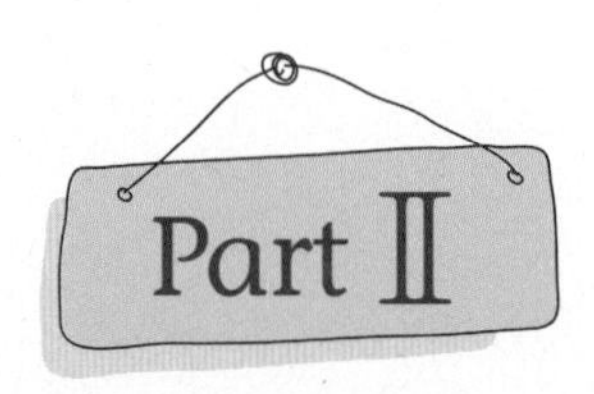

중학 수학

Part Ⅰ

시험에 꼭 나오는 핵심 개념

유형격파 + 기출문제

학교시험 100점 맞기

01 이등변삼각형

이등변삼각형 : 두 변의 길이가 같은 삼각형 ➡ $\overline{AB}=\overline{AC}$

① 꼭지각 : 길이가 같은 두 변이 이루는 각 ➡ $\angle A$

② 밑변 : 꼭지각의 대변 ➡ $\overline{BC}$

③ 밑각 : 밑변의 양 끝각 ➡ $\angle B$, $\angle C$

예 오른쪽 그림에서 $\triangle ABC$가 $\overline{AB}=\overline{AC}$인 이등변삼각형이고 $\overline{AC}=7$ cm일 때, $\overline{AB}=7$ cm

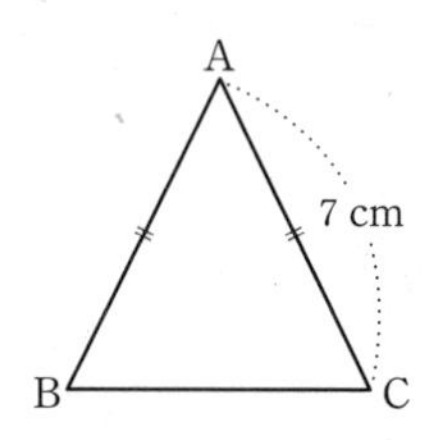

주의! 밑변은 아래에 있는 변이 아니라 꼭지각의 대변이다. 즉, 꼭지각의 위치에 따라서 밑변이 정해진다.

포인트 개념

이등변삼각형 ABC에서

① $\overline{AB}=\overline{AC}$이면 꼭지각 : $\angle A$, 밑각 : $\angle B$, $\angle C$

② $\overline{AB}=\overline{BC}$이면 꼭지각 : $\angle B$, 밑각 : $\angle A$, $\angle C$

③ $\overline{AC}=\overline{BC}$이면 꼭지각 : $\angle C$, 밑각 : $\angle A$, $\angle B$

예제 1

오른쪽 그림에서 $\triangle ABC$는 $\overline{AB}=\overline{AC}$인 이등변삼각형이다. $\overline{AB}=5$ cm일 때, $\overline{AC}$의 길이를 구하여라.

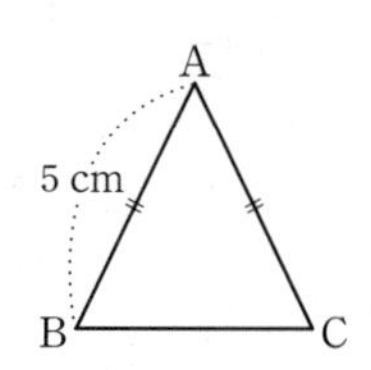

02 이등변삼각형의 성질(1)

이등변삼각형의 두 밑각의 크기는 서로 같다.

➡ $\triangle ABC$에서 $\overline{AB}=\overline{AC}$이면 $\angle B=\angle C$

예 오른쪽 그림에서 $\triangle ABC$가 $\overline{AB}=\overline{AC}$인 이등변삼각형일 때, $\angle B=\angle C$이므로 $\angle x=75°$

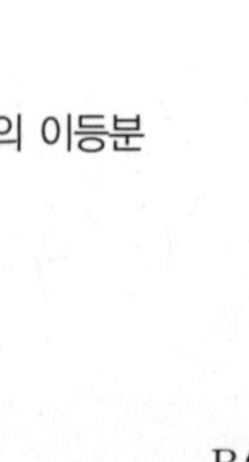

참고 오른쪽 그림과 같이 $\overline{AB}=\overline{AC}$인 이등변삼각형 ABC에서 $\angle A$의 이등분선과 밑변 BC의 교점을 D라 하자.
$\triangle ABD$와 $\triangle ACD$에서
$\overline{AB}=\overline{AC}$, $\overline{AD}$는 공통, $\angle BAD=\angle CAD$
이므로 $\triangle ABD\equiv\triangle ACD$(SAS 합동)
$\therefore \angle B=\angle C$

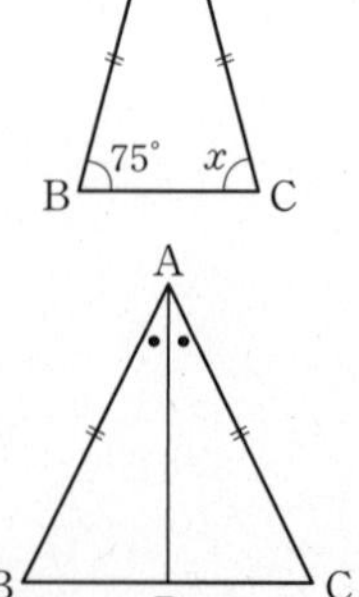

포인트 개념

• $\triangle ABC$가 $\overline{AB}=\overline{AC}$인 이등변삼각형이면 삼각형의 세 내각의 크기의 합은 $180°$이므로
$\angle B=\angle C=\frac{1}{2}\times(180°-\angle A)$

예제 2

다음 그림의 $\triangle ABC$에서 $\angle x$의 크기를 구하여라.

(1)

(2)

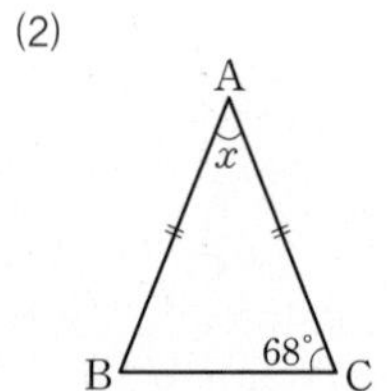

03 이등변삼각형의 성질(2)

이등변삼각형의 꼭지각의 이등분선은 밑변을 수직이등분한다.

➡ $\overline{AB}=\overline{AC}$인 이등변삼각형 ABC에서 $\angle A$의 이등분선과 밑변 BC의 교점을 D라 할 때, $\angle BAD=\angle CAD$이면 $\overline{BD}=\overline{CD}$, $\overline{AD}\perp\overline{BC}$

예 오른쪽 그림에서 $\triangle ABC$가 $\overline{AB}=\overline{AC}$인 이등변삼각형일 때,
$\angle BAD=\angle CAD$이므로 $\overline{BD}=\overline{CD}$, $\overline{AD}\perp\overline{BC}$
$\therefore x=2,\ y=90$

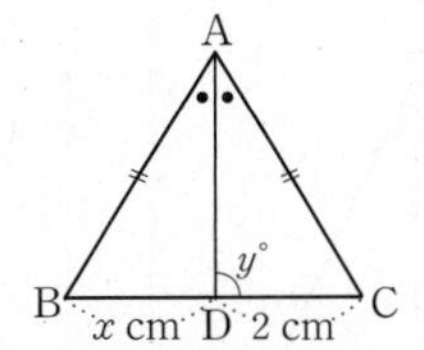

참고 오른쪽 그림과 같이 $\overline{AB}=\overline{AC}$인 이등변삼각형 ABC에서
$\angle BAD=\angle CAD$라 하자.
$\triangle ABD$와 $\triangle ACD$에서
$\overline{AB}=\overline{AC}$, $\overline{AD}$는 공통, $\angle BAD=\angle CAD$
이므로 $\triangle ABD\equiv\triangle ACD$(SAS 합동)
$\therefore \overline{BD}=\overline{CD}$, $\angle ADB=\angle ADC$
이때 $\angle ADB+\angle ADC=180^\circ$이므로 $\overline{AD}\perp\overline{BC}$

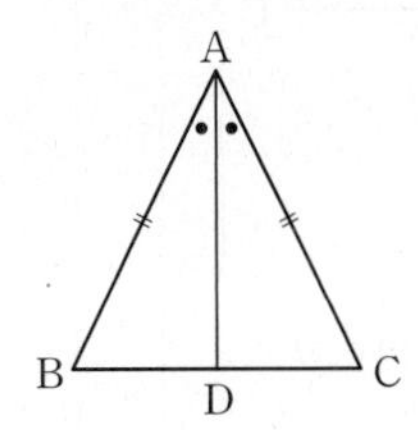

포인트 개념

- 이등변삼각형에서 다음은 모두 일치한다.
  ① 꼭지각의 이등분선
  ② 밑변의 수직이등분선
  ③ 꼭짓점에서 밑변에 내린 수선
  ④ 꼭짓점과 밑변의 중점을 잇는 선분

예제 3

다음 그림의 $\triangle ABC$에서 x의 값을 구하여라.

(1)

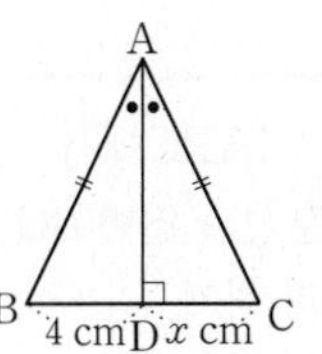

(2)

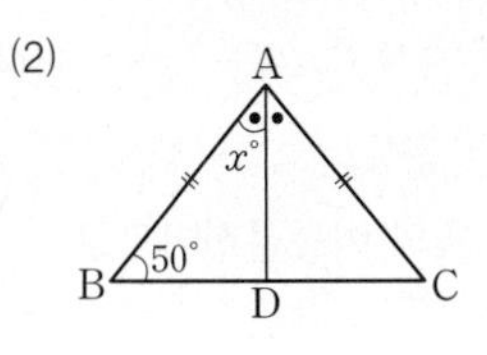

04 이등변삼각형이 되는 조건

두 내각의 크기가 같은 삼각형은 이등변삼각형이다.

➡ $\triangle ABC$에서 $\angle B=\angle C$이면 $\overline{AB}=\overline{AC}$

참고 오른쪽 그림과 같이 $\triangle ABC$에서 $\angle B=\angle C$라 하자.
$\angle A$의 이등분선과 밑변 BC의 교점을 D라 하면
$\triangle ABD$와 $\triangle ACD$에서
$\angle B=\angle C$ …… ㉠
$\angle BAD=\angle CAD$ …… ㉡
삼각형의 세 내각의 크기의 합은 180°이므로
㉠, ㉡으로부터 $\angle ADB=\angle ADC$ …… ㉢
$\overline{AD}$는 공통 …… ㉣
따라서 ㉡, ㉢, ㉣에서 $\triangle ABD\equiv\triangle ACD$(ASA 합동)이므로 $\overline{AB}=\overline{AC}$

예제 4

다음 그림의 $\triangle ABC$에서 x의 값을 구하여라.

(1)

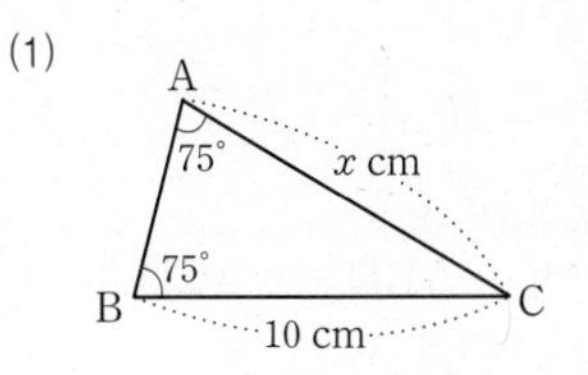

(2)

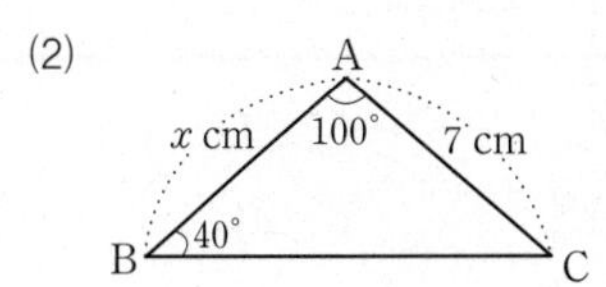

대표 유형 이등변삼각형의 성질(1)의 설명

01 다음은 이등변삼각형의 두 밑각의 크기는 서로 같음을 설명하는 과정이다. □ 안에 알맞은 것을 써넣어라.

> $\overline{AB}=\overline{AC}$인 $\triangle ABC$에서
> $\angle A$의 이등분선과 밑변 BC의 교점을 D라 하자.
> $\triangle ABD$와 $\triangle ACD$에서
> $\overline{AB}=$ □
> □ 는 공통
> $\overline{AD}$는 $\angle A$의 이등분선이므로
> $\angle BAD=$ □
> 따라서 $\triangle ABD\equiv\triangle ACD$(□ 합동)이므로
> $\angle B=\angle C$

출제율 90%

02 (중) 다음은 이등변삼각형의 두 밑각의 크기는 서로 같음을 설명하는 과정이다. □ 안에 들어갈 것으로 옳지 않은 것은?

> $\overline{AB}=\overline{AC}$인 $\triangle ABC$에서
> 밑변 BC의 중점을 D라 하면
> $\triangle ABD$와 $\triangle ACD$에서
> $\overline{AB}=$ ①
> $\overline{BD}=$ ②
> ③ 는 공통
> 따라서 $\triangle ABD\equiv\triangle ACD$ (④ 합동)이므로
> $\angle B=$ ⑤

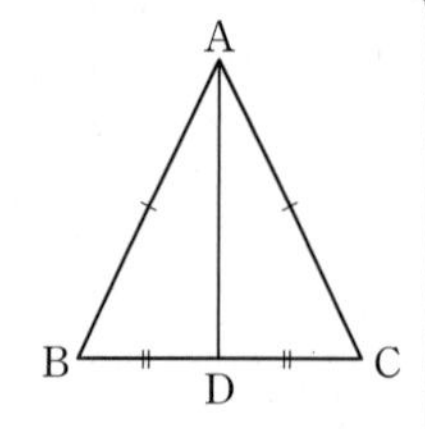

① $\overline{AC}$　② $\overline{CD}$　③ $\overline{AD}$
④ SAS　⑤ $\angle C$

대표 유형 이등변삼각형의 성질(1)

03 오른쪽 그림과 같이 $\overline{AB}=\overline{AC}$인 이등변삼각형 ABC에서 $\angle ACD=110°$일 때, $\angle x$의 크기는?

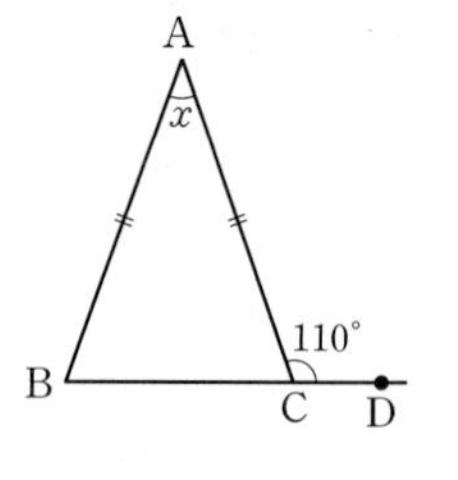

① 20°　② 25°
③ 30°　④ 35°
⑤ 40°

내신 UP POINT
이등변삼각형의 두 밑각의 크기는 서로 같다.
즉, 오른쪽 그림과 같은 $\triangle ABC$에서 $\overline{AB}=\overline{AC}$이면 $\angle B=\angle C$

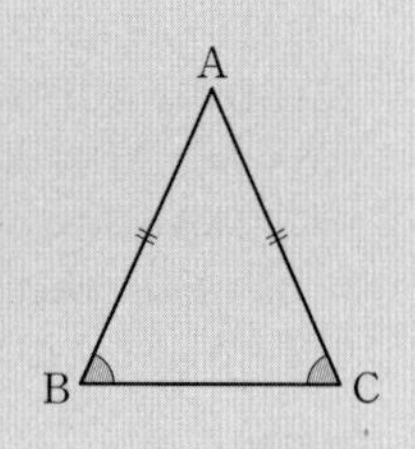

출제율 95%

04 (하) 오른쪽 그림과 같이 $\overline{AB}=\overline{AC}$인 이등변삼각형 ABC에서 $\angle x$의 크기는?

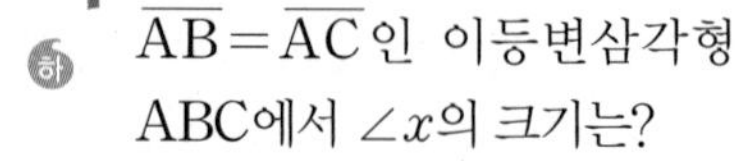

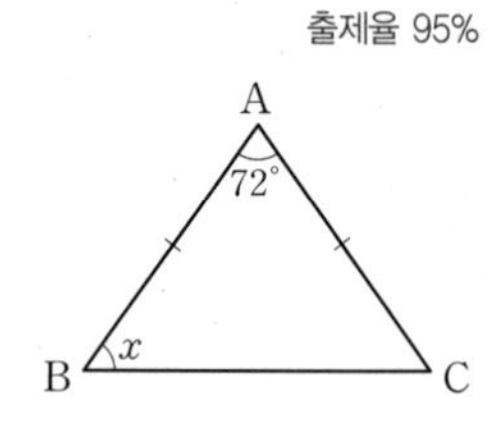

① 44°　② 52°
③ 54°　④ 56°
⑤ 60°

출제율 95%

05 (중) 오른쪽 그림과 같이 $\overline{AB}=\overline{AC}$인 이등변삼각형 ABC에서 꼭짓점 A를 지나면서 $\overline{BC}$에 평행한 직선을 그었을 때, $\angle x$의 크기는?

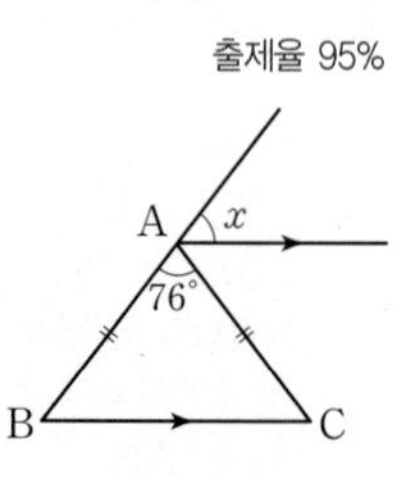

① 38°　② 46°　③ 52°
④ 64°　⑤ 76°

출제율 90%

06 오른쪽 그림과 같이 $\overline{AB}=\overline{AC}$인 이등변삼각형 ABC에서 $\angle A : \angle B = 2 : 5$일 때, $\angle A$의 크기는?

중

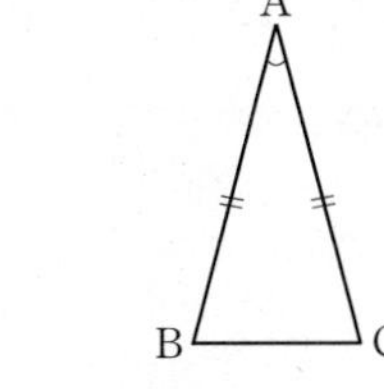

① $10°$ ② $20°$
③ $30°$ ④ $40°$
⑤ $50°$

출제율 85%

07 오른쪽 그림과 같이 $\overline{AB}=\overline{AC}$인 이등변삼각형 ABC에서 $\angle A=52°$이고 $\angle ABC$의 이등분선과 $\overline{AC}$의 교점을 D라 할 때, $\angle x$의 크기를 구하여라.

중

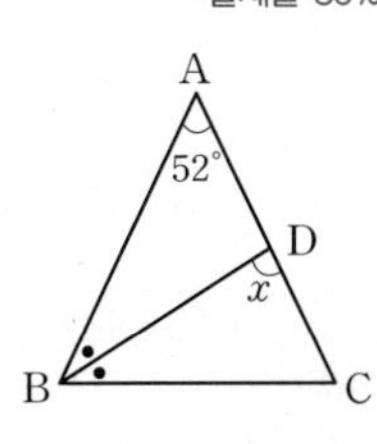

출제율 85%

08 오른쪽 그림과 같이 $\overline{AD}/\!/\overline{BC}$인 사다리꼴 ABCD에서 $\overline{AD}=\overline{CD}$, $\overline{AB}=\overline{AC}$일 때, $\angle BAC$의 크기를 구하여라.

상

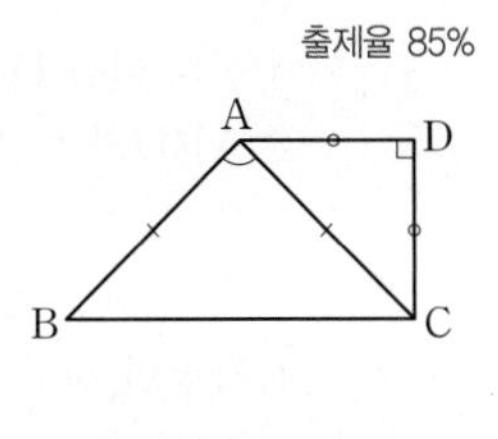

출제율 80%

09 오른쪽 그림과 같은 이등변삼각형 ABC와 DCE에서 $\angle A=32°$, $\angle E=56°$일 때, $\angle ACD$의 크기를 구하여라.

상

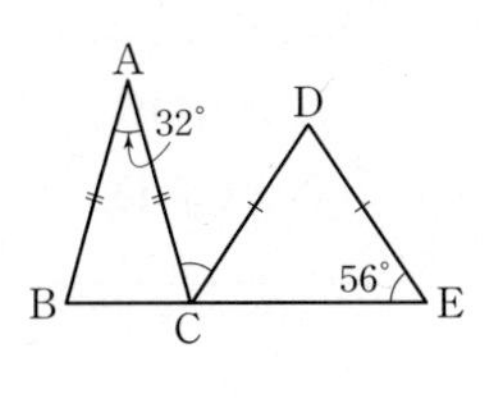

대표 유형 **이등변삼각형의 성질(2)의 설명**

10 다음은 이등변삼각형의 꼭지각의 이등분선은 밑변을 수직이등분함을 설명하는 과정이다. □ 안에 들어갈 것으로 옳지 않은 것은?

> $\overline{AB}=\overline{AC}$인 $\triangle ABC$에서
> $\angle BAD=\angle CAD$라 하자.
> $\triangle ABD$와 $\triangle ACD$에서
> $\overline{AB}=\overline{AC}$, [①]는 공통
> $\angle BAD=$[②]이므로
> $\triangle ABD\equiv\triangle ACD$
> ([③] 합동)
> $\therefore$ [④]$=\overline{CD}$ …… ㉠
> 또, $\angle ADB=\angle ADC$이고,
> $\angle ADB+\angle ADC=180°$이므로
> $\angle ADB=\angle ADC=$[⑤]
> $\therefore \overline{AD}\perp\overline{BC}$ …… ㉡
> 따라서 ㉠, ㉡에 의하여 $\overline{AD}$는 $\overline{BC}$를 수직이등분한다.

① $\overline{AD}$ ② $\angle CAD$ ③ SSS
④ $\overline{BD}$ ⑤ $90°$

출제율 90%

11 오른쪽 그림과 같이 $\overline{AB}=\overline{AC}$인 이등변삼각형 ABC에서 $\angle A$의 이등분선과 $\overline{BC}$의 교점을 D라 하자. 다음은 $\overline{AD}$ 위에 한 점 P를 잡을 때, $\triangle PBD$와 $\triangle PCD$는 합동임을 설명하는 과정이다. □ 안에 알맞은 것을 써넣어라.

상

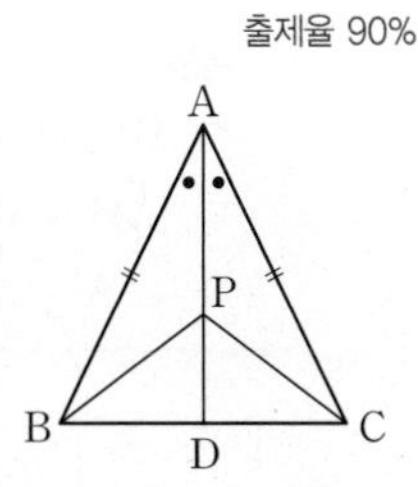

> $\overline{AB}=\overline{AC}$, $\angle BAD=\angle CAD$이므로
> $\overline{BD}=$[ ], $\overline{AD}\perp\overline{BC}$
> $\triangle PBD$와 $\triangle PCD$에서
> $\overline{BD}=$[ ], [ ]는 공통
> $\angle PDB=$[ ]$=90°$
> $\therefore \triangle PBD\equiv\triangle PCD$([ ] 합동)

대표유형 이등변삼각형의 성질(2)

12 오른쪽 그림과 같이 $\overline{AB}=\overline{AC}$인 이등변삼각형 ABC에서 $\angle BAD=\angle CAD$, $\overline{AB}=5$ cm, $\overline{AD}=3$ cm, $\overline{CD}=4$ cm일 때, $\overline{BD}$의 길이는?

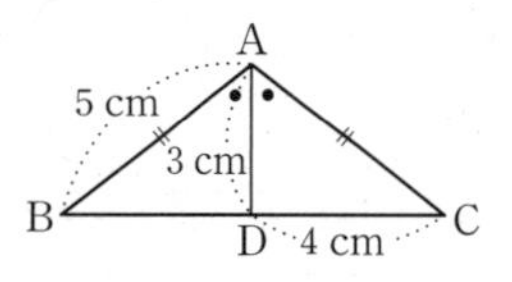

① 2 cm ② 3 cm ③ 4 cm
④ 5 cm ⑤ 6 cm

내신 UP POINT

이등변삼각형의 꼭지각의 이등분선은 밑변을 수직이등분한다.
즉, 오른쪽 그림과 같은 △ABC에서 $\overline{AB}=\overline{AC}$, $\angle BAD=\angle CAD$이면 $\overline{BD}=\overline{CD}$, $\overline{AD}\perp\overline{BC}$

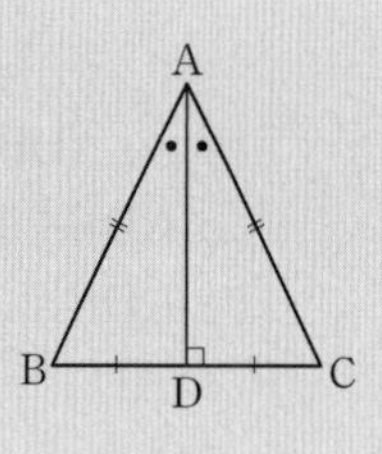

출제율 90%

13 하 오른쪽 그림과 같이 $\overline{AB}=\overline{AC}$인 이등변삼각형 ABC에서 $\angle BAD=\angle CAD$일 때, 다음 보기 중 옳은 것을 모두 고른 것은?

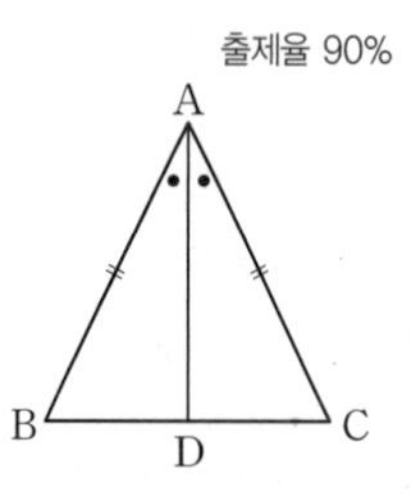

보기
ㄱ. $\overline{BD}=\overline{CD}$ ㄴ. $\overline{AD}=\overline{BC}$
ㄷ. $\overline{AB}=\overline{AD}$ ㄹ. $\overline{AD}\perp\overline{BC}$
ㅁ. $\angle A=\angle B=\angle C$

① ㄱ, ㄴ ② ㄱ, ㄹ ③ ㄴ, ㄷ
④ ㄴ, ㅁ ⑤ ㄷ, ㄹ

출제율 95%

14 중 오른쪽 그림과 같이 $\overline{AB}=\overline{AC}$인 이등변삼각형 ABC에서 $\overline{BD}=\overline{CD}$일 때, $\angle ACD$의 크기를 구하여라.

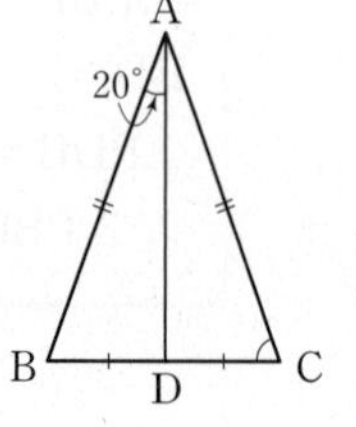
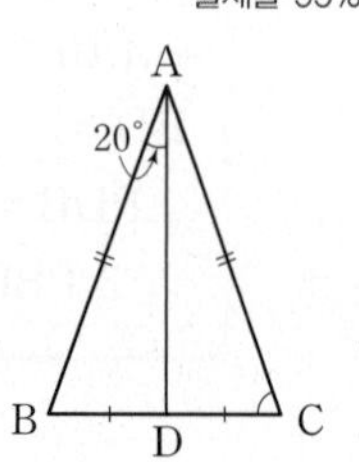

출제율 95%

15 중 오른쪽 그림에서 $\overline{AB}=\overline{AC}$일 때, $\angle x$의 크기와 y의 값을 각각 구하면?

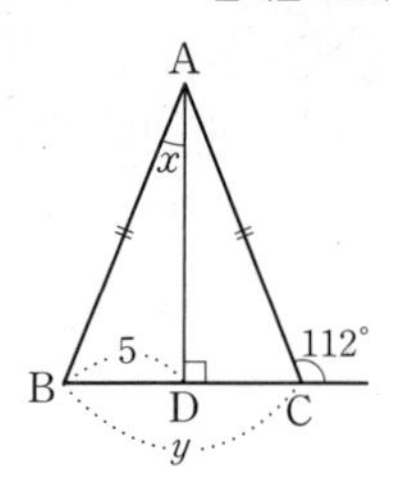

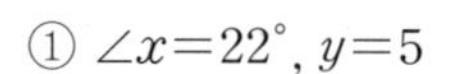

① $\angle x=22°$, $y=5$
② $\angle x=22°$, $y=10$
③ $\angle x=32°$, $y=5$
④ $\angle x=32°$, $y=10$
⑤ $\angle x=44°$, $y=10$

대표유형 이등변삼각형이 되는 조건의 설명

16 다음은 두 내각의 크기가 같은 삼각형은 이등변삼각형임을 설명하는 과정이다. □ 안에 들어갈 것으로 옳지 않은 것은?

△ABC에서 ∠B=∠C라 하자.
꼭짓점 A에서 $\overline{BC}$에 내린 수선의 발을 D라 하면
△ABD와 △ACD에서
∠B=∠C,

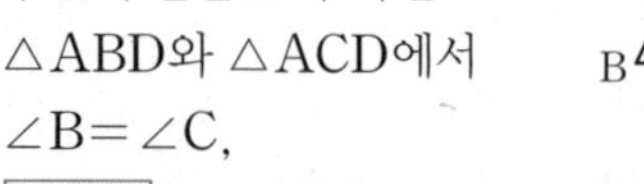

[①]=∠ADC …… ㉠
삼각형의 세 내각의 크기의 합은 180°이므로
△ABD에서 ∠B+[②]+∠ADB=180°
△ACD에서 ∠C+∠CAD+[③]=180°
∴ ∠BAD=[④] …… ㉡
$\overline{AD}$는 공통 …… ㉢
따라서 ㉠, ㉡, ㉢에 의하여
△ABD≡△ACD([⑤] 합동)이므로
$\overline{AB}=\overline{AC}$

① ∠ADB ② ∠BAD ③ ∠ADC
④ ∠CAD ⑤ SAS

출제율 85%

17 (상) 다음은 오른쪽 그림과 같이 $\overline{AB}=\overline{AC}$인 이등변삼각형 ABC에서 $\angle B$와 $\angle C$의 이등분선의 교점을 D라 할 때, $\triangle DBC$는 이등변삼각형임을 설명하는 과정이다. □ 안에 알맞은 것을 써넣어라.

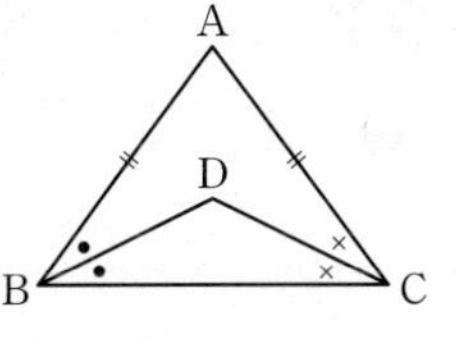

> $\triangle ABC$에서 $\overline{AB}=\overline{AC}$이므로 $\angle ABC=$ □
> $\therefore \angle DBC=\frac{1}{2}$ □ $=\frac{1}{2}\angle ACB=$ □
> 따라서 두 내각의 크기가 같으므로 $\triangle DBC$는 이등변삼각형이다.

대표유형 이등변삼각형이 되는 조건

18 오른쪽 그림과 같은 $\triangle ABC$에서 $\angle B=80°$, $\angle C=50°$, $\overline{AB}=7$ cm일 때, $\overline{BC}$의 길이를 구하여라.

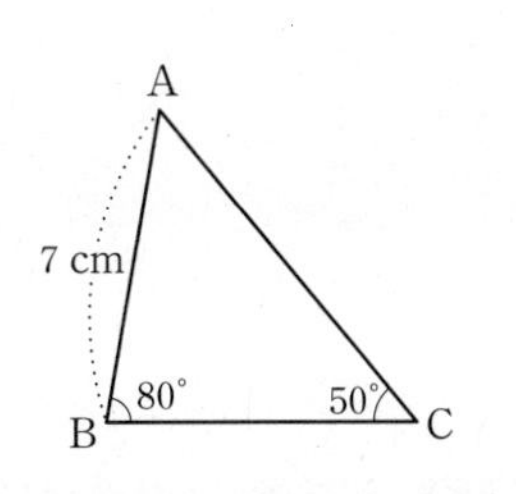

내신 UP POINT
두 내각의 크기가 같은 삼각형은 이등변삼각형이다.
즉, 오른쪽 그림과 같은 $\triangle ABC$에서 $\angle B=\angle C$이면 $\overline{AB}=\overline{AC}$

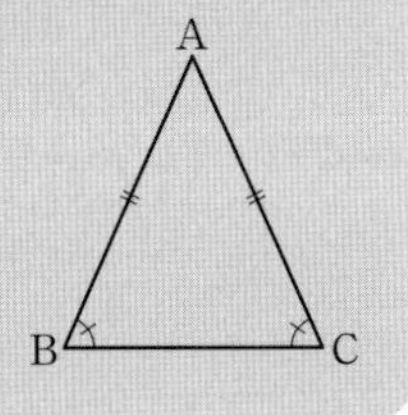

출제율 95%

19 (하) 오른쪽 그림과 같은 $\triangle ABC$에서 $\angle B=\angle C$이고, $\overline{AD}\perp\overline{BC}$이다. $\overline{BC}=10$ cm일 때, $\overline{CD}$의 길이는?

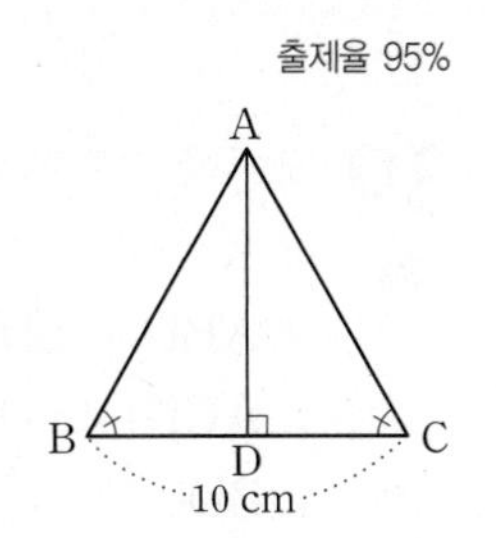

① 4.5 cm ② 5 cm
③ 5.5 cm ④ 6 cm
⑤ 6.5 cm

출제율 90%

20 (하) 오른쪽 그림과 같은 $\triangle ABC$에서 $\angle A=\angle C$, $\overline{AD}=\overline{CD}$일 때, $\angle x$의 크기를 구하여라.

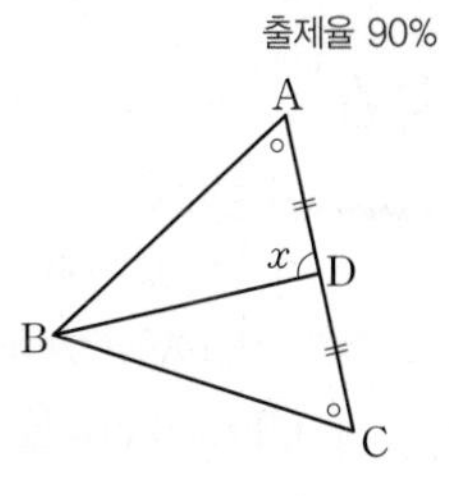

출제율 95%

21 (중) 오른쪽 그림의 $\triangle ABC$에서 $\angle B=\angle C$, $\overline{BC}=6$ cm이다. $\triangle ABC$의 둘레의 길이가 20 cm일 때, $\overline{AB}$의 길이는?

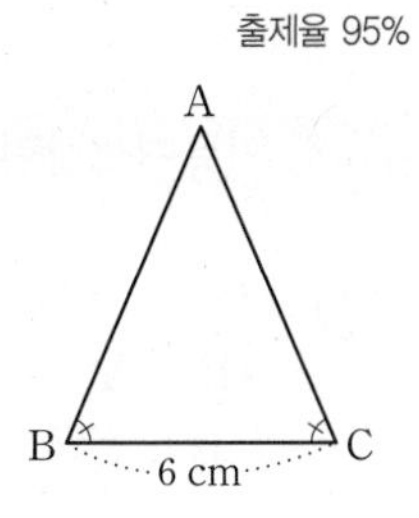

① 3 cm ② 6 cm
③ 7 cm ④ 9 cm
⑤ 12 cm

출제율 95%

22 (중) 오른쪽 그림과 같이 $\angle C=90°$인 직각삼각형 ABC에서 $\overline{AD}=\overline{CD}$일 때, $\overline{AB}$의 길이는?

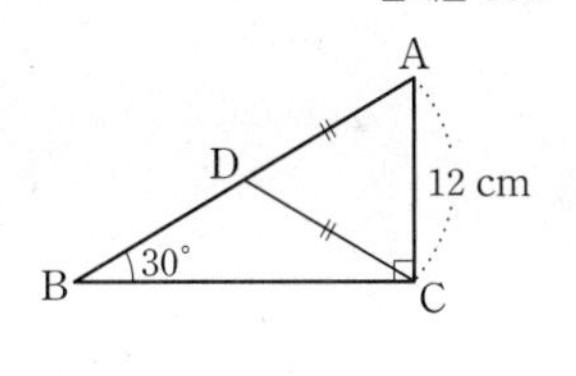

① 12 cm ② 15 cm ③ 18 cm
④ 21 cm ⑤ 24 cm

출제율 95%

23 (상) 오른쪽 그림과 같이 $\overline{AB}=\overline{AC}$인 $\triangle ABC$에서 $\angle B$의 이등분선과 $\overline{AC}$의 교점을 D라 하자. $\angle A=36°$일 때, $\overline{BC}$와 길이가 같은 선분을 모두 말하여라.

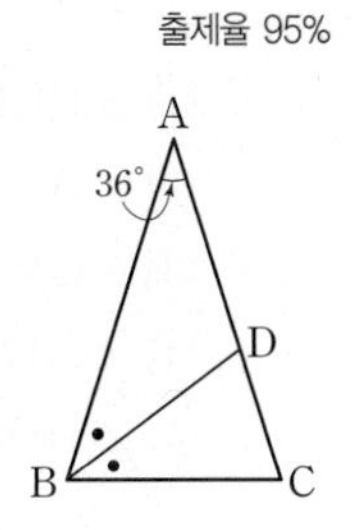

출제율 85%

24 상 오른쪽 그림에서 $\angle DBC=20^\circ$, $\angle DAC=40^\circ$, $\angle EDC=140^\circ$, $\overline{CD}=6\text{ cm}$일 때, $\overline{AB}$의 길이를 구하여라.

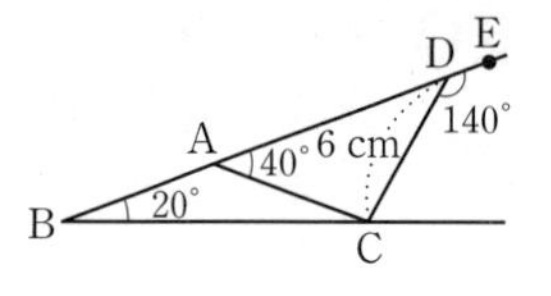

대표유형 이등변삼각형의 성질의 활용

25 오른쪽 그림에서 $\overline{AB}=\overline{AC}=\overline{CD}$이고 $\angle B=35^\circ$일 때, $\angle x$의 크기는?

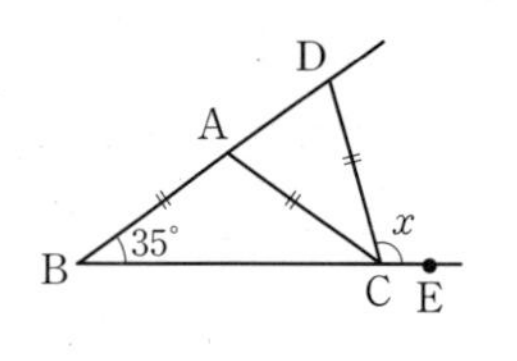

① 100° ② 104° ③ 105°
④ 110° ⑤ 120°

내신 UP POINT

이등변삼각형의 성질의 활용 문제는 다음을 이용한다.
(1) 이등변삼각형의 두 밑각의 크기는 서로 같다.
(2) 삼각형의 세 내각의 크기의 합은 180°이다.
(3) 삼각형의 한 외각의 크기는 그와 이웃하지 않는 두 내각의 크기의 합과 같다.

출제율 95%

26 중 오른쪽 그림과 같은 $\triangle ABC$에서 $\overline{AB}=\overline{AC}$, $\overline{BC}=\overline{BD}=\overline{AD}$일 때, 다음 중 옳지 않은 것은?

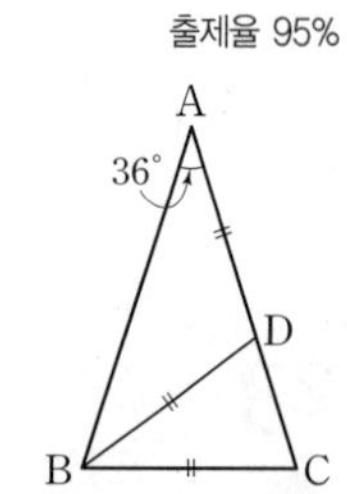

① $\angle BDC=\angle C$
② $\angle A=\angle DBA$
③ $\angle C=72^\circ$
④ $\angle ADB=102^\circ$
⑤ $\angle DBC=36^\circ$

출제율 95%

27 중 다음 그림에서 $\overline{BA}=\overline{AC}=\overline{CD}=\overline{DE}$이고 $\angle E=66^\circ$일 때, $\angle x$의 크기를 구하여라.

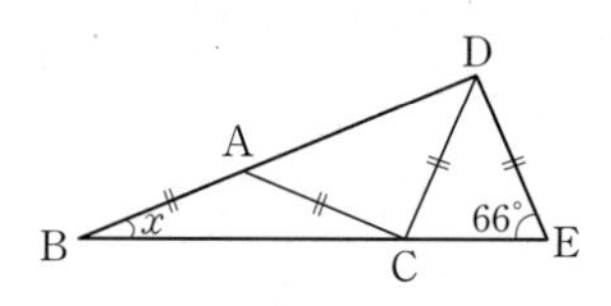

출제율 90%

28 중 오른쪽 그림과 같은 $\triangle ABC$에서 $\overline{BC}$ 위의 한 점 M에 대하여 $\overline{AM}=\overline{BM}=\overline{CM}$일 때, $\angle BAC$의 크기를 구하여라.

출제율 85%

29 중 오른쪽 그림과 같은 직각삼각형 ABC에서 $\angle A$의 이등분선과 $\overline{BC}$의 교점을 D라 하자. $\overline{AD}=\overline{BD}$일 때, $\angle ADC$의 크기를 구하여라.

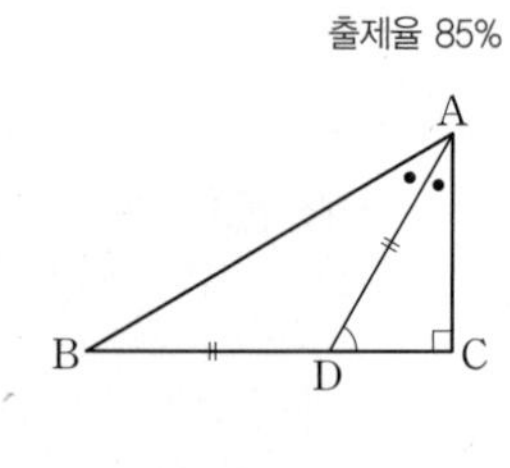

출제율 90%

30 상 오른쪽 그림에서 $\overline{AB}=\overline{AC}$, $\angle A=56^\circ$, $\angle ABD=\angle DBE$, $\angle ACD=\angle DCE$일 때, $\angle BDC$의 크기를 구하여라.

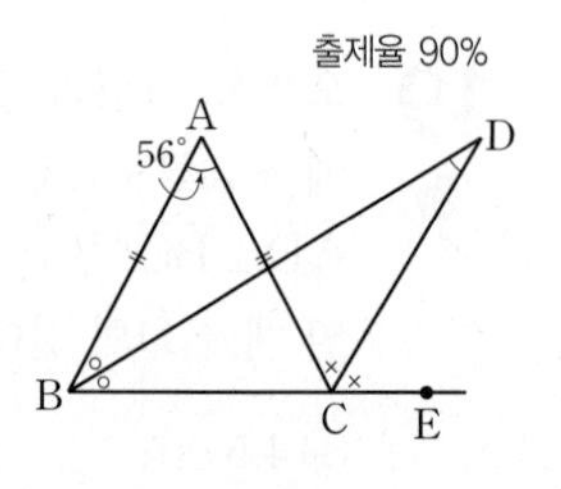

개념 UP 01 이등변삼각형의 성질의 활용

다음을 이용하여 문제를 해결한다.
(1) 이등변삼각형의 두 밑각의 크기는 서로 같다.
(2) 삼각형의 세 내각의 크기의 합은 $180°$이다.
(3) 삼각형의 한 외각의 크기는 그와 이웃하지 않는 두 내각의 크기의 합과 같다.

출제율 80%

31 상 오른쪽 그림과 같이 $\overline{AB}=\overline{AC}$인 이등변삼각형 ABC에서 $\overline{AD}=\overline{AE}$이고 $\angle A=70°$, $\angle ACD=32°$일 때, $\angle DPB$의 크기를 구하여라.

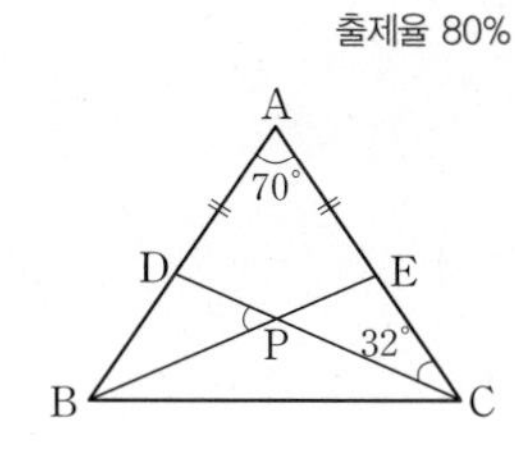

출제율 80%

32 상 오른쪽 그림은 $\overline{AB}=\overline{AC}$인 $\triangle ABC$를 점 A가 점 B에 오도록 접은 것이다. $\angle EBC=27°$일 때, $\angle A$의 크기는?

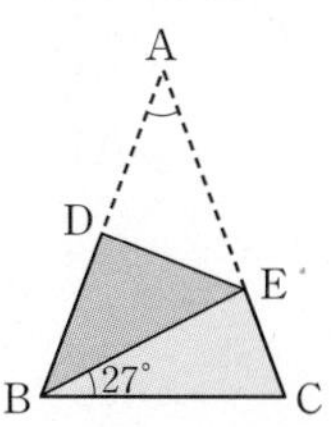

① $40°$ ② $42°$
③ $44°$ ④ $46°$
⑤ $48°$

출제율 80%

33 상 오른쪽 그림과 같이 $\overline{AB}=\overline{AC}$인 이등변삼각형 ABC에서 변 BC 위에 $\overline{CD}=\overline{AC}$, $\overline{BE}=\overline{AB}$인 점 D, E를 잡았다. $\angle DAE=36°$일 때, $\angle C$의 크기를 구하여라.

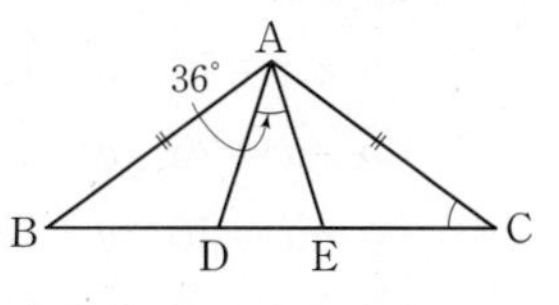

개념 UP 02 폭이 일정한 종이 접기

오른쪽 그림과 같이 폭이 일정한 종이를 접었을 때, $\angle ABC=\angle ACB$이므로 $\triangle ABC$는 $\overline{AB}=\overline{AC}$인 이등변삼각형이다.

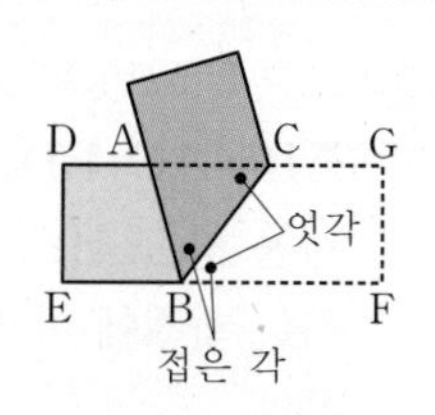

출제율 85%

34 중 오른쪽 그림은 직사각형 모양의 종이를 $\overline{BC}$를 접는 선으로 하여 접은 것이다. $\overline{AB}=4.8$ cm, $\overline{BC}=5$ cm일 때, $\overline{AC}$의 길이를 구하여라.

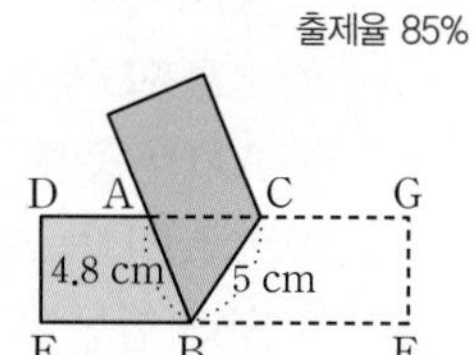

출제율 85%

35 상 직사각형 모양의 종이테이프를 오른쪽 그림과 같이 접었더니 $\angle BEC=48°$이었다. 이때 $\angle EFG$의 크기를 구하여라.

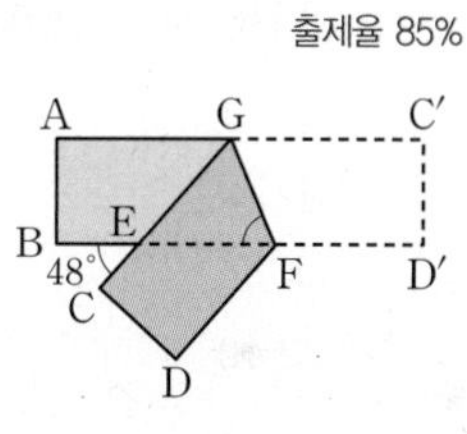

출제율 85%

36 상 폭이 일정한 종이테이프를 오른쪽 그림과 같이 접었을 때, $\angle x$의 크기를 구하여라.

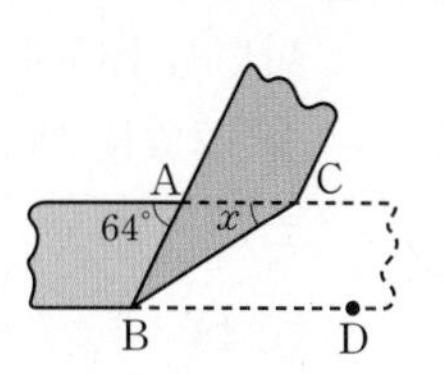

이것만 봐도 

01 오른쪽 그림의 △ABC에서 $\overline{AB}=\overline{AC}$, $\overline{BD}=\overline{CD}$일 때, 다음 중 ∠B=∠C임을 설명하는 과정에 이용되지 않는 것은?

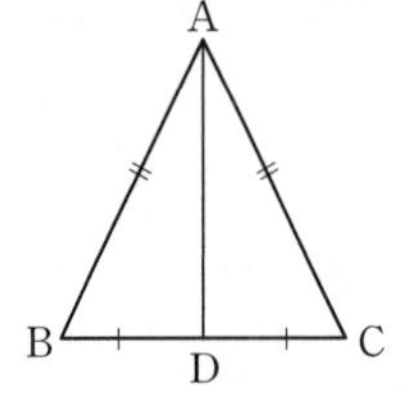

① $\overline{AB}=\overline{AC}$
② ∠BAD=∠CAD
③ $\overline{AD}$는 공통
④ △ABD≡△ACD
⑤ SSS 합동

02 오른쪽 그림과 같이 $\overline{AB}=\overline{AC}$인 이등변삼각형 ABC에서 ∠ACD=105° 일 때, ∠x의 크기는?

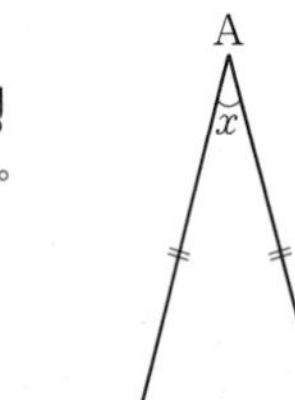
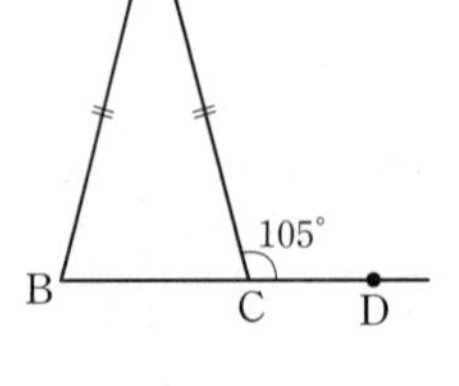

① 20° ② 25°
③ 30° ④ 35°
⑤ 40°

03 오른쪽 그림과 같이 $\overline{AB}=\overline{AC}$인 이등변삼각형 ABC에서 꼭짓점 A를 지나면서 $\overline{BC}$에 평행한 직선을 그었을 때, ∠x의 크기는?

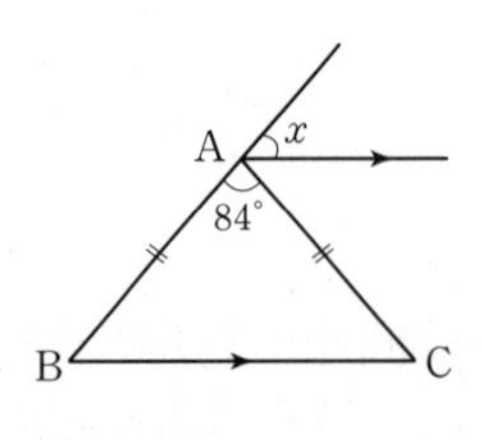

① 48° ② 54° ③ 58°
④ 64° ⑤ 84°

04 오른쪽 그림과 같이 $\overline{AB}=\overline{AC}$, ∠A=48°인 이등변삼각형 ABC에서 ∠B의 이등분선과 $\overline{AC}$의 교점을 D라 할 때, ∠BDC의 크기는?

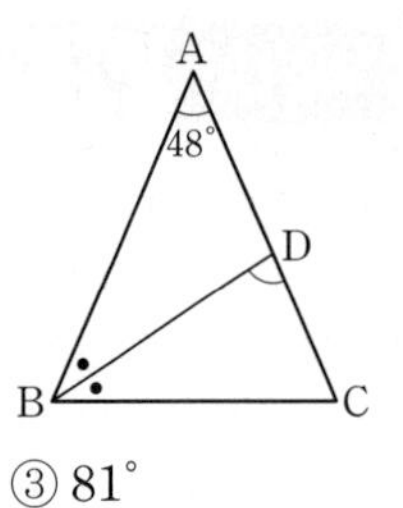

① 66° ② 68° ③ 81°
④ 84° ⑤ 92°

05 오른쪽 그림의 △ABC에서 $\overline{AB}=\overline{AC}$이고 꼭지각 A의 이등분선이 $\overline{BC}$와 만나는 점을 D라 할 때, 다음 중 옳지 않은 것은?

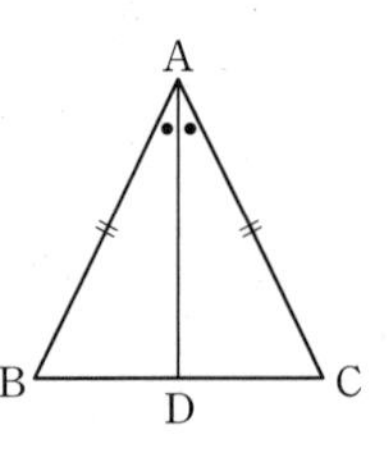

① ∠B=∠C ② $\overline{BC}=2\overline{BD}$
③ $\overline{AD}\perp\overline{BC}$ ④ △ABD≡△ACD
⑤ $\overline{AD}=\overline{BC}$

06 오른쪽 그림에서 $\overline{AB}=\overline{AC}$일 때, ∠$x$의 크기와 y의 값을 각각 구하면?

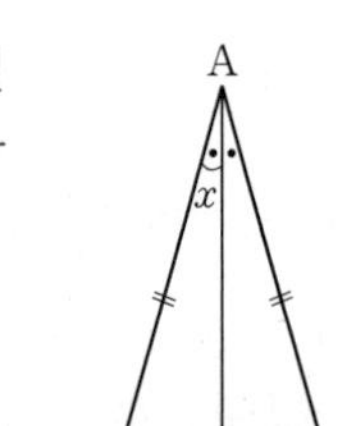
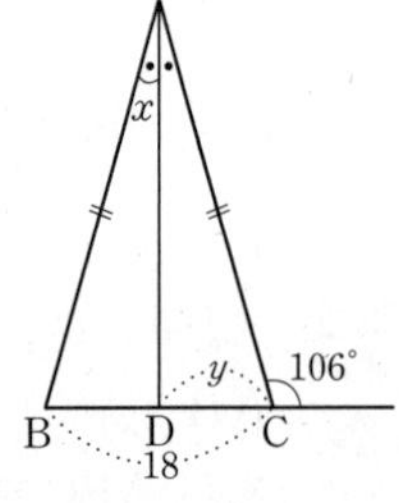

① ∠x=16°, y=9
② ∠x=16°, y=18
③ ∠x=26°, y=9
④ ∠x=26°, y=18
⑤ ∠x=32°, y=9

07 다음은 오른쪽 그림의 $\triangle ABC$에서 $\angle B=\angle C$이고 $\angle A$의 이등분선과 $\overline{BC}$의 교점을 D라 할 때, $\overline{AB}=\overline{AC}$임을 설명하는 과정이다. □ 안에 알맞은 것을 써넣어라.

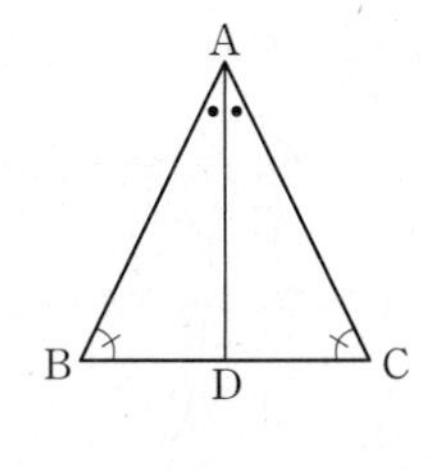

> $\triangle ABD$와 $\triangle ACD$에서
> $\angle BAD=$ □, □는 공통
> 삼각형의 세 내각의 크기의 합은 180°이므로
> □ $=\angle ADC$
> 따라서 $\triangle ABD\equiv\triangle ACD$(□ 합동)이므로
> $\overline{AB}=\overline{AC}$

08 오른쪽 그림의 $\triangle ABC$에서 $\angle A=70^\circ$, $\angle C=55^\circ$, $\overline{AB}=5$ cm일 때, $\overline{AC}$의 길이는?

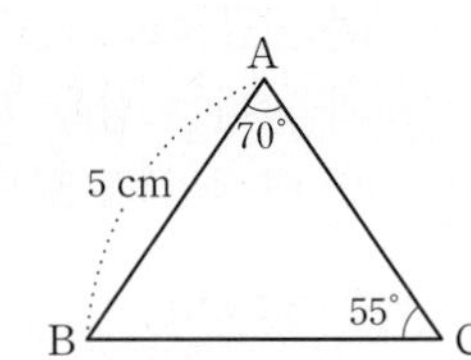

① 3 cm ② 4 cm ③ 5 cm
④ 6 cm ⑤ 7 cm

09 오른쪽 그림과 같은 $\triangle ABC$에서 $\angle B=\angle C$이고, $\overline{AD}$는 $\angle A$의 이등분선이다. $\overline{BD}=4$ cm일 때, $\overline{BC}$의 길이는?

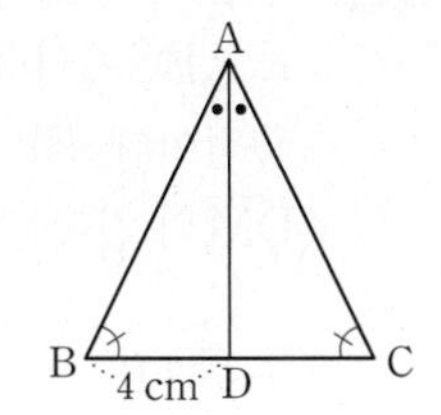

① 4 cm ② 6 cm
③ 8 cm ④ 10 cm
⑤ 12 cm

10 오른쪽 그림의 직각삼각형 ABC에서 $\angle DAC=\angle DCA=50^\circ$, $\overline{AD}=4$ cm일 때, $\overline{DB}$의 길이는?

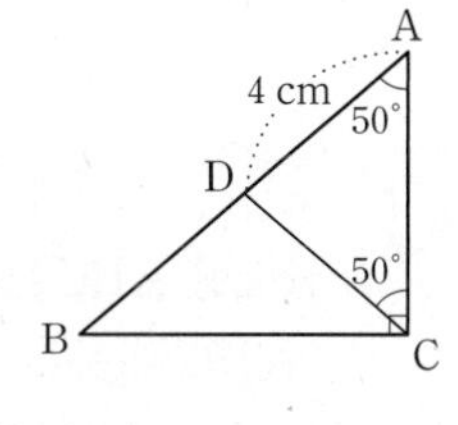

① 3 cm ② 4 cm ③ 5 cm
④ 6 cm ⑤ 7 cm

11 오른쪽 그림의 $\overline{AB}=\overline{AC}$인 이등변삼각형 ABC에서 $\overline{AD}=\overline{AE}$일 때, 합동인 삼각형을 바르게 찾은 것은?

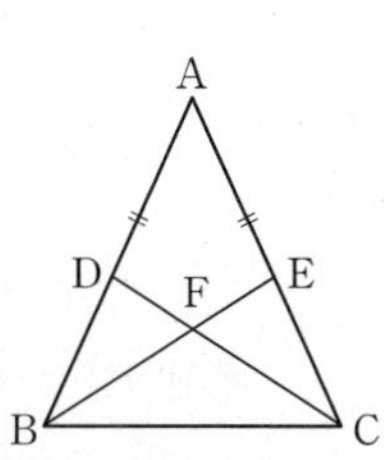

① $\triangle ABE\equiv\triangle DBC$
② $\triangle ACD\equiv\triangle ECB$
③ $\triangle DBF\equiv\triangle ECB$
④ $\triangle ECF\equiv\triangle DBF$
⑤ $\triangle ECB\equiv\triangle ABE$

12 오른쪽 그림의 $\overline{AB}=\overline{AC}$인 이등변삼각형 ABC에서 $\angle A=88^\circ$이고 $\overline{BD}=\overline{BE}$, $\overline{CE}=\overline{CF}$일 때, $\angle x$의 크기는?

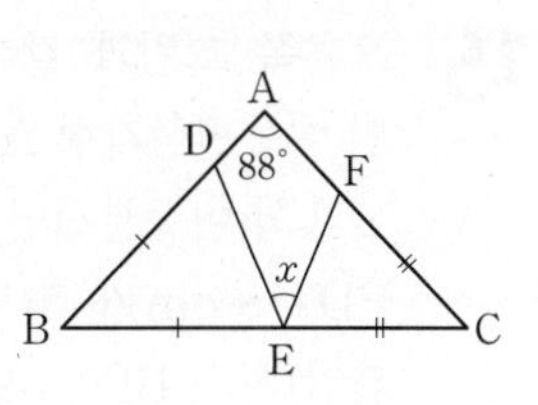

① 45° ② 46° ③ 47°
④ 48° ⑤ 50°

13 오른쪽 그림과 같이 직각이등변삼각형 ABC에서 $\angle B$와 $\angle C$의 외각의 이등분선의 교점을 P라 할 때, $\angle BPC$의 크기는?

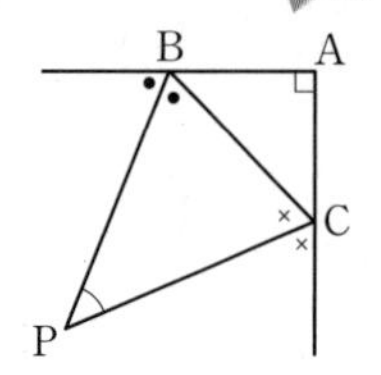

① 30°　② 35°
③ 40°　④ 45°
⑤ 50°

14 오른쪽 그림과 같이 $\angle A=28^\circ$이고 $\overline{AB}=\overline{AC}$인 이등변삼각형 ABC에서 $\overline{BF}=\overline{CD}$, $\overline{BD}=\overline{CE}$일 때, $\angle x$의 크기는?

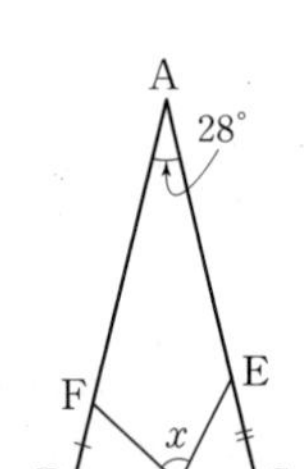

① 70°　② 72°
③ 74°　④ 75°
⑤ 76°

15 오른쪽 그림과 같이 $\overline{AB}=\overline{AC}$인 이등변삼각형 ABC에서 $\angle A$의 이등분선인 $\overline{AD}$ 위에 $\overline{PD}=8$ cm가 되도록 점 P를 잡았다. $\angle BPC=90^\circ$일 때, $\overline{BC}$의 길이는?

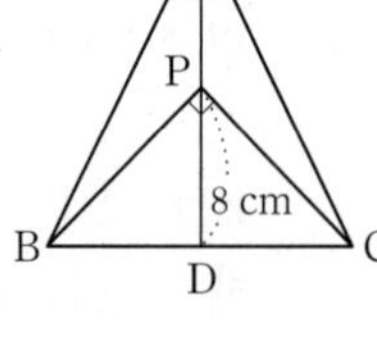
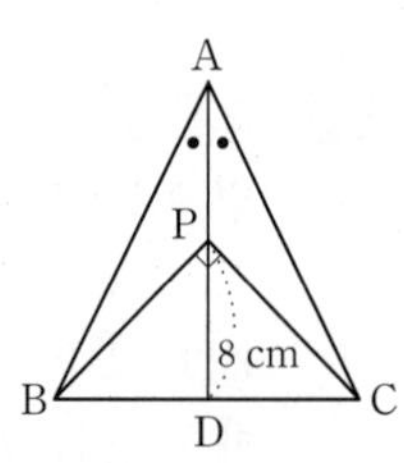

① 14 cm　② 15 cm　③ 16 cm
④ 18 cm　⑤ 20 cm

16 직사각형 모양의 종이테이프를 오른쪽 그림과 같이 접었을 때, $\angle x$의 크기는?

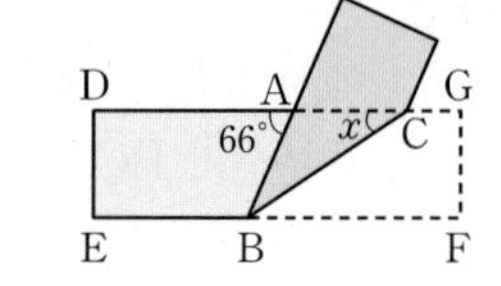

① 30°　② 31°
③ 33°　④ 35°
⑤ 38°

17 오른쪽 그림의 $\overline{AB}=\overline{AC}$인 $\triangle ABC$에서 $\overline{BC}=12$ cm, $\angle A=40^\circ$, $\overline{BM}=\overline{CM}$이고 $\overline{BC}$를 지름으로 하는 반원과 $\triangle ABC$가 만나는 점을 각각 점 D, E라 할 때, 부채꼴 MED의 넓이는?

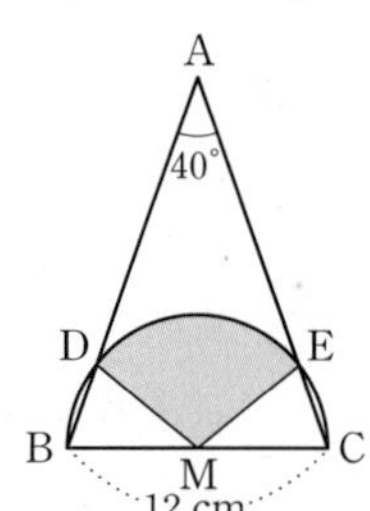

① 8π cm^2　② 10π cm^2
③ 12π cm^2　④ 17π cm^2
⑤ 20π cm^2

18 오른쪽 그림의 $\overline{AB}=\overline{AC}$인 $\triangle ABC$에서 점 M은 $\overline{BC}$의 중점이다. $\overline{BF}=6$ cm일 때, $\overline{DM}$의 길이는?

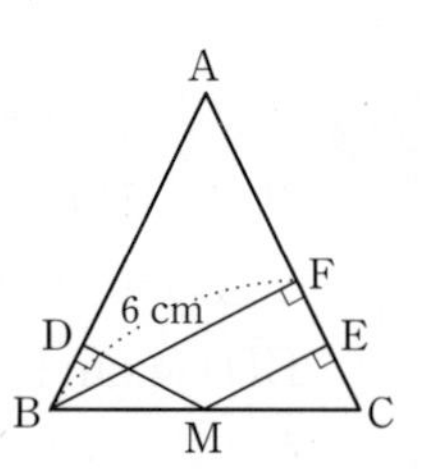

① $\frac{3}{2}$ cm　② 2 cm
③ $\frac{5}{2}$ cm　④ 3 cm
⑤ $\frac{7}{2}$ cm

단계형

19 오른쪽 그림과 같이 $\overline{AB}=\overline{AC}$인 이등변삼각형 ABC에서 $\overline{CB}=\overline{CD}$이고, $\angle CBD=63°$일 때, $\angle x$의 크기를 구하여라. [6점]

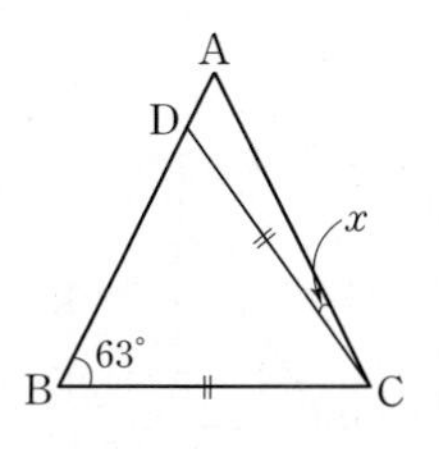

1단계 $\angle ACB$의 크기 구하기 [2점]

2단계 $\angle BCD$의 크기 구하기 [3점]

3단계 $\angle x$의 크기 구하기 [1점]

단계형

20 오른쪽 그림에서 $\overline{BD}=\overline{DE}=\overline{EA}=\overline{AC}$이고 $\angle C=\angle B+46°$일 때, $\angle EAC$의 크기를 구하여라. [7점]

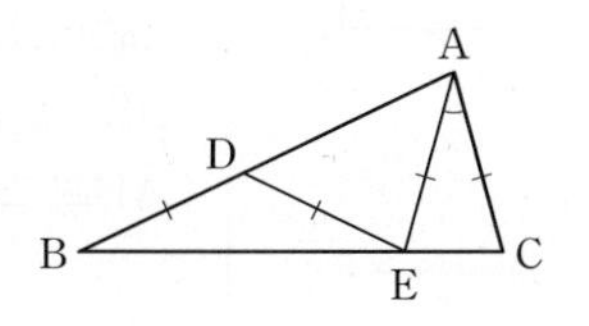

1단계 $\angle B=\angle x$라 할 때, $\angle C$를 $\angle x$로 나타내기 [3점]

2단계 $\angle x$의 크기 구하기 [2점]

3단계 $\angle EAC$의 크기 구하기 [2점]

사고력

21 오른쪽 그림에서 $\overline{AB}=\overline{AC}$, $\angle A=40°$, $\angle ABD=\angle DBE$, $\angle ACD=\angle DCE$일 때, $\angle x$의 크기를 구하여라. [8점]

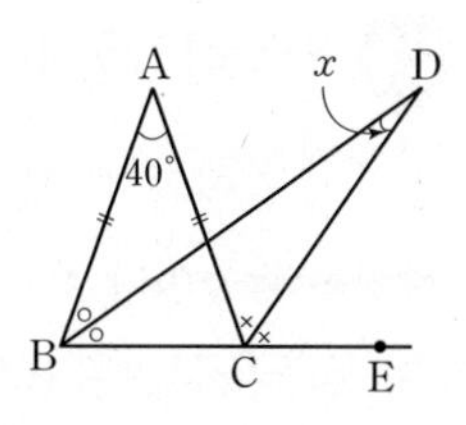

사고력

22 오른쪽 그림과 같이 $\overline{AB}=\overline{AC}$인 이등변삼각형 ABC에서 $\angle B$의 이등분선과 $\overline{AC}$의 교점을 D라 하자. $\angle A=36°$일 때, $\overline{AD}$의 길이를 구하여라. [5점]

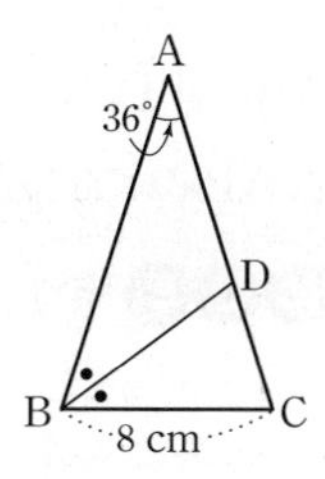

01 직각삼각형의 합동조건(1) – RHA 합동

빗변의 길이와 한 예각의 크기가 각각 같은 두 직각삼각형은 합동이다.

즉, 오른쪽 그림의 $\angle C = \angle F = 90°$인 두 직각삼각형 ABC와 DEF에서 $\overline{AB} = \overline{DE}$, $\angle B = \angle E$이면

$\triangle ABC \equiv \triangle DEF$(RHA 합동)

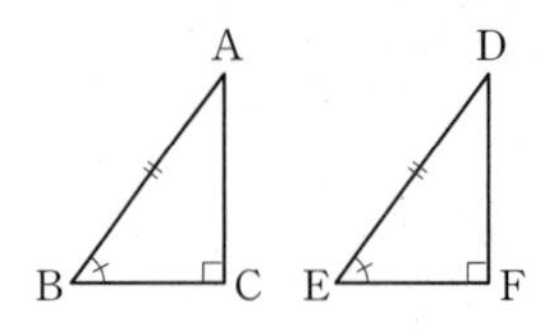

포인트개념

두 직각삼각형에서
- 빗변의 길이가 같다.
- 한 예각의 크기가 같다.

➡ RHA 합동

예제 1

오른쪽 그림에서 $\triangle ABC$는 $\angle C = 90°$, $\overline{AC} = \overline{BC}$인 직각이등변삼각형이다. $\overline{AC} = 5$ cm일 때, $\overline{BD}$의 길이를 구하여라.

02 직각삼각형의 합동조건(2) – RHS 합동

빗변의 길이와 다른 한 변의 길이가 각각 같은 두 직각삼각형은 합동이다.

즉, 오른쪽 그림의 $\angle C = \angle F = 90°$인 두 직각삼각형 ABC와 DEF에서 $\overline{AB} = \overline{DE}$, $\overline{AC} = \overline{DF}$이면

$\triangle ABC \equiv \triangle DEF$(RHS 합동)

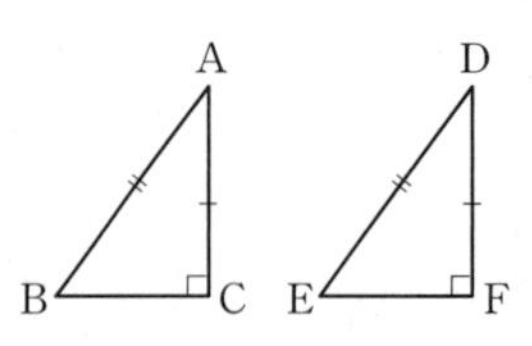

포인트개념

두 직각삼각형에서
- 빗변의 길이가 같다.
- 다른 한 변의 길이가 같다.

➡ RHS 합동

예제 2

오른쪽 그림에서 $\triangle ABC$는 $\angle C = 90°$, $\overline{AC} = \overline{BC}$인 직각이등변삼각형이다. $\overline{BC} = 4$ cm일 때, $\overline{AD}$의 길이를 구하여라.

03 각의 이등분선의 성질

(1) 각의 이등분선 위의 임의의 점은 그 각의 두 변에서 같은 거리에 있다.
즉, $\angle AOP = \angle BOP$이면 $\overline{PA} = \overline{PB}$

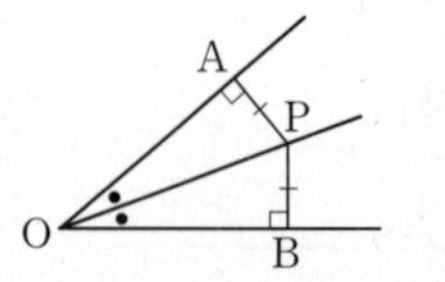

(2) 각의 두 변에서 같은 거리에 있는 점은 그 각의 이등분선 위에 있다.
즉, $\overline{PA} = \overline{PB}$이면 $\angle AOP = \angle BOP$

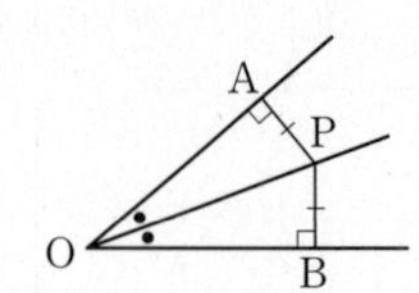

예제 3

오른쪽 그림과 같이 직각삼각형 ABC에서 $\angle A$의 이등분선과 $\overline{BC}$의 교점을 D라 하자. $\overline{AC} \perp \overline{DE}$이고 $\overline{DE} = 7$ cm일 때, $\overline{BD}$의 길이를 구하여라.

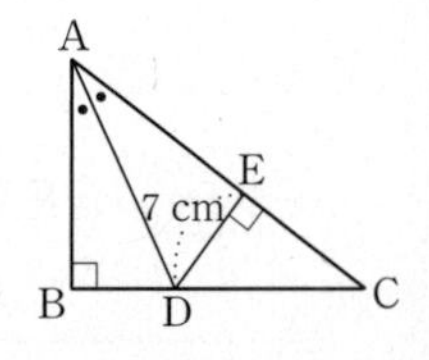

04 삼각형의 외심

(1) **외접원과 외심** : 한 다각형의 모든 꼭짓점이 한 원 위에 있을 때, 원은 다각형에 외접한다고 하고 이 원을 다각형의 외접원이라 한다. 또, 외접원의 중심을 외심이라 한다.

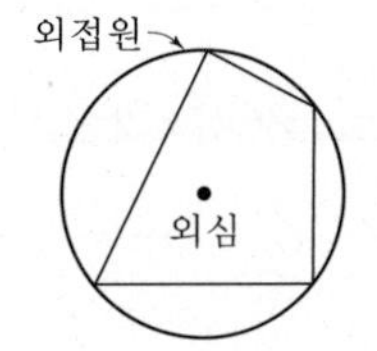

(2) **삼각형의 외심** : 삼각형의 외접원의 중심

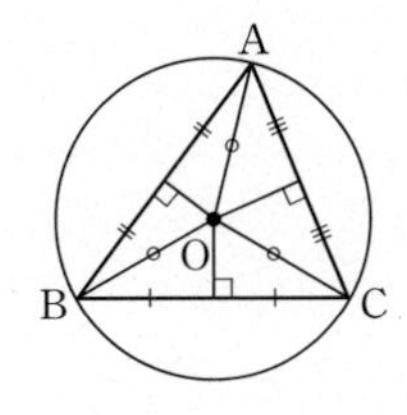

(3) **삼각형의 외심의 성질**

① 삼각형의 세 변의 수직이등분선은 한 점(외심)에서 만난다.

② 삼각형의 외심에서 세 꼭짓점에 이르는 거리는 같다.
즉, $\overline{OA}=\overline{OB}=\overline{OC}$(외접원의 반지름의 길이)

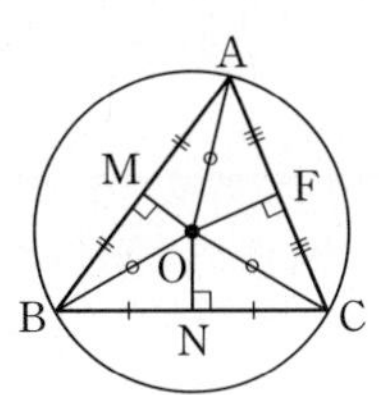

포인트 개념

- 다각형의 외접원이 항상 존재하는 것은 아니다.
  단, 삼각형과 정다각형의 외접원은 항상 존재한다.
- (3)의 그림에서
  $\triangle OAM \equiv \triangle OBM$
  $\triangle OBN \equiv \triangle OCN$
  $\triangle OAF \equiv \triangle OCF$
  SAS 합동

예제 4

오른쪽 그림에서 점 O는 $\triangle ABC$의 외심이고 $\overline{OB}=5$ cm일 때, $\triangle ABC$의 외접원의 넓이를 구하여라.

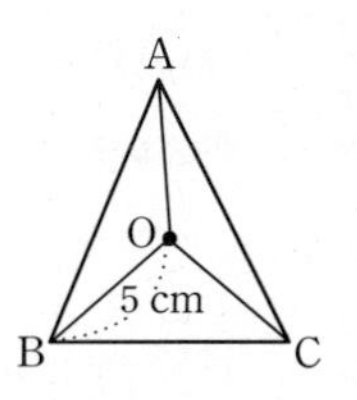

05 삼각형의 외심의 위치

(1) **예각삼각형** : 삼각형의 내부

(2) **직각삼각형** : 빗변의 중점

(3) **둔각삼각형** : 삼각형의 외부

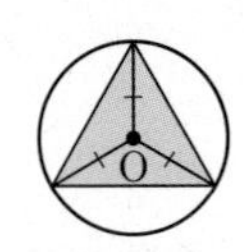

[예각삼각형]

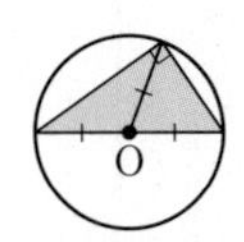

[직각삼각형]

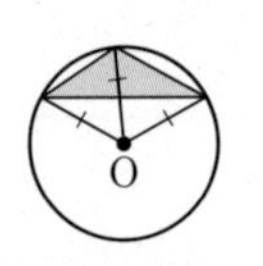

[둔각삼각형]

포인트 개념

- 직각삼각형의 외심은 빗변의 중점이므로 '빗변의 중점에서 세 꼭짓점에 이르는 거리는 같다.' 고 말할 수 있다.

예제 5

오른쪽 그림에서 점 O는 직각삼각형 ABC의 외심이다. 이때 x, y의 값을 각각 구하여라.

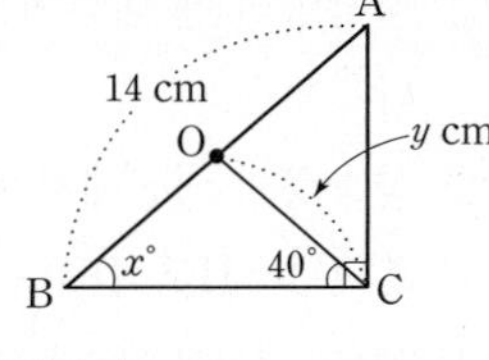

06 삼각형의 외심의 활용

점 O가 $\triangle ABC$의 외심일 때,

(1) $\angle x+\angle y+\angle z=90^\circ$

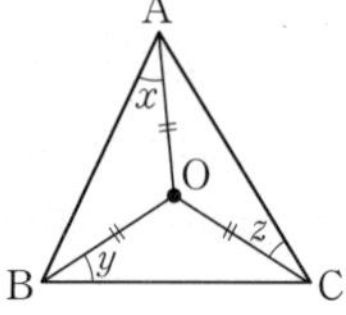

(2) $\angle BOC=2\angle A$

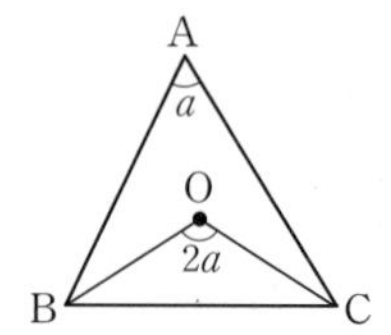

포인트 개념

- (1), (2)의 설명
  (1) $2\angle x+2\angle y+2\angle z=180^\circ$
  $\therefore\ \angle x+\angle y+\angle z=90^\circ$
  (2) $\angle BOC=2\angle x+2\angle z$
  $=2(\angle x+\angle z)$
  $=2\angle A$

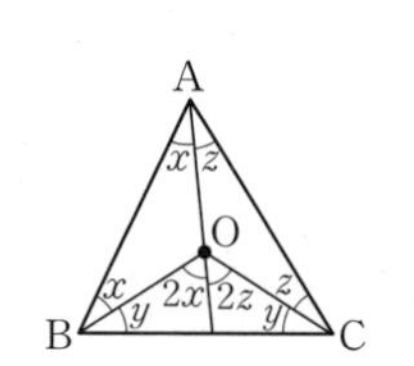

07 삼각형의 내심

(1) 접선과 접점 : 어떤 원과 직선이 한 점에서 만날 때, 직선이 원에 접한다고 한다. 이때 원에 접하는 직선을 접선이라 하고, 원과 접선이 만나는 점을 접점이라 한다. 원의 접선은 접점을 지나는 반지름에 수직이다.

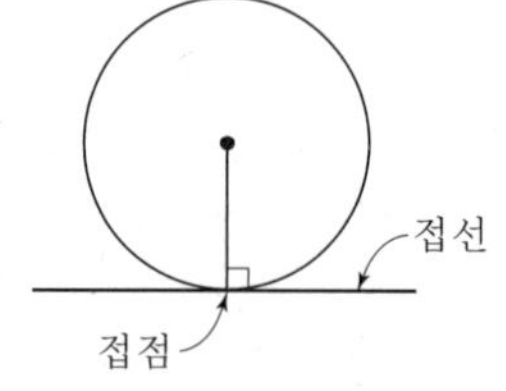

(2) 내접원과 내심 : 한 원이 다각형의 모든 변에 접할 때, 원은 다각형에 내접한다고 하고 이 원을 다각형의 내접원이라 한다. 또, 내접원의 중심을 내심이라 한다.

(3) 삼각형의 내심 : 삼각형의 내접원의 중심

(4) 삼각형의 내심의 성질

① 삼각형의 세 내각의 이등분선은 한 점(내심)에서 만난다.

② 삼각형의 내심에서 세 변에 이르는 거리는 같다.
즉, $\overline{ID}=\overline{IE}=\overline{IF}$(내접원의 반지름의 길이)

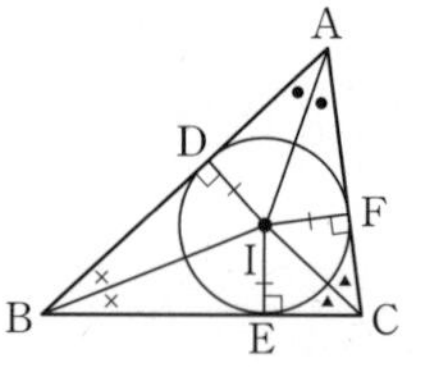

(5) 삼각형의 내심의 위치 : 모든 삼각형의 내심은 삼각형의 내부에 있다.

포인트 개념

- 다각형의 내접원이 항상 존재하는 것은 아니다.
  단, 삼각형과 정다각형의 내접원은 항상 존재한다.
- (3)의 그림에서
  $\triangle IAD\equiv\triangle IAF$
  $\triangle IBD\equiv\triangle IBE$ RHA 합동
  $\triangle ICE\equiv\triangle ICF$

예제 6

다음 그림에서 점 O가 $\triangle ABC$의 외심일 때, $\angle x$의 크기를 구하여라.

(1)

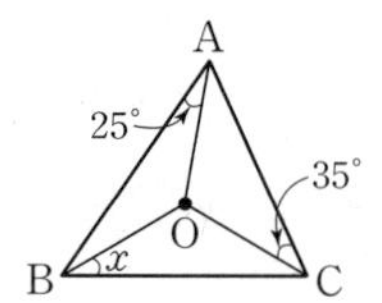

(2)

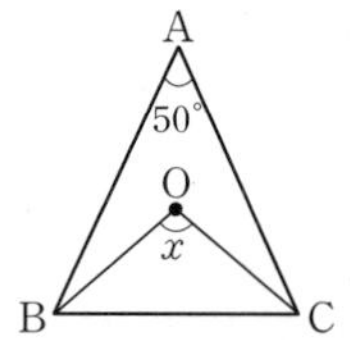

예제 7

오른쪽 그림에서 점 I는 $\triangle ABC$의 내심이고 $\angle IAB=38^\circ$, $\angle IBC=20^\circ$일 때, $\angle x$의 크기를 구하여라.

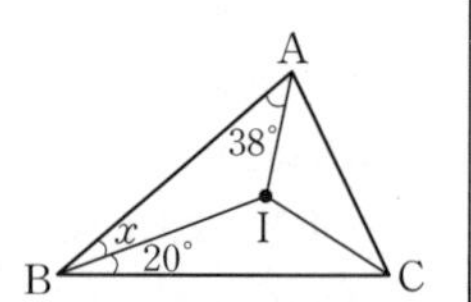

08 삼각형의 내심의 활용

점 I가 $\triangle$ABC의 내심일 때,

(1) $\angle x+\angle y+\angle z=90^\circ$

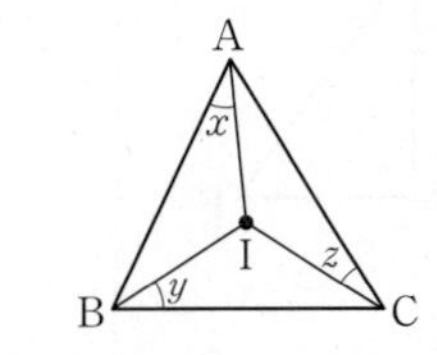

(2) $\angle \mathrm{BIC}=90^\circ+\frac{1}{2}\angle \mathrm{A}$

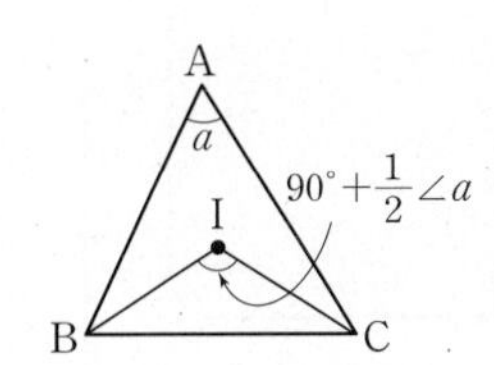

(3) 세 점 D, E, F가 접점일 때,

① $\overline{\mathrm{AD}}=\overline{\mathrm{AF}}$

② $\overline{\mathrm{BD}}=\overline{\mathrm{BE}}$

③ $\overline{\mathrm{CE}}=\overline{\mathrm{CF}}$

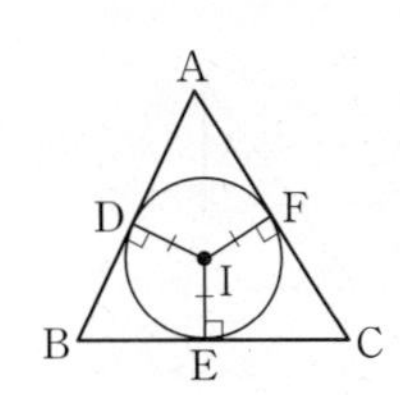

(4) $\triangle$ABC의 내접원의 반지름의 길이를 r라 할 때

$\triangle \mathrm{ABC}=\frac{1}{2}r(\overline{\mathrm{AB}}+\overline{\mathrm{BC}}+\overline{\mathrm{CA}})$

포인트 개념

- (1), (2), (3), (4)의 설명

(1) $2\angle x+2\angle y+2\angle z=180^\circ$

$\therefore\ \angle x+\angle y+\angle z=90^\circ$

(2) $\angle \mathrm{BIC}=(\angle x+\angle y)+(\angle x+\angle z)$

$=(\angle x+\angle y+\angle z)+\angle x$

$=90^\circ+\frac{1}{2}\angle \mathrm{A}$

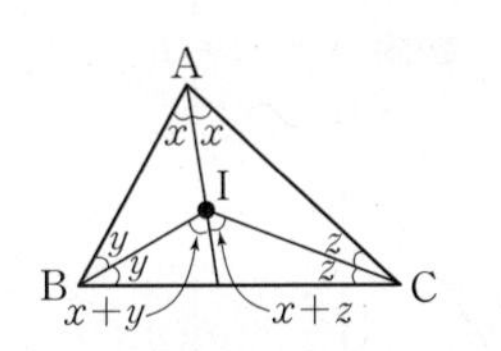

(3) $\triangle$IAD$\equiv\triangle$IAF, $\triangle$IBD$\equiv\triangle$IBE, $\triangle$ICE$\equiv\triangle$ICF 이므로 $\overline{\mathrm{AD}}=\overline{\mathrm{AF}}$, $\overline{\mathrm{BD}}=\overline{\mathrm{BE}}$, $\overline{\mathrm{CE}}=\overline{\mathrm{CF}}$

(4) $\triangle \mathrm{ABC}=\triangle \mathrm{IAB}+\triangle \mathrm{IBC}+\triangle \mathrm{ICA}$

$=\frac{1}{2}r\overline{\mathrm{AB}}+\frac{1}{2}r\overline{\mathrm{BC}}+\frac{1}{2}r\overline{\mathrm{CA}}$

$=\frac{1}{2}r(\overline{\mathrm{AB}}+\overline{\mathrm{BC}}+\overline{\mathrm{CA}})$

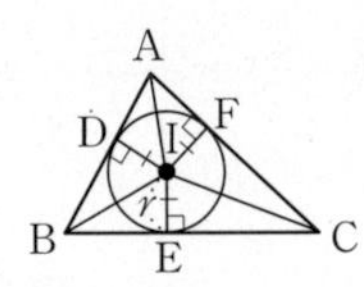

예제 8

다음 그림에서 점 I가 $\triangle$ABC의 내심일 때, $\angle x$의 크기를 구하여라.

(1)

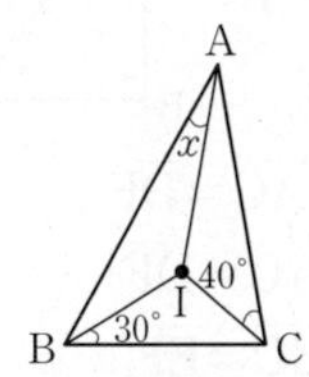

(2)

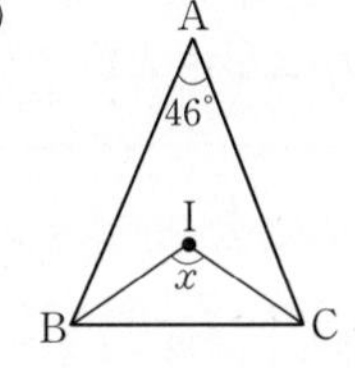

예제 9

오른쪽 그림에서 점 I는 $\triangle$ABC의 내심이고 $\overline{\mathrm{AD}}=2$ cm, $\overline{\mathrm{AC}}=5$ cm일 때, $\overline{\mathrm{CF}}$의 길이를 구하여라.

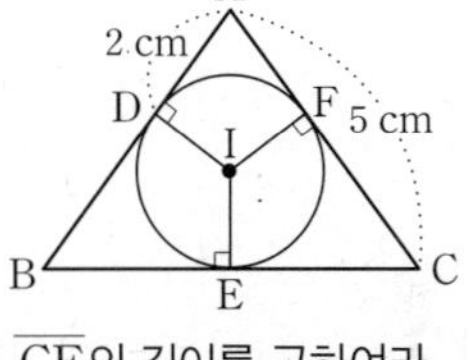

예제 10

오른쪽 그림에서 점 I가 $\triangle$ABC의 내심일 때, $\triangle$ABC의 내접원의 반지름의 길이를 구하여라.

유형 STYLE 유형격파+기출문제

대표유형 직각삼각형의 합동조건

01 오른쪽 그림과 같은 두 직각삼각형이 합동이 되는 조건이 아닌 것은?

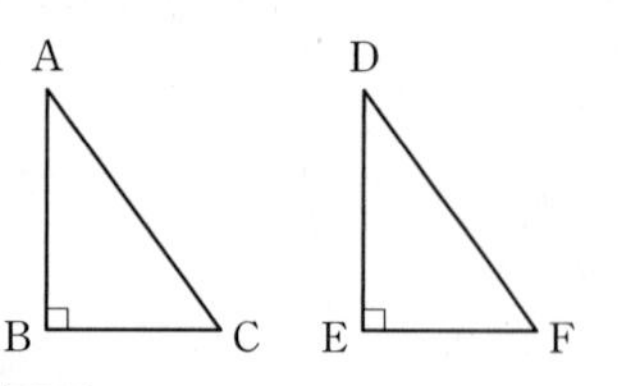

① $\angle C=\angle F$, $\overline{AC}=\overline{DF}$
② $\overline{AB}=\overline{DE}$, $\overline{AC}=\overline{DF}$
③ $\overline{AB}=\overline{DE}$, $\overline{BC}=\overline{EF}$
④ $\angle A=\angle D$, $\overline{AB}=\overline{DE}$
⑤ $\angle A=\angle D$, $\angle C=\angle F$

내신 UP POINT

(1) 빗변의 길이와 한 예각의 크기가 각각 같은 두 직각삼각형은 합동이다. (RHA 합동)
(2) 빗변의 길이와 다른 한 변의 길이가 각각 같은 두 직각삼각형은 합동이다. (RHS 합동)

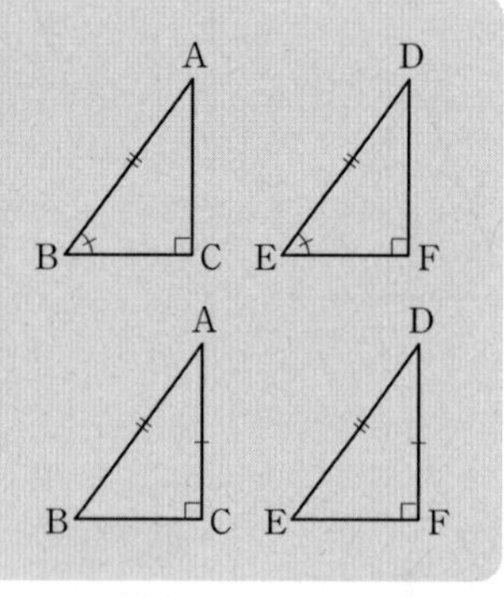

출제율 90%

02 (하) 오른쪽 그림과 같은 두 직각삼각형 ABC와 DEF에서 다음 각 경우에 대한 합동조건을 써라.

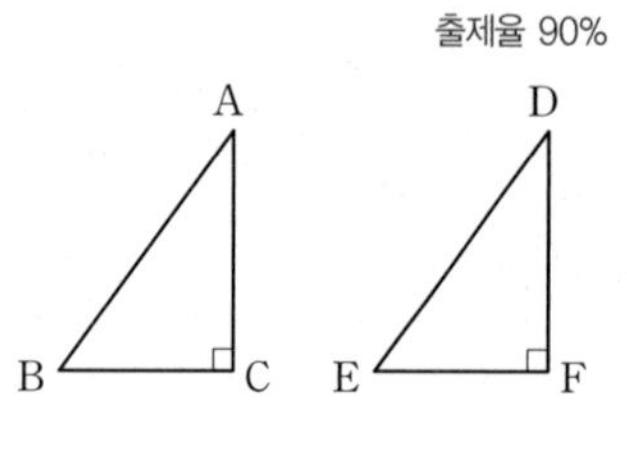

(1) $\overline{AB}=\overline{DE}$, $\overline{AC}=\overline{DF}$
(2) $\overline{AB}=\overline{DE}$, $\angle A=\angle D$

출제율 95%

03 (중) 오른쪽 그림과 같은 두 직각삼각형에서 $\overline{DE}$의 길이를 구하여라.

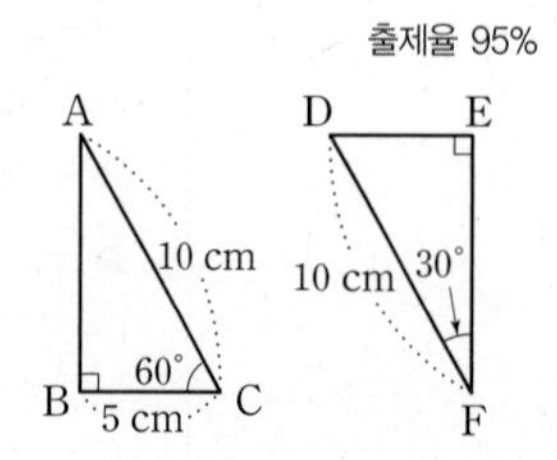

출제율 95%

04 (상) 다음 직각삼각형 중에서 서로 합동인 것을 찾아 기호로 나타내고, 그때의 합동조건을 말하여라.

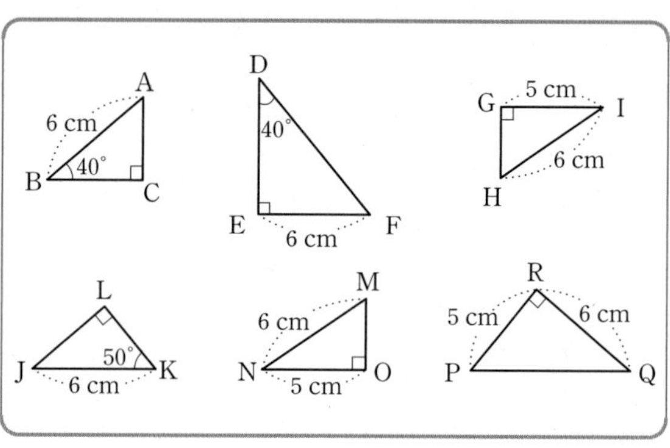

대표유형 직각삼각형의 합동조건의 활용 – RHA 합동

05 오른쪽 그림의 $\triangle ABC$에서 $\overline{AB}=\overline{AC}$이고, $\overline{BC}$의 중점 M에서 $\overline{AB}$, $\overline{AC}$에 내린 수선의 발을 각각 D, E라 하자. $\overline{DM}=4$ cm일 때, $\overline{EM}$의 길이를 구하여라.

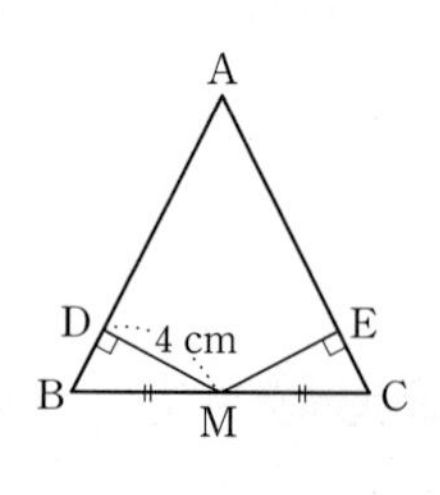

출제율 95%

06 (하) 오른쪽 그림과 같이 점 A, B에서 $\overline{AB}$의 중점 P를 지나는 직선 l에 내린 수선의 발을 각각 C, D라 하자. $\overline{BD}=5$ cm일 때, $\overline{AC}$의 길이를 구하여라.

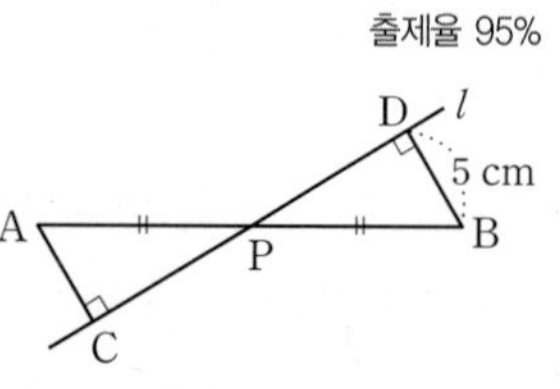

출제율 95%

07 중 오른쪽 그림에서 $\overline{AB}=\overline{AC}$, $\angle BAC=90°$ 이고 $\overline{DB}=8$ cm, $\overline{EC}=4$ cm일 때, $\overline{DE}$의 길이는?

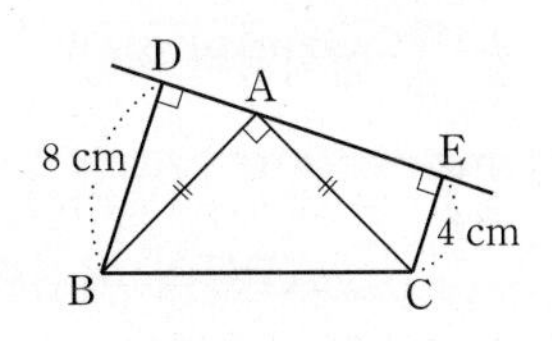

① 8 cm ② 9 cm ③ 10 cm
④ 11 cm ⑤ 12 cm

출제율 95%

08 상 오른쪽 그림에서 $\overline{CD}=\overline{CE}$이고, $\angle DCE=90°$이다. $\overline{DA}=6$ cm, $\overline{BE}=4$ cm일 때, □ABED의 넓이는?

① 25 cm^2 ② 50 cm^2 ③ 75 cm^2
④ 100 cm^2 ⑤ 120 cm^2

대표유형 **직각삼각형의 합동조건의 활용 – RHS 합동**

09 오른쪽 그림과 같이 $\angle C=90°$인 직각삼각형 ABC에서 $\overline{BC}=\overline{BE}$이고 $\angle DEB=90°$일 때, 다음 중 옳지 <u>않은</u> 것은?

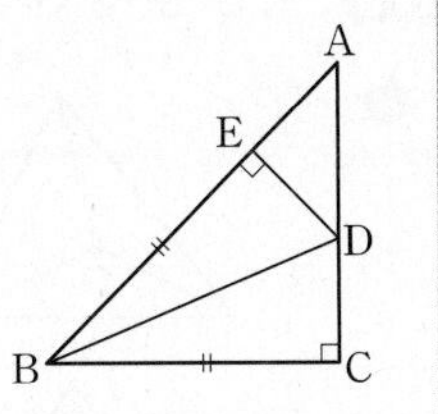

① $\overline{DC}=\overline{DE}$
② $\overline{AC}=\overline{BD}$
③ $\angle BDC=\angle BDE$
④ $\angle CBD=\angle EBD$
⑤ $\triangle DBC\equiv\triangle DBE$

출제율 95%

10 하 오른쪽 그림과 같이 $\angle A=90°$인 직각삼각형 ABC에서 $\overline{ED}\perp\overline{BC}$, $\overline{AB}=\overline{BD}$이고 $\overline{AE}=9$ cm일 때, $\overline{DE}$의 길이를 구하여라.

출제율 95%

11 중 오른쪽 그림의 직각삼각형 ABC에서 $\overline{AC}=\overline{AD}$, $\angle CAE=23°$일 때, $\angle DEB$의 크기는?

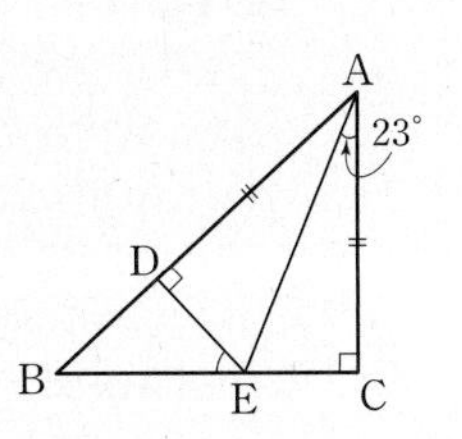

① 36° ② 42°
③ 46° ④ 52°
⑤ 66°

출제율 95%

12 중 오른쪽 그림의 △ABC에서 $\overline{BE}=\overline{CD}$이고 $\angle A=40°$일 때, $\angle BCE$의 크기는?

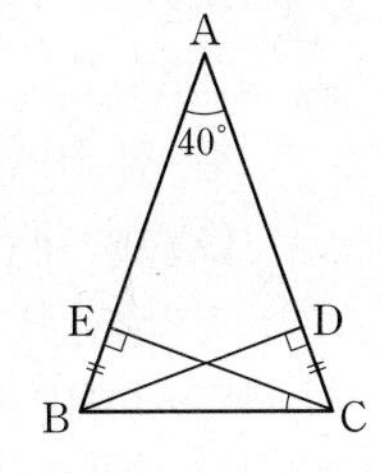

① 18° ② 19° ③ 20°
④ 22° ⑤ 23°

출제율 90%

13 상 오른쪽 그림과 같이 $\angle C=90°$인 직각삼각형 ABC에서 $\overline{BE}=\overline{BC}$이고 $\overline{AB}=30$ cm, $\overline{CD}=8$ cm일 때, △ABD의 넓이를 구하여라.

대표유형 각의 이등분선의 성질

14 오른쪽 그림과 같이 직각삼각형 ABC에서 $\angle B$의 이등분선과 $\overline{AC}$의 교점을 D라 하자. $\overline{AB} \perp \overline{DE}$이고 $\overline{BC}=4$ cm, $\overline{DE}=2$ cm일 때, $\triangle BCD$의 넓이를 구하여라.

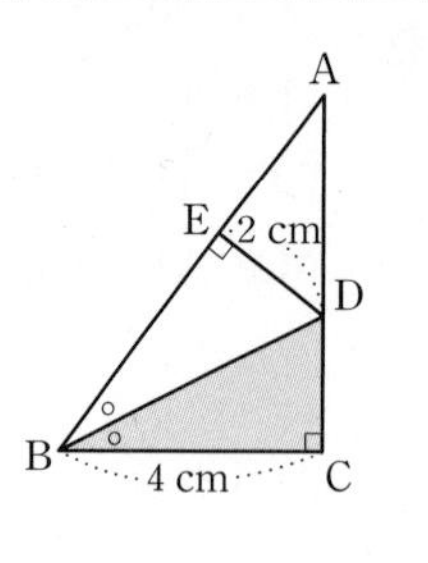

내신 UP POINT

오른쪽 그림에서

(1) $\angle AOP=\angle BOP$이면
$\triangle AOP \equiv \triangle BOP$(RHA 합동)
이므로 $\overline{PA}=\overline{PB}$

(2) $\overline{PA}=\overline{PB}$이면
$\triangle AOP \equiv \triangle BOP$(RHS 합동)이므로
$\angle AOP=\angle BOP$

출제율 90%

15 (중) 오른쪽 그림과 같이 $\angle XOY$의 이등분선 위의 한 점 P에서 두 변 OX, OY에 내린 수선의 발을 각각 A, B라 할 때, □AOBP의 둘레의 길이를 구하여라.

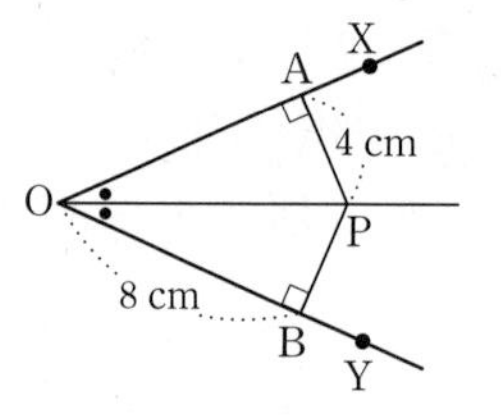

출제율 85%

16 (중) 오른쪽 그림에서 $\angle PAO=\angle PBO=90°$, $\overline{AP}=\overline{BP}$일 때, 다음 중 옳지 않은 것은?

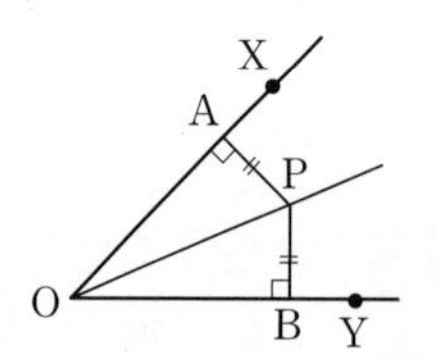

① $\overline{AO}=\overline{BO}$
② $\angle APO=\angle BPO$
③ $\angle AOP=\angle BOP$
④ $\triangle AOP \equiv \triangle BOP$
⑤ $\angle APO=2\angle AOP$

대표유형 삼각형의 외심

17 오른쪽 그림에서 점 O는 $\triangle ABC$의 외심이다. 다음 중 항상 옳은 것을 모두 고른 것은?

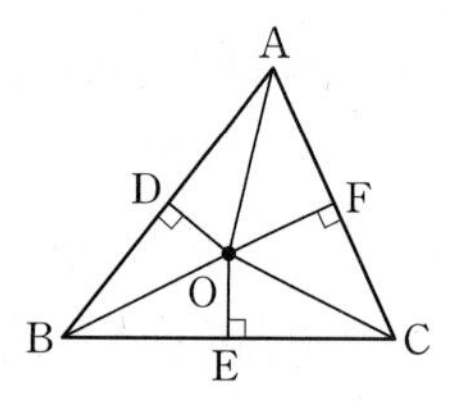

ㄱ. $\overline{OD}=\overline{OE}=\overline{OF}$
ㄴ. $\overline{OA}=\overline{OB}=\overline{OC}$
ㄷ. $\triangle OAD \equiv \triangle OBD$
ㄹ. $\triangle OEC \equiv \triangle OFC$
ㅁ. $\overline{BE}=\overline{CE}$
ㅂ. $\triangle OAD=\triangle OAF$

① ㄱ, ㅁ ② ㄷ, ㄹ ③ ㄱ, ㄴ, ㄹ
④ ㄴ, ㄷ, ㅁ ⑤ ㄴ, ㄹ, ㅂ

내신 UP POINT

(1) 삼각형의 세 변의 수직이등분선은 한 점(외심)에서 만난다.
(2) 삼각형의 외심에서 세 꼭짓점에 이르는 거리는 같다.
즉, $\overline{OA}=\overline{OB}=\overline{OC}$
(3) $\overline{OA}=\overline{OB}=\overline{OC}$이므로
$\triangle OAB$, $\triangle OBC$, $\triangle OCA$는 모두 이등변삼각형이다.

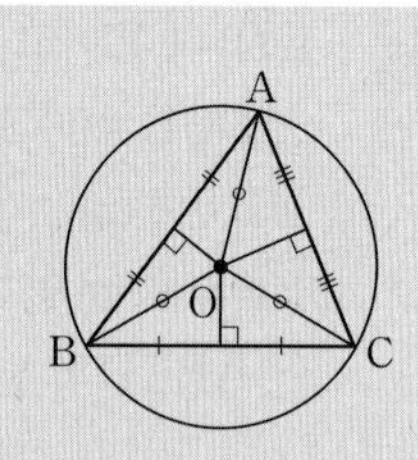

출제율 90%

18 (하) 다음 중 점 O가 외심인 것을 모두 고르면? (정답 2개)

①
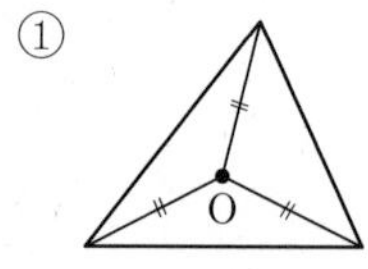

②
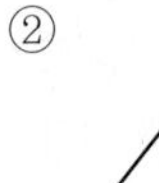

③
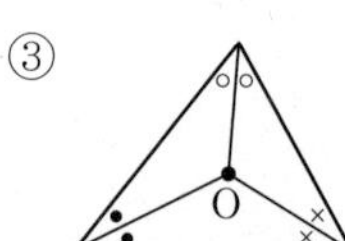

④
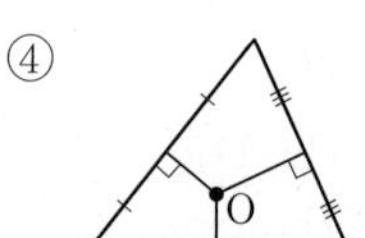
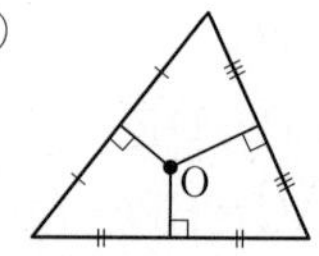

⑤
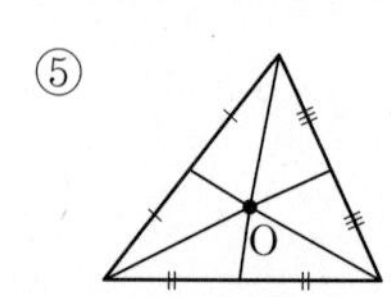

출제율 85%

19 (하) 다음은 삼각형의 세 변의 수직이등분선은 한 점에서 만남을 설명하는 과정이다. □ 안에 알맞은 것을 써넣어라.

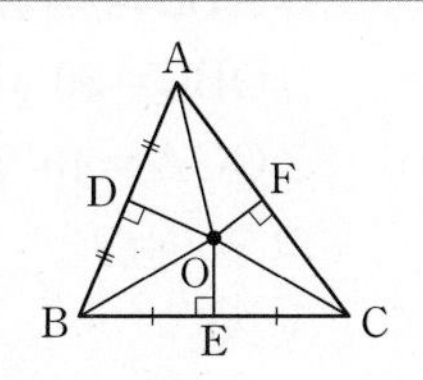

> $\triangle ABC$에서 $\overline{AB}$, $\overline{BC}$의 수직이등분선의 교점을 O라 하고 점 O에서 $\overline{AC}$에 내린 수선의 발을 F라 하면
> $\triangle AOD \equiv \triangle BOD$
> (□ 합동),
> $\triangle BOE \equiv$ □(SAS 합동)이므로
> $\overline{OA}=\overline{OB}$, $\overline{OB}=$□ $\therefore \overline{OA}=$□
> $\triangle AOF$와 $\triangle COF$에서
> $\angle AFO=\angle CFO=$□ ⋯⋯ ㉠
> $\overline{OA}=$□ ⋯⋯ ㉡
> □는 공통 ⋯⋯ ㉢
> ㉠, ㉡, ㉢에서 $\triangle AOF \equiv \triangle COF$(□ 합동)
> $\therefore \overline{AF}=$□
> 즉, $\overline{OF}$는 $\overline{AC}$의 □선이다.
> 따라서 삼각형의 세 변의 수직이등분선은 한 점에서 만난다.

출제율 90%

20 (하) 오른쪽 그림에서 점 O는 $\triangle ABC$의 외심이다. 점 O에서 $\overline{BC}$에 내린 수선의 발을 D라 할 때, $\overline{CD}$의 길이를 구하여라.

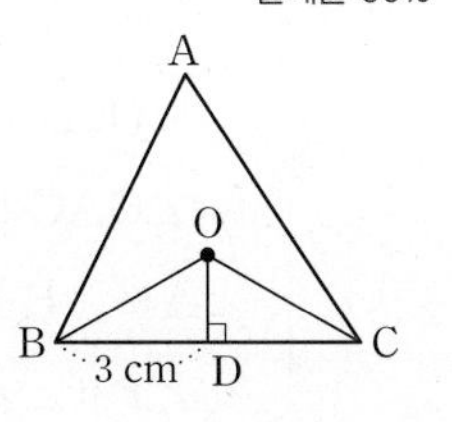

출제율 95%

21 (중) 오른쪽 그림에서 점 O는 $\triangle ABC$의 외심이고 $\angle AOC=120°$일 때, $\angle x$의 크기를 구하여라.

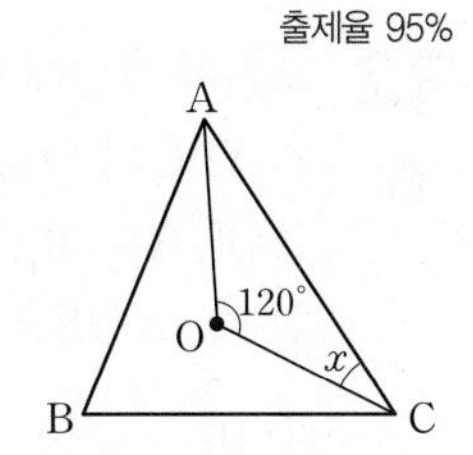

출제율 95%

22 (상) 오른쪽 그림에서 점 O는 $\triangle ABC$의 외심이다. $\overline{AC}=10$ cm이고 $\triangle AOC$의 둘레의 길이가 24 cm일 때, $\triangle ABC$의 외접원의 반지름의 길이는?

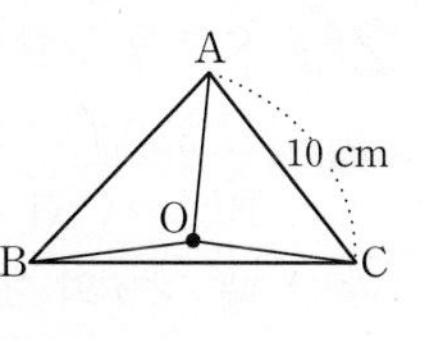

① 5 cm ② 7 cm ③ 10 cm
④ 12 cm ⑤ 24 cm

대표유형 직각삼각형의 외심

23 오른쪽 그림과 같은 직각삼각형 ABC에서 점 O는 $\overline{AB}$의 중점이고 $\overline{AB}=10$ cm일 때, $\overline{OC}$의 길이는?

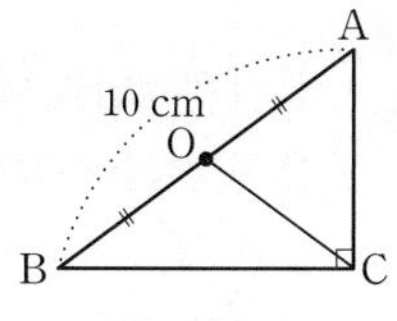

① 4 cm ② 5 cm ③ 5.5 cm
④ 6 cm ⑤ 6.5 cm

내신 UP POINT
직각삼각형의 외심은 빗변의 중점이다.

출제율 95%

24 (하) 오른쪽 그림과 같은 직각삼각형 ABC에서 $\overline{AB}=8$ cm일 때, 외접원의 반지름의 길이를 구하여라.

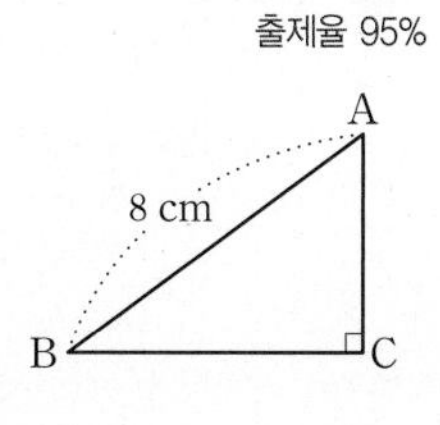

출제율 90%

25 (중) 오른쪽 그림과 같이 $\angle A=90°$인 직각삼각형 ABC에서 점 O는 $\triangle ABC$의 외심이고 $\overline{AB}=12$ cm, $\overline{BC}=13$ cm, $\triangle OAB=15\text{ cm}^2$일 때, $\triangle ABC$의 넓이를 구하여라.

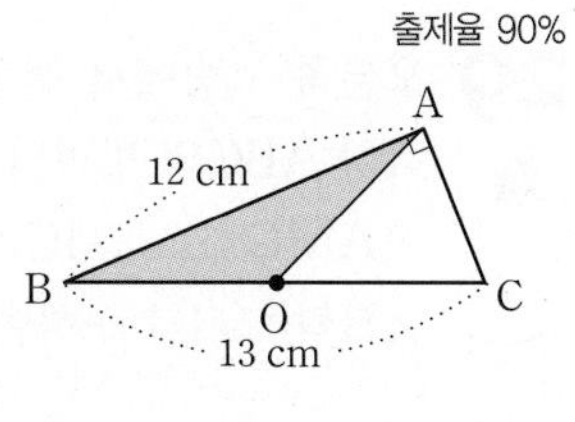

출제율 95%

26 중 오른쪽 그림과 같은 직각삼각형 ABC에서 $\overline{BM}=\overline{CM}$, $\angle B=42°$일 때, $\angle x$의 크기는?

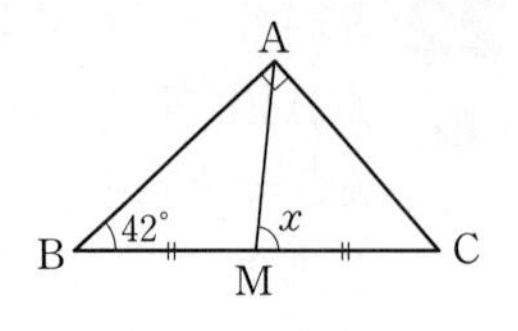

① 54° ② 62° ③ 76° ④ 84° ⑤ 90°

출제율 85%

27 중 오른쪽 그림과 같은 직각삼각형 ABC에서 점 M은 빗변의 중점이고, $\angle ABC=20°$일 때, $\angle ACM$의 크기를 구하여라.

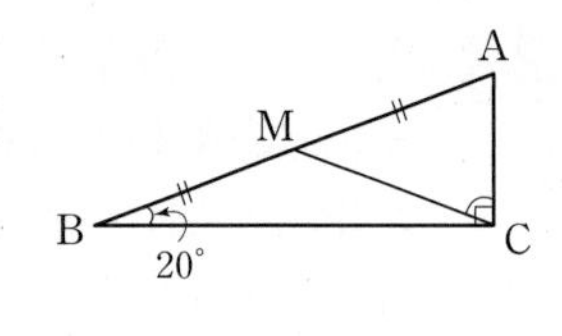

출제율 95%

28 상 오른쪽 그림과 같은 직각삼각형 ABC에서 $\overline{AC}=4$ cm일 때, $\overline{AB}$의 길이를 구하여라.

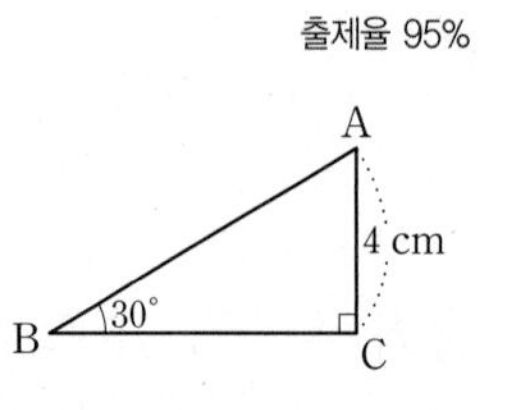

출제율 80%

29 상 오른쪽 그림에서 점 M은 직각삼각형 ABC의 빗변의 중점이고 $\angle AMC : \angle BMC=5:4$일 때, $\angle B$의 크기를 구하여라.

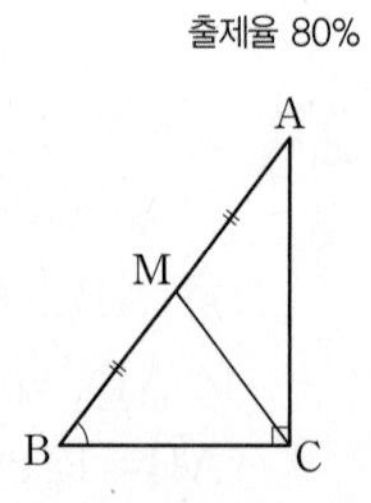

대표유형 삼각형의 외심의 활용(1)

30 오른쪽 그림에서 점 O는 $\triangle ABC$의 외심이고 $\angle OBC=30°$, $\angle OCA=40°$일 때, $\angle x$의 크기는?

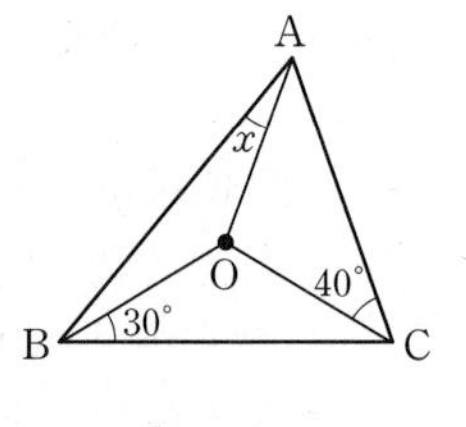

① 20° ② 25° ③ 30° ④ 35° ⑤ 40°

점 O가 $\triangle ABC$의 외심일 때, $\angle x+\angle y+\angle z=90°$

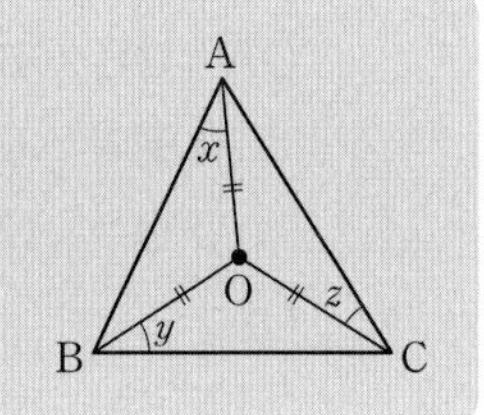

출제율 85%

31 하 다음은 오른쪽 그림에서 점 O가 $\triangle ABC$의 외심일 때, $\angle x+\angle y+\angle z$의 크기를 구하는 과정이다. □ 안에 알맞은 것을 써넣어라.

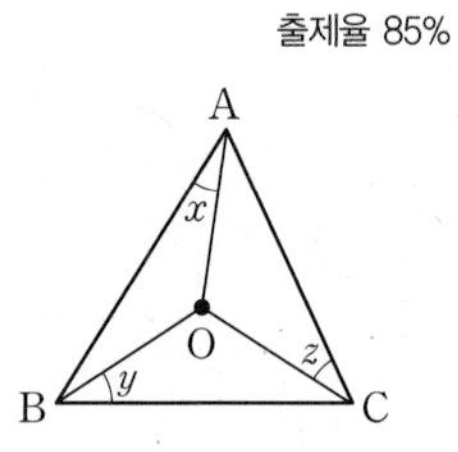

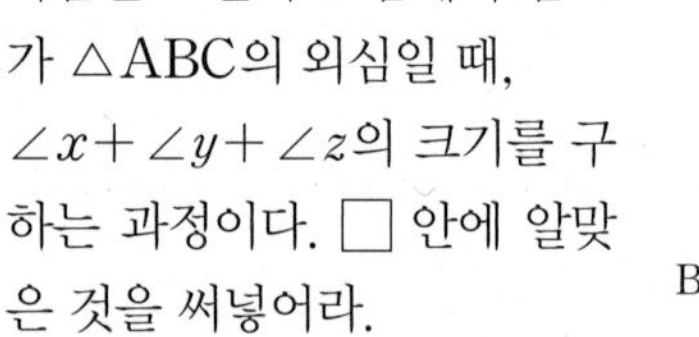

점 O가 $\triangle ABC$의 외심이므로
$\overline{OA}=$ □ $=$ □
$\therefore \angle OBA=\angle OAB=\angle x$
$\angle OCB=\angle OBC=$ □
$\angle OAC=\angle OCA=$ □
$\angle A+\angle B+\angle C=$ □ 이므로
$2(\angle x+\angle y+\angle z)=$ □
$\therefore \angle x+\angle y+\angle z=$ □

출제율 95%

32 중 오른쪽 그림에서 점 O는 $\triangle ABC$의 외심이고 $\angle OCA=30°$, $\angle BOC=110°$일 때, $\angle OBA$의 크기는?

A, O, 30°, 110°, B, C

① 10° ② 15° ③ 20° ④ 25° ⑤ 30°

출제율 95%

33 (중) 오른쪽 그림에서 점 O는 $\triangle ABC$의 외심이고 $\angle OAB=35^\circ$, $\angle OBC=26^\circ$ 일 때, $\angle x$의 크기는?

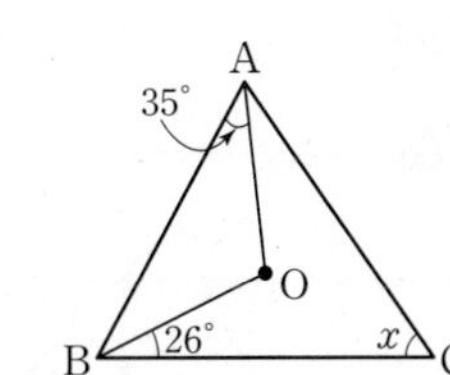

① 44° ② 46°
③ 52° ④ 55°
⑤ 60°

출제율 85%

34 (상) 오른쪽 그림에서 점 O는 삼각형 ABC의 외심이고 $\angle BAC=40^\circ$일 때, $\angle OCB$의 크기를 구하여라.

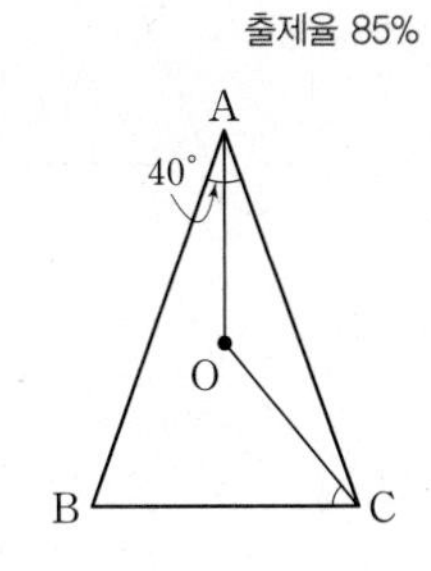

출제율 85%

35 (상) 오른쪽 그림에서 점 O는 $\triangle ABC$의 외심이고 $\angle A=52^\circ$일 때, $\angle OBC$의 크기를 구하여라.

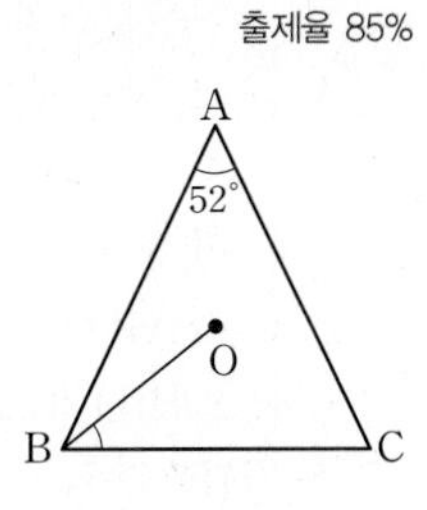

대표유형 **삼각형의 외심의 활용(2)**

36 오른쪽 그림에서 점 O는 $\triangle ABC$의 외심이고 $\angle A=63^\circ$일 때, $\angle x$의 크기를 구하여라.

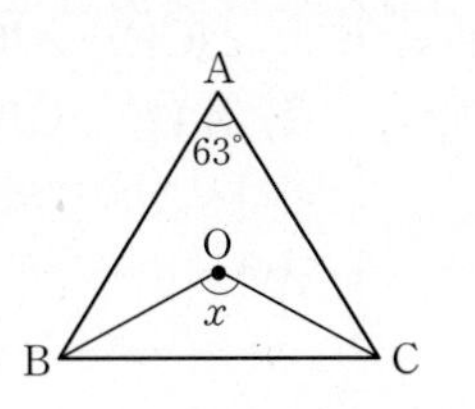

내신 UP POINT

점 O가 $\triangle ABC$의 외심일 때, $\angle BOC=2\angle A$

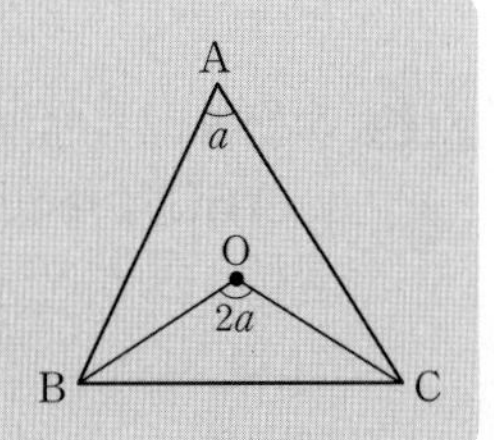

출제율 95%

37 (하) 오른쪽 그림에서 점 O는 $\triangle ABC$의 외심이고 $\angle ACO=28^\circ$, $\angle BCO=26^\circ$ 일 때, $\angle x$의 크기는?

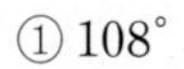

① 108° ② 110°
③ 112° ④ 114°
⑤ 116°

출제율 95%

38 (중) 오른쪽 그림에서 점 O는 $\triangle ABC$의 외심이고 $\angle OBC=22^\circ$일 때, $\angle A$의 크기는?

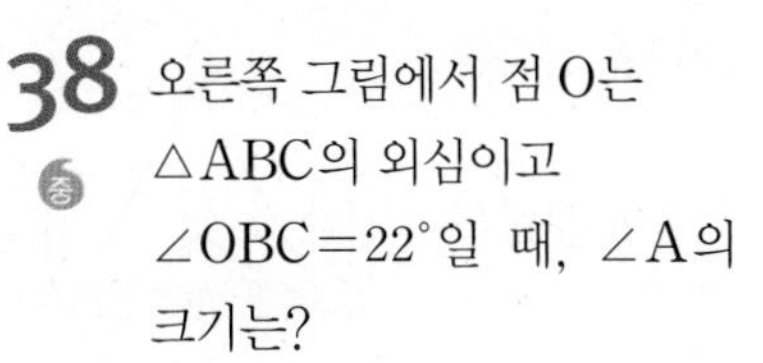

① 60° ② 62°
③ 68° ④ 72°
⑤ 78°

출제율 95%

39 (중) 오른쪽 그림에서 점 O는 $\triangle ABC$의 외심이고 $\angle C=58^\circ$ 일 때, $\angle BAO$의 크기는?

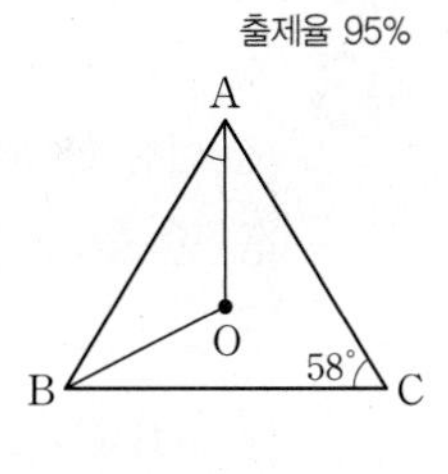

① 30° ② 32°
③ 34° ④ 36°
⑤ 38°

출제율 90%

40 (중) 오른쪽 그림에서 점 O는 삼각형 ABC의 외심이고 $\angle BOC=100^\circ$일 때, $\angle x+\angle y$의 크기는?

① 45° ② 50°
③ 60° ④ 75°
⑤ 80°

출제율 90%

41 상 오른쪽 그림에서 점 O는 $\triangle ABC$의 외심이고 $\angle AOB : \angle BOC : \angle COA = 3 : 4 : 5$일 때, $\angle ABC$의 크기는?

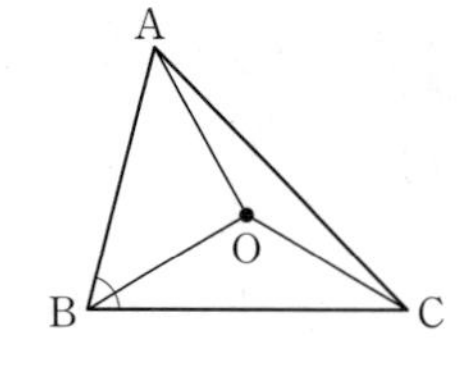

① $70°$ ② $75°$ ③ $80°$
④ $82°$ ⑤ $85°$

출제율 85%

42 상 오른쪽 그림에서 점 O는 삼각형 ABC의 외심이다. $\overline{OB}=6$ cm, $\angle A=60°$일 때, 색칠한 부분의 넓이를 구하여라.

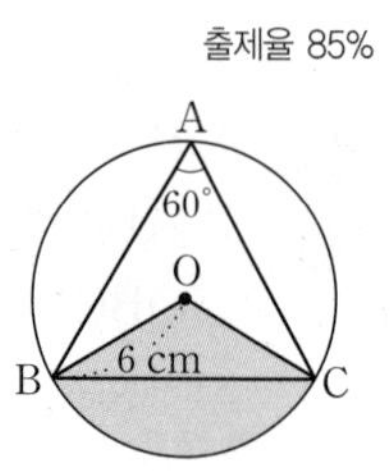

대표유형 삼각형의 내심

43 오른쪽 그림에서 점 I는 $\triangle ABC$의 내심일 때, 다음 중 옳은 것을 모두 고르면? (정답 2개)

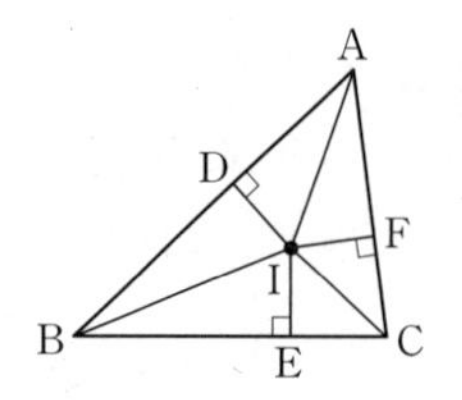

① $\angle IBD=\angle IBE$
② $\triangle AID \equiv \triangle BID$
③ $\overline{ID}=\overline{IE}=\overline{IF}$
④ $\overline{BI}$를 연장한 직선은 $\overline{AC}$에 수직이다.
⑤ 점 I에서 세 꼭짓점에 이르는 거리는 같다.

내신 UP POINT

(1) 삼각형의 세 내각의 이등분선은 한 점(내심)에서 만난다.
(2) 삼각형의 내심에서 세 변에 이르는 거리는 같다.
즉, $\overline{ID}=\overline{IE}=\overline{IF}$
(3) $\triangle AID \equiv \triangle AIF$, $\triangle BID \equiv \triangle BIE$, $\triangle CIE \equiv \triangle CIF$ RHA 합동

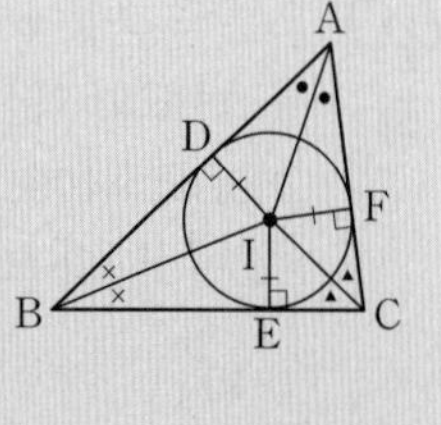

출제율 85%

44 하 다음 중 삼각형의 내심 I를 바르게 나타낸 것을 모두 고르면? (정답 2개)

①
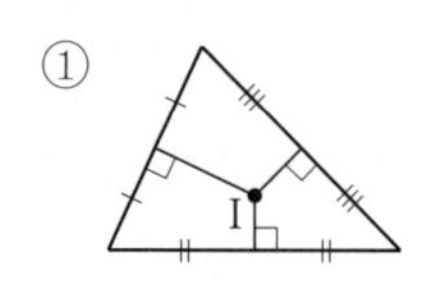

②
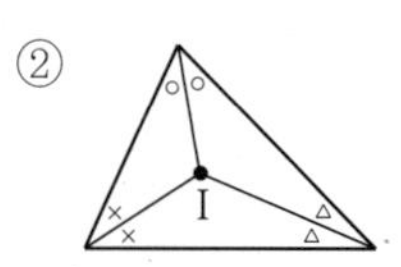

③
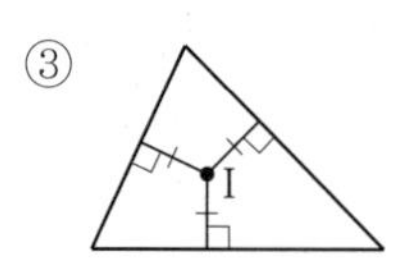

④
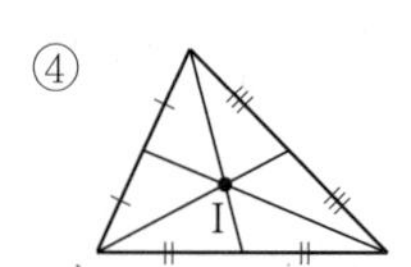

⑤
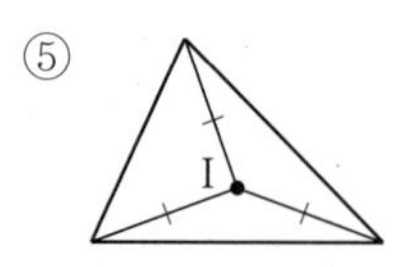

출제율 85%

45 하 다음은 삼각형의 세 내각의 이등분선은 한 점에서 만남을 설명하는 과정이다. □ 안에 알맞은 것을 써넣어라.

$\triangle ABC$에서 $\angle A$, $\angle B$의 이등분선의 교점을 I라 하고, 점 I에서 세 변에 내린 수선의 발을 각각 D, E, F라 하면
$\triangle AID \equiv \triangle AIF$(RHA 합동),
$\triangle BID \equiv \triangle BIE$(RHA 합동)이므로
$\overline{ID}=$□, $\overline{ID}=$□ $\therefore \overline{IF}=$□
$\triangle CIE$와 $\triangle CIF$에서
$\angle CEI=\angle CFI=$□ …… ㉠
□는 공통 …… ㉡
$\overline{IE}=$□ …… ㉢
㉠, ㉡, ㉢에서 $\triangle CIE \equiv \triangle CIF$(□ 합동)
$\therefore \angle ICE=\angle ICF$
즉, 점 I는 $\angle C$의 □선 위에 있다.
따라서 삼각형의 세 내각의 이등분선은 한 점에서 만난다.

출제율 90%

46 중 오른쪽 그림에서 점 I는 $\triangle ABC$의 내심이고, $\overline{AB} \perp \overline{ID}$이다. $\overline{ID}=3$ cm일 때, 내접원 I의 넓이를 구하여라.

출제율 95%

47 중 오른쪽 그림에서 점 I가 $\triangle ABC$의 내심일 때, $\angle x$의 크기는?

① 15° ② 20° ③ 25° ④ 30° ⑤ 35°

출제율 95%

48 중 오른쪽 그림에서 점 I는 $\triangle ABC$의 내심이고 $\angle IBC=28^\circ$, $\angle C=68^\circ$일 때, $\angle BAI$의 크기는?

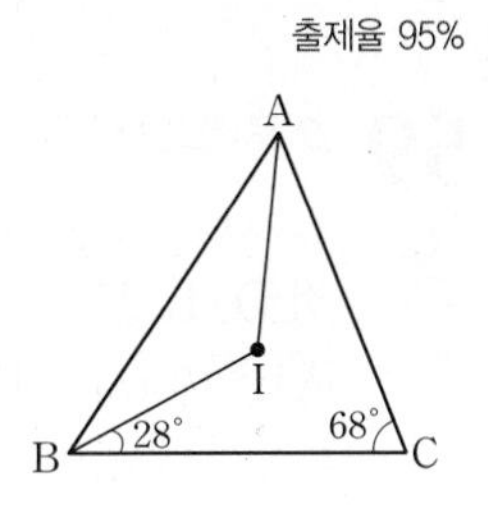

① 25° ② 28° ③ 30° ④ 32° ⑤ 35°

대표유형 삼각형의 내심의 활용(1)

49 오른쪽 그림에서 점 I는 $\triangle ABC$의 내심이고 $\angle IAC=40^\circ$, $\angle ICB=20^\circ$일 때, $\angle x$의 크기는?

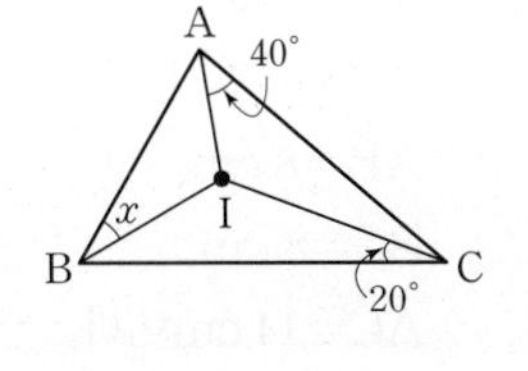

① 30° ② 35° ③ 40° ④ 45° ⑤ 50°

내신 UP POINT

점 I가 $\triangle ABC$의 내심일 때, $\angle x+\angle y+\angle z=90^\circ$

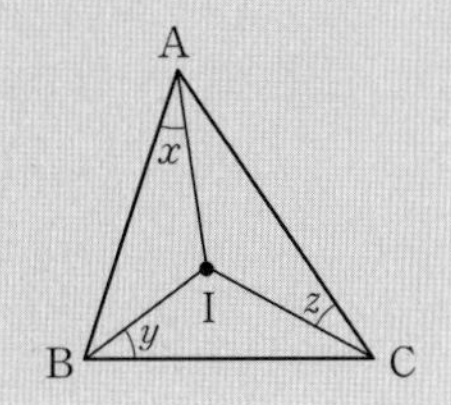

출제율 95%

50 중 오른쪽 그림에서 점 I는 $\triangle ABC$의 내심이고 $\angle A=50^\circ$, $\angle ABI=40^\circ$일 때, $\angle x$의 크기를 구하여라.

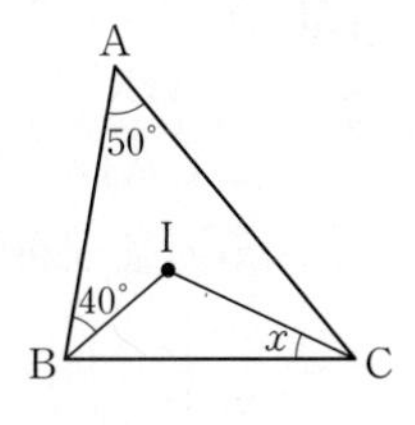

출제율 90%

51 중 오른쪽 그림에서 점 I가 $\triangle ABC$의 내심일 때, $\angle x-\angle y$의 크기는?

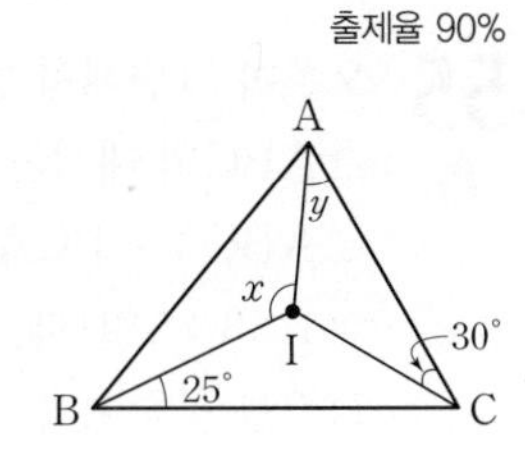

① 80° ② 85° ③ 90° ④ 95° ⑤ 100°

출제율 80%

52 상 오른쪽 그림에서 점 I는 $\triangle ABC$의 내심이고, $\overline{AI}$, $\overline{BI}$의 연장선과 $\overline{BC}$, $\overline{AC}$가 만나는 점을 각각 D, E라 하자. $\angle ADB+\angle AEB=195^\circ$일 때, $\angle C$의 크기를 구하여라.

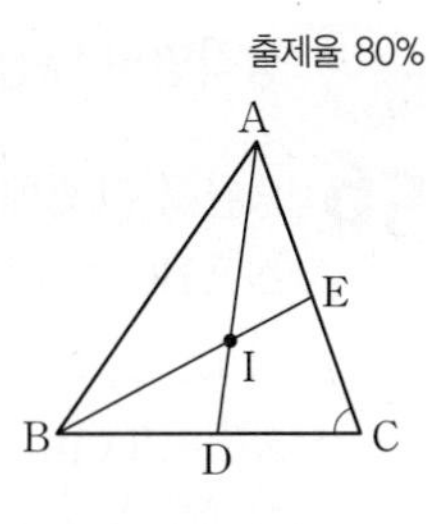

대표유형 삼각형의 내심의 활용(2)

53 오른쪽 그림에서 점 I는 $\triangle ABC$의 내심이다. $\angle BIC=142^\circ$일 때, $\angle x$의 크기를 구하여라.

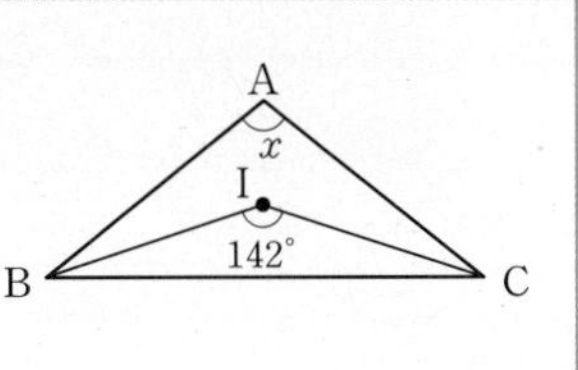

내신 UP POINT

점 I가 $\triangle ABC$의 내심일 때, $\angle BIC=90^\circ+\frac{1}{2}\angle A$

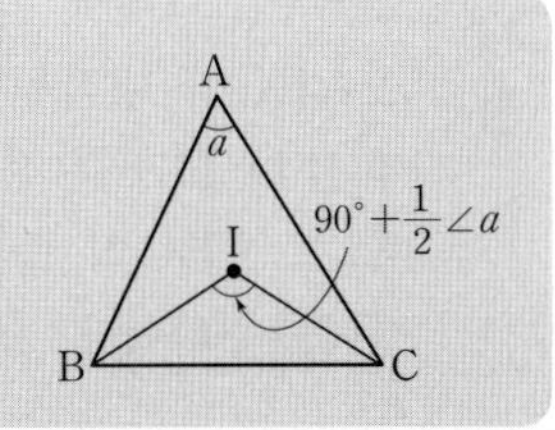

출제율 95%

54 하 오른쪽 그림에서 점 I는 $\triangle ABC$의 내심이다. $\angle CAI=35^\circ$일 때, $\angle x$의 크기를 구하여라.

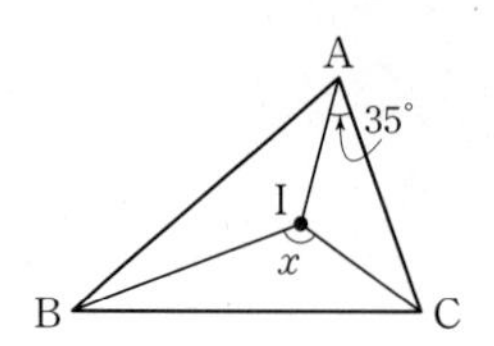

출제율 90%

55 중 오른쪽 그림에서 점 I는 $\triangle ABC$의 내심이고 $\angle ABC : \angle BCA : \angle CAB = 1 : 3 : 5$일 때, $\angle AIB$의 크기를 구하여라.

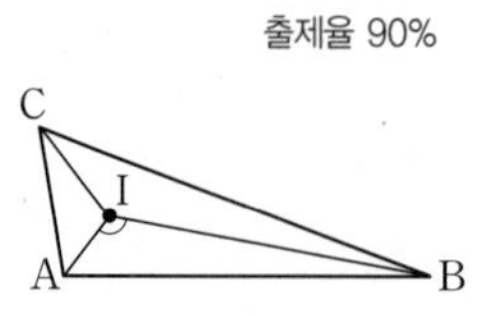

대표유형 삼각형의 내심의 활용(3)

56 오른쪽 그림에서 원 I는 $\triangle ABC$의 내접원이고 세 점 D, E, F는 접점이다. $\overline{AC}=5$ cm, $\overline{CE}=2$ cm일 때, $\overline{AD}$의 길이를 구하여라.

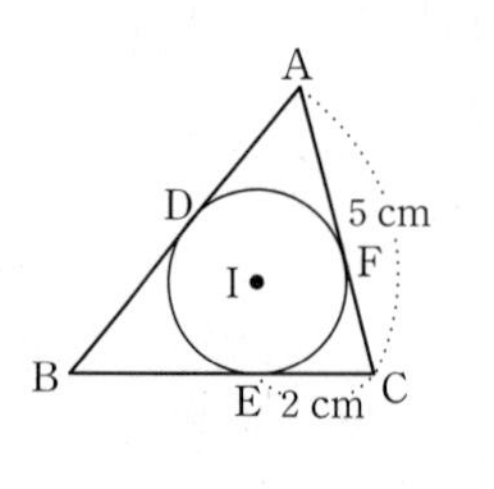

내신 UP POINT

세 점 D, E, F가 접점일 때,
$\overline{AD}=\overline{AF}$, $\overline{BD}=\overline{BE}$, $\overline{CE}=\overline{CF}$

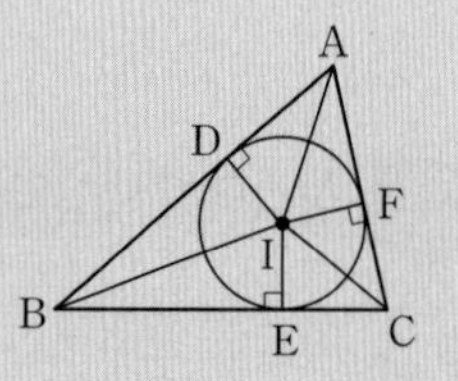

출제율 90%

57 하 오른쪽 그림에서 원 I는 $\triangle ABC$의 내접원이고 세 점 D, E, F는 접점일 때, $\triangle ABC$의 둘레의 길이를 구하여라.

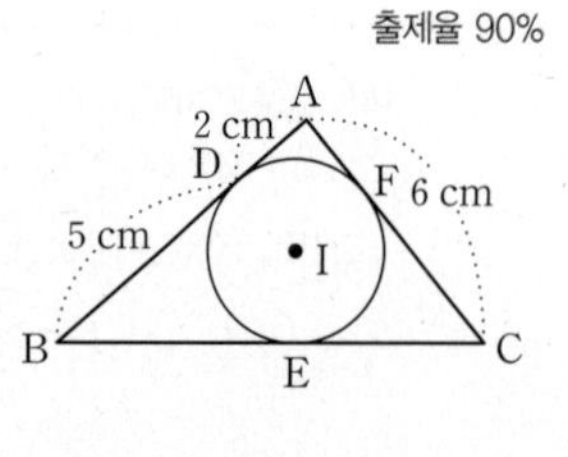

출제율 90%

58 중 오른쪽 그림에서 원 I는 $\triangle ABC$의 내접원이고, 세 점 D, E, F는 접점이다. $\overline{AD}=x$, $\overline{BE}=y$, $\overline{CF}=z$일 때, $x+y+z$의 값을 구하여라.

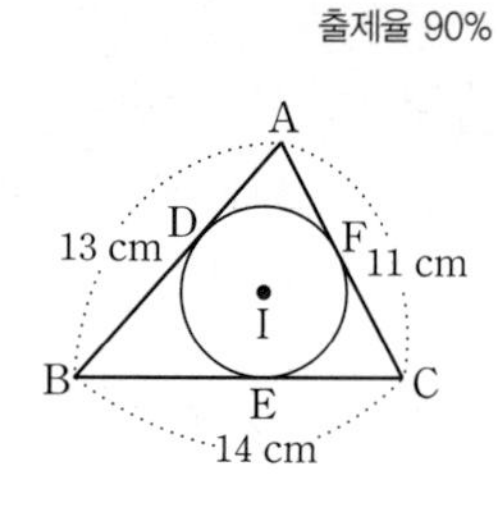

출제율 90%

59 중 오른쪽 그림에서 원 I는 $\triangle ABC$의 내접원이고, 세 점 D, E, F는 접점이다. $\overline{AB}=3$ cm, $\overline{BC}=4$ cm, $\overline{CA}=5$ cm일 때, $\overline{BD}$의 길이를 구하여라.

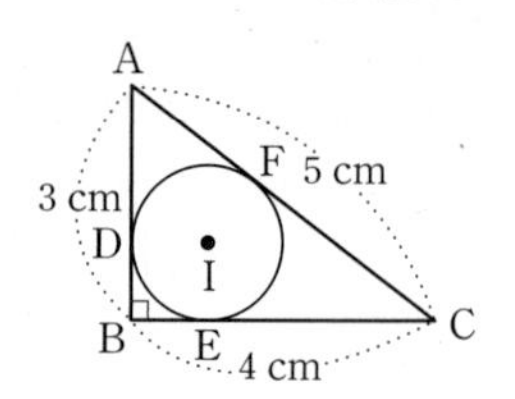

대표유형 삼각형의 내심의 활용(4)

60 오른쪽 그림에서 점 I는 $\triangle ABC$의 내심이고, $\overline{AB}=8$ cm, $\overline{BC}=8$ cm, $\overline{AC}=14$ cm이다.

A, 14 cm, 8 cm, I, B, 8 cm, C

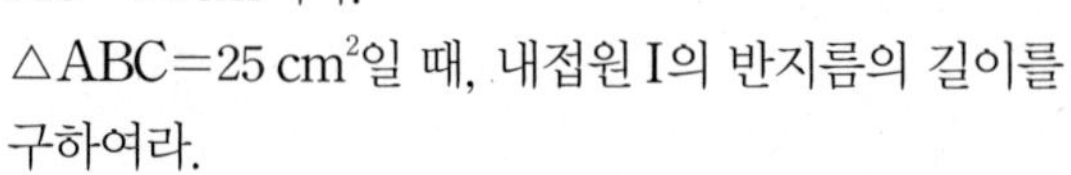

$\triangle ABC=25\text{ cm}^2$일 때, 내접원 I의 반지름의 길이를 구하여라.

내신 UP POINT

$\triangle ABC$의 내접원의 반지름의 길이를 r라 할 때,
$\triangle ABC=\frac{1}{2}r(\overline{AB}+\overline{BC}+\overline{CA})$

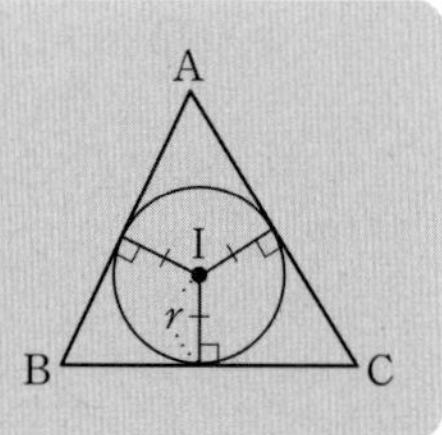

61 중 오른쪽 그림과 같이 세 변의 길이가 각각 5 cm, 12 cm, 13 cm인 직각삼각형 ABC에서 내접원 I의 반지름의 길이는?

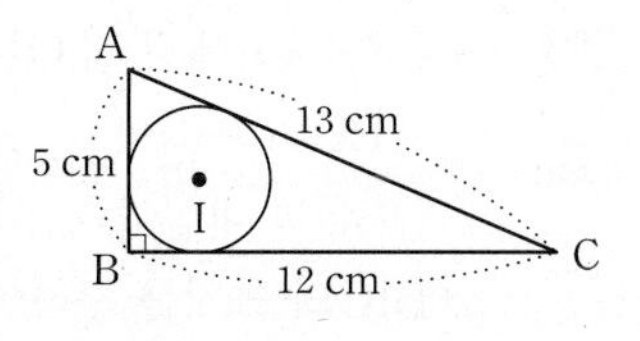

① 1 cm ② 2 cm ③ 3 cm
④ 4 cm ⑤ 5 cm

출제율 95%

62 중 오른쪽 그림에서 점 I는 △ABC의 내심이고 $\overline{AB}=6$ cm, $\overline{BC}=8$ cm, $\overline{AC}=10$ cm일 때, x의 값을 구하여라.

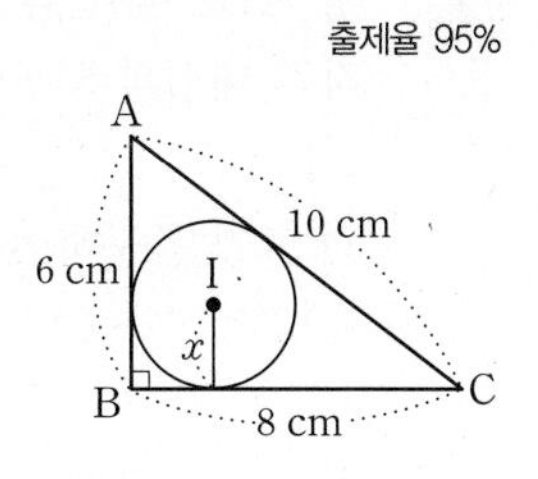

출제율 90%

63 중 오른쪽 그림에서 점 I는 △ABC의 내심이고, 내접원의 반지름의 길이는 4 cm이다. △ABC=80 cm^{2}일 때, △ABC의 둘레의 길이를 구하여라.

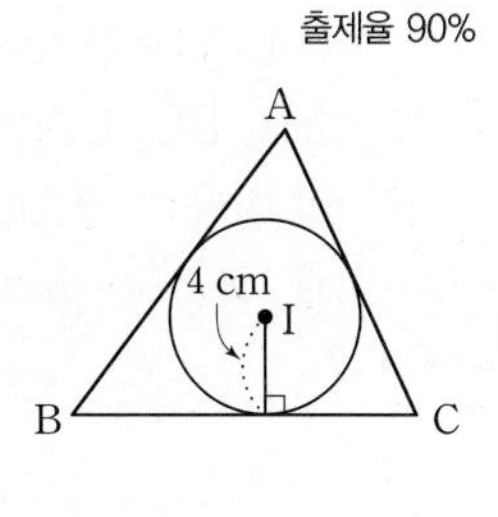

출제율 90%

64 상 오른쪽 그림에서 점 I는 ∠C=90°인 직각삼각형 ABC의 내심이고, 삼각형의 세 변의 길이는 각각 26 cm, 24 cm, 10 cm일 때, △IAB의 넓이를 구하여라.

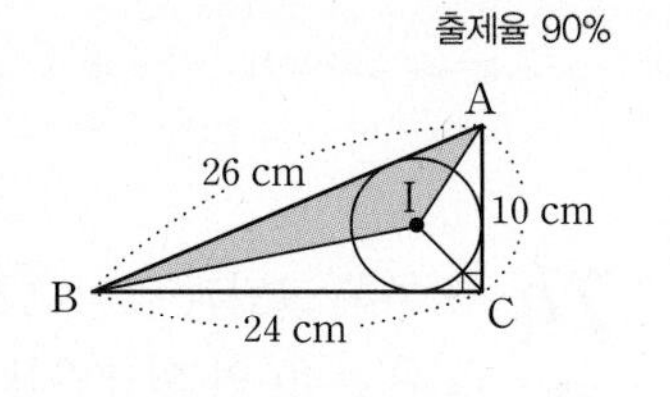

출제율 85%

65 상 오른쪽 그림에서 △ABC의 둘레의 길이가 41 cm이고, 내접원 I의 둘레의 길이가 8π cm일 때, 색칠한 부분의 넓이를 구하여라.

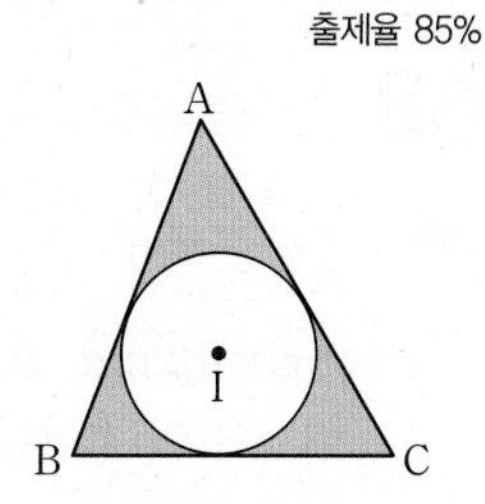

대표유형 **내심을 지나는 평행선**

66 오른쪽 그림에서 점 I는 △ABC의 내심이고 $\overline{DE}$ // $\overline{BC}$일 때, 다음 중 옳지 않은 것은?

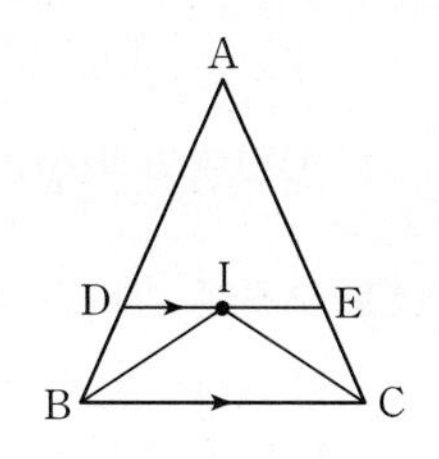

① $\overline{DB}=\overline{DI}$
② $\overline{EC}=\overline{EI}$
③ ∠IBC=∠EIC
④ ∠DBI=∠DIB
⑤ ∠EIC=∠ECI

내신 UP POINT

점 I는 △ABC의 내심이고 $\overline{DE}$ // $\overline{BC}$일 때, $\overline{DI}=\overline{DB}$, $\overline{EI}=\overline{EC}$

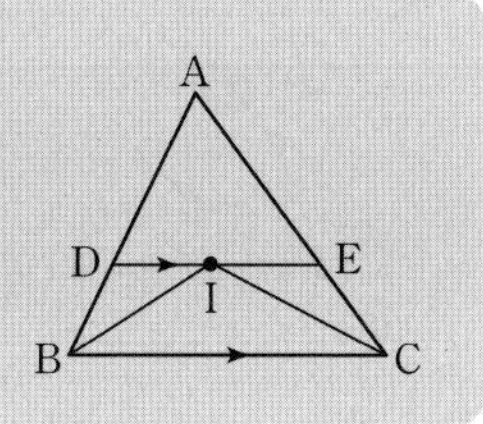

출제율 95%

67 중 오른쪽 그림에서 점 I는 △ABC의 내심이고, $\overline{DE}$ // $\overline{BC}$이다. $\overline{AD}=9$ cm, $\overline{DB}=3$ cm, $\overline{AE}=6$ cm, $\overline{EC}=2$ cm일 때, $\overline{DE}$의 길이는?

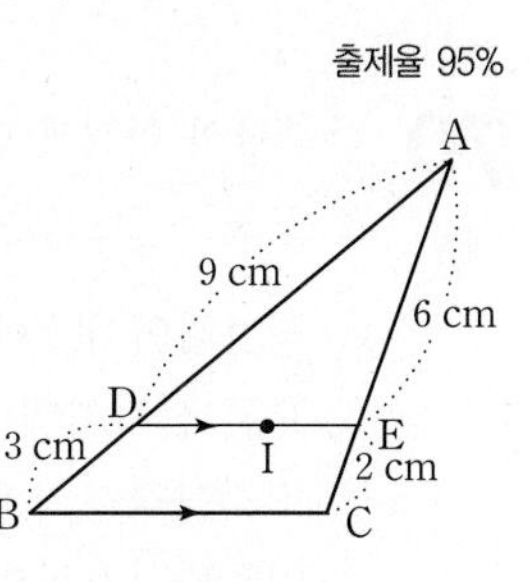

① 3 cm ② 4 cm ③ 5 cm
④ 6 cm ⑤ 7 cm

출제율 85%

68 상 오른쪽 그림에서 점 I는 $\triangle ABC$의 내심이고, $\overline{AB}=\overline{AC}$, $\overline{DE} /\!/ \overline{BC}$이다. $\overline{AB}=12\text{ cm}$, $\overline{AE}=8\text{ cm}$일 때, $\overline{DE}$의 길이는?

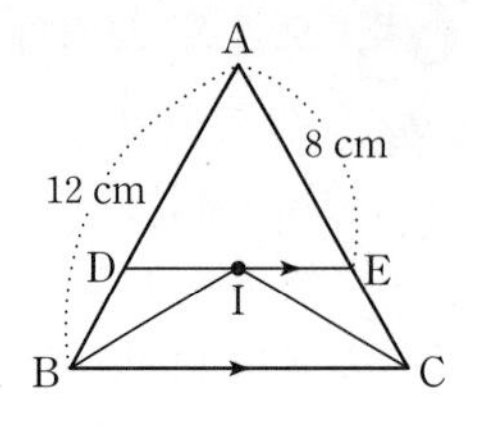

① 2 cm ② 4 cm ③ 6 cm
④ 8 cm ⑤ 10 cm

대표유형 삼각형의 외심과 내심

69 오른쪽 그림과 같이 $\triangle ABC$의 외심 O와 내심 I가 일치할 때, $\angle x$의 크기는?

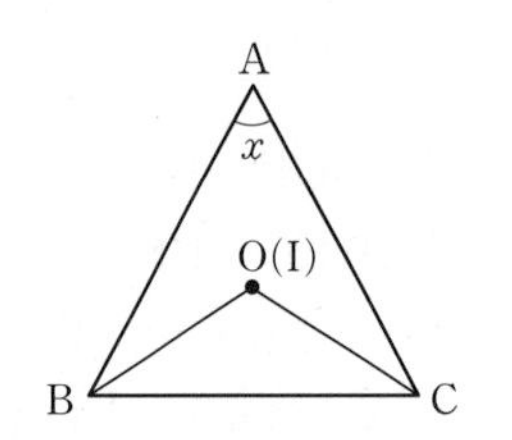

① 50° ② 55°
③ 60° ④ 65°
⑤ 70°

내신 UP POINT
(1) 이등변삼각형의 외심과 내심은 꼭지각의 이등분선 위에 있다.
(2) 정삼각형의 외심과 내심은 일치한다.

출제율 90%

70 하 삼각형의 외심과 내심에 대한 다음 설명 중 옳지 않은 것을 모두 고르면? (정답 2개)

① 삼각형의 내심에서 세 꼭짓점에 이르는 거리는 같다.
② 모든 삼각형의 내심은 삼각형의 내부에 있다.
③ 직각삼각형의 외심은 빗변의 중점이다.
④ 이등변삼각형의 외심과 내심은 일치한다.
⑤ 삼각형의 내심은 세 내각의 이등분선의 교점이다.

출제율 90%

71 중 오른쪽 그림에서 점 O는 $\triangle ABC$의 외심이고, 점 I는 $\triangle OBC$의 내심이다. 이때 $\angle BIC$의 크기를 구하여라.

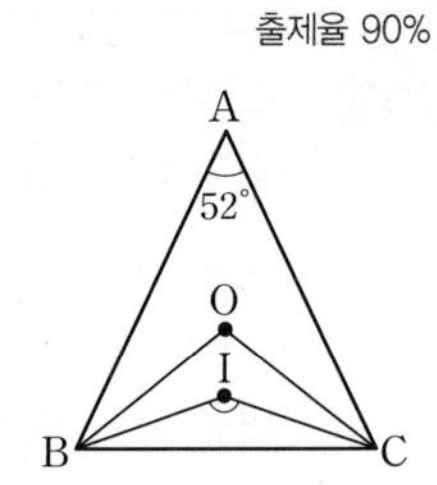

출제율 90%

72 중 오른쪽 그림의 이등변삼각형 ABC에서 점 I, 점 O는 각각 내심과 외심이다. $\angle BAC=70°$일 때, $\angle IBO$의 크기를 구하여라.

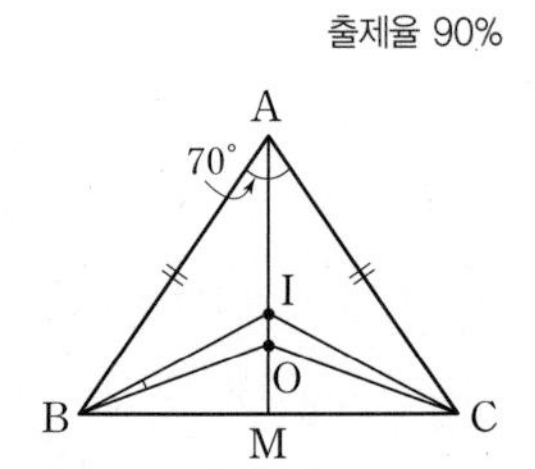

출제율 85%

73 상 오른쪽 그림에서 점 I는 $\triangle ABC$의 세 내각의 이등분선의 교점이다. 점 I에서 $\overline{AB}$, $\overline{BC}$, $\overline{CA}$에 내린 수선의 발을 각각 D, E, F라 할 때, 다음 중 옳지 않은 것을 모두 고르면?(정답 2개)

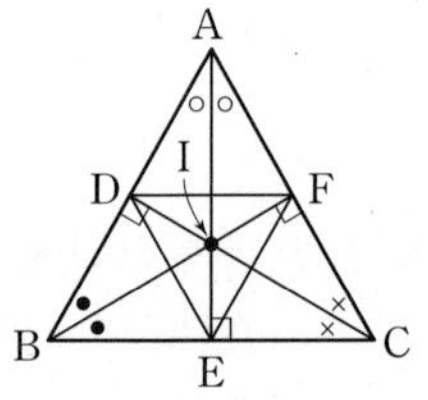

① $\overline{ID}=\overline{IE}=\overline{IF}$
② 점 I는 $\triangle DEF$의 내심이다.
③ $\triangle BIE$와 $\triangle CIE$는 합동이다.
④ $\triangle ADI$와 $\triangle AFI$의 넓이는 같다.
⑤ $\triangle ABC$가 정삼각형이면 $\overline{AI}=\overline{BI}=\overline{CI}$이다.

출제율 85%

74 상 오른쪽 그림과 같이 $\overline{AB}=\overline{AC}$, $\angle A=40°$인 이등변삼각형 ABC에서 점 O는 $\triangle ABC$의 외심, 점 I는 내심일 때, $\angle x$의 크기를 구하여라.

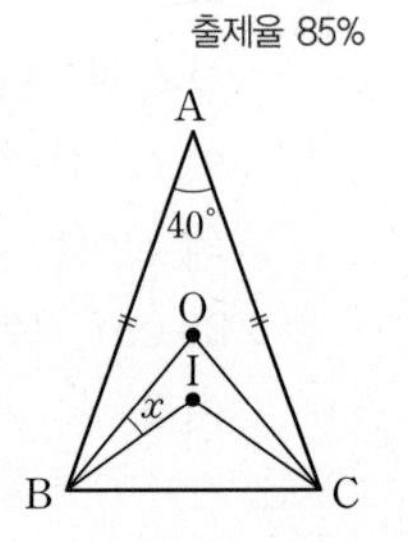

개념 UP 01 내심을 지나는 평행선의 활용

점 I는 $\triangle ABC$의 내심이고
$\overline{DE} /\!/ \overline{BC}$일 때,
($\triangle ADE$의 둘레의 길이)
$=\overline{AB}+\overline{AC}$

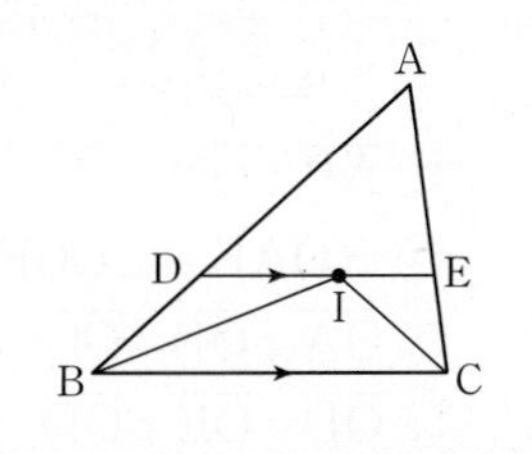

개념 UP 02 삼각형의 외심과 내심

(1) 삼각형의 외심
① 삼각형의 세 변의 수직이등분선은 한 점에서 만난다.
② 삼각형의 외심에서 세 꼭짓점에 이르는 거리는 같다.
(2) 삼각형의 내심
① 삼각형의 세 내각의 이등분선은 한 점에서 만난다.
② 삼각형의 내심에서 세 변에 이르는 거리는 같다.

출제율 85%

75 상 오른쪽 그림에서 점 I는 $\triangle ABC$의 내심이고, $\overline{DE} /\!/ \overline{BC}$이다. $\overline{AD}=6$ cm, $\overline{DB}=3$ cm, $\overline{AE}=4$ cm, $\overline{EC}=2$ cm 일 때, $\triangle ADE$의 둘레의 길이는?

① 11 cm ② 13 cm ③ 15 cm
④ 17 cm ⑤ 19 cm

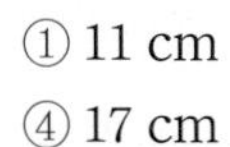

출제율 85%

76 상 오른쪽 그림에서 점 I는 $\triangle ABC$의 내심이고 $\overline{DE} /\!/ \overline{BC}$일 때, $\triangle ABC$의 둘레의 길이는?

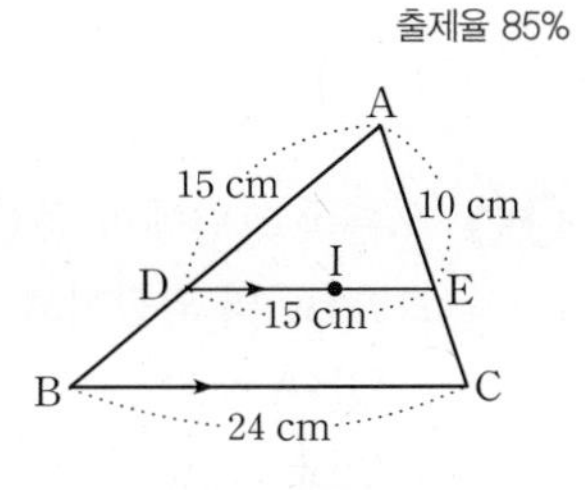

① 62 cm ② 63 cm ③ 64 cm
④ 65 cm ⑤ 66 cm

출제율 80%

77 상 오른쪽 그림에서 점 I는 $\triangle ABC$의 내심이고, $\overline{DE} /\!/ \overline{BC}$이다. $\triangle ADE$의 내접원의 반지름의 길이가 3 cm 일 때, $\triangle ADE$의 넓이를 구하여라.

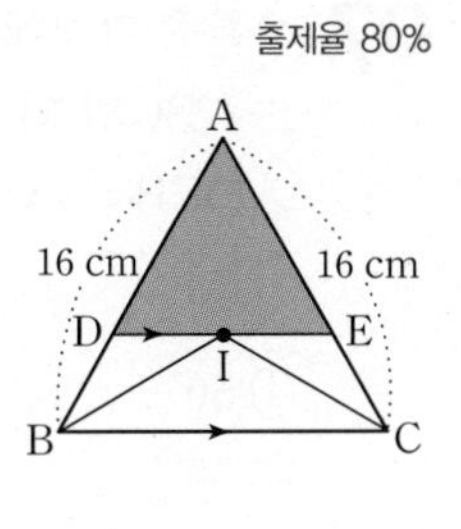

출제율 80%

78 상 오른쪽 그림과 같이 $\overline{AB}=\overline{AC}$인 이등변삼각형 ABC의 외심을 O, 내심을 I라 할 때, $\overline{AC}$의 중점을 D, $\overline{OD}$와 $\overline{IC}$의 교점을 E라 하자. $\angle A=80°$일 때, $\angle x$의 크기를 구하여라.

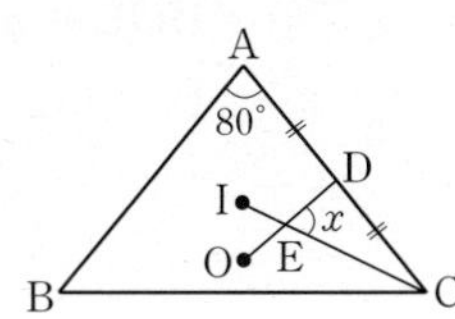

출제율 80%

79 상 오른쪽 그림에서 점 I는 $\triangle ABC$의 내심이면서 동시에 $\triangle ACD$의 외심이다. $\angle B=68°$일 때, $\angle D$의 크기를 구하여라.

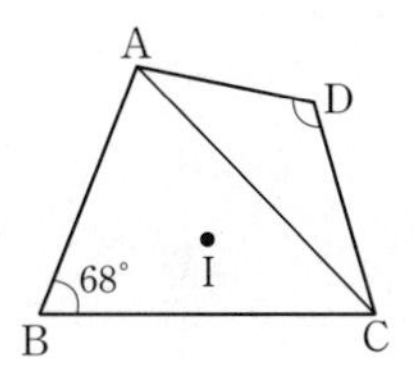

출제율 80%

80 상 오른쪽 그림에서 두 점 O와 I는 각각 $\angle C=90°$인 직각삼각형 ABC의 외심과 내심이다. $\overline{OC}$와 $\overline{IB}$의 교점이 D이고 $\angle A=52°$일 때, $\angle x$의 크기를 구하여라.

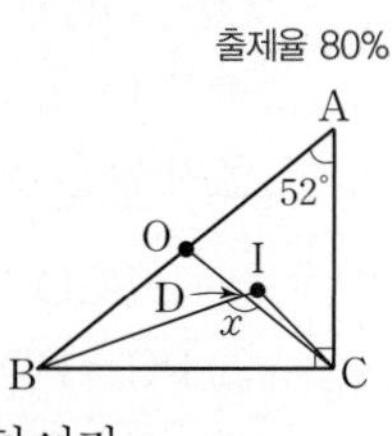

이것만 봐도 

01 오른쪽 그림과 같이 $\overline{AB}=\overline{AC}$인 이등변삼각형 ABC에서 $\overline{BC}$의 중점을 D라 하고, 점 D에서 $\overline{AB}$, $\overline{AC}$에 내린 수선의 발을 각각 E, F라 할 때, 다음 중 옳지 않은 것은?

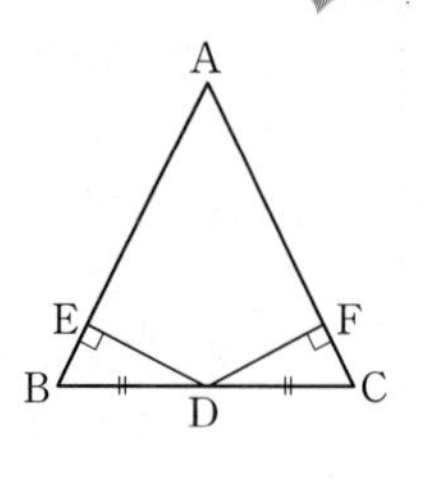

① $\overline{AE}=\overline{AF}$ ② $\overline{DE}=\overline{DF}$
③ $\angle BDE=\angle CDF$ ④ $\overline{AE}=\overline{BC}$
⑤ $\angle B=\angle C$

02 오른쪽 그림과 같이 $\overline{AC}=\overline{BC}$인 직각이등변삼각형 ABC에서 $\overline{AC}=\overline{AD}$이고, $\overline{AB}\perp\overline{DE}$일 때, $\angle AEC$의 크기는?

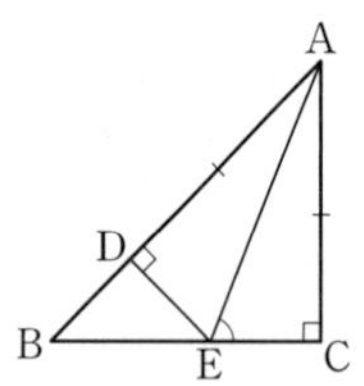

① $60°$ ② $62.5°$
③ $65°$ ④ $67.5°$
⑤ $70°$

03 오른쪽 그림과 같이 $\angle AOB$의 이등분선 위의 한 점 P에서 $\overline{OA}$, $\overline{OB}$에 내린 수선의 발을 각각 C, D라 할 때, 다음 중 옳지 않은 것은?

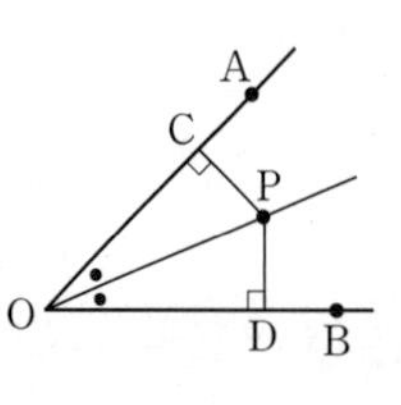

① $\angle PCO=\angle PDO$ ② $\angle COP=\angle DOP$
③ $\overline{PC}=\overline{PD}$ ④ $\triangle COP\equiv\triangle DOP$
⑤ $\overline{OC}=\overline{OP}=\overline{OD}$

04 오른쪽 그림에서 점 O는 $\triangle ABC$의 외심이다. 다음 중 옳지 않은 것은?

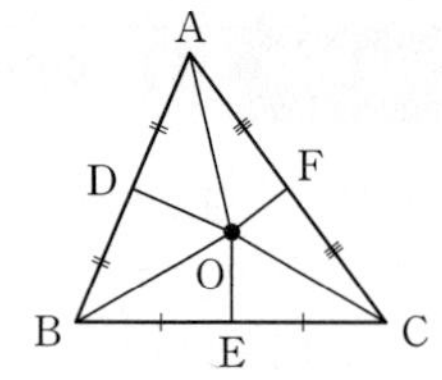

① $\overline{AB}\perp\overline{OD}$
② $\angle OAF=\angle OCF$
③ $\overline{OA}=\overline{OB}=\overline{OC}$
④ $\overline{OD}=\overline{OE}=\overline{OF}$
⑤ $\triangle OAF\equiv\triangle OCF$

05 오른쪽 그림에서 점 O는 삼각형 ABC의 외심이고 $\overline{AD}=5$ cm, $\overline{BE}=6$ cm, $\overline{CF}=7$ cm일 때, 삼각형 ABC의 둘레의 길이를 구하여라.

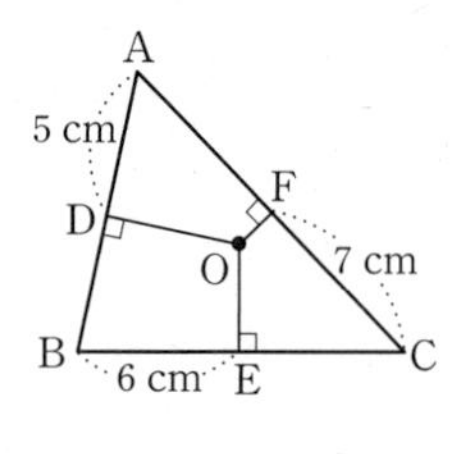

06 오른쪽 그림에서 점 O는 $\triangle ABC$의 외심이고 $\angle OBA=30°$, $\angle OBC=16°$일 때, $\angle ACB$의 크기를 구하여라.

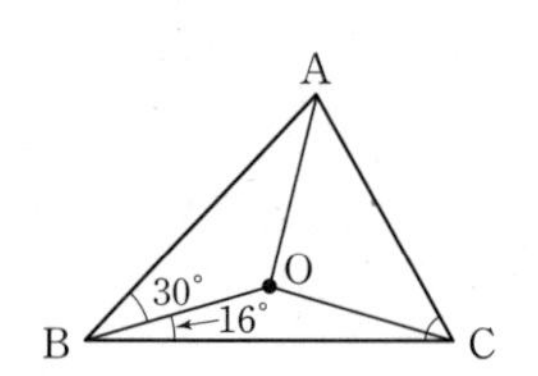

07 오른쪽 그림에서 점 O는 $\triangle ABC$의 외심이고 $\angle OCB=32°$일 때, $\angle x$의 크기는?

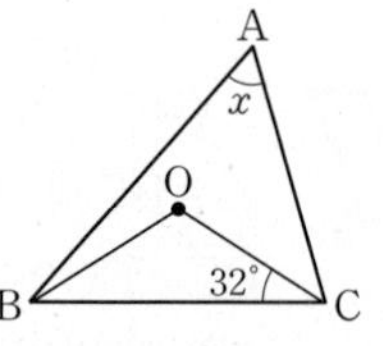

① $50°$ ② $52°$ ③ $55°$
④ $56°$ ⑤ $58°$

08 다음 중 삼각형의 외심의 위치가 옳지 <u>않은</u> 것은?

① 이등변삼각형 : 삼각형의 내부
② 예각삼각형 : 삼각형의 내부
③ 정삼각형 : 삼각형의 내부
④ 둔각삼각형 : 삼각형의 외부
⑤ 직각삼각형 : 삼각형의 빗변의 중점

09 오른쪽 그림과 같이 $\triangle ABC$는 $\angle C=90°$인 직각삼각형이다. $\overline{AB}=5$ cm, $\overline{BC}=4$ cm, $\overline{CA}=3$ cm일 때, $\triangle ABC$의 외접원의 둘레의 길이를 구하여라.

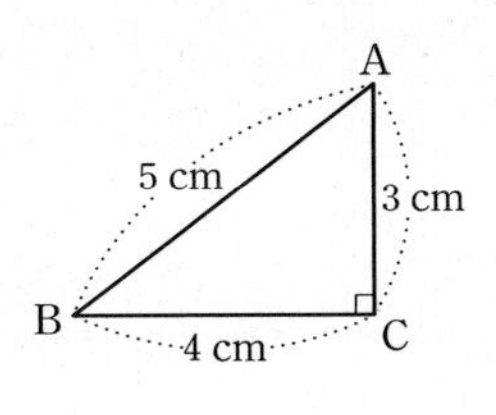

10 오른쪽 그림에서 점 I는 $\triangle ABC$의 내심이고 $\angle ABI=33°$, $\angle ACI=30°$일 때, $\angle x$의 크기는?

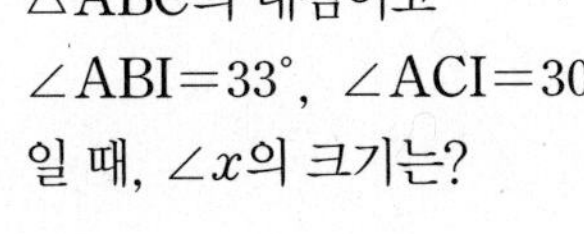

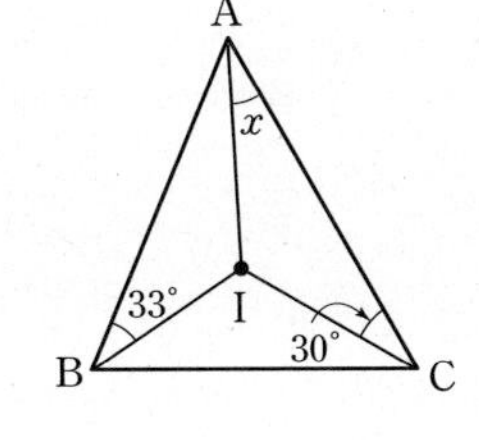

① 25° ② 27°
③ 30° ④ 32°
⑤ 34°

11 오른쪽 그림에서 점 I는 $\triangle ABC$의 내심이고 $\angle BIC=138°$일 때, $\angle x$의 크기는?

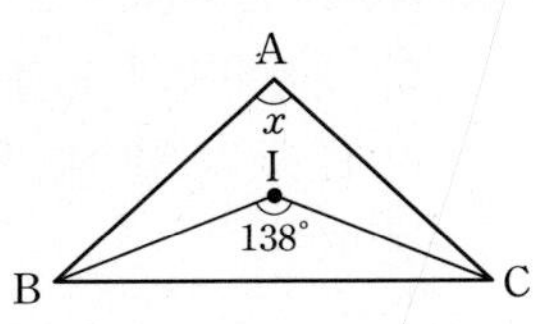

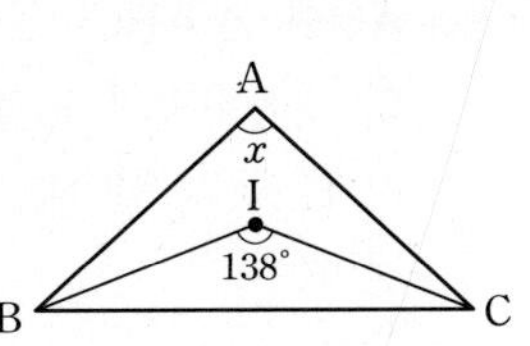

① 88° ② 92° ③ 96°
④ 100° ⑤ 102°

12 오른쪽 그림에서 점 I는 $\triangle ABC$의 내심이고 세 점 D, E, F는 접점이다. $\overline{AB}=12$ cm, $\overline{BC}=15$ cm, $\overline{AC}=13$ cm일 때, $\overline{AD}$의 길이는?

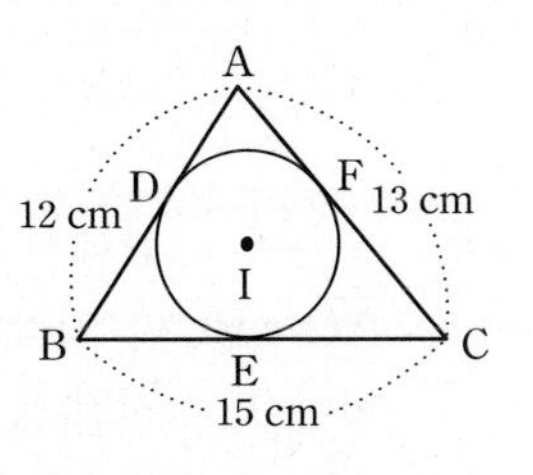

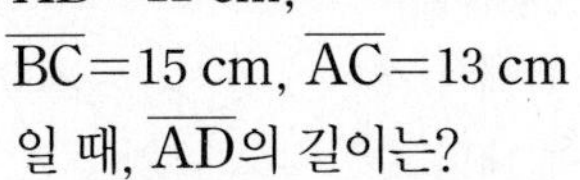

① 3 cm ② 4 cm ③ 5 cm
④ 6 cm ⑤ 7 cm

13 오른쪽 그림에서 $\triangle ABC$의 외접원의 반지름의 길이 x와 내접원의 반지름의 길이 y의 차는?

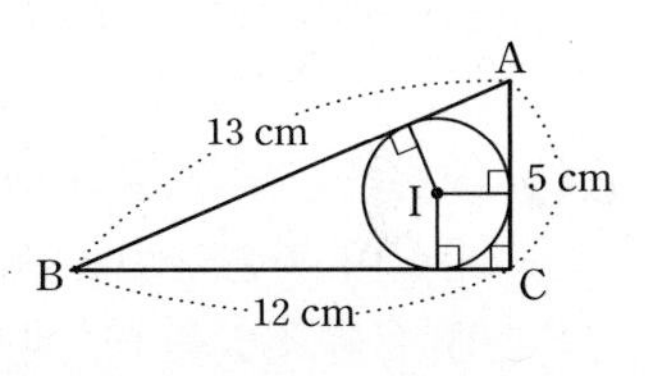

① 2.5 cm ② 3 cm ③ 3.5 cm
④ 4 cm ⑤ 4.5 cm

14 오른쪽 그림에서 점 I는 $\triangle ABC$의 내심이고, $\overline{DE} /\!/ \overline{BC}$이다. $\overline{DB}=4$ cm, $\overline{DE}=9$ cm, $\overline{BC}=12$ cm일 때, $\overline{EC}$의 길이는?

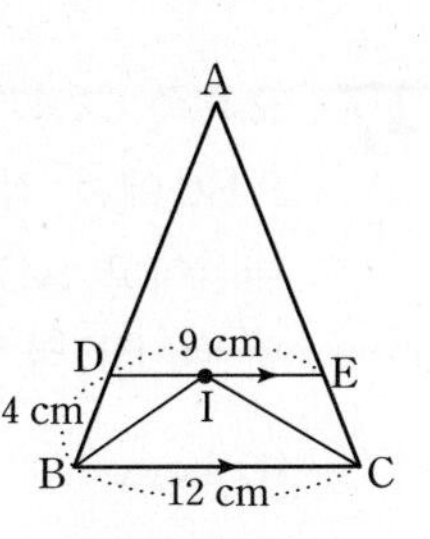

① 4 cm ② 4.5 cm ③ 5 cm
④ 5.5 cm ⑤ 6 cm

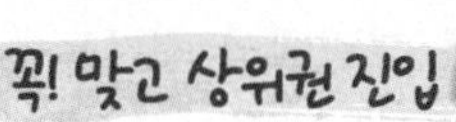

15 오른쪽 그림에서 $\triangle ABC$는 $\overline{AC}=\overline{BC}$인 직각이등변삼각형이고, 꼭짓점 A, B에서 점 C를 지나는 직선 l에 내린 수선의 발을 각각 D, E라 하자. $\overline{AD}=14\text{ cm}$, $\overline{BE}=7\text{ cm}$일 때, $\overline{DE}$의 길이를 구하여라.

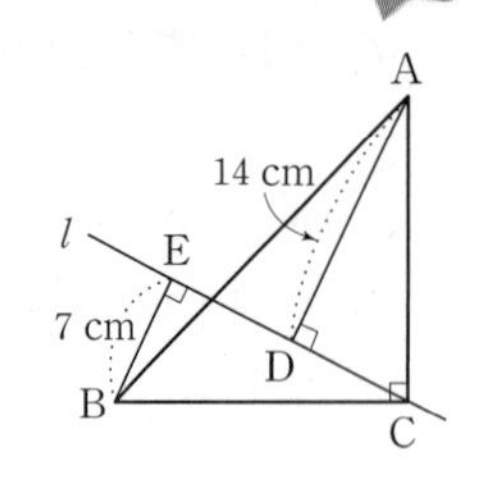

16 오른쪽 그림과 같이 원 모양의 유물이 파손되었다. 세 점 A, B, C를 잡았을 때, 원래 원 모양으로 유물을 복원시키려면 어떻게 해야 하는지 말하여라.

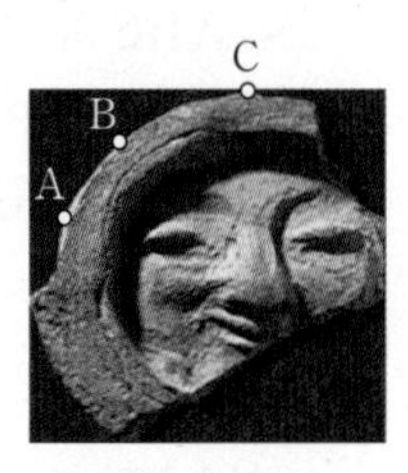

17 오른쪽 그림과 같은 정삼각형 ABC에서 점 I는 $\triangle ABC$의 내심이고 $\overline{AB} /\!/ \overline{ID}$, $\overline{AC} /\!/ \overline{IE}$일 때, $\overline{BD}$의 길이는?

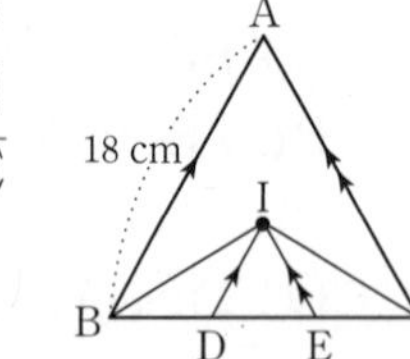

① 4 cm ② 5 cm ③ 6 cm ④ 7 cm ⑤ 8 cm

18 오른쪽 그림에서 점 I는 $\triangle ABC$의 내심이고 $\overline{AD}\perp\overline{BC}$, $\overline{AE}=3\text{ cm}$, $\overline{AC}=6\text{ cm}$일 때, $\overline{BD}$의 길이는?

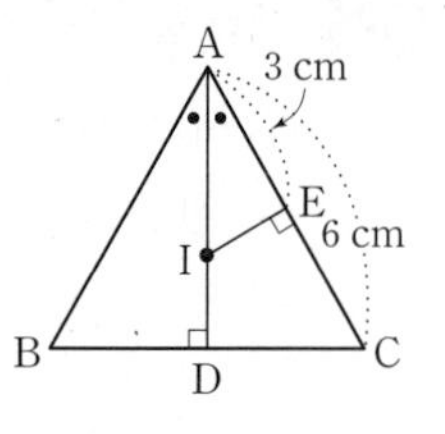

① 1 cm ② 1.5 cm ③ 2 cm ④ 2.5 cm ⑤ 3 cm

19 오른쪽 그림과 같은 $\triangle ABC$에서 $\angle B=60°$, $\overline{CD}\perp\overline{AB}$, $\overline{AE}\perp\overline{BC}$일 때, $\overline{DE}=k\overline{AC}$이다. k의 값은?

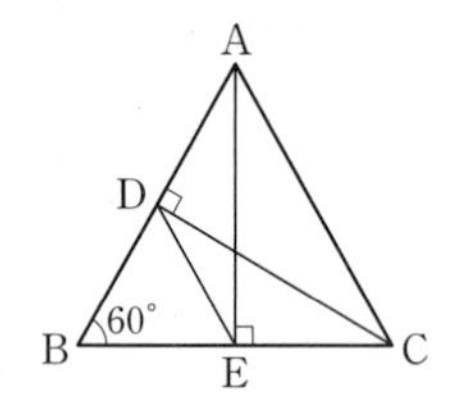

① $\frac{1}{4}$ ② $\frac{1}{3}$ ③ $\frac{1}{2}$ ④ $\frac{2}{3}$ ⑤ $\frac{2}{5}$

20 오른쪽 그림과 같은 직사각형 ABCD에서 대각선 AC와 $\triangle ABC$, $\triangle ACD$의 내접원과의 교점을 각각 E, F라 할 때, $\overline{EF}$의 길이는?

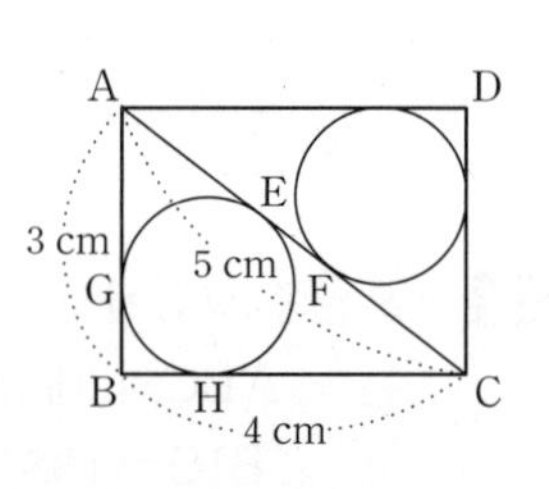

① 1 cm ② 1.2 cm ③ 1.5 cm ④ 1.8 cm ⑤ 2 cm

단계형

21 오른쪽 그림에서 점 I는 △ABC의 내심이고, $\overline{BC} /\!/ \overline{DE}$일 때, △ADE의 둘레의 길이를 구하여라. [8점]

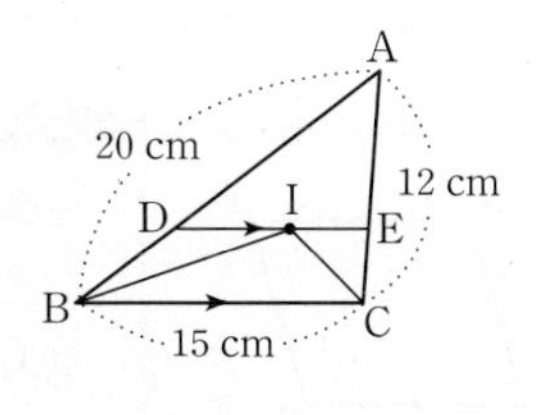

1단계 △DBI가 이등변삼각형임을 설명하기 [3점]

2단계 △EIC가 이등변삼각형임을 설명하기 [3점]

3단계 △ADE의 둘레의 길이 구하기 [2점]

단계형

22 오른쪽 그림과 같이 $\overline{AB}=16$ cm, $\overline{BC}=20$ cm $\overline{CA}=12$ cm인 직각삼각형 ABC의 내접원의 넓이를 S_1, 외접원의 넓이를 S_2라 할 때, S_2-S_1의 값을 구하여라. [7점]

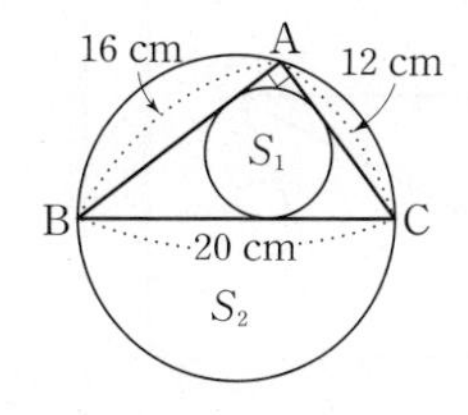

1단계 S_1의 값 구하기 [3점]

2단계 S_2의 값 구하기 [3점]

3단계 S_2-S_1의 값 구하기 [1점]

실생활

23 오른쪽 그림과 같이 ∠A=90°인 직각이등변삼각형 ABC의 꼭짓점 B, C에서 직선 l 위에 내린 수선의 발을 각각 D, E라 하자. $\overline{BD}=4$ cm, $\overline{CE}=6$ cm일 때, $\overline{DE}$의 길이를 구하여라. [6점]

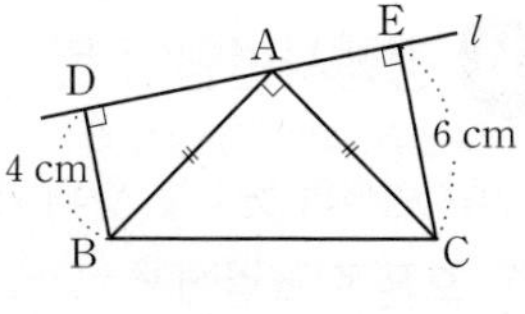

사고력

24 오른쪽 그림에서 점 I는 ABC의 내심이다. ∠ADB=88°, ∠AEB=92°일 때, ∠C의 크기를 구하여라. [7점]

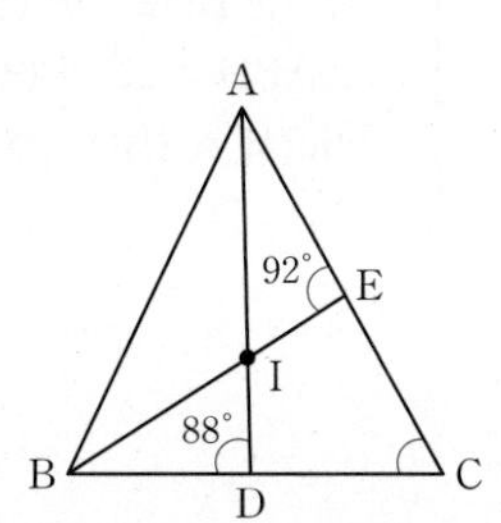

01 평행사변형의 뜻

평행사변형의 뜻 : 두 쌍의 대변이 각각 평행한 사각형
즉, 오른쪽 그림에서

$$\overline{AB} /\!/ \overline{DC},\ \overline{AD} /\!/ \overline{BC}$$

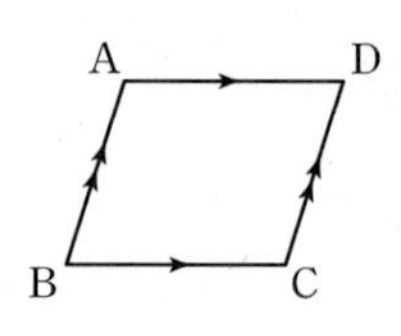

평행사변형은 두 쌍의 대변이 각각 평행하므로 이웃하는 두 내각의 크기의 합은 180°이다. 즉,

$$\angle A+\angle B=\angle B+\angle C=\angle C+\angle D=\angle D+\angle A=180^\circ$$

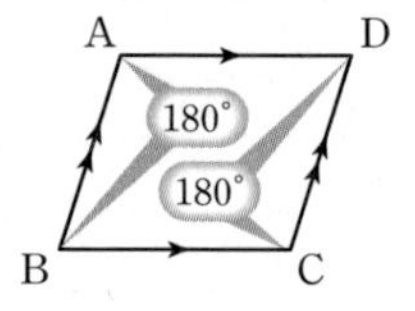

02 평행사변형의 성질(1)

평행사변형에서 두 쌍의 대변의 길이가 각각 같다.

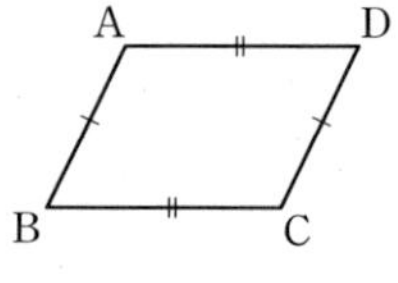

예 오른쪽 그림과 같은 평행사변형 ABCD에서
(1) $\overline{CD}=\overline{AB}$이므로 $\overline{CD}=3\text{ cm}$
(2) $\overline{AD}=\overline{BC}$이므로 $\overline{AD}=4\text{ cm}$

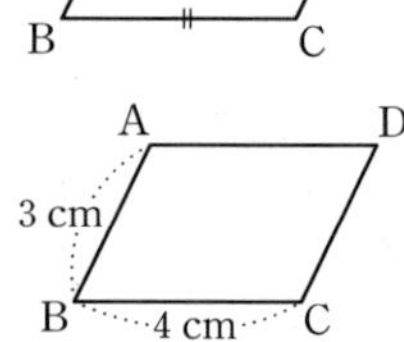

포인트 개념

- 평행사변형의 성질(1)의 설명
  대각선 BD를 그으면 △ABD와 △CDB에서
  $\angle ABD=\angle CDB$(엇각), $\angle ADB=\angle CBD$(엇각), $\overline{BD}$는 공통
  따라서 △ABD≡△CDB(ASA 합동)이므로
  $\overline{AB}=\overline{DC}$, $\overline{AD}=\overline{BC}$

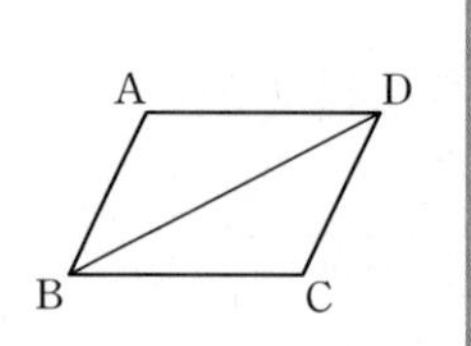

03 평행사변형의 성질(2)

평행사변형에서 두 쌍의 대각의 크기가 각각 같다.

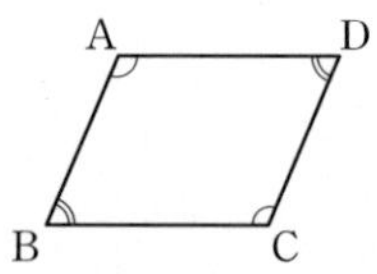

예 오른쪽 그림과 같은 평행사변형 ABCD에서
(1) $\angle A=\angle C$이므로 $\angle A=110^\circ$
(2) $\angle D=\angle B$이므로 $\angle D=70^\circ$

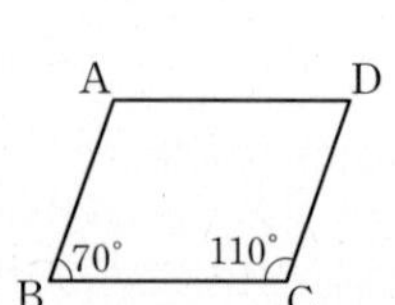

포인트 개념

- $2\angle x+2\angle y=360^\circ$
  $\therefore\ \angle x+\angle y=180^\circ$

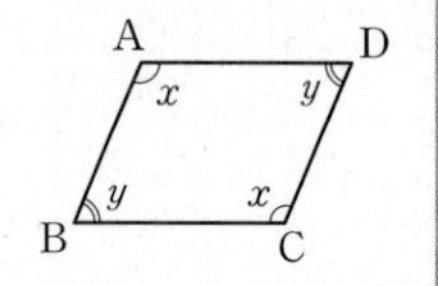

예제 1

오른쪽 그림의 □ABCD가 평행사변형일 때, $\angle x$, $\angle y$의 크기를 각각 구하여라.

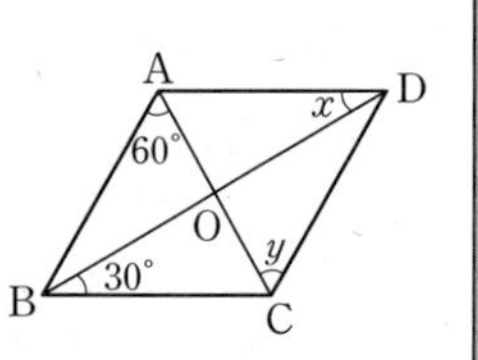

예제 2

오른쪽 그림과 같은 평행사변형 ABCD에서 x, y의 값을 각각 구하여라.

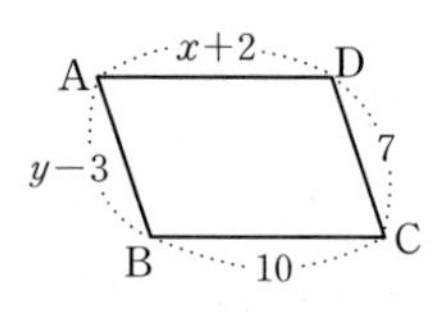

예제 3

오른쪽 그림과 같은 평행사변형 ABCD에서 $\angle x$의 크기를 구하여라.

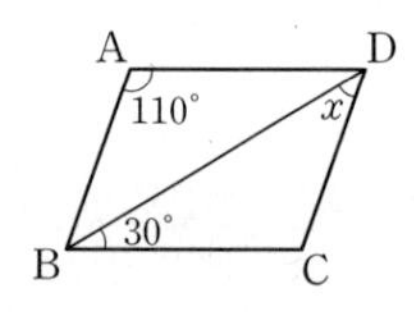

04 평행사변형의 성질(3)

평행사변형에서 두 대각선은 서로 다른 것을 이등분한다.

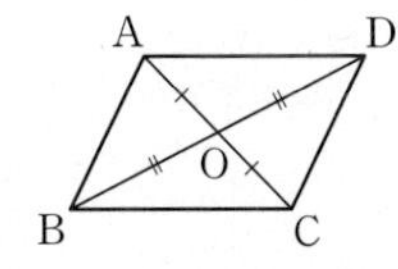

예 오른쪽 그림과 같은 평행사변형 ABCD에서

(1) $\overline{CO}=\overline{AO}$이므로 $\overline{CO}=\frac{1}{2}\times 6=3(\text{cm})$

(2) $\overline{DO}=\overline{BO}$이므로 $\overline{DO}=\frac{1}{2}\times 8=4(\text{cm})$

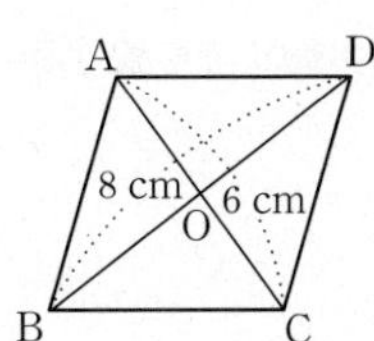

포인트 개념

- 평행사변형의 성질(3)의 설명

△ABO와 △CDO에서

$\overline{AB}=\overline{CD}$

$\overline{AB}/\!/\overline{DC}$이므로 ∠BAO=∠DCO(엇각), ∠ABO=∠CDO(엇각)

따라서 △ABO≡△CDO(ASA 합동)이므로

$\overline{AO}=\overline{CO}$, $\overline{BO}=\overline{DO}$

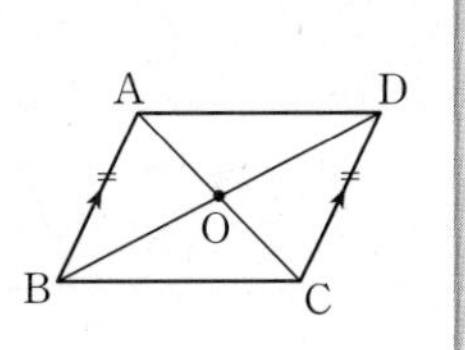

예제 4

오른쪽 그림과 같은 평행사변형 ABCD에서 x, y의 값을 각각 구하여라.

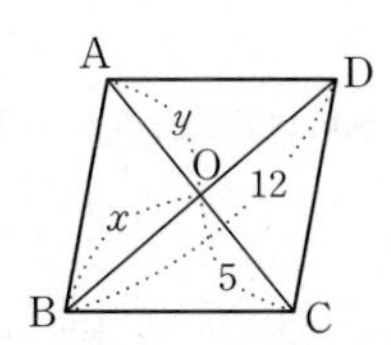

05 평행사변형이 되는 조건(1)

사각형이 다음의 어느 한 조건을 만족하면 평행사변형이 된다.

① 두 쌍의 대변이 각각 평행하다.

➡ $\overline{AB}/\!/\overline{DC}$, $\overline{AD}/\!/\overline{BC}$

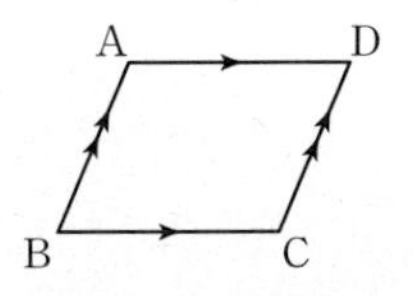

② 두 쌍의 대변의 길이가 각각 같다.

➡ $\overline{AB}=\overline{DC}$, $\overline{AD}=\overline{BC}$

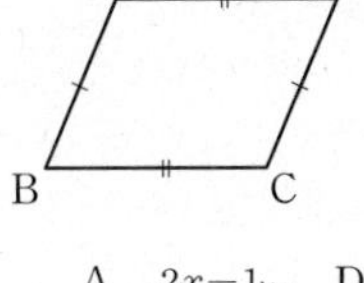

예 오른쪽 그림과 같은 사각형 ABCD가 평행사변형이 되도록 하는 x의 값을 구하면

$2x-1=x+3$　　$\therefore x=4$

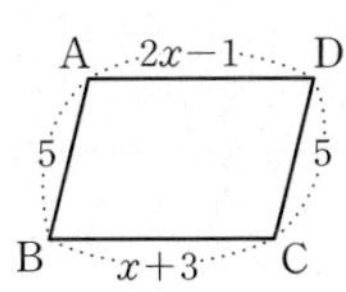

포인트 개념

- 평행사변형이 되는 조건②의 설명

대각선 AC를 그으면 △ABC와 △CDA에서

$\overline{AB}=\overline{CD}$, $\overline{BC}=\overline{DA}$, $\overline{AC}$는 공통

∴ △ABC≡△CDA(SSS 합동)

따라서 ∠BAC=∠DCA이므로 $\overline{AB}/\!/\overline{DC}$이고,

∠ACB=∠CAD이므로 $\overline{AD}/\!/\overline{BC}$

따라서 □ABCD는 평행사변형이다.

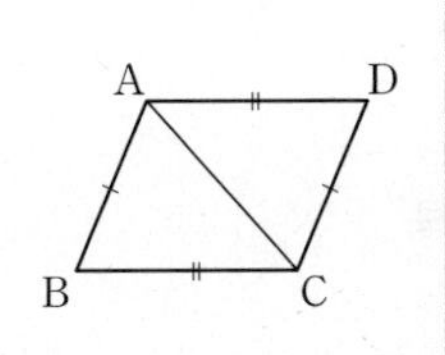

예제 5

오른쪽 그림의 □ABCD가 다음 조건을 각각 만족할 때, 평행사변형인 것은 ○표, 평행사변형이 아닌 것은 ×표 하여라. (단, 점 O는 두 대각선의 교점이다.)

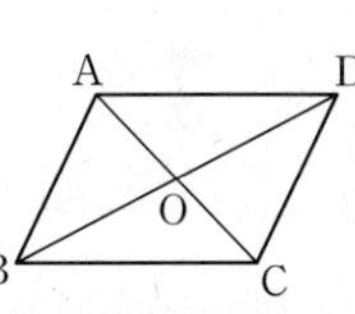

(1) ∠ACB=∠CAD=25°, ∠ABD=∠CDB=55° (　　)

(2) $\overline{AB}=3$, $\overline{BC}=3$, $\overline{CD}=5$, $\overline{AD}=5$ (　　)

06 평행사변형이 되는 조건(2)

③ 두 쌍의 대각의 크기가 각각 같다.

➡ $\angle A=\angle C$, $\angle B=\angle D$

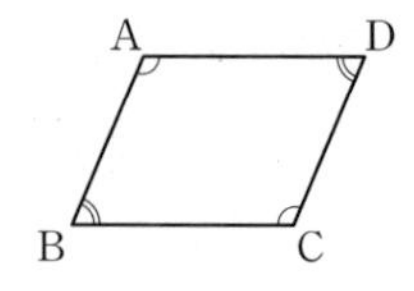

㉥ 오른쪽 그림과 같은 사각형 ABCD가 평행사변형이 되도록 하는 $\angle B$, $\angle C$의 크기를 각각 구하면

$\angle B=180^\circ-\angle A=180^\circ-105^\circ=75^\circ$

$\angle C=\angle A=105^\circ$

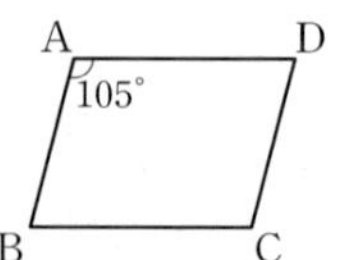

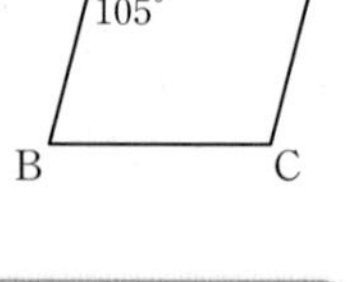

포인트 개념

- 평행사변형이 되는 조건③의 설명

□ABCD에서

$\angle A+\angle B+\angle C+\angle D=360^\circ$

그런데 $\angle A=\angle C$, $\angle B=\angle D$이므로

$\angle A+\angle B=180^\circ$ …… ㉠

또, $\overline{BA}$의 연장선 위에 점 E를 잡으면

$\angle EAD+\angle DAB=180^\circ$ …… ㉡

㉠, ㉡에서 $\angle EAD=\angle B$

즉, 동위각의 크기가 같으므로 $\overline{AD}/\!/\overline{BC}$

같은 방법으로 $\overline{AB}/\!/\overline{DC}$

따라서 □ABCD는 평행사변형이다.

예제 6

오른쪽 그림에서 □ABCD가 평행사변형이 되도록 하는 $\angle x$, $\angle y$의 크기를 각각 구하여라.

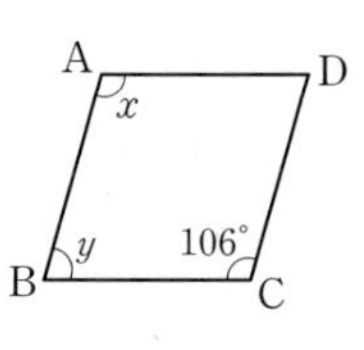

07 평행사변형이 되는 조건(3)

④ 두 대각선이 서로 다른 것을 이등분한다.

➡ $\overline{AO}=\overline{CO}$, $\overline{BO}=\overline{DO}$

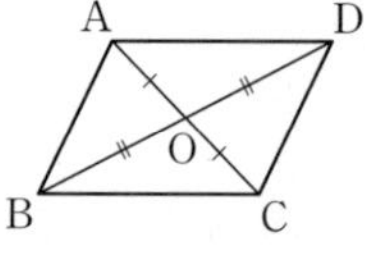

⑤ 한 쌍의 대변이 평행하고, 그 길이가 같다.

➡ $\overline{AD}/\!/\overline{BC}$, $\overline{AD}=\overline{BC}$

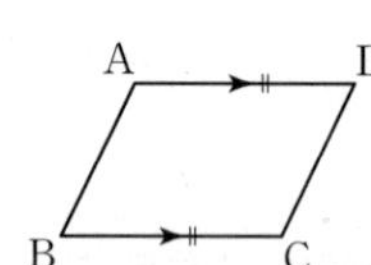

포인트 개념

- 평행사변형이 되는 조건④의 설명

△OAB와 △OCD에서

$\overline{OA}=\overline{OC}$, $\overline{OB}=\overline{OD}$, $\angle AOB=\angle COD$(맞꼭지각)

따라서 △OAB≡△OCD(SAS 합동)이므로

$\angle OAB=\angle OCD$

$\therefore \overline{AB}/\!/\overline{DC}$

같은 방법으로 △ODA≡△OBC(SAS 합동)이므로

$\angle OAD=\angle OCB$

$\therefore \overline{AD}/\!/\overline{BC}$

따라서 □ABCD는 평행사변형이다.

예제 7

오른쪽 그림의 □ABCD가 다음 조건을 각각 만족할 때, 평행사변형인 것은 ○표, 평행사변형이 아닌 것은 ×표 하여라. (단, 점 O는 두 대각선의 교점이다.)

(1) $\overline{AO}=6$, $\overline{BO}=7$, $\overline{CO}=6$, $\overline{DO}=7$ (　　)

(2) $\overline{AB}/\!/\overline{DC}$, $\overline{AD}=12$, $\overline{BC}=12$ (　　)

08 평행사변형이 되는 조건의 활용

□ABCD가 평행사변형일 때, 다음의 조건을 만족시키는 색칠한 사각형은 모두 평행사변형이 된다.

(1) 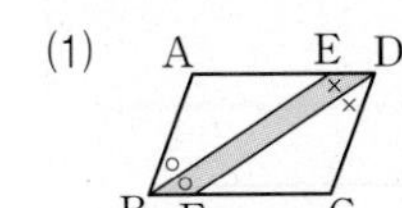

$\angle ABE = \angle EBF$, $\angle EDF = \angle FDC$

➡ $\angle EBF = \angle EDF$, $\angle BED = \angle BFD$

➡ 두 쌍의 대각의 크기가 각각 같다.

(2) 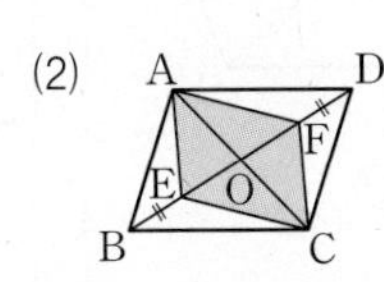

$\overline{BE} = \overline{DF}$

➡ $\overline{AO} = \overline{CO}$, $\overline{EO} = \overline{FO}$

➡ 두 대각선이 서로 다른 것을 이등분한다.

(3) 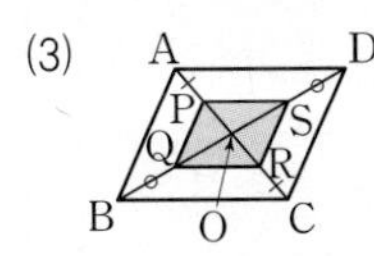

$\overline{AP} = \overline{CR}$, $\overline{BQ} = \overline{DS}$

➡ $\overline{PO} = \overline{RO}$, $\overline{QO} = \overline{SO}$

➡ 두 대각선이 서로 다른 것을 이등분한다.

(4) 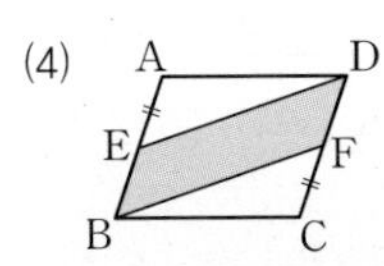

$\overline{AE} = \overline{CF}$

➡ $\overline{EB} /\!/ \overline{DF}$, $\overline{EB} = \overline{DF}$

➡ 한 쌍의 대변이 평행하고, 그 길이가 같다.

(5) 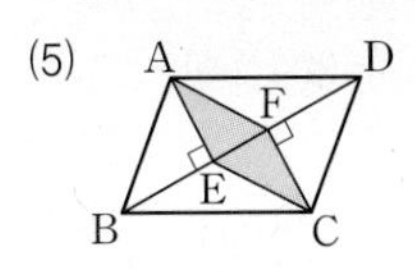

$\angle AEB = \angle CFD = 90°$

➡ $\overline{AE} /\!/ \overline{CF}$, $\overline{AE} = \overline{CF}$

➡ 한 쌍의 대변이 평행하고, 그 길이가 같다.

예제 8

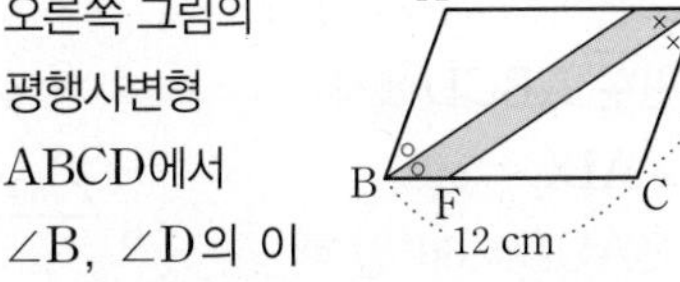

오른쪽 그림의 평행사변형 ABCD에서 ∠B, ∠D의 이등분선이 $\overline{AD}$, $\overline{BC}$와 만나는 점을 각각 E, F라 할 때, $\overline{DE}$의 길이를 구하여라.

09 평행사변형과 넓이

평행사변형 ABCD에서

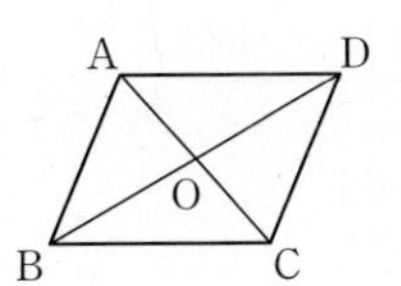

(1) △ABO≡△CDO

△BCO≡△DAO

(2) △ABC=△BCD=△CDA=△DAB

(3) △ABO=△BCO=△CDO=△DAO

(4) 평행사변형 내부의 임의의 점 P에 대하여

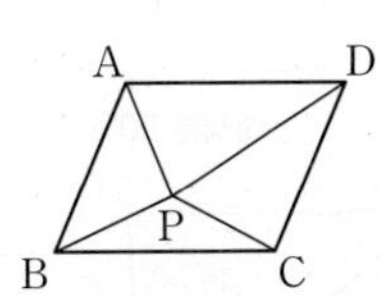

$$\triangle PAB + \triangle PCD = \triangle PDA + \triangle PBC = \frac{1}{2}\square ABCD$$

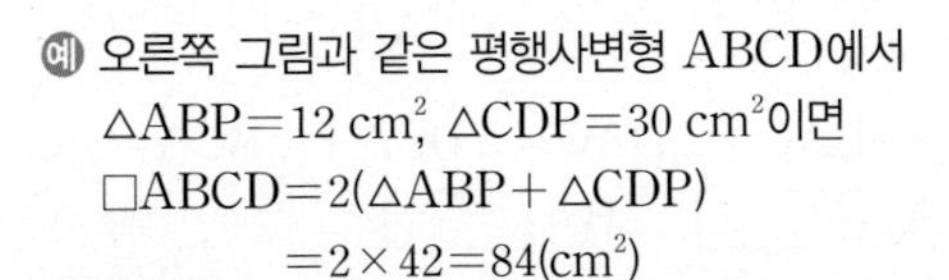

예 오른쪽 그림과 같은 평행사변형 ABCD에서 $\triangle ABP = 12\text{ cm}^2$, $\triangle CDP = 30\text{ cm}^2$이면

$\square ABCD = 2(\triangle ABP + \triangle CDP)$

$= 2 \times 42 = 84(\text{cm}^2)$

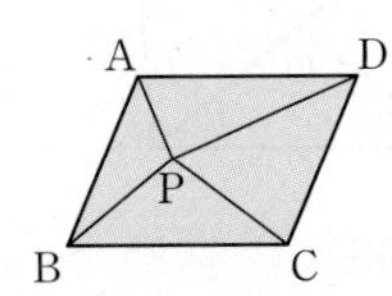

포인트 개념

① 평행사변형의 넓이는 한 대각선에 의하여 이등분된다.

② 평행사변형의 넓이는 두 대각선에 의하여 사등분된다.

예제 9

다음 그림의 평행사변형 ABCD의 넓이가 40 cm^2일 때, 색칠한 부분의 넓이를 구하여라.

(1) 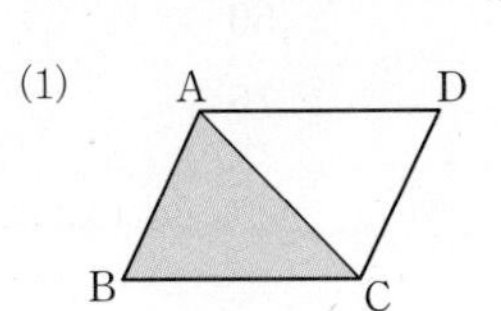

(2) 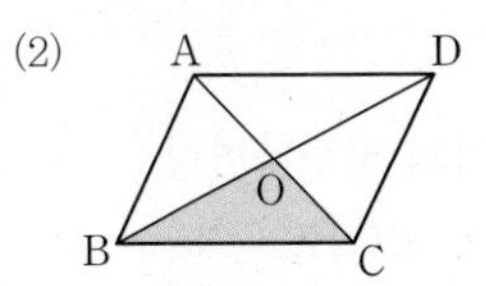

(3) 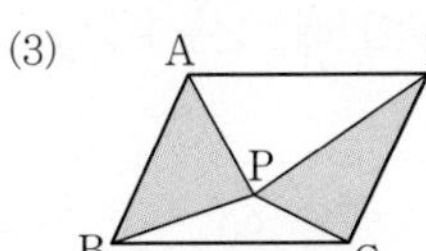

대표유형 평행사변형의 뜻

01 오른쪽 그림의 평행사변형 ABCD에서 $\angle ABC=50^\circ$, $\angle ACB=60^\circ$일 때, $\angle x$의 크기는?

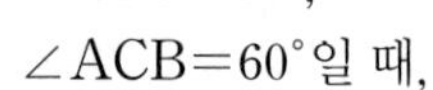

① 50° ② 55° ③ 60°
④ 65° ⑤ 70°

출제율 85%

02 (하) 오른쪽 그림의 사각형 ABCD는 평행사변형이다. 평행사변형의 뜻을 기호로 바르게 나타낸 것은?

① $\overline{AB}=\overline{DC}$, $\overline{AD}=\overline{BC}$
② $\angle A=\angle C$, $\angle B=\angle D$
③ $\overline{AB}/\!/\overline{DC}$, $\overline{AD}/\!/\overline{BC}$
④ $\overline{AB}/\!/\overline{DC}$, $\overline{AB}=\overline{DC}$
⑤ $\overline{OA}=\overline{OC}$, $\overline{OB}=\overline{OD}$

출제율 90%

03 (중) 오른쪽 그림의 평행사변형 ABCD에서 $\angle DAE=25^\circ$, $\angle BCE=100^\circ$일 때, $\angle AED$의 크기는?

① 55° ② 60° ③ 65°
④ 70° ⑤ 75°

출제율 90%

04 (중) 오른쪽 그림의 평행사변형 ABCD에서 $\angle OBC=35^\circ$, $\angle ODC=50^\circ$일 때, $\angle x+\angle y$의 크기는?

① 85° ② 90° ③ 95°
④ 100° ⑤ 105°

대표유형 평행사변형의 성질의 설명

05 다음은 평행사변형에서 두 쌍의 대변의 길이가 각각 같음을 설명하는 과정이다. □ 안에 알맞은 것을 써넣어라.

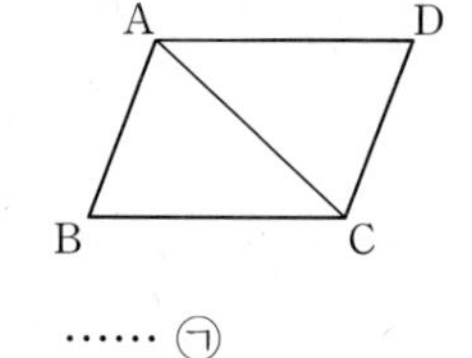

대각선 AC를 그으면
$\triangle ABC$와 $\triangle CDA$에서
$\overline{AB}/\!/$□이므로
$\angle BAC=\angle DCA$(엇각) …… ㉠
$\overline{AD}/\!/\overline{BC}$이므로
$\angle BCA=$□(엇각) …… ㉡
□는 공통 …… ㉢
㉠, ㉡, ㉢에서 $\triangle ABC\equiv\triangle CDA$(□ 합동)
$\therefore \overline{AB}=\overline{CD}$, $\overline{AD}=$□

내신 UP POINT
평행사변형의 성질의 설명
평행사변형의 성질은 다음과 같은 순서로 설명한다.
평행사변형의 뜻 ➡ 삼각형의 합동 ➡ 대응하는 변의 길이가 같다, 대응하는 각의 크기가 같다. ➡ 평행사변형의 성질

출제율 90%

06 (중) 다음은 평행사변형에서 두 쌍의 대각의 크기가 각각 같음을 설명하는 과정이다. □ 안에 알맞은 것을 써넣어라.

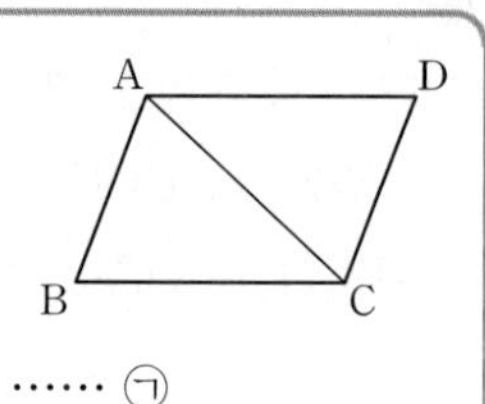

대각선 AC를 그으면
$\triangle ABC$와 $\triangle CDA$에서
$\overline{AB}/\!/\overline{DC}$이므로
$\angle BAC=$□(엇각) …… ㉠
$\overline{AD}/\!/\overline{BC}$이므로
$\angle BCA=$□(엇각) …… ㉡
□는 공통 …… ㉢
㉠, ㉡, ㉢에서 $\triangle ABC\equiv\triangle CDA$(□ 합동)
이므로 $\angle B=\angle D$
㉠, ㉡에서
$\angle A=\angle BAC+\angle DAC=\angle DCA+\angle BCA=\angle C$
$\therefore \angle A=$□, $\angle B=$□

출제율 90%

07 중

다음은 평행사변형에서 두 대각선은 서로 다른 것을 이등분함을 설명하는 과정이다. □ 안에 알맞은 것을 써넣어라.

> 두 대각선 AC, BD의 교점을 O라 하면
> △ABO와 △CDO에서
> $\overline{AB} /\!/ \overline{DC}$이므로
> ∠BAO=□(엇각) ······ ㉠
> ∠ABO=□(엇각) ······ ㉡
> $\overline{AB}$=□(평행사변형의 성질) ······ ㉢
> ㉠, ㉡, ㉢에서 △ABO≡△CDO(□ 합동)
> ∴ $\overline{AO}$=□, □=$\overline{DO}$

대표유형 평행사변형의 성질

08 오른쪽 그림의 평행사변형 ABCD에서 두 대각선의 교점을 O라 할 때, 다음 중 옳지 않은 것은?

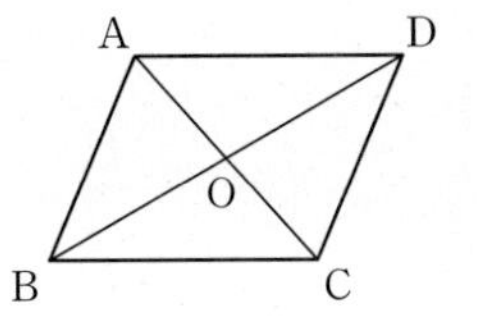

① $\overline{AB}=\overline{DC}$
② ∠BAD=∠DCB
③ $\overline{OA}=\overline{OC}$
④ ∠BAC=∠CAD
⑤ △OAB≡△OCD

내신 UP POINT

평행사변형의 성질
(1) 평행사변형에서 두 쌍의 대변의 길이가 각각 같다.
(2) 평행사변형에서 두 쌍의 대각의 크기가 각각 같다.
(3) 평행사변형에서 두 대각선은 서로 다른 것을 이등분한다.

출제율 90%

09 하

오른쪽 그림의 평행사변형 ABCD에서 다음 중 옳지 않은 것은?

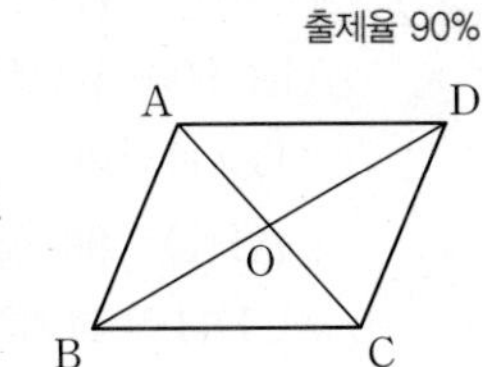

① $\overline{AD} /\!/ \overline{BC}$
② $\overline{AB} /\!/ \overline{DC}$
③ ∠BAD=∠DCB
④ ∠ABC+∠ADC=180°
⑤ $\overline{OA}=\overline{OC}$

출제율 90%

10 하

평행사변형 ABCD에서 $\overline{AB}$=6 cm, $\overline{BC}$=5 cm일 때, 평행사변형 ABCD의 둘레의 길이를 구하여라.

출제율 90%

11 중

오른쪽 그림과 같은 평행사변형 ABCD의 둘레의 길이가 18 cm이고 $\overline{AB}$=4 cm일 때, $\overline{BC}$의 길이를 구하여라.

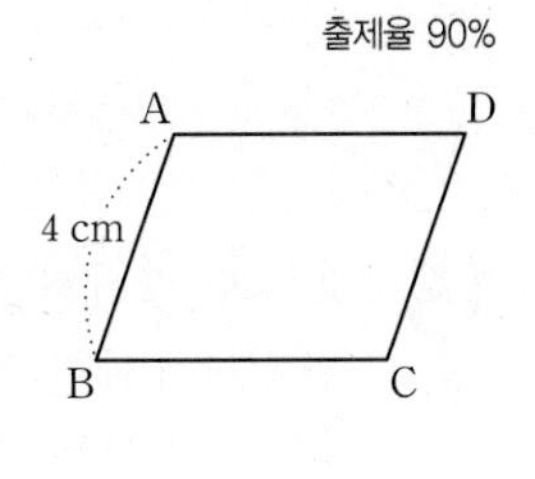

출제율 95%

12 중

오른쪽 그림의 평행사변형 ABCD에서 $\overline{AB}=10-2x$, $\overline{DC}=7-x$일 때, x의 값은?

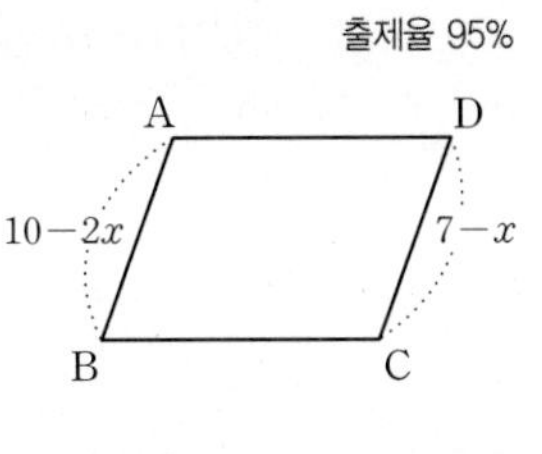

① 2 ② 3 ③ 4
④ 5 ⑤ 6

출제율 90%

13 중

오른쪽 그림의 평행사변형 ABCD에서 $\overline{AD}$=5일 때, $x+y$의 값은?

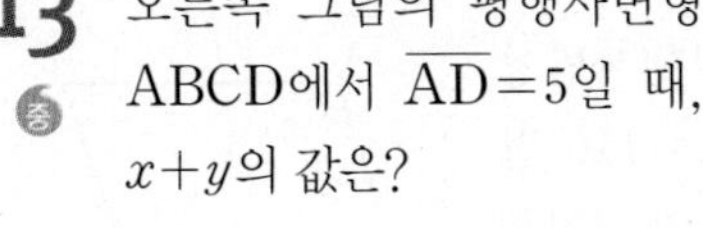

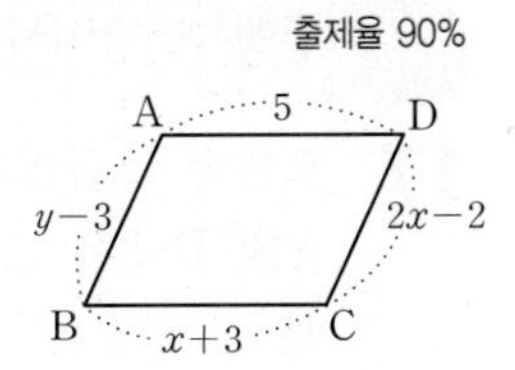

① 5 ② 6
③ 7 ④ 8
⑤ 9

출제율 90%

14 중 오른쪽 그림의 □ABCD가 평행사변형일 때, 다음 중 옳지 <u>않은</u> 것은?

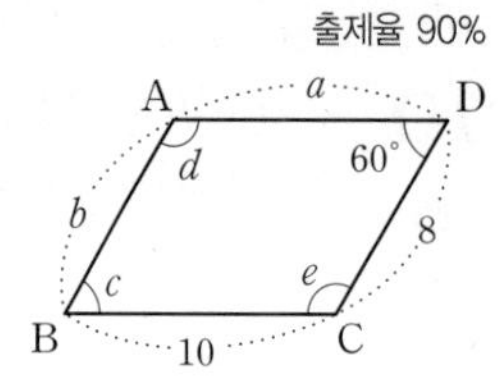

① $a=10$ ② $b=8$
③ $\angle c=60°$ ④ $\angle d=80°$
⑤ $\angle e=120°$

출제율 90%

15 중 오른쪽 그림의 평행사변형 ABCD에 대한 다음 설명 중 옳은 것을 모두 고르면? (정답 2개)

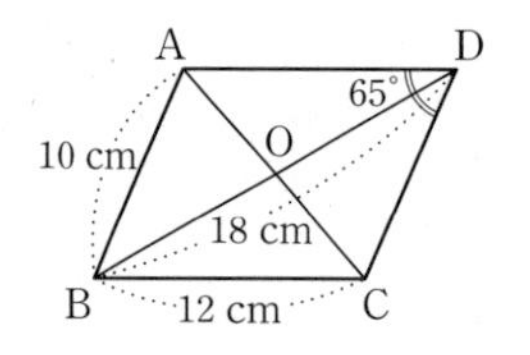

① $\overline{AD}=10$ cm
② $\overline{OB}=10$ cm
③ $\overline{CD}=10$ cm
④ $\angle ABC=65°$
⑤ $\angle BCD=105°$

출제율 95%

16 중 오른쪽 그림의 평행사변형 ABCD에서 $\overline{AO}=3$, $\overline{BO}=5$일 때, $x+y$의 값을 구하여라.

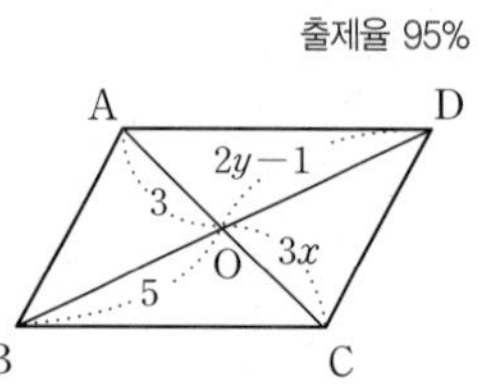

대표유형 **평행사변형에서 각의 크기 구하기**

17 오른쪽 그림의 평행사변형 ABCD에서 $\angle A=110°$일 때, $\angle x$, $\angle y$, $\angle z$의 크기를 각각 구하여라.

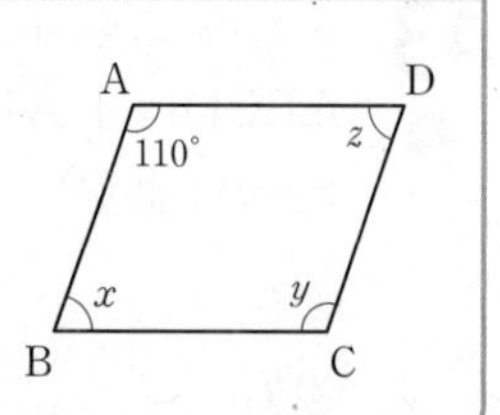

내신 UP POINT
평행사변형에서 이웃하는 두 내각의 크기의 합은 180°이다.

출제율 95%

18 하 오른쪽 그림의 평행사변형 ABCD에서 $\angle A : \angle B=3:2$일 때, $\angle D$의 크기는?

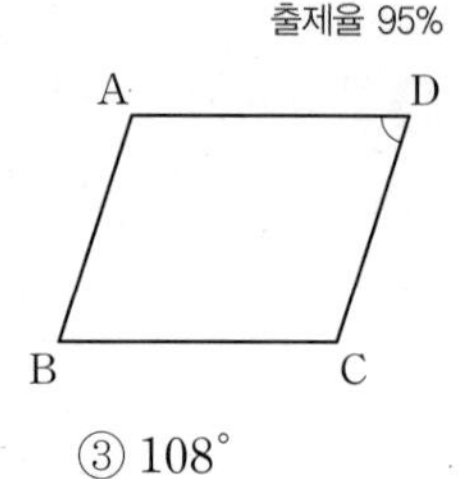

① 36° ② 72° ③ 108°
④ 120° ⑤ 150°

출제율 95%

19 중 오른쪽 그림의 평행사변형 ABCD에서 $4\angle A=5\angle B$일 때, $\angle C$의 크기는?

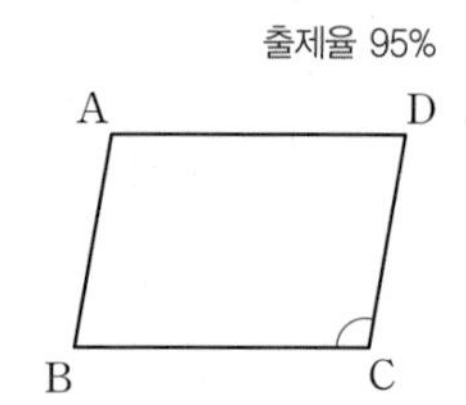

① 80° ② 100°
③ 110° ④ 120°
⑤ 130°

출제율 95%

20 중 오른쪽 그림의 평행사변형 ABCD에서 $\angle ABD=35°$, $\angle ADB=20°$일 때, $\angle x$의 크기는?

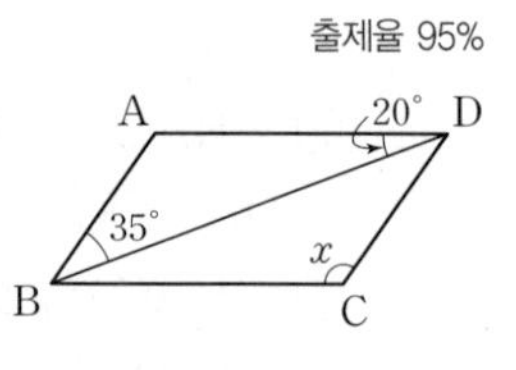

① 110° ② 115° ③ 125°
④ 130° ⑤ 135°

출제율 90%

21 중 오른쪽 그림의 평행사변형 ABCD에서 $\angle B=75°$, $\angle DAH=40°$, $\angle AHD=90°$일 때, $\angle CDH$의 크기는?

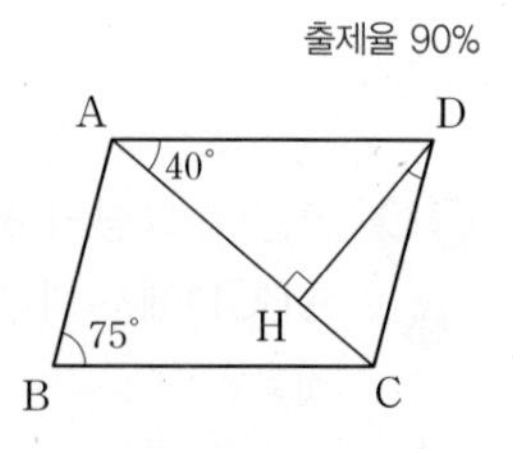

① 15° ② 20° ③ 25°
④ 30° ⑤ 35°

출제율 90%

22 오른쪽 그림의 평행사변형 ABCD에서 $\angle BAE = \angle DAE$, $\angle AEB = 62°$일 때, $\angle D$의 크기는?

중

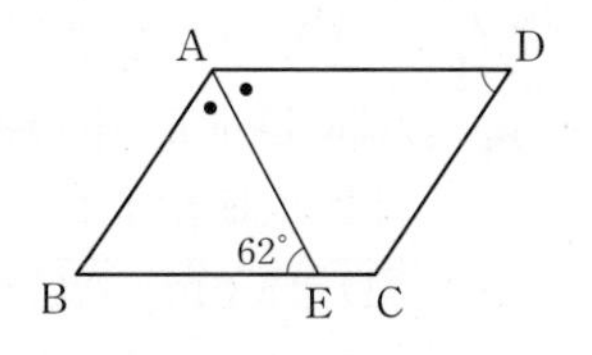

① 56° ② 58° ③ 60°
④ 64° ⑤ 68°

출제율 90%

23 오른쪽 그림의 평행사변형 ABCD에서 $\angle ABD = \angle CBD$, $\angle ADC = 68°$일 때, $\angle x$의 크기를 구하여라.

중

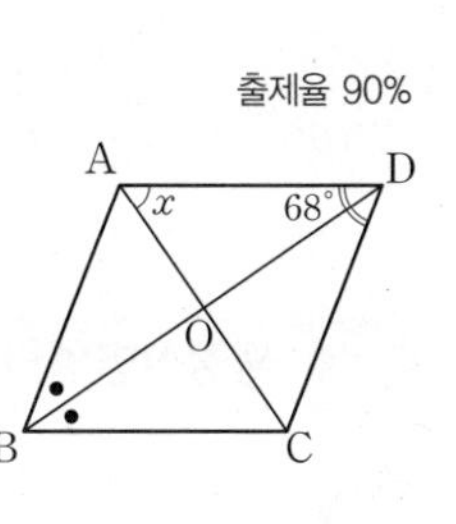

출제율 90%

24 오른쪽 그림의 평행사변형 ABCD에서 $\angle A$와 $\angle B$의 이등분선이 만나는 점을 P라 할 때, $\triangle ABP$는 어떤 삼각형인가?

중

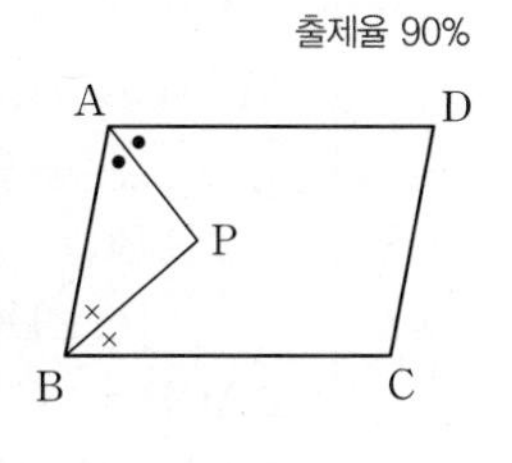

① 이등변삼각형 ② 정삼각형
③ 직각삼각형 ④ 예각삼각형
⑤ 둔각삼각형

출제율 85%

25 오른쪽 그림과 같은 평행사변형 ABCD에서 $\overline{AM} = \overline{DM}$, $\overline{MB} = \overline{MC}$일 때, $\angle A$의 크기는?

중

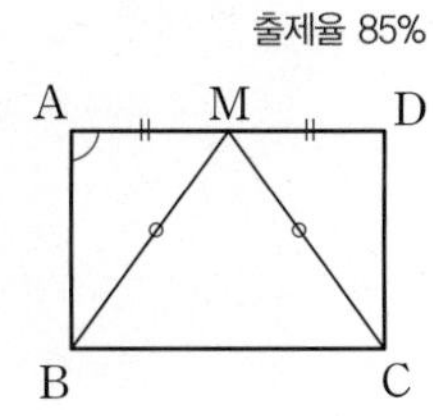

① 80° ② 85° ③ 90°
④ 95° ⑤ 100°

출제율 85%

26 오른쪽 그림의 □ABCD는 평행사변형이고 $\angle ABC = 70°$, $\overline{AD} = \overline{DF} = 4$ cm일 때, $\angle AEB$의 크기를 구하여라.

상

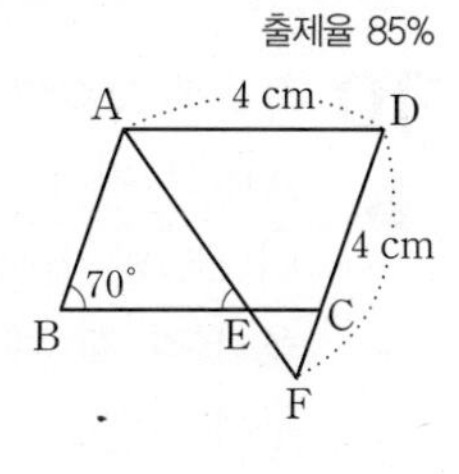

출제율 80%

27 오른쪽 그림의 평행사변형 ABCD를 대각선 BD를 접는 선으로 하여 접어 $\triangle DBC$가 $\triangle DBE$로 옮겨졌다. $\overline{DE}$와 $\overline{BA}$의 연장선의 교점을 F라 하고 $\angle BDC = 40°$일 때, $\angle x$의 크기를 구하여라.

상

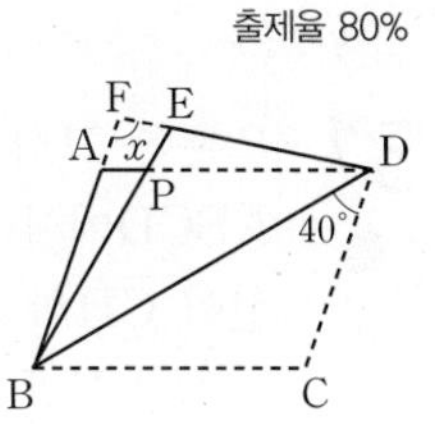

대표유형 **평행사변형에서 변의 길이 구하기**

28 오른쪽 그림의 평행사변형 ABCD에서 $\overline{DE}$는 $\angle D$의 이등분선이다. $\overline{BE} = 3$ cm, $\overline{CD} = 5$ cm일 때, $\overline{AD}$의 길이를 구하여라.

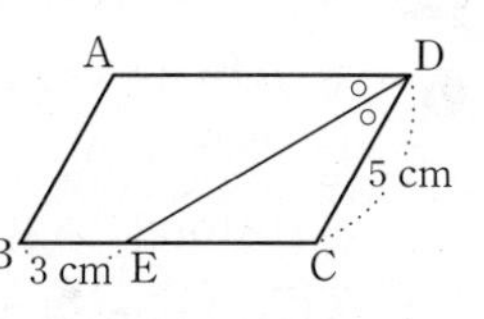

출제율 95%

29 오른쪽 그림의 평행사변형 ABCD에서 점 E는 $\overline{DC}$의 중점이다. 점 F는 $\overline{AD}$의 연장선과 $\overline{BE}$의 연장선의 교점이고 $\overline{AB} = 4$ cm, $\overline{BC} = 3$ cm일 때, $\overline{AF}$의 길이는?

중

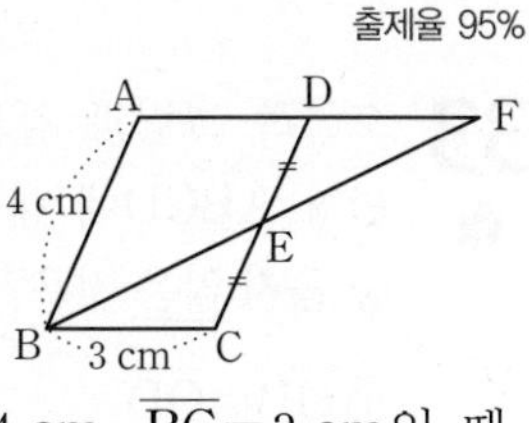

① 4 cm ② 5 cm ③ 6 cm
④ 7 cm ⑤ 8 cm

출제율 95%

30 중 오른쪽 그림의 평행사변형 ABCD에서 $\angle D$의 이등분선이 $\overline{BC}$의 연장선과 만나는 점을 E라 할 때, $\overline{BE}$의 길이를 구하여라.

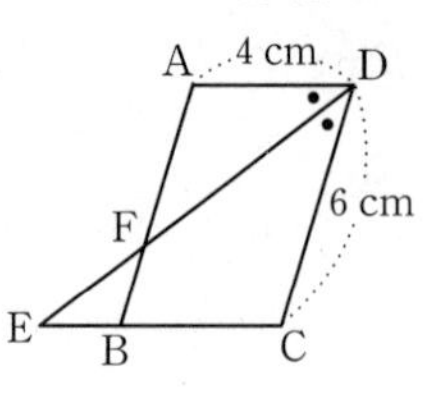

출제율 90%

31 중 오른쪽 그림의 평행사변형 ABCD에서 $\angle A$의 이등분선이 $\overline{CD}$의 연장선과 만나는 점을 E라 하자. $\overline{AB}=4$ cm, $\overline{FC}=3$ cm일 때, x, y의 값을 각각 구하여라.

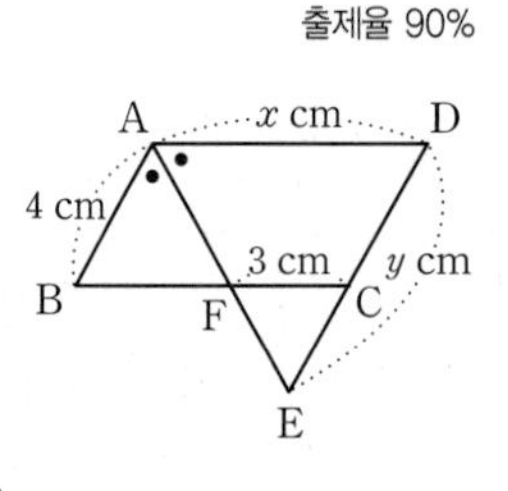

출제율 90%

32 상 오른쪽 그림의 평행사변형 ABCD에서 $\overline{AF}$, $\overline{DE}$는 각각 $\angle A$, $\angle D$의 이등분선이다. $\overline{AB}=9$ cm, $\overline{AD}=14$ cm일 때, $\overline{EF}$의 길이는?

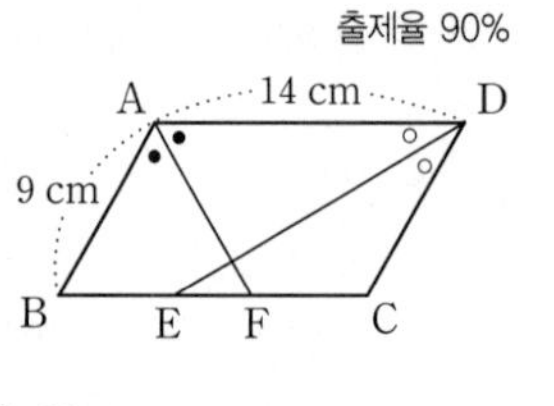

① 1 cm ② 2 cm ③ 3 cm
④ 4 cm ⑤ 5 cm

출제율 85%

33 상 오른쪽 그림과 같은 평행사변형 ABCD에 대하여 다음 중 옳지 <u>않은</u> 것은?

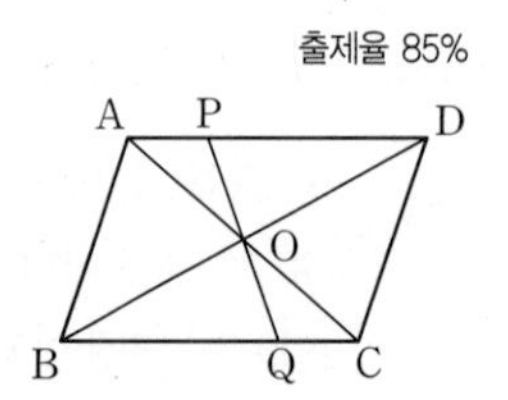

① $\overline{OB}=\overline{OD}$
② $\overline{OP}=\overline{OQ}$
③ $\overline{OB}=\overline{OA}$
④ $\triangle AOP\equiv\triangle COQ$
⑤ $\triangle POD\equiv\triangle QOB$

출제율 85%

34 상 오른쪽 그림의 평행사변형 ABCD에서 점 O는 두 대각선의 교점이고 $\overline{CD}=5$ cm, $\overline{AC}=7$ cm, $\overline{BD}=11$ cm일 때, $\triangle ABO$의 둘레의 길이는?

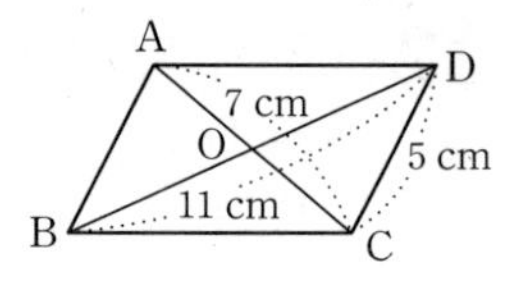

① 12 cm ② 13 cm ③ 14 cm
④ 15 cm ⑤ 16 cm

대표유형 평행사변형이 되는 조건의 설명

35 다음은 두 쌍의 대변의 길이가 각각 같은 사각형은 평행사변형임을 설명하는 과정이다. □ 안에 알맞은 것을 써넣어라.

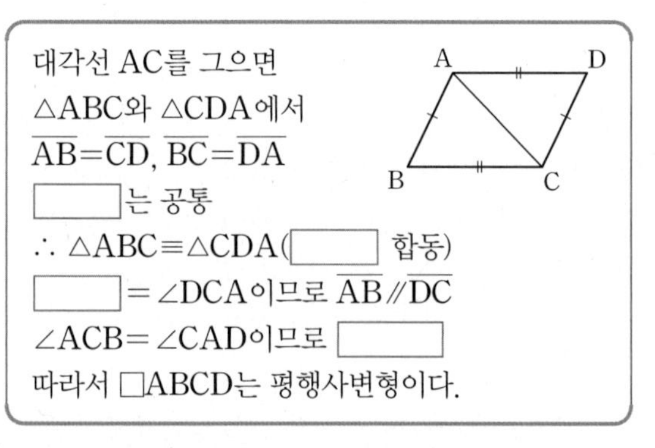

대각선 AC를 그으면
$\triangle ABC$와 $\triangle CDA$에서
$\overline{AB}=\overline{CD}$, $\overline{BC}=\overline{DA}$
□는 공통
$\therefore$ $\triangle ABC\equiv\triangle CDA$(□ 합동)
□ $=\angle DCA$이므로 $\overline{AB}/\!/\overline{DC}$
$\angle ACB=\angle CAD$이므로 □
따라서 □ABCD는 평행사변형이다.

내신 UP POINT

사각형이 평행사변형이 되는 조건의 설명은 다음과 같은 순서로 한다.

삼각형의 합동
⬇
평행선에서 엇각, 동위각의 성질
⬇
두 쌍의 대변이 각각 평행
⬇
평행사변형의 뜻

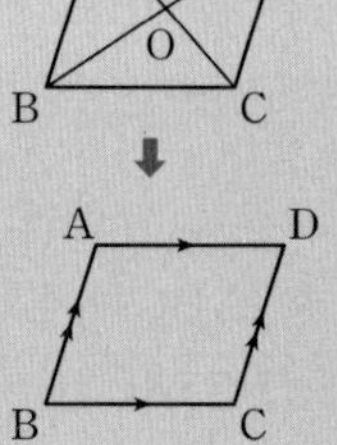

출제율 90%

36
중

다음은 오른쪽 그림에서 $\angle A=\angle C$, $\angle B=\angle D$이면 □ABCD는 평행사변형임을 설명하는 과정이다. □ 안에 알맞은 것을 써넣어라.

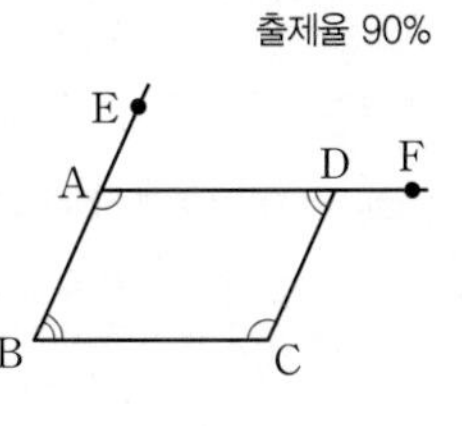

> □ABCD에서 $\angle A+\angle B+\angle C+\angle D=360^\circ$
> 그런데 $\angle A=\angle C$, $\angle B=\angle D$이므로
> $\angle A+\angle B=$ □ ······ ㉠
> $\overline{BA}$의 연장선 위에 점 E를 잡으면
> $\angle DAB+\angle DAE=180^\circ$ ······ ㉡
> ㉠, ㉡에서 $\angle B=\angle DAE$
> $\therefore \overline{AD}$ // □
> 한편, $\angle B=\angle D$이므로 $\angle A+\angle D=$ □
> 같은 방법으로 $\overline{AB}$ // □
> 따라서 □ABCD는 □ 이다.

출제율 90%

37
중

다음은 두 대각선이 서로 다른 것을 이등분하는 사각형은 평행사변형임을 설명하는 과정이다. □ 안에 들어갈 것을 차례로 쓴 것은?

> △OAB와 △OCD에서
> $\overline{OA}=\overline{OC}$, $\overline{OB}=\overline{OD}$
> $\angle AOB=\angle COD$(□)
> 따라서 △OAB≡△OCD
> (SAS 합동)이므로 $\angle OAB=$ □
> $\therefore \overline{AB}$ // $\overline{DC}$ ······ ㉠
> 같은 방법으로 △ODA≡△OBC(SAS 합동)이므로
> □ $=\angle OCB$
> $\therefore \overline{AD}$ // $\overline{BC}$ ······ ㉡
> 따라서 ㉠, ㉡에 의하여 □ABCD는 평행사변형이다.

① 맞꼭지각, $\angle ODC$, $\angle OBC$
② 맞꼭지각, $\angle OCD$, $\angle OBC$
③ 맞꼭지각, $\angle OCD$, $\angle OAD$
④ 엇각, $\angle ODC$, $\angle OBC$
⑤ 엇각, $\angle OCD$, $\angle OAD$

출제율 90%

38
중

다음은 오른쪽 그림의 □ABCD가 평행사변형임을 설명하는 과정이다. □ 안에 알맞은 것을 써넣어라.

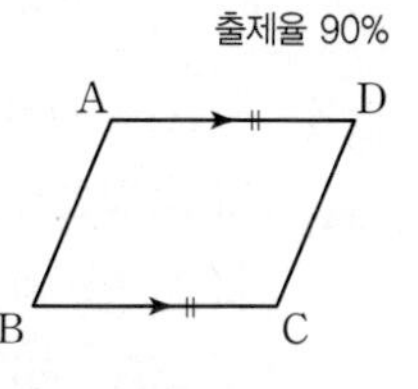

> 오른쪽 그림과 같이 대각선 AC를 그으면 △ABC와 △CDA에서
> $\overline{BC}=\overline{DA}$
> □ // $\overline{BC}$이므로
> $\angle ACB=$ □(엇각)
> $\overline{AC}$는 공통
> $\therefore$ △ABC≡△CDA(□ 합동)
> $\therefore \angle BAC=$ □
> 엇각의 크기가 같으므로 □ // $\overline{DC}$
> 따라서 □ABCD는 두 쌍의 대변이 각각 평행하므로 평행사변형이다.

대표유형 평행사변형이 되는 조건

39

오른쪽 그림과 같은 사각형 ABCD가 평행사변형이 되도록 하는 x의 값은?

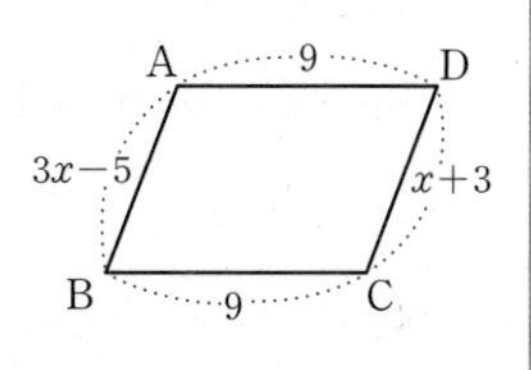

① 2 ② 3 ③ 4
④ 5 ⑤ 6

내신 UP POINT

사각형이 평행사변형이 되는 조건
(1) 두 쌍의 대변이 각각 평행하다.
(2) 두 쌍의 대변의 길이가 각각 같다.
(3) 두 쌍의 대각의 크기가 각각 같다.
(4) 두 대각선이 서로 다른 것을 이등분한다.
(5) 한 쌍의 대변이 평행하고, 그 길이가 같다.

출제율 95%

40
하

오른쪽 그림과 같은 사각형 ABCD가 평행사변형이 되도록 하는 $\angle B$, $\angle C$의 크기를 각각 구하여라.

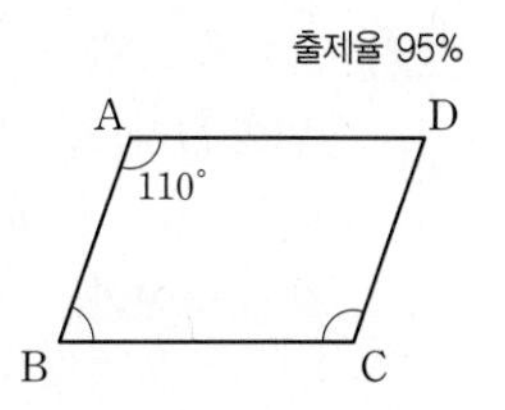

출제율 90%

41 하 □ABCD가 다음 조건을 각각 만족할 때, 평행사변형인 것은 ○, 아닌 것은 ×로 표시하여라. (단, 점 O는 두 대각선의 교점이다.)

(1) $\overline{AD}/\!/\overline{BC}$, $\overline{AB}/\!/\overline{DC}$ ( )
(2) $\overline{AB}=\overline{DC}$, $\overline{AD}=\overline{BC}$ ( )
(3) $\overline{OA}=\overline{OB}$, $\overline{OC}=\overline{OD}$ ( )
(4) $\overline{AB}/\!/\overline{DC}$, $\overline{AB}=\overline{DC}$ ( )
(5) $\overline{AB}/\!/\overline{DC}$, $\overline{AD}=\overline{BC}$ ( )

출제율 95%

42 중 오른쪽 그림과 같은 □ABCD에서 $\overline{AB}=6$ cm, $\overline{AD}=7$ cm, $\angle A=120°$일 때, 다음 중 □ABCD가 평행사변형이 되는 조건인 것을 모두 고르면? (정답 2개)

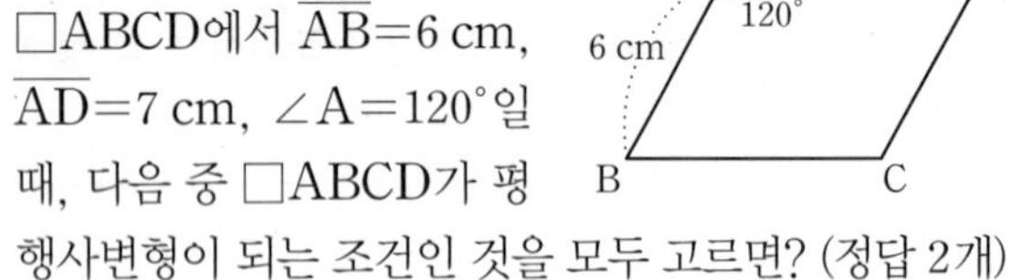

① $\overline{CD}=6$ cm, $\angle C=60°$
② $\angle C=60°$, $\angle D=120°$
③ $\angle C=120°$, $\angle D=60°$
④ $\overline{BC}=7$ cm, $\overline{CD}=6$ cm
⑤ $\overline{BC}=6$ cm, $\overline{CD}=7$ cm

출제율 90%

43 중 오른쪽 그림의 □ABCD에서 두 대각선의 교점을 O라 하고 $\overline{AO}=7$, $\overline{BO}=5$, $\overline{CO}=x$, $\overline{DO}=y$일 때, □ABCD가 평행사변형이 되도록 하는 x, y의 값을 각각 구하여라.

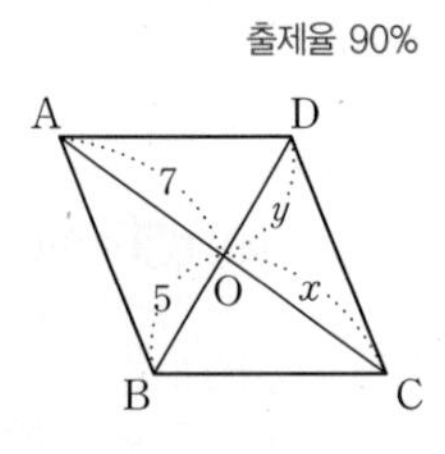

출제율 95%

44 중 오른쪽 그림의 사각형 ABCD가 평행사변형이 되도록 하는 x, y의 값을 각각 구하여라.

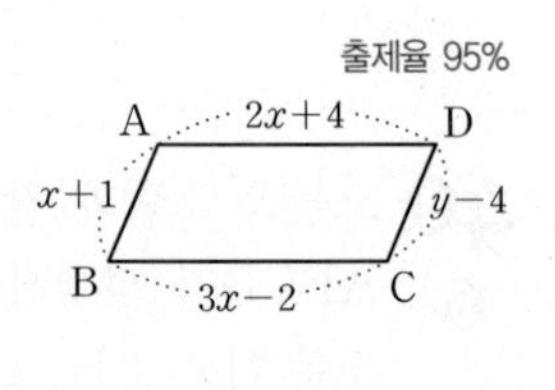

출제율 95%

45 중 오른쪽 그림의 사각형 ABCD가 평행사변형이 되도록 하는 $\angle x$, $\angle y$의 크기를 각각 구하면?

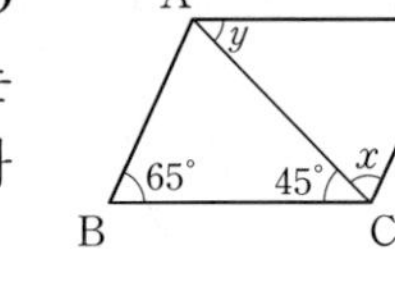

① $\angle x=45°$, $\angle y=65°$
② $\angle x=45°$, $\angle y=70°$
③ $\angle x=70°$, $\angle y=75°$
④ $\angle x=70°$, $\angle y=45°$
⑤ $\angle x=65°$, $\angle y=65°$

출제율 95%

46 중 다음 중 오른쪽 그림의 사각형 ABCD가 평행사변형이 되는 조건이 아닌 것은?

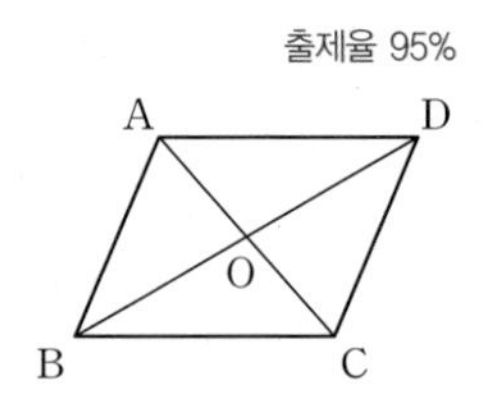

① $\angle A=\angle C$, $\angle B=\angle D$
② $\overline{AB}/\!/\overline{DC}$, $\overline{AD}/\!/\overline{BC}$
③ $\overline{AB}/\!/\overline{DC}$, $\overline{AD}=\overline{BC}$
④ $\overline{OA}=\overline{OC}$, $\overline{OB}=\overline{OD}$
⑤ $\overline{AD}/\!/\overline{BC}$, $\triangle AOD\equiv\triangle COB$

출제율 95%

47 상 다음 조건을 만족하는 □ABCD가 평행사변형이 아닌 것은?

① $\overline{AB}/\!/\overline{DC}$, $\overline{AD}/\!/\overline{BC}$
② $\angle A=100°$, $\angle B=80°$, $\angle C=100°$
③ $\overline{AB}/\!/\overline{DC}$, $\overline{AB}=5$ cm, $\overline{DC}=5$ cm
④ $\angle A=70°$, $\angle B=110°$, $\overline{AD}=3$ cm, $\overline{BC}=3$ cm
⑤ $\overline{AB}=3$ cm, $\overline{BC}=3$ cm, $\overline{CD}=5$ cm, $\overline{DA}=5$ cm

대표유형 평행사변형이 되는 조건의 활용의 설명

48 다음은 평행사변형 ABCD의 두 꼭짓점 A, C에서 대각선 BD에 내린 수선의 발을 각각 E, F라 할 때, □AECF가 평행사변형임을 설명하는 과정이다. □ 안에 알맞은 것을 써넣어라.

> △ABE와 △CDF에서
> ∠AEB=∠CFD=90°
> $\overline{AB}=\overline{CD}$
> ∠ABE=∠CDF(엇각)
> 이므로
> △ABE≡□(RHA 합동)
> ∴ $\overline{AE}$=□
> □AECF에서 ∠AEF=∠CFE이므로
> $\overline{AE}$ // □
> 따라서 □AECF는 한 쌍의 대변이 평행하고, 그 길이가 같으므로 □이다.

출제율 95%

49 다음은 평행사변형 ABCD에서 ∠B, ∠D의 이등분선이 $\overline{AD}$, $\overline{BC}$와 만나는 점을 각각 E, F라 할 때, □EBFD가 평행사변형임을 설명하는 과정이다. □ 안에 알맞은 것을 써넣어라.

중

> ∠B=∠D이므로
> $\frac{1}{2}$∠B=$\frac{1}{2}$∠D
> ∴ ∠EBF=□ ...... ㉠
> ∠AEB=∠EBF(엇각), ∠DFC=∠EDF(엇각)
> 이므로 ∠AEB=∠DFC
> ∴ ∠BED=□ ...... ㉡
> 따라서 ㉠, ㉡에서 두 쌍의 대각의 크기가 각각 같으므로 □EBFD는 □이다.

출제율 95%

50 다음은 평행사변형 ABCD의 대각선 BD 위에 $\overline{BE}=\overline{DF}$가 되도록 점 E, F를 잡을 때, □AECF가 평행사변형임을 설명하는 과정이다. □ 안에 알맞은 것을 써넣어라.

중

> □ABCD가 평행사변형이므로
> $\overline{AO}$=□ ...... ㉠
> □ABCD가 평행사변형이므로 $\overline{BO}$=□
> 이때 $\overline{BE}=\overline{DF}$이므로
> $\overline{EO}$=□ ...... ㉡
> 따라서 ㉠, ㉡에서 두 대각선이 서로 다른 것을 이등분하므로 □AECF는 □이다.

출제율 95%

51 다음은 평행사변형 ABCD에서 두 대각선의 교점을 O라 하고 $\overline{OA}$, $\overline{OB}$, $\overline{OC}$, $\overline{OD}$의 중점을 각각 P, Q, R, S라 할 때, □PQRS가 평행사변형임을 설명하는 과정이다. □ 안에 알맞은 것을 써넣어라.

중

> $\overline{OA}=\overline{OC}$이므로
> $\overline{OP}=\frac{1}{2}\overline{OA}=\frac{1}{2}\overline{OC}$
> =□ ...... ㉠
> $\overline{OB}=\overline{OD}$이므로
> $\overline{OQ}=\frac{1}{2}\overline{OB}=\frac{1}{2}\overline{OD}$=□ ...... ㉡
> 따라서 ㉠, ㉡에서 두 대각선이 서로 다른 것을 이등분하므로 □PQRS는 □이다.

대표유형 평행사변형이 되는 조건의 활용

52 오른쪽 그림에서 점 O는 □ABCD의 두 대각선의 교점이고, □ABCD, □OCDE는 모두 평행사변형이다. $\overline{AF}+\overline{OF}$의 길이를 구하여라.

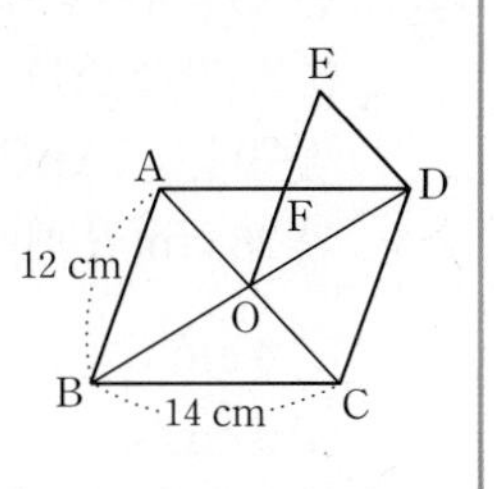

출제율 85%

53 하

오른쪽 그림의 평행사변형 ABCD에서 꼭짓점 A를 지나면서 대각선 DB에 평행한 직선을 그어 $\overline{BC}$의 연장선과 만나는 점을 E라 하자. $\overline{AD}=8$ cm, $\overline{CD}=11$ cm일 때, $\overline{EB}$의 길이를 구하여라.

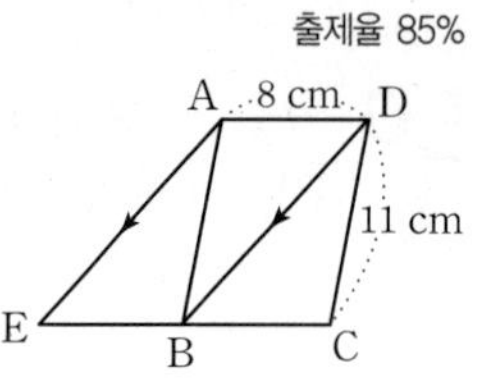

출제율 95%

54 중

오른쪽 그림의 평행사변형 ABCD에서 ∠B, ∠D의 이등분선이 $\overline{AD}$, $\overline{BC}$와 만나는 점을 각각 E, F라 할 때, $\overline{DE}$의 길이를 구하여라.

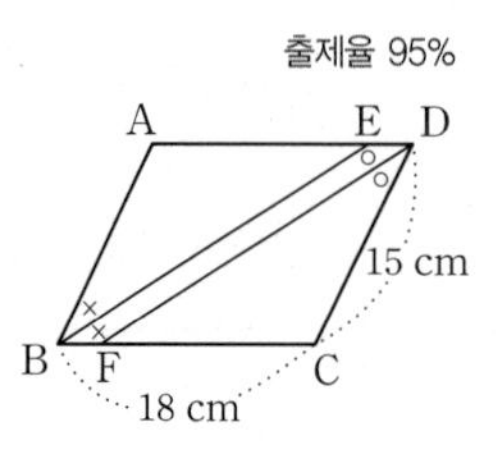

대표유형 평행사변형과 넓이(1)

55

오른쪽 그림에서 □ABCD는 평행사변형이고, 점 O는 두 대각선의 교점이다.
$\triangle$DAO$=20$ cm^{2}일 때, □ABCD의 넓이를 구하여라.

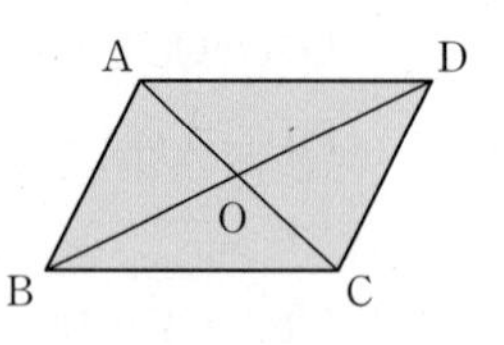

출제율 95%

56 중

오른쪽 그림의 □ABCD는 평행사변형이고, 점 M, N은 각각 $\overline{AD}$, $\overline{BC}$의 중점이다. □ABCD의 넓이가 28 cm^{2}일 때, □MPNQ의 넓이는?

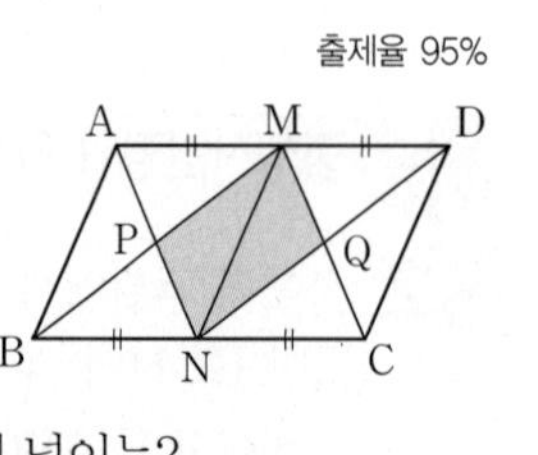

① 3 cm^2 ② 5 cm^2 ③ 7 cm^2
④ 9 cm^2 ⑤ 10 cm^2

출제율 85%

57 상

오른쪽 그림의 평행사변형 ABCD에서 두 대각선의 교점 O를 지나는 직선과 $\overline{AD}$, $\overline{BC}$와의 교점을 각각 P, Q라 할 때, 다음 중 옳지 않은 것은?

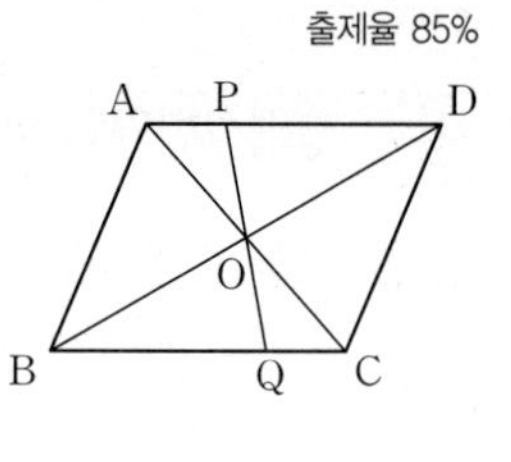

① $\overline{OA}=\overline{OC}$ ② $\overline{OP}=\overline{OQ}$
③ $\overline{OA}=\overline{OB}$ ④ $\triangle$AOP≡$\triangle$COQ
⑤ $\triangle$ODP$+\triangle$COQ$=\triangle$OCD

대표유형 평행사변형과 넓이(2)

58

오른쪽 그림과 같이 넓이가 30 cm^{2}인 평행사변형 ABCD의 내부에 한 점 P를 잡을 때, 색칠한 부분의 넓이를 구하여라.

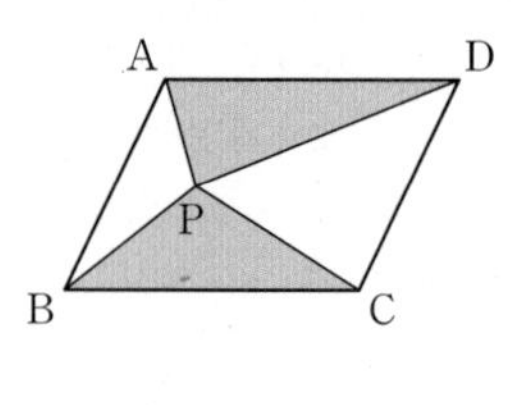

출제율 95%

59 중

오른쪽 그림에서 점 P는 평행사변형 ABCD의 내부의 임의의 한 점이다.
□ABCD$=48$ cm^2,
$\triangle$ABP$=15$ cm^{2}일 때, $\triangle$CDP의 넓이를 구하여라.

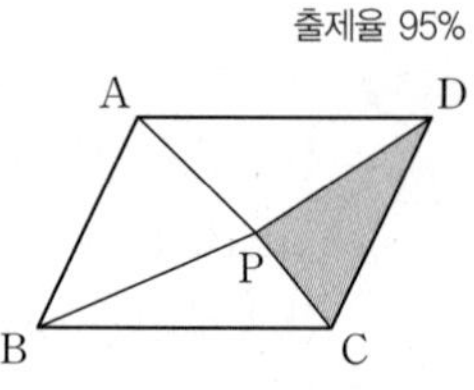

출제율 00%

60 중

오른쪽 그림의 □ABCD는 평행사변형이고, $\triangle$PBC의 넓이는 6 cm^{2}이다. $\triangle$PAD의 넓이는?

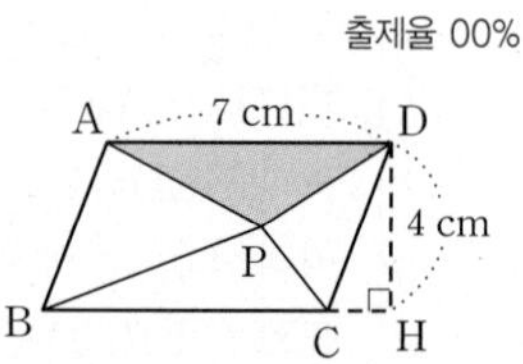

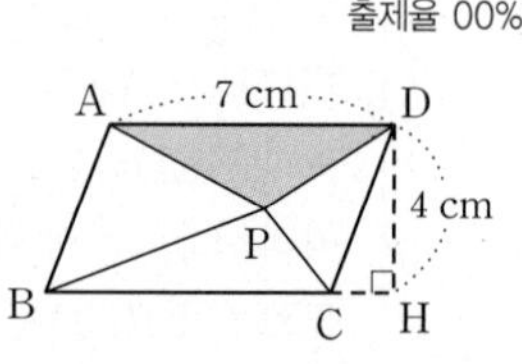

① 5 cm^2 ② 6 cm^2 ③ 7 cm^2
④ 8 cm^2 ⑤ 9 cm^2

개념 UP 01 평행사변형이 되는 조건의 활용

삼각형의 합동조건과 평행사변형이 되는 조건을 이용하여 주어진 사각형이 평행사변형임을 설명한다.

출제율 90%

61 상 다음은 오른쪽 그림과 같은 평행사변형 ABCD에서 두 점 M, N이 각각 $\overline{AD}$, $\overline{BC}$의 중점일 때, □MPNQ가 평행사변형임을 설명하는 과정이다. □ 안에 알맞은 것을 써넣어라.

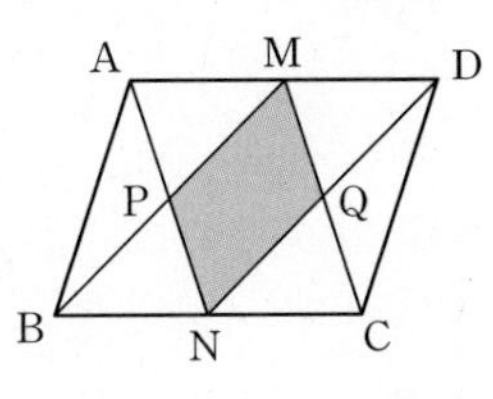

> $\overline{MD}$ // $\overline{BN}$, $\overline{MD}=\overline{BN}$이므로
> □MBND는 ☐이다.
> ∴ $\overline{MP}$ // ☐ ...... ㉠
> 또, $\overline{AM}$ // $\overline{NC}$, $\overline{AM}=\overline{NC}$이므로
> □ANCM은 ☐이다.
> ∴ $\overline{PN}$ // ☐ ...... ㉡
> 따라서 □MPNQ는 두 쌍의 대변이 각각 평행하므로 ☐이다.

출제율 90%

62 상 오른쪽 그림의 평행사변형 ABCD에서 $\overline{BC}$, $\overline{DC}$의 연장선 위에 $\overline{BC}=\overline{CE}$, $\overline{DC}=\overline{CF}$가 되도록 두 점 E, F를 잡을 때, □ABCD를 제외한 평행사변형을 모두 찾으시오.

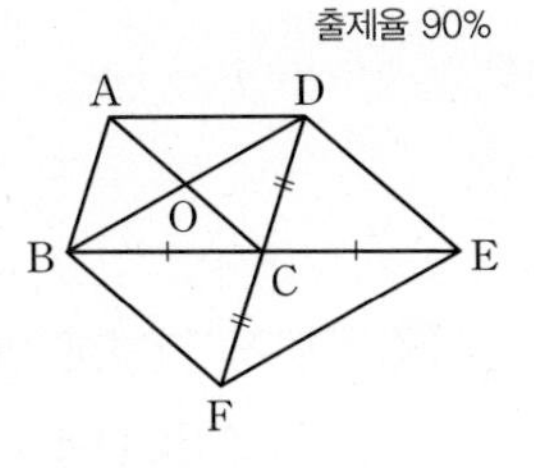

출제율 85%

63 상 오른쪽 그림은 △ABC의 세 변을 각각 한 변으로 하는 정삼각형인 △APB, △BCQ, △ACR를 그린 것이다. 다음 중 옳지 않은 것은?

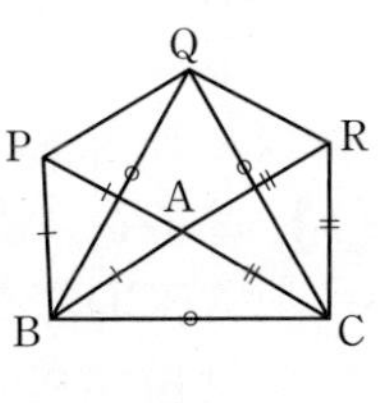

① ∠BPQ=∠QRC　② ∠PBQ=∠ACB
③ △ABC≡△PBQ　④ △PBQ≡△RQC
⑤ □QPAR는 평행사변형이다.

출제율 85%

64 상 오른쪽 그림의 △ADB, △BCE, △ACF는 △ABC의 세 변을 각각 한 변으로 하는 정삼각형일 때, □AFED의 둘레의 길이를 구하여라.

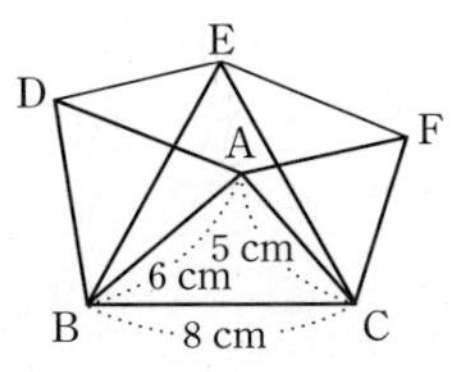

출제율 80%

65 상 오른쪽 그림의 평행사변형 ABCD에서 $\overline{AB}=40$ cm이고 점 P는 점 A에서 점 B까지 매초 2 cm의 속력으로, 점 Q는 점 C에서 점 D까지 매초 4 cm의 속력으로 움직이고 있다. 점 P가 점 A를 출발한 지 6초 후에 점 Q가 점 C를 출발할 때, □APCQ가 평행사변형이 되는 것은 점 Q가 점 C를 출발한 지 몇 초 후인가?

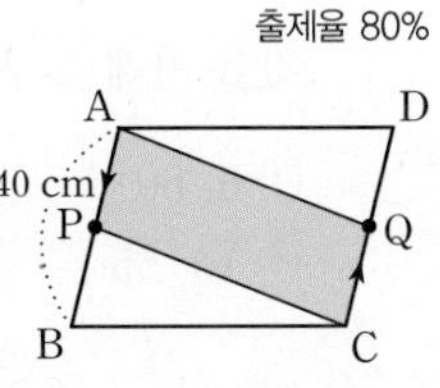

① 6초 후　② 7초 후　③ 8초 후
④ 9초 후　⑤ 10초 후

이것만 봐도 70점!

01 오른쪽 그림에서 사각형 ABCD가 평행사변형일 때, $\angle$BCA의 크기는?

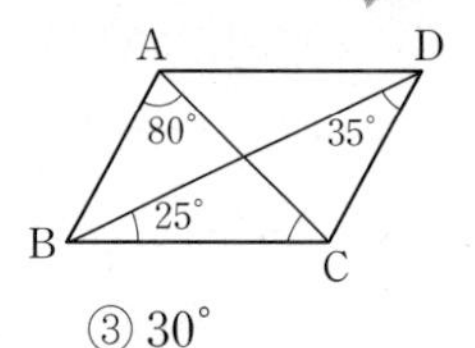

① 20° ② 25° ③ 30°
④ 35° ⑤ 40°

02 오른쪽 그림의 사각형 ABCD가 평행사변형일 때, 다음 중 옳지 않은 것은?

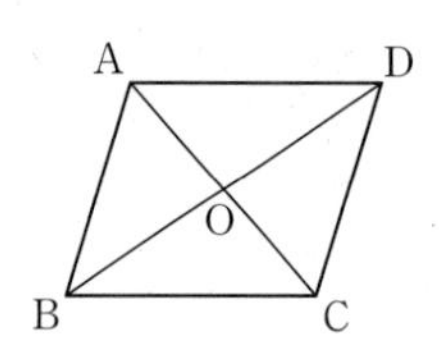

① $\overline{AB} /\!/ \overline{DC}$
② $\overline{AB}=\overline{DC}$
③ $\overline{AC}=\overline{BD}$
④ $\overline{OA}=\overline{OC}$
⑤ $\angle A=\angle C$

03 오른쪽 그림의 평행사변형 ABCD에서 $\overline{AB}=6$ cm, $\overline{AD}=10$ cm이고 $\angle A=125°$일 때, x, y의 값을 차례로 구하면?

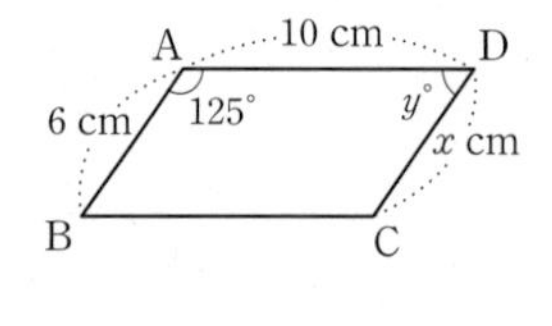

① 6, 50 ② 6, 55 ③ 10, 50
④ 10, 55 ⑤ 10, 65

04 오른쪽 그림과 같은 평행사변형 ABCD에서 $\angle$A, $\angle$D의 크기의 비가 5 : 4일 때, $\angle$C의 크기는?

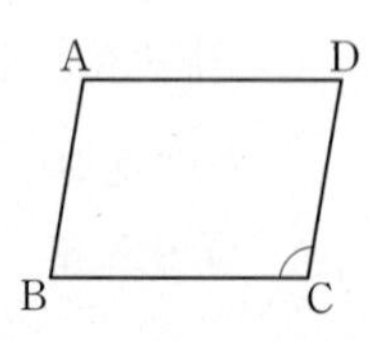

① 100° ② 110°
③ 120° ④ 130°
⑤ 150°

05 오른쪽 그림과 같이 평행사변형 ABCD의 꼭짓점 A에서 $\angle$D의 이등분선 위에 내린 수선의 발을 F라 하자. $\angle B=62°$일 때, $\angle$BAF의 크기를 구하여라.

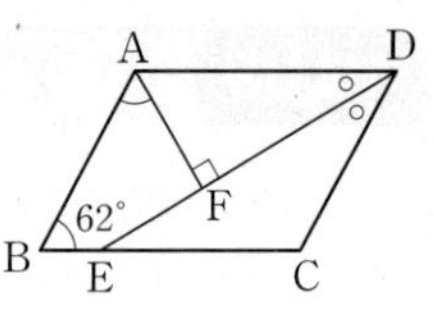

06 오른쪽 그림과 같은 평행사변형 ABCD의 꼭짓점 D에서 $\overline{AC}$에 내린 수선의 발을 H라 하자. $\angle B=76°$, $\angle DAC=34°$일 때, $\angle$HDC의 크기는?

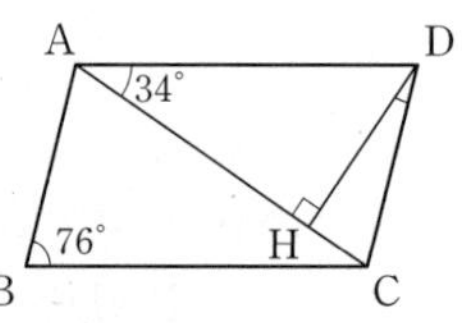

① 16° ② 18° ③ 20°
④ 22° ⑤ 24°

07 평행사변형 ABCD에서 $\angle$A와 $\angle$B의 크기의 차가 62°일 때, $\angle$A의 크기는? (단, $\angle A<\angle B$)

① 52° ② 54° ③ 56°
④ 59° ⑤ 121°

08 오른쪽 그림과 같은 평행사변형 ABCD에서 $\overline{AB} /\!/ \overline{EF}$일 때, $\overline{FC}$의 길이는?

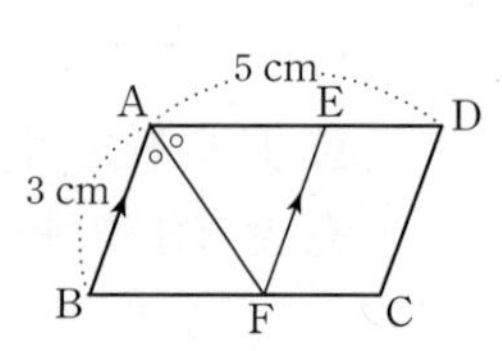

① 1 cm ② 2 cm
③ 3 cm ④ 4 cm
⑤ 5 cm

09 평행사변형 ABCD의 둘레의 길이가 42 cm이고 $\overline{AB}:\overline{AD}=2:5$일 때, $\overline{AB}$의 길이는?

① 4 cm ② 5 cm ③ 6 cm
④ 7 cm ⑤ 8 cm

10 오른쪽 그림과 같은 평행사변형 ABCD에서 변 BC의 중점을 E라 하고, $\overline{AE}$의 연장선이 $\overline{DC}$의 연장선과 만나는 점을 F라 하자. $\overline{AD}=15$ cm, $\overline{CD}=9$ cm일 때, $\overline{CF}$의 길이는?

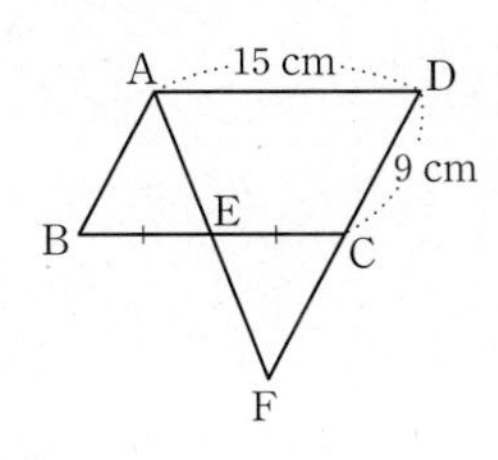

① 6 cm ② 8 cm ③ 9 cm
④ 10 cm ⑤ 11 cm

11 다음 조건을 만족하는 □ABCD가 평행사변형이 아닌 것은? (단, 점 O는 두 대각선의 교점이다.)

① $\angle A=70^\circ$, $\angle B=110^\circ$, $\angle C=70^\circ$
② $\angle B=50^\circ$, $\angle C=50^\circ$, $\overline{AB}=8$ cm, $\overline{CD}=6$ cm
③ $\angle A=110^\circ$, $\angle B=70^\circ$, $\overline{AD}=5$ cm, $\overline{BC}=5$ cm
④ $\overline{OA}=7$ cm, $\overline{OB}=5$ cm, $\overline{OC}=7$ cm, $\overline{OD}=5$ cm
⑤ $\angle ADB=55^\circ$, $\angle CBD=55^\circ$, $\overline{AD}=8$ cm, $\overline{BC}=8$ cm

12 오른쪽 그림의 평행사변형 ABCD에서 $\overline{AB}/\!/\overline{HF}$, $\overline{AD}/\!/\overline{EG}$일 때, $x+y+z$의 값은?

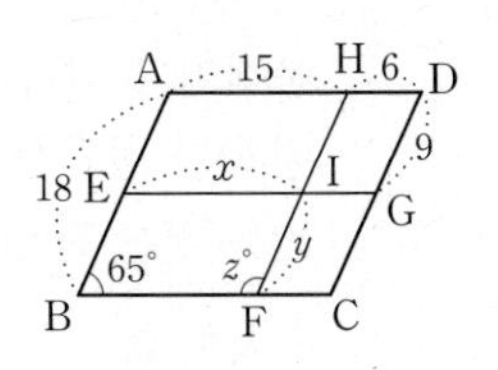

① 133 ② 135 ③ 137
④ 139 ⑤ 139

13 오른쪽 그림과 같은 평행사변형 ABCD에서 $\overline{BD}$ 위에 $\overline{BE}=\overline{DF}$가 되도록 점 E, F를 잡을 때, 다음 중 옳지 않은 것은?

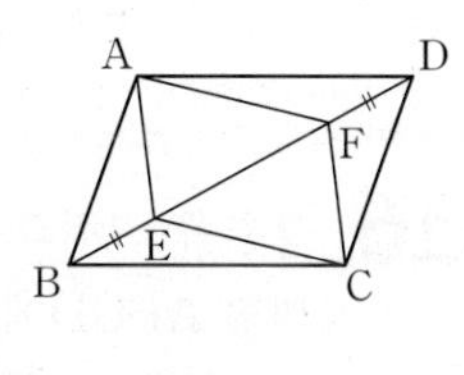

① $\overline{AF}/\!/\overline{CE}$ ② $\overline{AE}=\overline{CF}$
③ $\triangle AFD\equiv\triangle CEB$ ④ $\overline{AB}=\overline{EF}$
⑤ $\angle EBC=\angle FDA$

14 다음은 오른쪽 그림과 같은 평행사변형 ABCD에서 네 변의 중점을 각각 E, F, G, H라 할 때, □PQRS가 평행사변형임을 설명하는 과정이다. □ 안에 알맞은 것을 써넣어라.

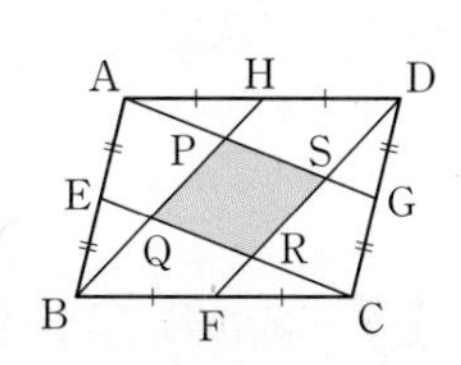

> $\overline{HD}/\!/\overline{BF}$, $\overline{HD}=\overline{BF}$이므로
> □HBFD는 [ ]이다.
> ∴ $\overline{PQ}/\!/$[ ] …… ㉠
> 또, $\overline{AE}/\!/\overline{GC}$, $\overline{AE}=\overline{GC}$이므로
> □AECG는 [ ]이다.
> ∴ $\overline{PS}/\!/$[ ] …… ㉡
> 따라서 □PQRS는 두 쌍의 대변이 각각 평행하므로 [ ]이다.

15 오른쪽 그림과 같이 밑변의 길이가 10 cm, 높이가 6 cm인 평행사변형 ABCD의 내부에 한 점 P를 잡을 때, △PDA와 △PBC의 넓이의 합을 구하여라.

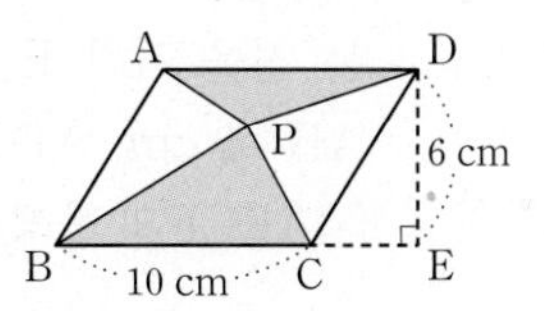

꼭! 맞고 상위권 진입 

16 오른쪽 그림과 같은 평행사변형 ABCD에서 $\angle ADE : \angle EDC = 2 : 1$이고 $\angle AED = 70°$, $\angle B = 60°$일 때, $\angle x + \angle y$의 크기는?

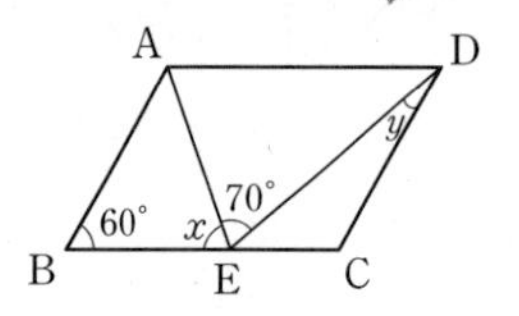

① 75° ② 80° ③ 85°
④ 90° ⑤ 95°

17 오른쪽 그림의 평행사변형 ABCD에서 $\angle DAC$의 이등분선과 $\overline{BC}$의 연장선의 교점을 E라 하자. $\angle B = 76°$, $\angle ACD = 46°$일 때, $\angle x$의 크기는?

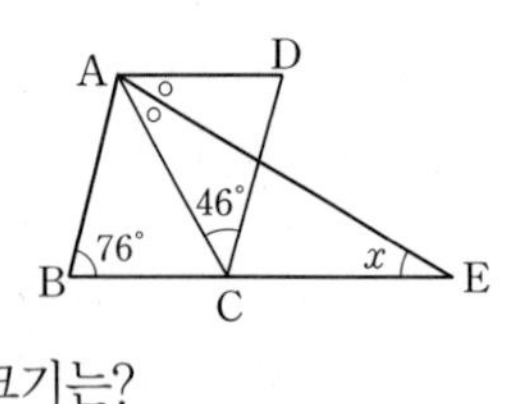

① 20° ② 25° ③ 29°
④ 33° ⑤ 35°

18 오른쪽 그림과 같은 평행사변형 ABCD에서 $\angle A$, $\angle C$의 이등분선이 $\overline{BC}$, $\overline{AD}$와 만나는 점을 각각 E, F라 하자. $\overline{AB} = 9$ cm, $\overline{AD} = 12$ cm이고 $\angle B = 60°$일 때, □AECF의 둘레의 길이를 구하여라.

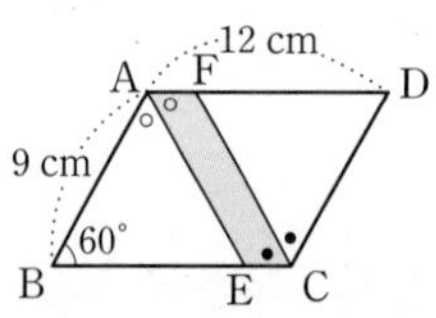

19 오른쪽 그림과 같이 넓이가 64 cm^2인 평행사변형 ABCD에서 두 대각선의 교점 O를 지나는 직선과 $\overline{AB}$, $\overline{CD}$와의 교점을 각각 P, Q라 할 때, △APO와 △DOQ의 넓이의 합은?

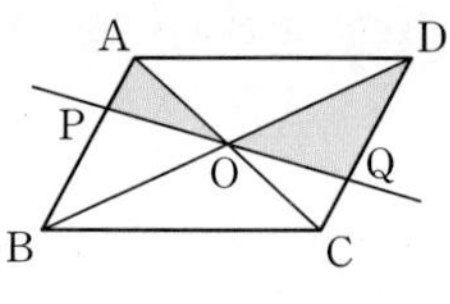

① 16 cm^2 ② 18 cm^2 ③ 20 cm^2
④ 24 cm^2 ⑤ 30 cm^2

20 오른쪽 그림과 같은 평행사변형 ABCD에서 △ABF의 넓이는?

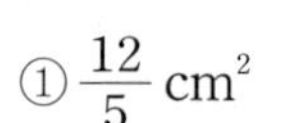

① $\frac{12}{5}$ cm^2 ② $\frac{16}{5}$ cm^2
③ $\frac{18}{5}$ cm^2 ④ 4 cm^2
⑤ $\frac{22}{5}$ cm^2

21 오른쪽 그림의 평행사변형 ABCD에서 $\overline{AB} = 70$ cm이고 점 P는 점 A에서 점 B까지 매초 2 cm의 속력으로, 점 Q는 점 C에서 점 D까지 매초 3 cm의 속력으로 움직이고 있다. 점 P가 점 A를 출발한 지 5초 후에 점 Q가 점 C를 출발할 때, □APCQ가 평행사변형이 되는 것은 점 Q가 점 C를 출발한 지 몇 초 후인가?

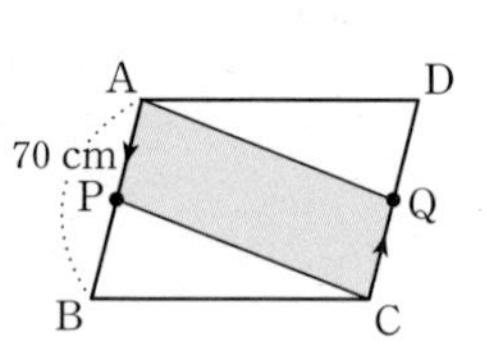

① 8초 후 ② 9초 후 ③ 10초 후
④ 11초 후 ⑤ 12초 후

단계형

22 오른쪽 그림과 같은 평행사변형 ABCD에서 $\angle B=64^\circ$이고 $\overline{AB}=\overline{AC}=\overline{CE}$일 때, $\angle DAE$의 크기를 구하여라. [6점]

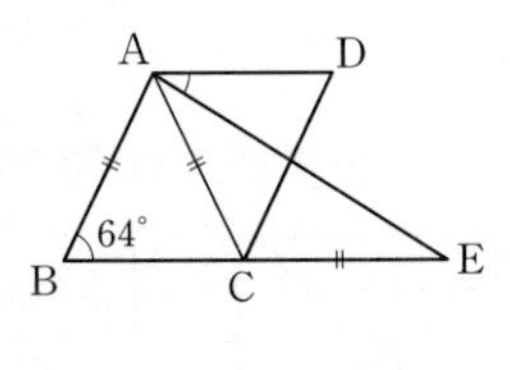

1단계 $\angle BAC$의 크기 구하기 [2점]

2단계 $\angle CAE$의 크기 구하기 [2점]

3단계 $\angle DAE$의 크기 구하기 [2점]

단계형

23 오른쪽 그림과 같은 평행사변형 ABCD에서 $\overline{AE}=\overline{BF}=\overline{CG}=\overline{DH}$일 때, □EFGH가 평행사변형임을 설명하여라. [8점]

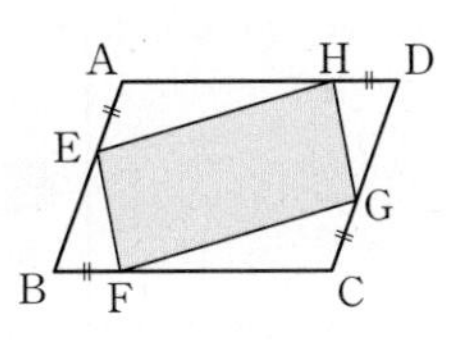
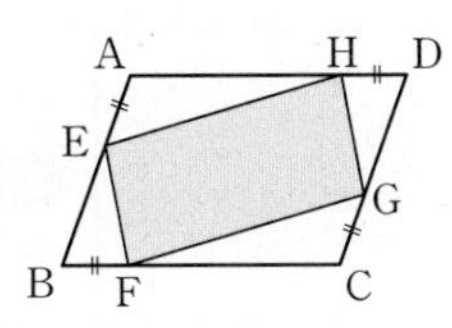

1단계 $\overline{EH}=\overline{GF}$임을 설명하기 [3점]

2단계 $\overline{EF}=\overline{GH}$임을 설명하기 [3점]

3단계 □EFGH가 평행사변형임을 설명하기 [2점]

사고력

24 오른쪽 그림의 좌표평면에서 □ABCD는 평행사변형이다. 두 점 C, D를 지나는 직선의 방정식을 구하여라. [6점]

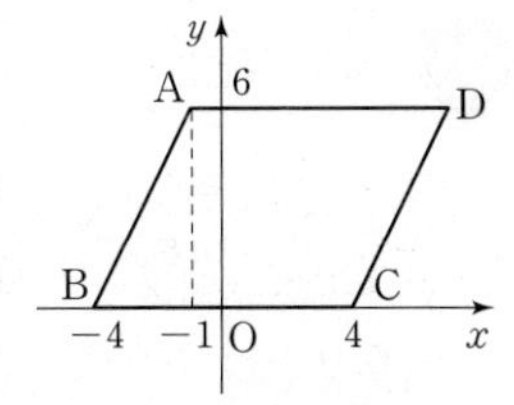

사고력

25 오른쪽 그림에서 □ABCD가 평행사변형이 되도록 하는 x, y의 값에 대하여 $x+y$의 값을 구하여라. [5점]

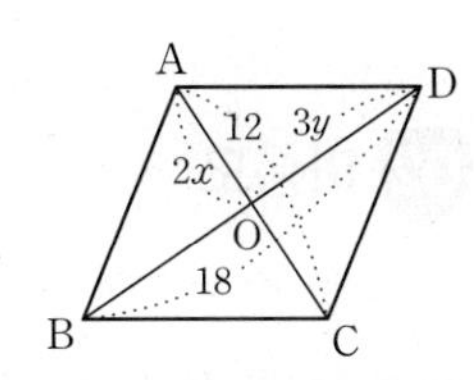

01 직사각형

(1) 직사각형의 뜻 : 네 내각의 크기가 모두 같은 사각형

(2) 직사각형의 성질 : 두 대각선은 길이가 같고, 서로 다른 것을 이등분한다.

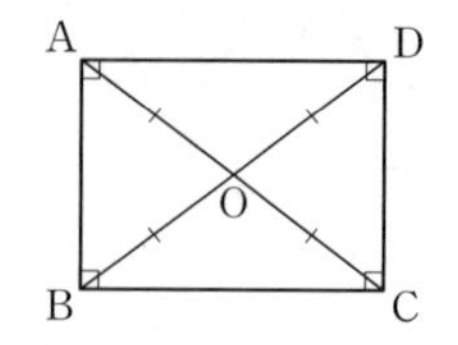

예 오른쪽 그림의 직사각형 ABCD에서 $\overline{AC}=12$ cm이면 $\overline{AO}=\overline{BO}=\overline{CO}=\overline{DO}$이므로 $x=\frac{1}{2}\times 12=6$(cm)

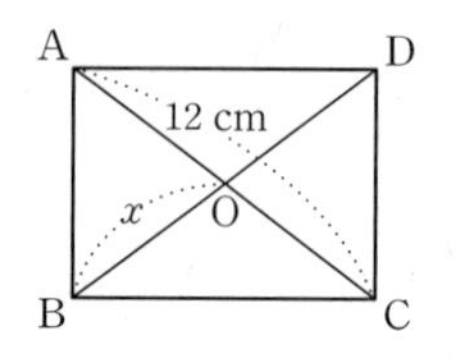

(3) 평행사변형이 직사각형이 되는 조건 : 평행사변형 ABCD가 다음 중 어느 한 조건을 만족하면 직사각형이 된다.

① 한 내각이 직각이다.

② 두 대각선의 길이가 같다.

포인트개념

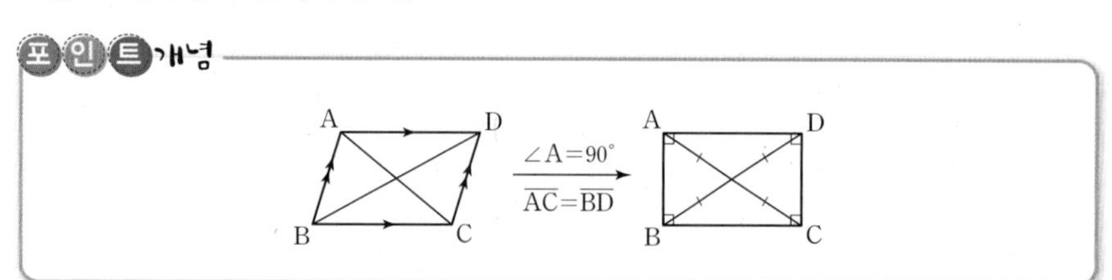

예제 1

오른쪽 그림과 같은 직사각형 ABCD에서 x의 값을 구하여라.

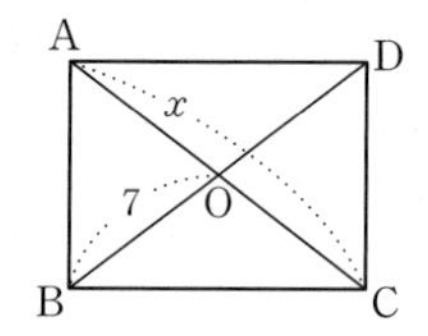

02 마름모

(1) 마름모의 뜻 : 네 변의 길이가 모두 같은 사각형

(2) 마름모의 성질 : 두 대각선이 서로 다른 것을 수직이등분한다.

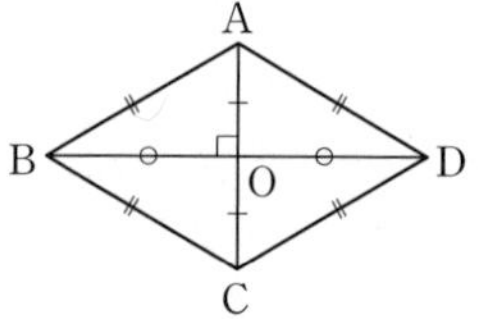

예 오른쪽 그림의 마름모 ABCD에서 $\angle ABO=30°$이면 $\angle AOB=90°$이므로 $\angle x=180°-(30°+90°)=60°$

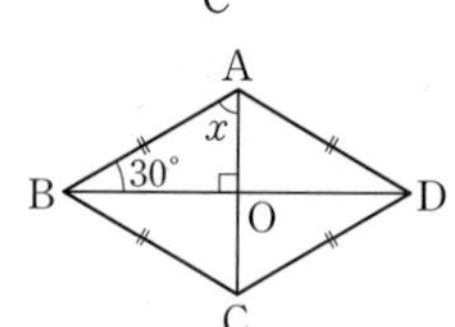

(3) 평행사변형이 마름모가 되는 조건 : 평행사변형 ABCD가 다음 중 어느 한 조건을 만족하면 마름모가 된다.

① 이웃하는 두 변의 길이가 같다.

② 두 대각선이 서로 직교한다.

포인트개념

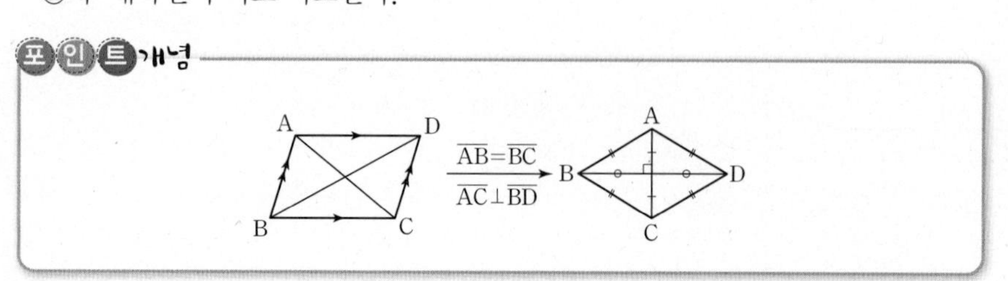

예제 2

오른쪽 그림과 같은 마름모 ABCD에서 x, y의 값을 각각 구하여라.

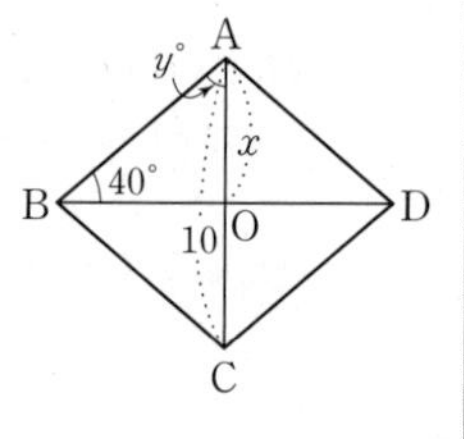

03 정사각형

(1) **정사각형의 뜻** : 네 변의 길이가 모두 같고, 네 내각의 크기가 모두 같은 사각형

(2) **정사각형의 성질** : 두 대각선은 길이가 같고, 서로 다른 것을 수직이등분한다.

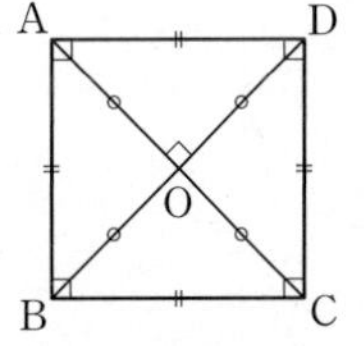

예 오른쪽 그림의 정사각형 ABCD에서 $\overline{AO}=4$ cm이면 $\overline{AO}=\overline{BO}=\overline{CO}=\overline{DO}$이므로 $x=2\times4=8(\text{cm})$

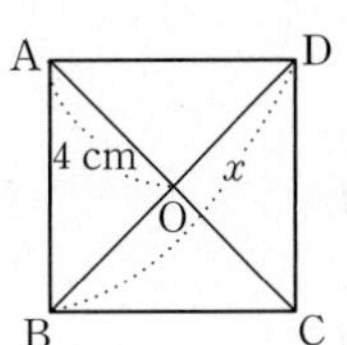

(3) **직사각형이 정사각형이 되는 조건** : 직사각형이 다음 중 어느 한 조건을 만족하면 정사각형이 된다.

① 이웃하는 두 변의 길이가 같다.

② 두 대각선이 서로 직교한다.

(4) **마름모가 정사각형이 되는 조건** : 마름모가 다음 중 어느 한 조건을 만족하면 정사각형이 된다.

① 한 내각이 직각이다.

② 두 대각선의 길이가 같다.

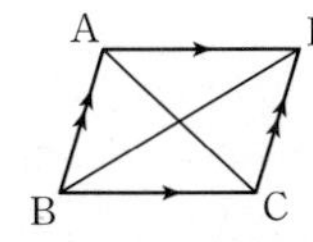

$\angle A=90^\circ$, $\overline{AB}=\overline{BC}$

$\overline{AC}=\overline{BD}$, $\overline{AC}\perp\overline{BD}$

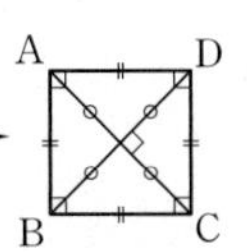

예제 3

오른쪽 그림과 같은 정사각형 ABCD에서 x, y의 값을 각각 구하여라.

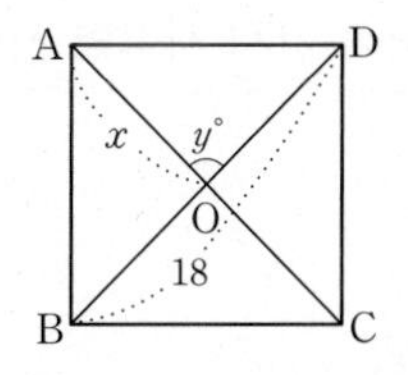

04 등변사다리꼴

(1) **사다리꼴의 뜻** : 한 쌍의 대변이 평행한 사각형

(2) **등변사다리꼴의 뜻** : 밑변의 양 끝각의 크기가 같은 사다리꼴

(3) **등변사다리꼴의 성질**

① 평행하지 않은 한 쌍의 대변의 길이가 같다.

② 두 대각선의 길이가 같다.

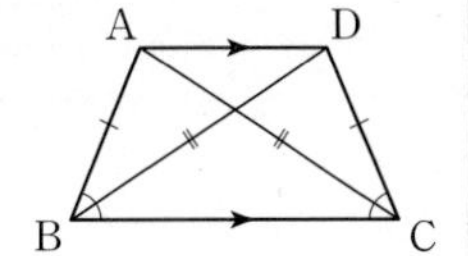

예 오른쪽 그림의 등변사다리꼴 ABCD에서 평행하지 않은 한 쌍의 대변의 길이가 서로 같으므로 $x=8$ cm이고, 밑변의 양 끝각의 크기가 서로 같으므로 $\angle y=65^\circ$이다.

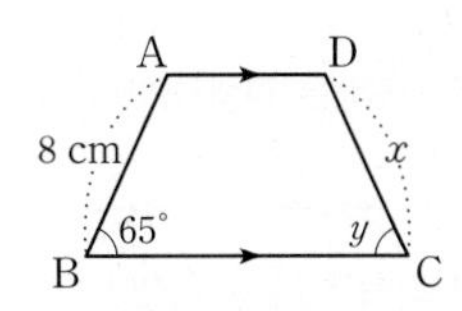

포인트개념

① $\angle A=\angle D$, $\angle B=\angle C$

② $\overline{AC}=\overline{BD}$

③ $\overline{AO}=\overline{DO}$, $\overline{BO}=\overline{CO}$

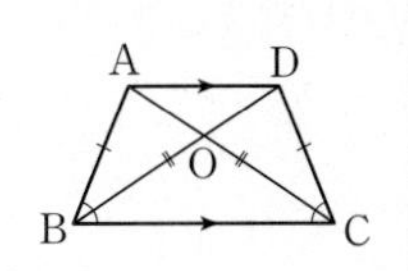

예제 4

오른쪽 그림과 같은 등변사다리꼴 ABCD에서 $\angle x$, $\angle y$의 크기를 각각 구하여라.

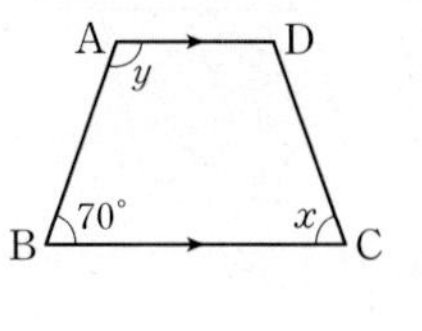

05 여러 가지 사각형 사이의 관계

여러 가지 사각형 사이의 관계

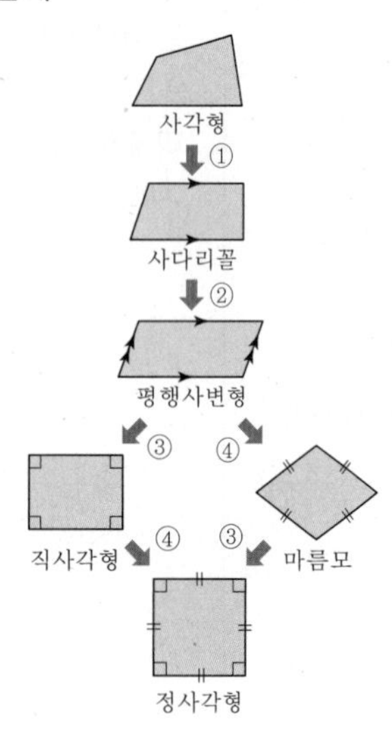

① 한 쌍의 대변이 평행하다.
② 다른 한 쌍의 대변도 평행하다.
③ 한 내각이 직각이다. 또는 두 대각선의 길이가 같다.
④ 이웃하는 두 변의 길이가 같다. 또는 두 대각선이 서로 직교한다.

예제 5

오른쪽 그림과 같은 평행사변형 ABCD가 다음 조건을 만족하면 어떤 사각형이 되는지 말하여라.

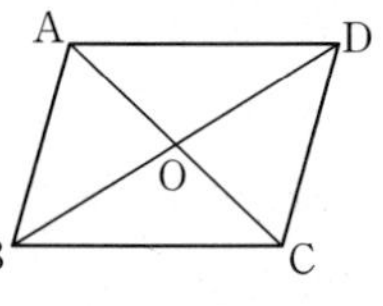

(1) $\angle A=90^\circ$
(2) $\overline{AC}\perp\overline{BD}$
(3) $\overline{AB}=\overline{BC}$, $\overline{AC}=\overline{BD}$

06 각 변의 중점을 연결하여 만든 사각형

사각형의 각 변의 중점을 차례로 연결하여 만든 사각형은 다음과 같다.

(1) 평행사변형

(2) 직사각형

마름모

(3) 마름모

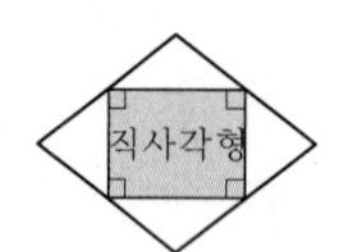

(4) 정사각형

(5) 등변사다리꼴

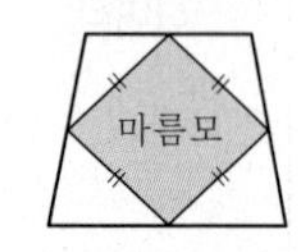

참고 일반 사각형의 각 변의 중점을 차례로 연결하여 만든 사각형은 평행사변형이다.

포인트 개념

- 사각형의 각 변의 중점을 차례로 연결하여 만든 사각형은 다음과 같다.
  ① 평행사변형 ➡ 평행사변형
  ② 직사각형 ➡ 마름모
  ③ 마름모 ➡ 직사각형
  ④ 정사각형 ➡ 정사각형
  ⑤ 등변사다리꼴 ➡ 마름모

예제 6

다음 중 사각형의 각 변의 중점을 차례로 연결하여 만든 사각형을 옳게 짝지은 것은?

① 직사각형 – 정사각형
② 마름모 – 정사각형
③ 평행사변형 – 마름모
④ 정사각형 – 직사각형
⑤ 등변사다리꼴 – 마름모

07 평행선과 넓이

(1) 오른쪽 그림과 같이 두 직선 l과 m이 평행할 때, △ABC와 △DBC, △EBC는 밑변 BC가 공통이고 높이가 h로 같으므로 넓이가 서로 같다.

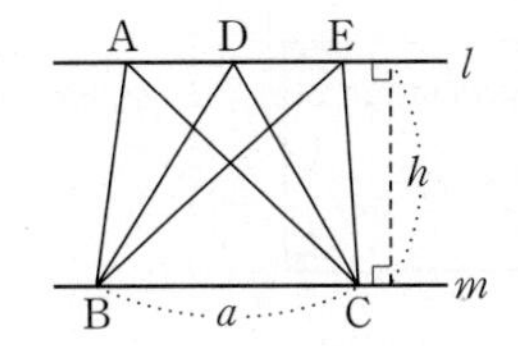

즉, $l /\!/ m$이면 $\triangle ABC = \triangle DBC = \triangle EBC = \frac{1}{2}ah$

(2) □ABCD가 $\overline{AD} /\!/ \overline{BC}$인 사다리꼴이고 점 O는 두 대각선의 교점일 때

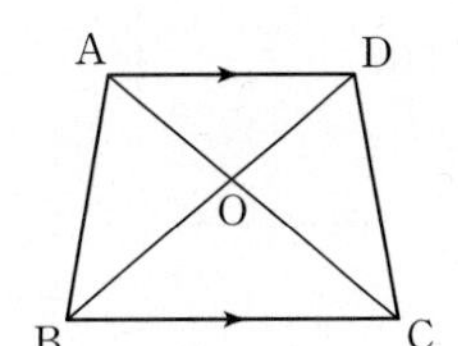

① $\triangle ABC = \triangle DBC$

② $\triangle ABD = \triangle ACD$

③ $\triangle OAB = \triangle OCD$

예 오른쪽 그림과 같이 $\overline{AD} /\!/ \overline{BC}$인 □ABCD에서 $\triangle DBC = 18\text{ cm}^2$, $\triangle ABD = 9\text{ cm}^2$일 때, △ABC, △ACD의 넓이를 각각 구하면

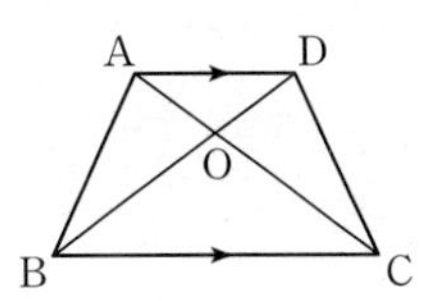

$\triangle ABC = \triangle DBC$이므로 $\triangle ABC = 18\text{ cm}^2$

$\triangle ACD = \triangle ABD$이므로 $\triangle ACD = 9\text{ cm}^2$

포인트 개념

- 평행한 두 직선 사이의 거리는 일정하다.
  즉, $l /\!/ m$이면 $\overline{AB} = \overline{CD} = \overline{EF}$
- 밑변이 공통이고 밑변에 평행한 직선 위에 한 꼭짓점을 가지는 삼각형들은 모양은 달라도 넓이는 모두 같다.

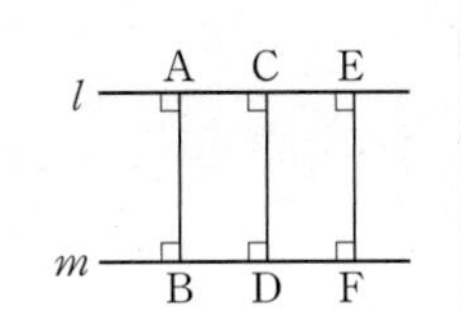

08 높이가 같은 두 삼각형의 넓이의 비

높이가 같은 두 삼각형의 넓이의 비는 밑변의 길이의 비와 같다. 즉, 오른쪽 그림에서

$\overline{BC} : \overline{CD} = m : n$이면 $\triangle ABC : \triangle ACD = m : n$

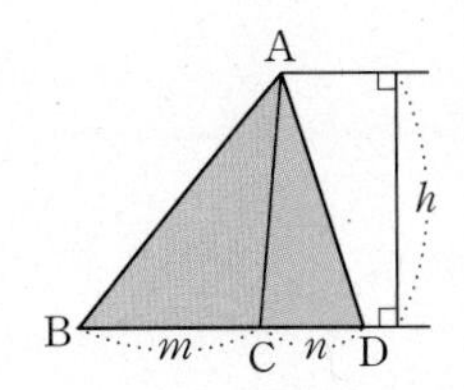

예 오른쪽 그림과 같은 △ABC의 넓이가 20 cm^2이고, $\overline{BP} : \overline{PC} = 3 : 2$이면

$\triangle ABP : \triangle APC = 3 : 2$이므로

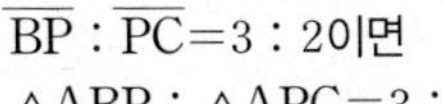

$\triangle ABP = 20 \times \frac{3}{5} = 12(\text{cm}^2)$

$\triangle APC = 20 \times \frac{2}{5} = 8(\text{cm}^2)$

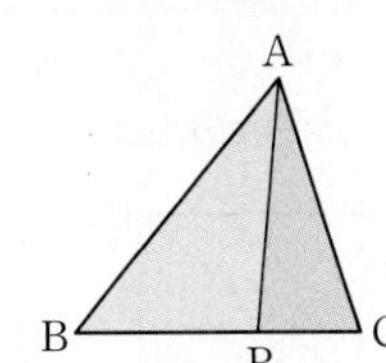

포인트 개념

- 오른쪽 그림에서

$\triangle ABC = \frac{1}{2}mh$, $\triangle ACD = \frac{1}{2}nh$

➡ $\triangle ABC : \triangle ACD = \frac{1}{2}mh : \frac{1}{2}nh$

$= m : n$

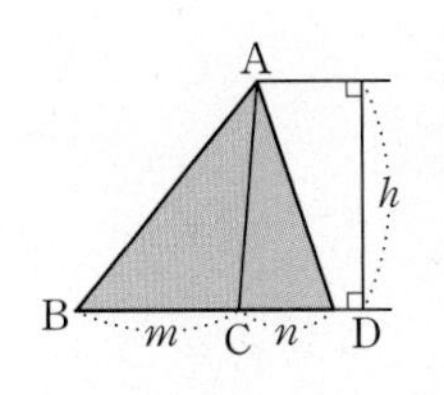

예제 7

오른쪽 그림에서 $\overline{AD} /\!/ \overline{BC}$, $\overline{AD} = \overline{BC}$일 때, 색칠한 부분과 넓이가 같은 삼각형을 모두 찾아라.

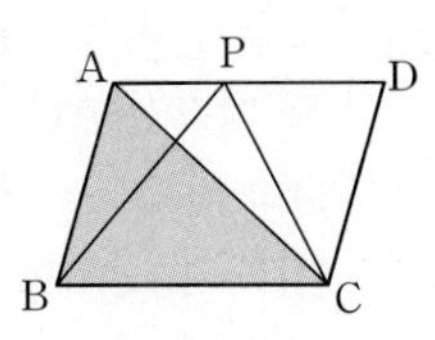

예제 8

오른쪽 그림과 같은 △ABC에서 $\overline{BC} : \overline{CD} = 1 : 2$, $\triangle ABC = 15\text{ cm}^2$일 때, △ACD의 넓이를 구하여라.

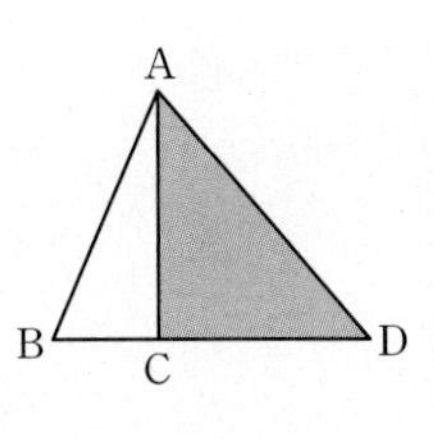

대표유형 직사각형의 뜻과 성질

01 오른쪽 직사각형 ABCD에서 두 대각선 AC, BD의 교점을 O라 하자.
$\overline{BD}=16$ cm일 때, $\overline{AO}$의 길이는?

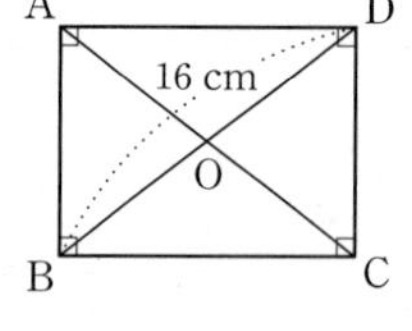

① 5 cm ② 6 cm ③ 7 cm
④ 8 cm ⑤ 9 cm

출제율 85%

02 다음 중 직사각형에 대한 설명으로 옳지 않은 것은?

하

① 두 대각선의 길이가 같다.
② 네 내각의 크기가 모두 90°이다.
③ 이웃하는 두 변의 길이가 같다.
④ 두 쌍의 대변의 길이가 각각 같다.
⑤ 두 대각선이 각각의 중점에서 만난다.

출제율 95%

03 오른쪽 그림의 직사각형 ABCD에서 $\angle OAB=54°$일 때, $\angle DOC$의 크기는?

중

① 54° ② 56°
③ 62° ④ 66°
⑤ 72°

출제율 95%

04 오른쪽 그림의 직사각형 ABCD에서 $\angle BAO=52°$, $\overline{OC}=5$일 때, $x+y$의 값은?

중

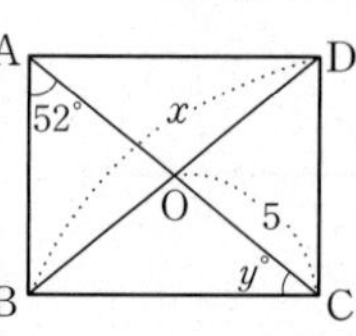

① 43 ② 48
③ 55 ④ 57
⑤ 68

대표유형 평행사변형이 직사각형이 되는 조건

05 다음 중 평행사변형이 직사각형이 되는 조건인 것은? (정답 2개)

① 두 대각선의 길이가 같다.
② 이웃하는 두 변의 길이가 같다.
③ 한 쌍의 각의 크기가 같다.
④ 이웃하는 두 내각의 크기가 같다.
⑤ 두 대각선이 서로 다른 것을 이등분한다.

내신 UP POINT

평행사변형 ABCD가 다음 중 어느 한 조건을 만족하면 직사각형이 된다.
(1) 한 내각이 직각이다.
(2) 두 대각선의 길이가 같다.

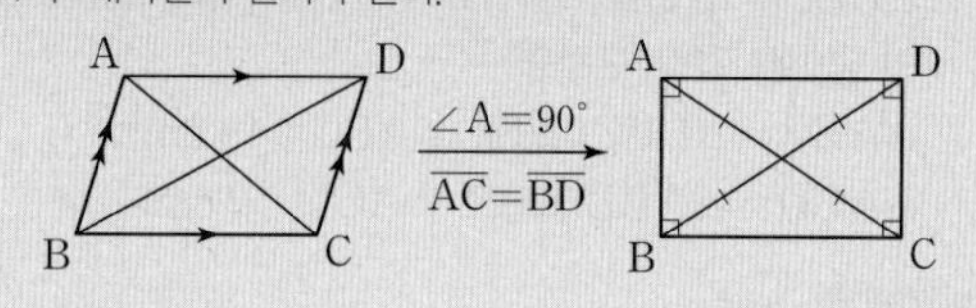

출제율 90%

06 다음은 '두 대각선의 길이가 같은 평행사변형은 직사각형이다.'를 설명하는 과정이다. □ 안에 알맞은 것을 써넣어라.

하

△ABC와 △DCB에서
$\overline{AB}=\overline{DC}$, $\overline{AC}=\overline{DB}$
□는 공통이므로
△ABC≡△DCB
(□ 합동)
∴ ∠B=□
그런데 □ABCD가 평행사변형이므로
∠B=∠D, ∠C=□
∴ ∠A=∠B=∠C=∠D
따라서 □ABCD는 □이다.

출제율 95%

07 오른쪽 그림과 같은 평행사변형 ABCD에 다음 조건을 추가했을 때, 직사각형이 되지 않는 것은? (단, 점 O는 두 대각선의 교점이다.)

하

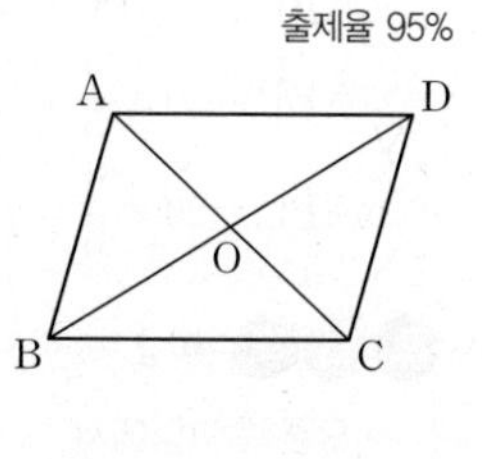

① $\angle A=90°$ ② $\angle A=\angle B$ ③ $\overline{AC}=\overline{BD}$
④ $\overline{AB}=\overline{BC}$ ⑤ $\overline{AO}=\overline{BO}=\overline{CO}=\overline{DO}$

출제율 95%

08 오른쪽 그림의 평행사변형 ABCD가 직사각형이 되는 조건을 보기에서 모두 고른 것은? (중)

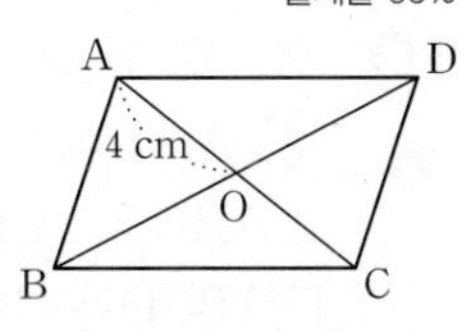

보기
ㄱ. $\overline{AB}=4$ cm　　ㄴ. $\angle A=90^\circ$
ㄷ. $\overline{BD}=8$ cm　　ㄹ. $\angle AOD=90^\circ$

① ㄱ, ㄴ　② ㄱ, ㄷ　③ ㄱ, ㄹ
④ ㄴ, ㄷ　⑤ ㄴ, ㄹ

출제율 90%

09 오른쪽 그림과 같은 평행사변형 ABCD에서 점 O는 두 대각선의 교점이다. (중)
$\angle OCD=\angle ODC$이면
□ABCD는 어떤 사각형인지 구하여라.

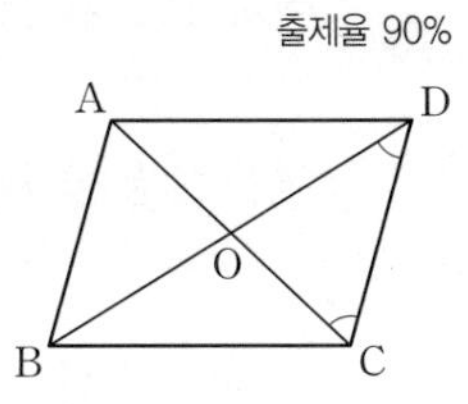

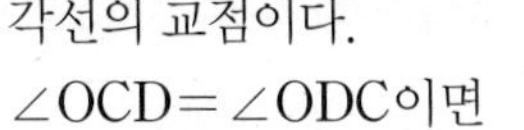

대표유형 마름모의 뜻과 성질

10 오른쪽 그림의 □ABCD가 마름모일 때, 다음 중 옳지 않은 것은?

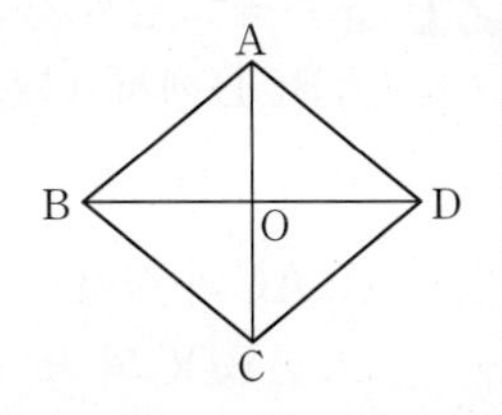

① $\overline{AB}=\overline{BC}$
② $\overline{AB}/\!/\overline{CD}$
③ $\overline{OB}=\overline{OD}$
④ $\overline{AC}=\overline{BD}$
⑤ $\overline{AC}\perp\overline{BD}$

출제율 90%

11 오른쪽 그림과 같은 마름모 ABCD에서 $\overline{AD}=8$ cm, $\angle A=112^\circ$일 때, 다음을 구하여라. (하)

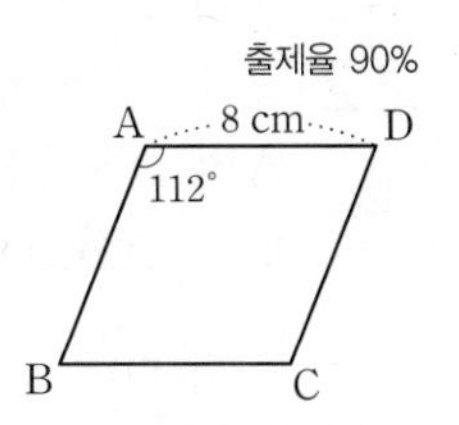

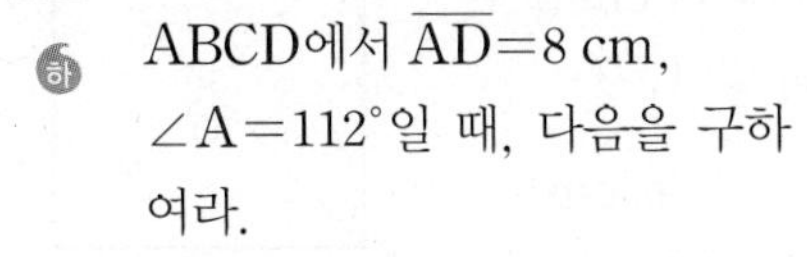

(1) $\angle C$의 크기
(2) $\overline{AB}$의 길이

출제율 95%

12 오른쪽 그림과 같은 마름모 ABCD에서 $\angle A=110^\circ$일 때, $\angle ABD$의 크기를 구하여라. (중)

출제율 95%

13 오른쪽 그림과 같은 마름모 ABCD에서 $\overline{AB}=2x+3$, $\overline{BC}=3x-1$일 때, $\overline{CD}$의 길이는? (중)

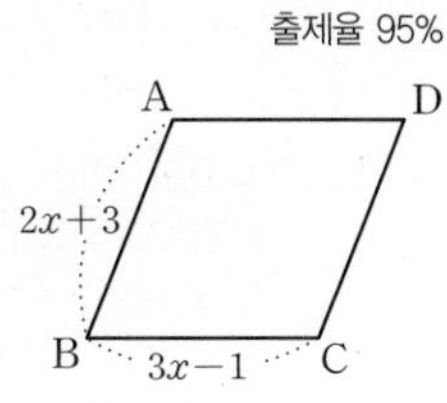

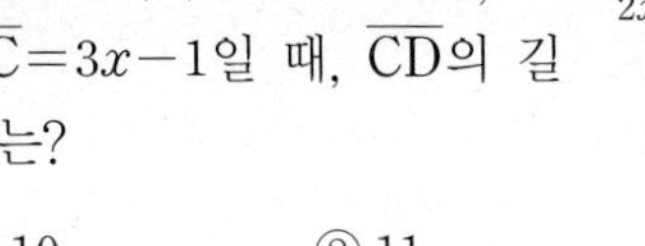

① 10　② 11　③ 12
④ 13　⑤ 14

출제율 90%

14 오른쪽 그림과 같이 한 변의 길이가 8 cm이고, $\angle A=120^\circ$인 마름모 ABCD에서 $\overline{AC}$의 길이는? (중)

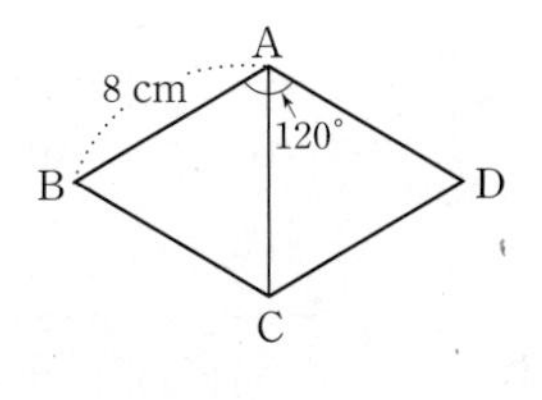

① 5 cm　② 6 cm　③ 7 cm
④ 8 cm　⑤ 9 cm

출제율 85%

15 오른쪽 그림과 같은 마름모 ABCD에서 $\overline{AH}\perp\overline{BC}$이고 $\angle C=112^\circ$일 때, $\angle x$의 크기는? (상)

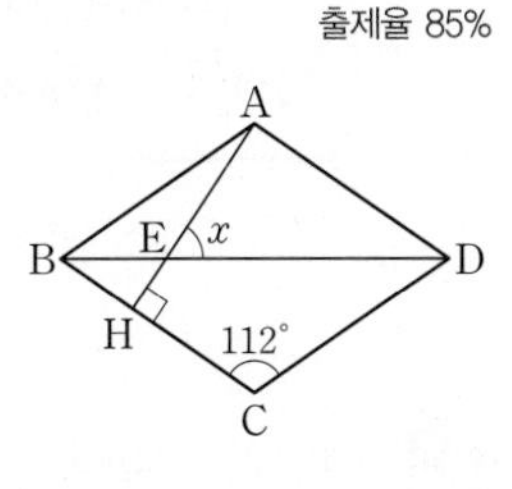

① 54°　② 56°
③ 58°　④ 60°
⑤ 62°

대표유형 평행사변형이 마름모가 되는 조건

16 다음 중 오른쪽 그림의 평행사변형 ABCD가 마름모가 되는 조건으로 옳지 <u>않은</u> 것은?

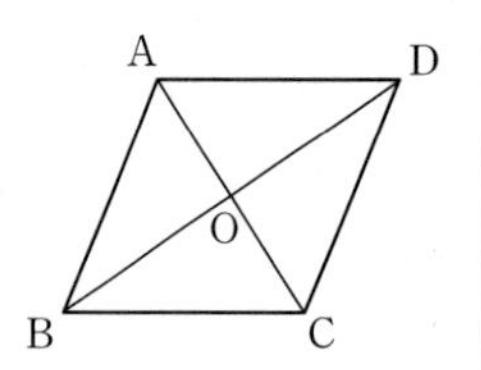

① $\overline{AB}=\overline{BC}$　② $\overline{OA}=\overline{OD}$
③ $\angle AOB=90^\circ$　④ $\angle ABD=\angle ADB$
⑤ $\angle ABD=\angle CBD$

평행사변형 ABCD가 다음 중 어느 한 조건을 만족하면 마름모가 된다.
(1) 이웃하는 두 변의 길이가 같다.
(2) 두 대각선이 서로 직교한다.

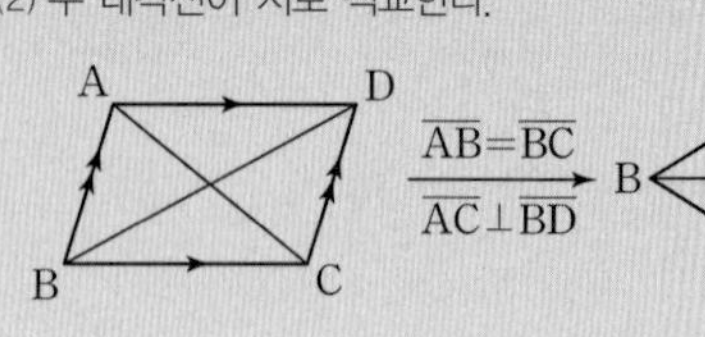

출제율 90%

17 (하) 다음은 '두 대각선이 서로 직교하는 평행사변형은 마름모이다.'를 설명하는 과정이다. □ 안에 알맞은 것을 써넣어라.

□ABCD가 평행사변형이므로 $\overline{AB}=\overline{DC}$, $\overline{AD}=\overline{BC}$
△AOB와 △AOD에서
$\overline{OB}=\overline{OD}$, □는 공통,
$\angle AOB=$□$=90^\circ$
이므로
△AOB≡△AOD(SAS 합동)
∴ $\overline{AB}=$□
∴ $\overline{AB}=\overline{BC}=\overline{CD}=\overline{DA}$
따라서 □ABCD는 □이다.

출제율 95%

18 (중) 오른쪽 그림과 같은 평행사변형 ABCD에서 $\overline{AD}=10$ cm, $\angle OAD=54^\circ$, $\angle OBC=36^\circ$일 때, $\angle x$의 크기와 y의 값을 각각 구하여라.

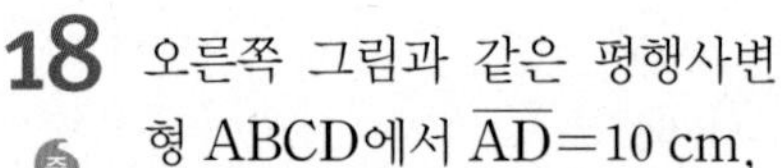

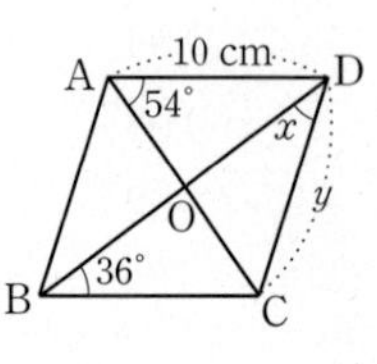

출제율 90%

19 (중) 오른쪽 그림과 같은 평행사변형 ABCD에서 $\angle ABD=\angle CBD$일 때, □ABCD는 어떤 사각형인가?

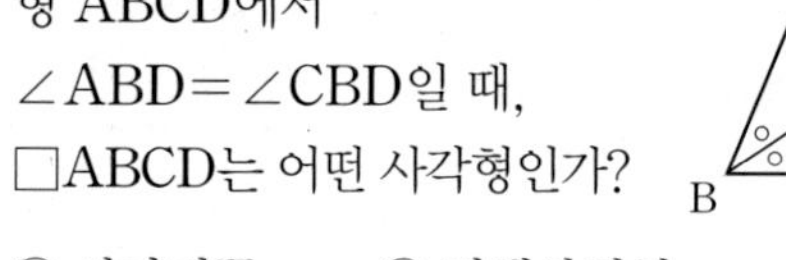

① 사다리꼴　② 평행사변형
③ 직사각형　④ 마름모
⑤ 정사각형

출제율 90%

20 (상) 오른쪽 그림의 직사각형 ABCD에서 대각선 BD의 수직이등분선을 $\overline{EF}$라 할 때, □EBFD에 대한 설명 중 옳은 것은? (정답 2개)

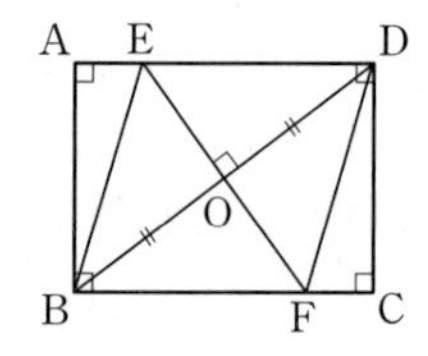

① $\overline{EF}=\overline{BD}$　② $\overline{EO}=\overline{DO}$
③ $\overline{EB}=\overline{BF}$　④ $\angle EBF=90^\circ$
⑤ □EBFD는 마름모이다.

대표유형 정사각형의 뜻과 성질

21 오른쪽 그림과 같은 정사각형 ABCD에서 다음을 구하여라.

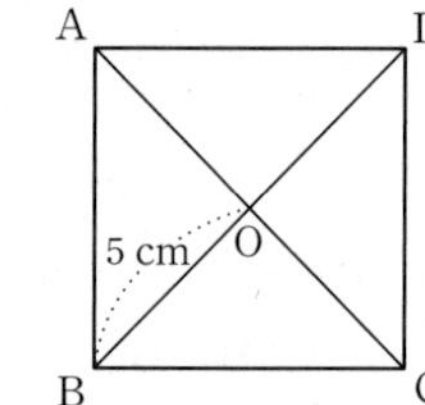

(1) $\overline{AC}$의 길이
(2) $\angle BDC$의 크기

내신 UP POINT
정사각형은 직사각형과 마름모의 성질을 동시에 만족한다.

출제율 95%

22 (하) 오른쪽 그림과 같은 정사각형 ABCD에서 $\overline{BD}=14$ cm일 때, □ABCD의 넓이는?

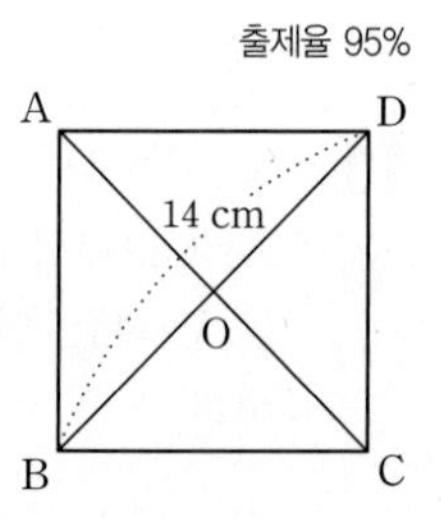

① 86 cm^2　② 92 cm^2
③ 98 cm^2　④ 100 cm^2
⑤ 128 cm^2

출제율 95%

23 중 오른쪽 그림에서 □ABCD는 정사각형이고 $\overline{BE}=\overline{CF}$일 때, 다음 중 옳지 <u>않은</u> 것은?

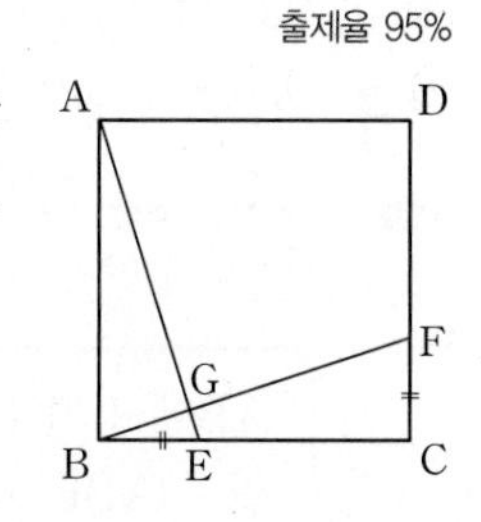

① $\overline{AE}=\overline{BF}$
② $\angle BGE=90°$
③ $\angle EAB=\angle FBC$
④ $\angle GBE+\angle GEB=90°$
⑤ $\triangle ABE\equiv\triangle BCF$(RHA 합동)

출제율 90%

24 중 오른쪽 그림과 같은 정사각형 ABCD에서 대각선 BD 위에 $\overline{DC}=\overline{DE}$인 점 E를 잡고 점 E에서 그은 수선과 $\overline{BC}$와의 교점을 F라 할 때, 다음 중 옳지 <u>않은</u> 것은?

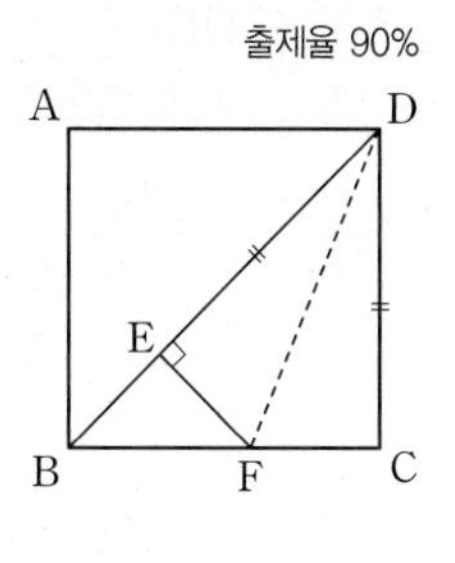

① $\overline{CF}=\overline{EB}$
② $\angle CDF=\angle EDF$
③ $\overline{CF}=\overline{EF}$
④ $\angle DFE=\angle EFB$
⑤ $\overline{BD}=\overline{DC}+\overline{CF}$

출제율 85%

25 중 오른쪽 그림과 같이 정사각형 ABCD의 한 변 DC 위에 점 E를 잡고, 꼭짓점 B, D에서 $\overline{AE}$에 내린 수선의 발을 각각 F, G라 하자. $\overline{BF}=12$ cm, $\overline{DG}=6$ cm일 때, $\overline{FG}$의 길이를 구하여라.

출제율 85%

26 중 오른쪽 그림과 같은 정사각형 ABCD에서 $\overline{AD}=\overline{AE}$, $\angle ADE=70°$일 때, $\angle ABE$의 크기는?

① 10° ② 15° ③ 20°
④ 25° ⑤ 30°

출제율 95%

27 상 오른쪽 그림에서 □ABCD는 정사각형이고 $\overline{BE}=\overline{CF}$, $\angle GEC=110°$일 때, $\angle GBE$의 크기를 구하여라.

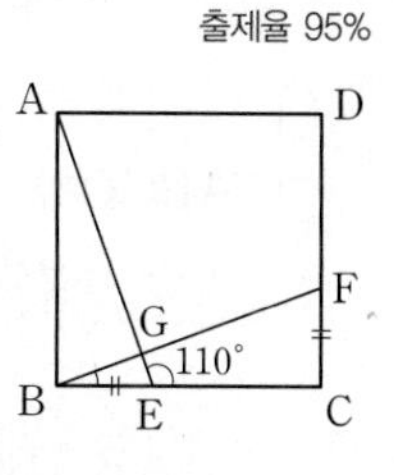

출제율 90%

28 상 오른쪽 그림과 같은 정사각형 ABCD에서 $\overline{PB}=\overline{BC}=\overline{CP}$일 때, $\angle ADP$의 크기를 구하여라.

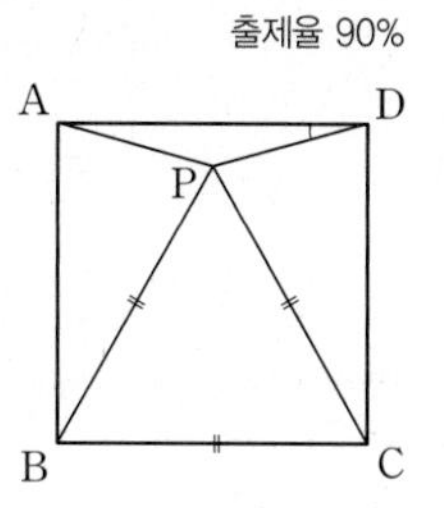

대표유형 **직사각형과 마름모가 정사각형이 되는 조건**

29 다음 중 오른쪽 그림과 같은 직사각형 ABCD가 정사각형이 되도록 하는 조건을 모두 골라라.

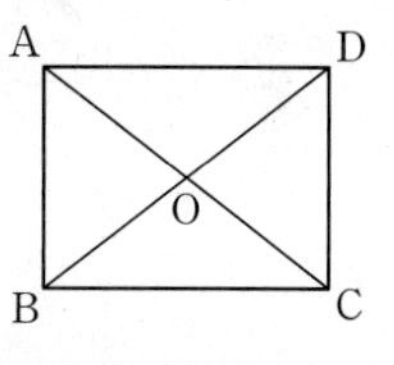

ㄱ. $\overline{AB}=\overline{BC}$　　ㄴ. $\overline{AC}=\overline{BD}$
ㄷ. $\angle ABO=\angle CDO$　　ㄹ. $\angle DOC=90°$
ㅁ. $\angle DAB=90°$

내신 UP POINT

(1) 직사각형이 정사각형이 되는 조건
① 이웃하는 두 변의 길이가 같다.
② 두 대각선이 서로 직교한다.
(2) 마름모가 정사각형이 되는 조건
① 한 내각이 직각이다.
② 두 대각선의 길이가 같다.

출제율 95%

30 중 오른쪽 그림과 같은 마름모 ABCD가 정사각형이 되도록 하는 조건을 모두 고르면? (정답 2개)

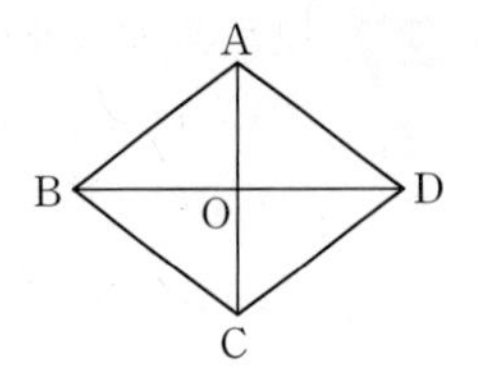

① $\overline{AB}=\overline{BC}$
② $\angle ABC=\angle BCD$
③ $\overline{AC}\perp\overline{BD}$
④ $\overline{AO}=\overline{DO}$
⑤ $\angle ABO=30°$

출제율 85%

31 중 오른쪽 그림과 같은 정사각형 ABCD에서 $\overline{EB}=\overline{FC}=\overline{GD}=\overline{HA}$가 되도록 각 변 위에 점 E, F, G, H를 잡을 때, □EFGH는 어떤 사각형인가?

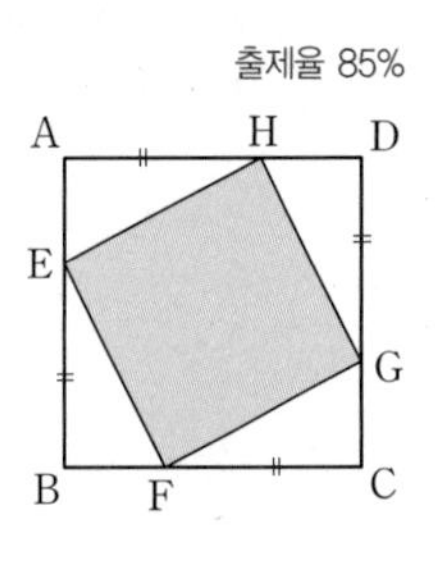

① 정사각형 ② 평행사변형
③ 사다리꼴 ④ 등변사다리꼴
⑤ 직사각형

대표유형 등변사다리꼴의 뜻과 성질

32 오른쪽 그림과 같이 $\overline{AD}/\!/\overline{BC}$인 등변사다리꼴 ABCD에 대하여 다음 중 옳지 않은 것은?

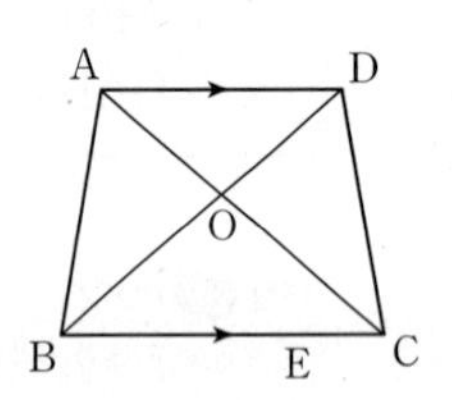

① $\overline{AC}\perp\overline{BD}$
② $\angle ABC=\angle DCB$
③ $\overline{OB}=\overline{OC}$
④ $\overline{AB}=\overline{DC}$
⑤ $\triangle ABC\equiv\triangle DCB$

출제율 90%

33 하 다음은 아래 그림과 같은 등변사다리꼴 ABCD에서 $\angle B=\angle C$이면 $\overline{AB}=\overline{DC}$임을 설명하는 과정이다. □ 안에 알맞은 것을 써넣어라.

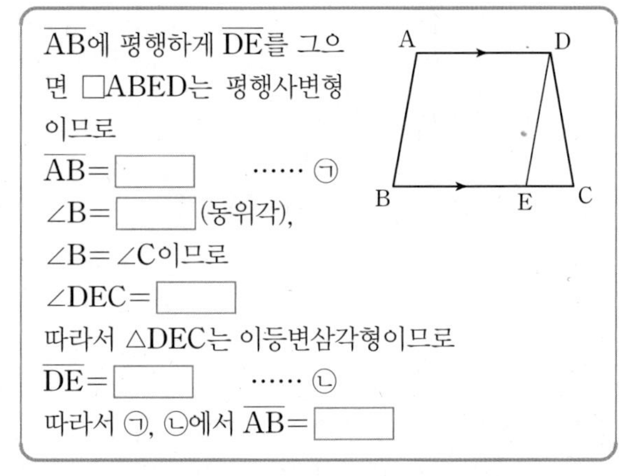

$\overline{AB}$에 평행하게 $\overline{DE}$를 그으면 □ABED는 평행사변형이므로
$\overline{AB}=$□ …… ㉠
$\angle B=$□(동위각),
$\angle B=\angle C$이므로
$\angle DEC=$□
따라서 $\triangle DEC$는 이등변삼각형이므로
$\overline{DE}=$□ …… ㉡
따라서 ㉠, ㉡에서 $\overline{AB}=$□

출제율 90%

34 하 다음은 등변사다리꼴의 두 대각선의 길이가 같음을 설명하는 과정이다. □ 안에 알맞은 것을 써넣어라.

오른쪽 그림의 등변사다리꼴 ABCD에서 $\triangle ABC$와 $\triangle DCB$는
$\overline{AB}=$□,
$\angle ABC=\angle DCB$,
□는 공통이므로
$\triangle ABC\equiv\triangle DCB$(□ 합동)
$\therefore \overline{AC}=$□
따라서 □ABCD의 두 대각선의 길이는 같다.

출제율 80%

35 하 다음 중 밑변의 양 끝각의 크기가 같은 사다리꼴인 것을 모두 고르면? (정답 2개)

① 사다리꼴 ② 평행사변형 ③ 직사각형
④ 마름모 ⑤ 정사각형

출제율 95%

36 중 오른쪽 그림에서 □ABCD는 $\overline{AD}/\!/\overline{BC}$인 등변사다리꼴이다. $\overline{OA}=8$ cm, $\overline{OC}=16$ cm일 때, $\overline{BD}$의 길이는?

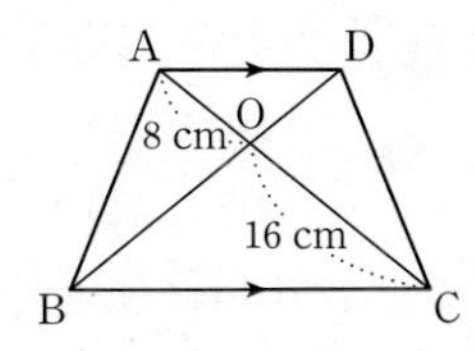

① 12 cm ② 16 cm ③ 18 cm
④ 22 cm ⑤ 24 cm

출제율 95%

37 중 오른쪽 그림의 □ABCD가 $\overline{AD}/\!/\overline{BC}$인 등변사다리꼴일 때, 다음을 구하여라.

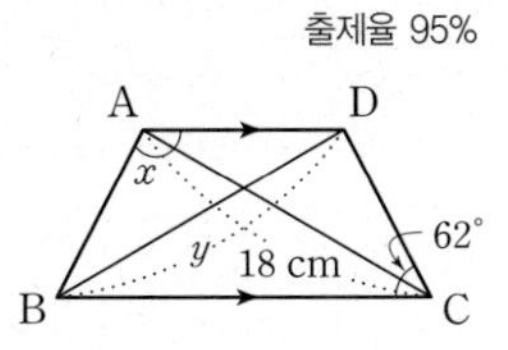

(1) $\angle x$의 크기
(2) y의 값

출제율 95%

38 상 오른쪽 그림과 같이 $\overline{AD}/\!/\overline{BC}$인 등변사다리꼴 ABCD에서 $\overline{AB}=\overline{AD}$이고 $\angle C=68°$일 때, $\angle x$의 크기를 구하여라.

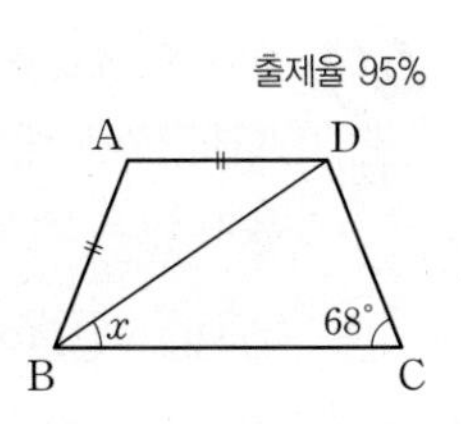

출제율 90%

39 상 오른쪽 그림에서 □ABCD는 $\overline{AD}/\!/\overline{BC}$인 등변사다리꼴이다. $\overline{AD}=\overline{DC}$이고 $\angle DAC=35°$일 때, $\angle x$의 크기는?

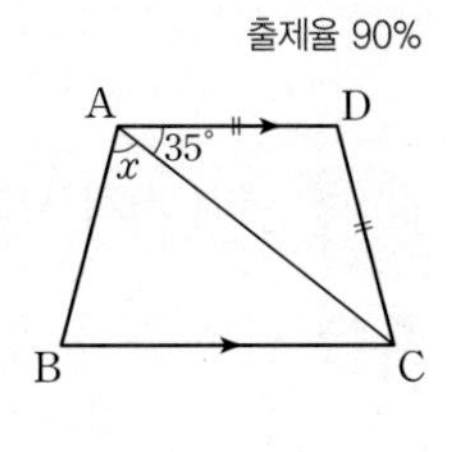

① 75° ② 78° ③ 80°
④ 82° ⑤ 85°

대표유형 등변사다리꼴의 성질의 활용

40 오른쪽 그림의 □ABCD는 $\overline{AD}/\!/\overline{BC}$이고, $\overline{AB}=\overline{DC}$인 등변사다리꼴이다. $\overline{AD}=8$ cm, $\overline{BC}=12$ cm이고 점 A에서 $\overline{BC}$에 내린 수선의 발을 H라 할 때, $\overline{BH}$의 길이는?

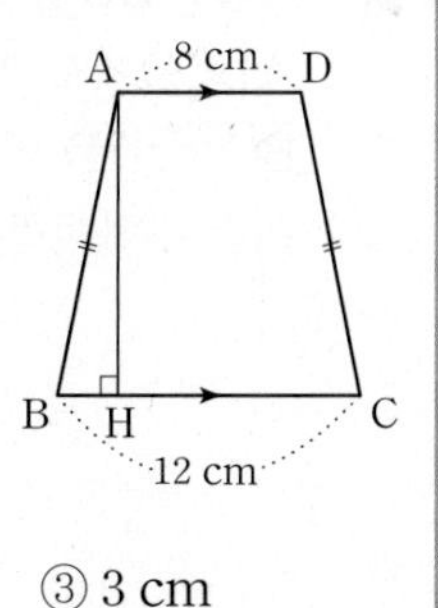

① 1 cm ② 2 cm ③ 3 cm
④ 4 cm ⑤ 5 cm

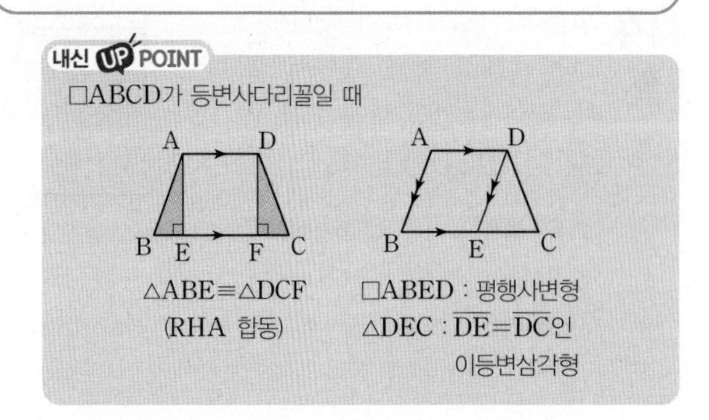

출제율 95%

41 중 오른쪽 그림과 같이 $\overline{AD}/\!/\overline{BC}$인 등변사다리꼴 ABCD의 꼭짓점 D에서 $\overline{BC}$에 내린 수선의 발을 E라 하자. $\overline{AD}=4$ cm, $\overline{EC}=2$ cm일 때, $\overline{BC}$의 길이는?

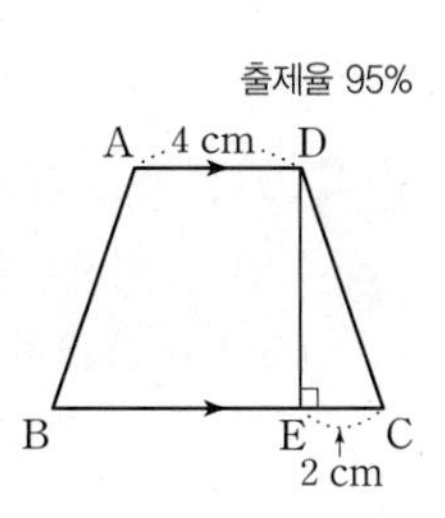

① 8 cm ② 10 cm ③ 12 cm
④ 14 cm ⑤ 16 cm

출제율 95%

42 중 오른쪽 그림과 같이 $\overline{AD}/\!/\overline{BC}$인 등변사다리꼴 ABCD에서 $\overline{AB}=12$ cm, $\overline{AD}=9$ cm, $\angle A=120°$일 때, $\overline{BC}$의 길이는?

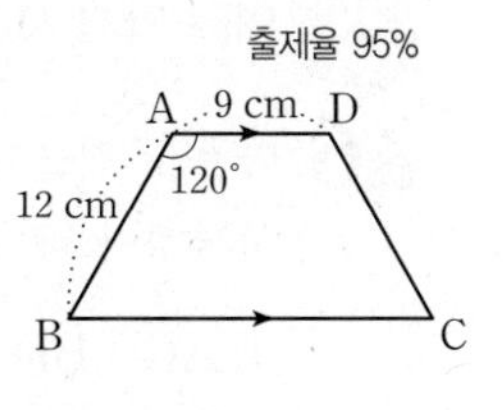

① 16 cm ② 17 cm ③ 18 cm
④ 20 cm ⑤ 21 cm

출제율 95%

43 (상) 오른쪽 그림과 같이 $\overline{AD} /\!/ \overline{BC}$인 등변사다리꼴 ABCD에서 $\overline{AB}=\overline{AD}$, $\overline{BC}=2\overline{AD}$일 때, $\angle C$의 크기를 구하여라.

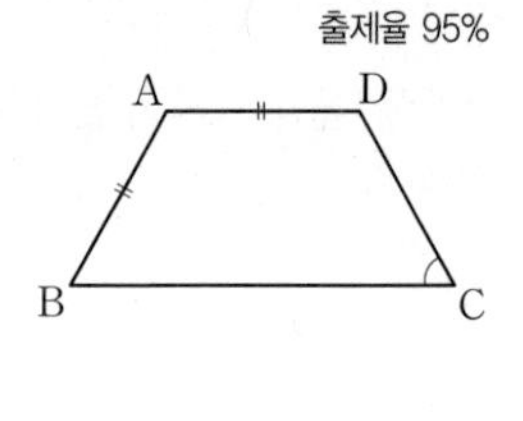

출제율 90%

44 (상) 오른쪽 그림과 같이 등변사다리꼴 ABCD의 점 A에서 $\overline{BC}$에 내린 수선의 발을 E라 할 때, □ABCD의 넓이는?

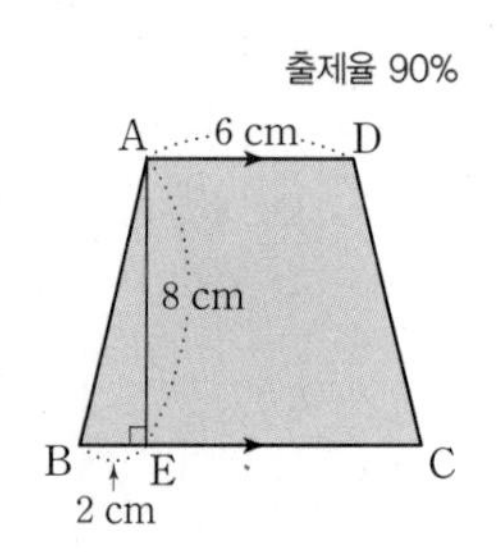

① $60\ cm^2$ ② $62\ cm^2$
③ $64\ cm^2$ ④ $66\ cm^2$
⑤ $70\ cm^2$

출제율 85%

45 (상) 오른쪽 그림과 같이 $\overline{AD} /\!/ \overline{BC}$인 등변사다리꼴 ABCD에서 $\overline{AB}=\overline{AD}$이고 $\angle BDC=90°$일 때, $\angle DBC$의 크기를 구하여라.

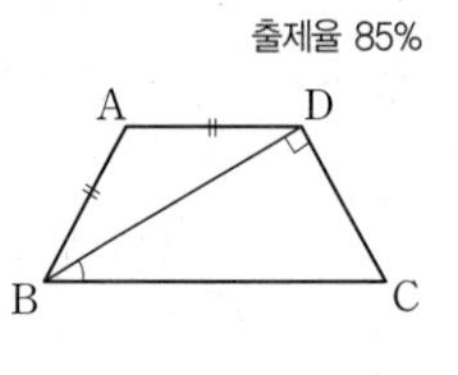

대표유형 여러 가지 사각형 사이의 관계

46 다음 조건을 만족하는 평행사변형 ABCD는 어떤 사각형이 되는지 말하여라.

(1) $\overline{AC}=\overline{BD}$
(2) $\overline{AB}=\overline{BC}$, $\angle B=90°$

출제율 85%

47 (하) 오른쪽 그림과 같은 평행사변형 ABCD에서 $\triangle AOB \equiv \triangle COB$이면 □ABCD는 어떤 사각형이 되는지 말하여라.

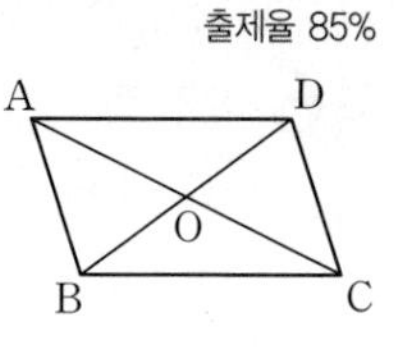

출제율 90%

48 (중) 다음 중 옳지 않은 것을 모두 골라라.

ㄱ. 평행사변형의 두 대각선이 서로 직교하면 마름모가 된다.
ㄴ. 직사각형의 두 대각선이 서로 직교하면 정사각형이 된다.
ㄷ. 평행사변형의 한 내각의 크기가 90°이면 직사각형이 된다.
ㄹ. 평행사변형의 두 대각선의 길이가 같으면 마름모가 된다.
ㅁ. 평행사변형의 이웃하는 두 변의 길이가 같으면 정사각형이 된다.

출제율 95%

49 (중) 오른쪽 그림의 평행사변형 ABCD에 대한 다음 설명 중 옳지 않은 것은?

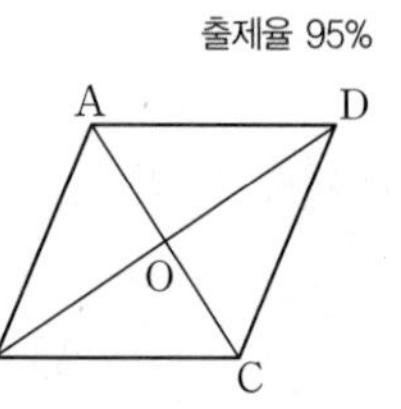

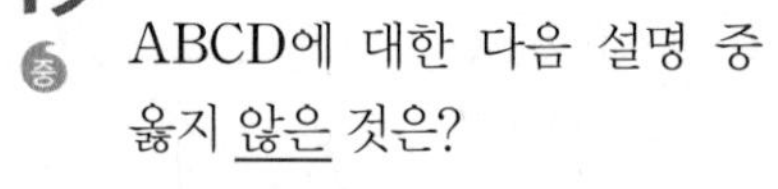

① $\overline{BC}=\overline{CD}$이면 마름모가 된다.
② $\angle B=90°$이면 직사각형이 된다.
③ $\overline{AC}=\overline{BD}$이면 직사각형이 된다.
④ $\overline{AC} \perp \overline{BD}$이면 마름모가 된다.
⑤ $\angle A+\angle C=180°$이면 정사각형이 된다.

대표유형 여러 가지 사각형의 대각선

50 다음 중 두 대각선이 서로 다른 것을 수직이등분하는 사각형의 개수를 구하여라.

ㄱ. 사다리꼴 ㄴ. 등변사다리꼴
ㄷ. 평행사변형 ㄹ. 직사각형
ㅁ. 마름모 ㅂ. 정사각형

출제율 95%

51 중 다음 중 두 대각선의 길이가 서로 같은 사각형을 모두 고른 것은?

ㄱ. 정사각형	ㄴ. 직사각형
ㄷ. 마름모	ㄹ. 평행사변형
ㅁ. 등변사다리꼴	ㅂ. 사다리꼴

① ㄱ, ㄷ ② ㄷ, ㄹ ③ ㄱ, ㄴ, ㄷ
④ ㄱ, ㄴ, ㅁ ⑤ ㄷ, ㄹ, ㅁ

출제율 95%

52 다음 사각형 중에서 두 대각선이 서로 다른 것을 이등분하지 <u>않는</u> 것을 모두 고른 것은?

ㄱ. 등변사다리꼴	ㄴ. 평행사변형
ㄷ. 직사각형	ㄹ. 마름모
ㅁ. 정사각형	ㅂ. 사다리꼴

① ㄱ, ㄴ ② ㄱ, ㅂ ③ ㄷ, ㄹ
④ ㄴ, ㅁ ⑤ ㄷ, ㅂ

대표유형 각 변의 중점을 연결하여 만든 사각형

53 다음은 아래 그림과 같은 평행사변형 ABCD의 각 변의 중점을 각각 E, F, G, H라 할 때, □EFGH는 평행사변형임을 설명하는 과정이다. □ 안에 알맞은 것을 써넣어라.

$\triangle AEH \equiv \triangle CGF$
(□ 합동)
이므로 $\overline{EH}=$ □
$\triangle BFE \equiv \triangle DHG$
(□ 합동)
이므로 $\overline{EF}=$ □
따라서 두 쌍의 대변의 길이가 각각 같으므로
□EFGH는 평행사변형이다.

출제율 95%

54 하 다음은 아래 그림과 같은 직사각형 ABCD의 각 변의 중점 E, F, G, H를 연결한 사각형은 어떤 사각형인지를 알아보는 과정이다. □ 안에 알맞은 것을 써넣어라.

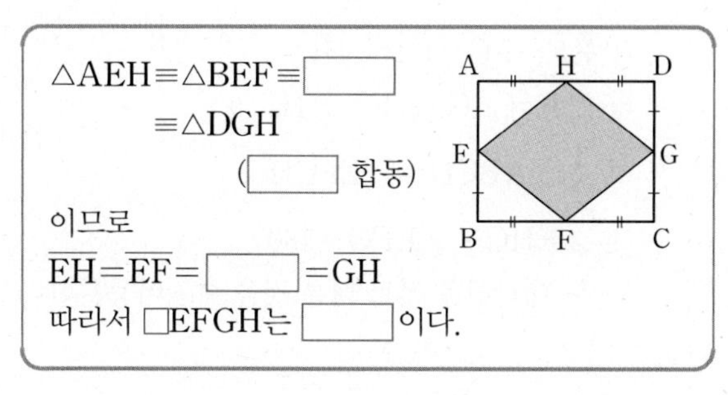
$\triangle AEH \equiv \triangle BEF \equiv$ □
$\equiv \triangle DGH$
(□ 합동)
이므로
$\overline{EH}=\overline{EF}=$ □ $=\overline{GH}$
따라서 □EFGH는 □ 이다.

출제율 95%

55 중 다음은 아래 그림과 같은 마름모 ABCD의 각 변의 중점 E, F, G, H를 연결한 사각형은 어떤 사각형인지를 알아보는 과정이다. □ 안에 알맞은 것을 써넣어라.

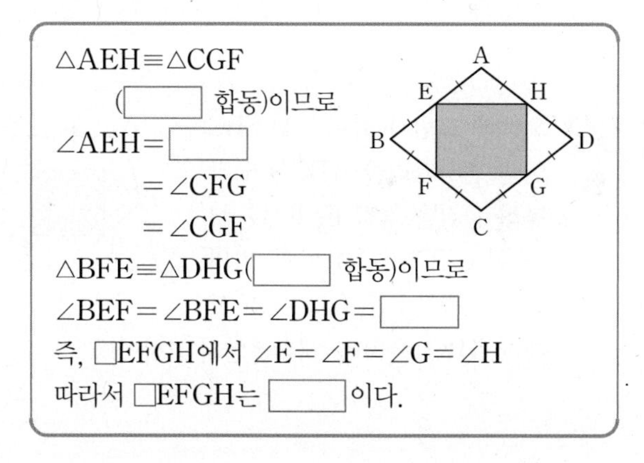
$\triangle AEH \equiv \triangle CGF$
(□ 합동)이므로
$\angle AEH=$ □
$=\angle CFG$
$=\angle CGF$
$\triangle BFE \equiv \triangle DHG$(□ 합동)이므로
$\angle BEF=\angle BFE=\angle DHG=$ □
즉, □EFGH에서 $\angle E=\angle F=\angle G=\angle H$
따라서 □EFGH는 □ 이다.

출제율 80%

56 중 오른쪽 그림과 같은 사각형 ABCD에서 각 변의 중점을 각각 P, Q, R, S라 할 때, □PQRS에 대하여 다음 중 옳지 <u>않은</u> 것은?

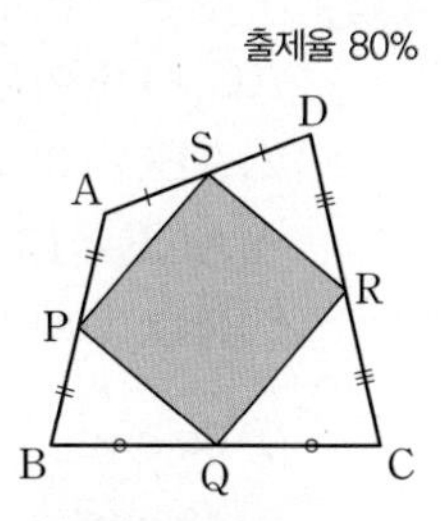

① $\overline{PS} /\!/ \overline{QR}$ ② $\overline{PQ} /\!/ \overline{SR}$
③ $\overline{PS}=\overline{QR}$ ④ $\overline{SR}=\overline{RQ}$
⑤ $\angle PQR=\angle RSP$

출제율 90%

57 중 오른쪽 그림과 같은 정사각형 ABCD의 각 변의 중점을 각각 E, F, G, H라 할 때, □EFGH에 대한 설명 중 옳지 않은 것은?

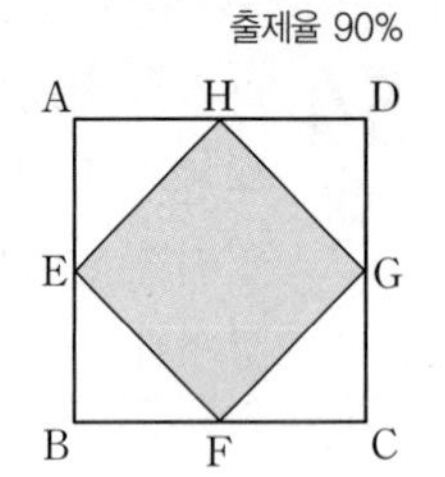

① $\overline{EF}=\overline{FG}=\overline{GH}=\overline{HE}$

② $\angle E=\angle G$, $\angle F=\angle H$

③ $\frac{1}{2}$□ABCD=□EFGH

④ $\angle EHG+\angle EFG>180^\circ$

⑤ 두 대각선은 서로 다른 것을 수직이등분한다.

출제율 90%

58 상 오른쪽 그림과 같이 $\overline{AD}/\!/\overline{BC}$인 등변사다리꼴 ABCD의 각 변의 중점을 각각 E, F, G, H라 할 때, □EFGH의 둘레의 길이를 구하여라.

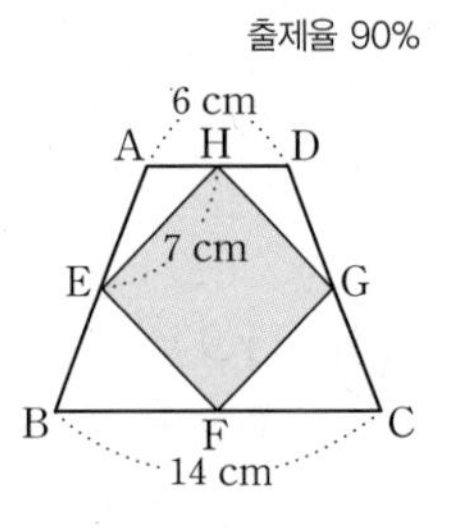

출제율 85%

59 상 오른쪽 그림과 같이 $\overline{AD}/\!/\overline{BC}$인 등변사다리꼴 ABCD의 각 변의 중점을 각각 E, F, G, H라 하고 □EFGH의 각 변의 중점을 각각 I, J, K, L이라 할 때, □IJKL은 어떤 사각형인지 말하여라.

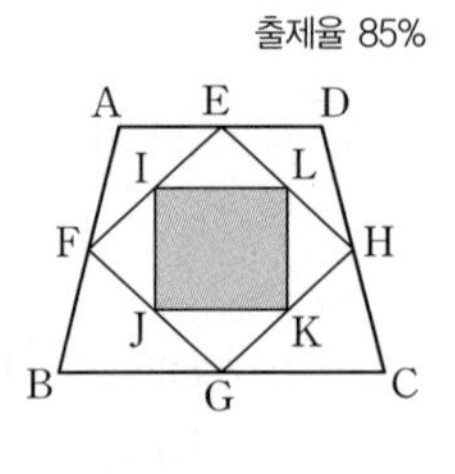

대표유형 **평행선과 넓이**

60 오른쪽 그림과 같이 $\overline{AC}/\!/\overline{DE}$이고 $\triangle ABC=30\text{ cm}^2$, $\triangle ACE=15\text{ cm}^2$일 때, □ABCD의 넓이는?

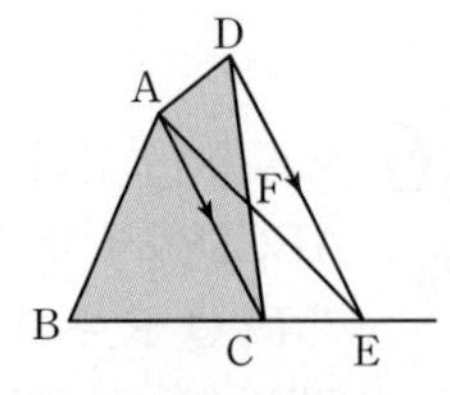

① 30 cm^2 ② 35 cm^2 ③ 40 cm^2
④ 45 cm^2 ⑤ 50 cm^2

출제율 95%

61 하 오른쪽 그림에서 $\overline{AB}/\!/\overline{CD}$일 때, 다음을 구하여라.

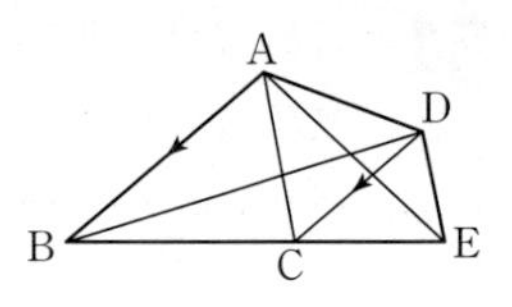

(1) $\triangle ABC=20\text{ cm}^2$일 때, $\triangle ABD$의 넓이

(2) $\triangle BCD=15\text{ cm}^2$, $\triangle CED=10\text{ cm}^2$일 때, □ACED의 넓이

출제율 95%

62 중 오른쪽 그림과 같이 □ABCD의 꼭짓점 A를 지나고 $\overline{BD}$와 평행한 직선이 $\overline{BC}$의 연장선과 만나는 점을 E라 하자. □ABCD$=12\text{ cm}^2$, $\triangle DBC=5\text{ cm}^2$일 때, $\triangle DEB$의 넓이는?

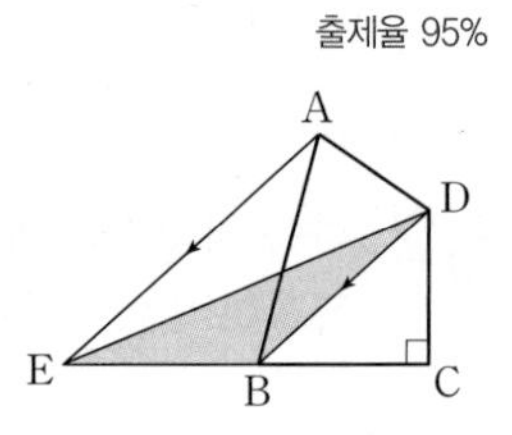

① 6 cm^2 ② 7 cm^2 ③ 8 cm^2
④ 9 cm^2 ⑤ 10 cm^2

출제율 85%

63 중 오른쪽 그림에서 $\overline{AC}/\!/\overline{DE}$이고 $\overline{AH}\perp\overline{BE}$이다. $\overline{AH}=6\text{ cm}$, $\overline{BC}=9\text{ cm}$, $\overline{CE}=3\text{ cm}$일 때, □ABCD의 넓이를 구하여라.

A
D
6 cm
H
B
E
C
9 cm
3 cm

출제율 80%

64 상 오른쪽 그림과 같은 직사각형 ABCD에서 $\overline{AE}:\overline{ED}=5:3$이고 □ABCD$=80\text{ cm}^2$일 때, $\triangle EFD$의 넓이는?

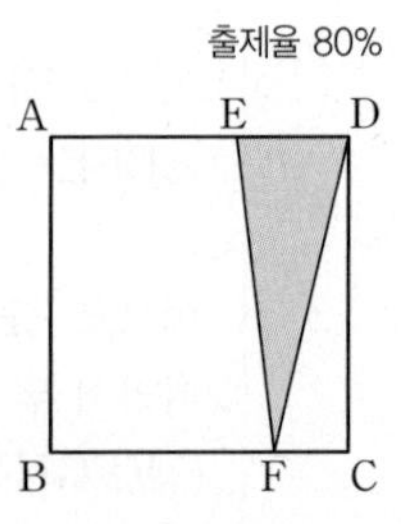

① 11 cm^2 ② 12 cm^2
③ 13 cm^2 ④ 14 cm^2
⑤ 15 cm^2

대표유형 높이가 같은 두 삼각형의 넓이의 비

65 오른쪽 그림과 같은 $\triangle ABC$에서 $\overline{BP}:\overline{CP}=2:1$, $\triangle ABC=15\text{ cm}^2$일 때, $\triangle ABP$의 넓이를 구하여라.

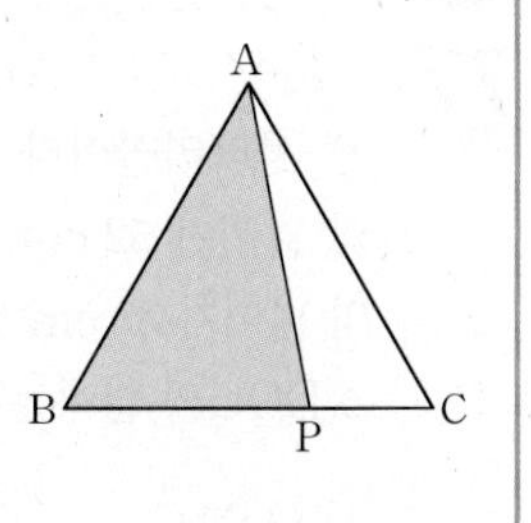

출제율 95%

66 (중) 오른쪽 그림의 $\triangle ABC$에서 $\overline{AE}:\overline{EC}=3:4$, $\overline{BO}:\overline{OE}=3:2$이다. $\triangle EOC$의 넓이가 24 cm^2일 때, $\triangle ABC$의 넓이를 구하여라.

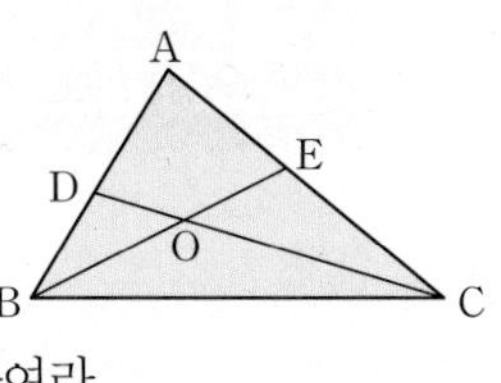

출제율 95%

67 (중) 오른쪽 그림과 같은 $\triangle ABC$에서 점 M은 $\overline{BC}$의 중점이고 $\overline{AP}:\overline{PM}=1:2$이다. $\triangle ABC=30\text{ cm}^2$일 때, $\triangle PBM$의 넓이를 구하여라.

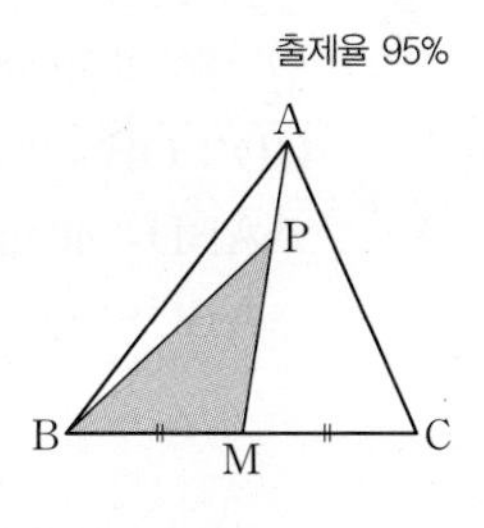

출제율 95%

68 (상) 오른쪽 그림과 같은 $\triangle ABC$에서 $\overline{BP}:\overline{CP}=\overline{CQ}:\overline{AQ}=1:3$이다. $\triangle APQ=36\text{ cm}^2$일 때, $\triangle ABC$의 넓이는?

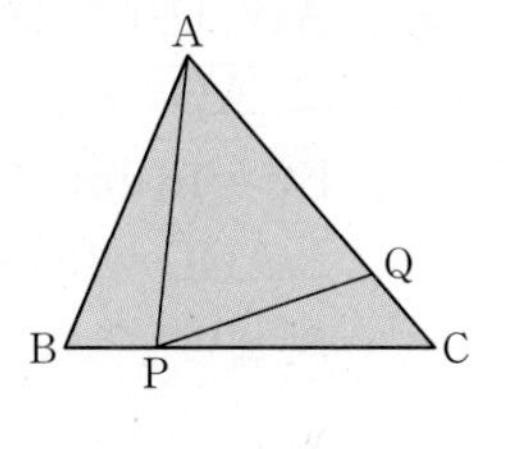

① 52 cm^2 ② 54 cm^2 ③ 60 cm^2
④ 64 cm^2 ⑤ 72 cm^2

출제율 90%

69 (상) 오른쪽 그림에서 $\overline{AC}\,/\!/\,\overline{DE}$이고 $\overline{BC}:\overline{CE}=3:2$이다. $\square ABCD=40\text{ cm}^2$일 때, $\triangle ACD$의 넓이는?

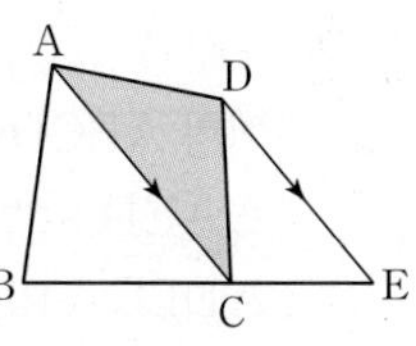

① 6 cm^2 ② 7 cm^2 ③ 8 cm^2
④ 9 cm^2 ⑤ 16 cm^2

출제율 85%

70 (상) 오른쪽 그림에서 $\overline{AC}\,/\!/\,\overline{PQ}$, $\overline{BM}=\overline{QM}$이고 $\triangle PBC$의 넓이가 36 cm^2일 때, $\triangle ABM$의 넓이는?

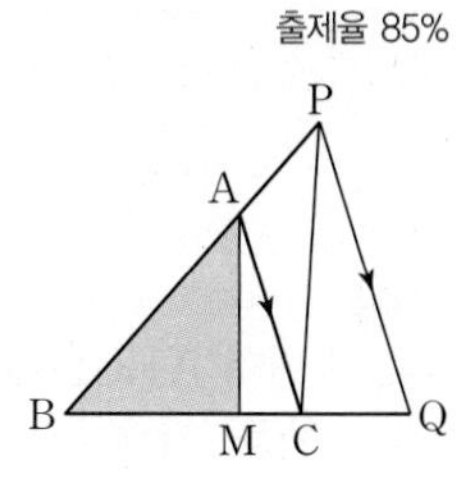

① 10 cm^2 ② 12 cm^2
③ 14 cm^2 ④ 16 cm^2
⑤ 18 cm^2

대표유형 평행사변형에서 높이가 같은 두 삼각형의 넓이

71 오른쪽 그림의 평행사변형 ABCD의 넓이가 40 cm^2일 때, $\triangle PBC$의 넓이는?

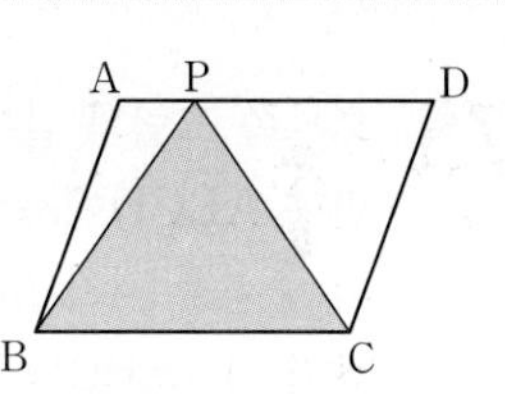

① 14 cm^2 ② 15 cm^2
③ 16 cm^2 ④ 18 cm^2
⑤ 20 cm^2

출제율 90%

72 (하) 넓이가 150 cm^2인 평행사변형 ABCD의 변 AD 위의 점 E에 대하여 $\overline{AE}:\overline{ED}=3:2$일 때, $\triangle ECD$의 넓이는?

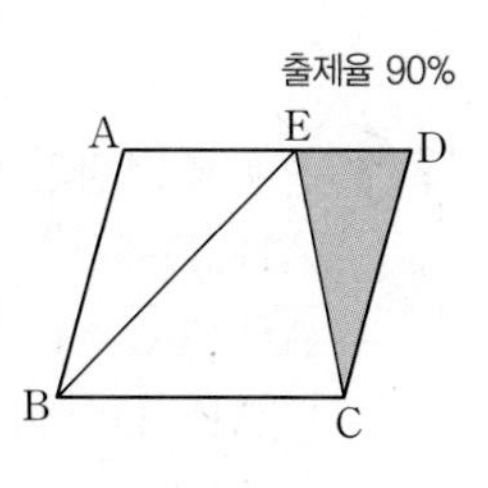

① 30 cm^2 ② 40 cm^2 ③ 50 cm^2
④ 75 cm^2 ⑤ 100 cm^2

출제율 95%

73 중 오른쪽 그림과 같은 평행사변형 ABCD에서 $\triangle AED=22\text{ cm}^2$, $\triangle DEC=10\text{ cm}^2$일 때, $\triangle ABE$의 넓이는?

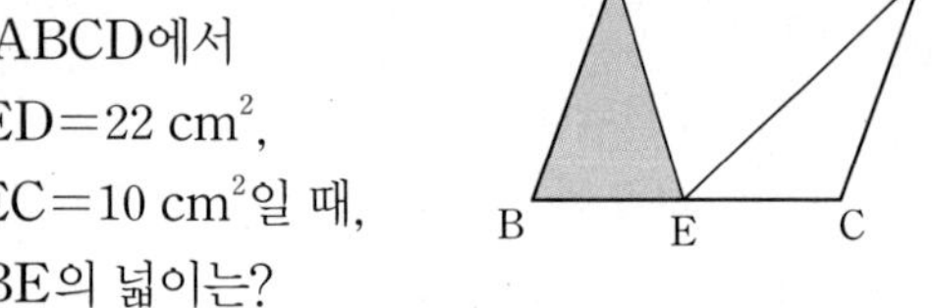

① 6 cm^2 ② 8 cm^2 ③ 9 cm^2
④ 10 cm^2 ⑤ 12 cm^2

출제율 95%

74 중 오른쪽 그림과 같은 평행사변형 ABCD에서 $\overline{BD}\mathbin{/\!/}\overline{EF}$일 때, 다음 중 넓이가 다른 하나는?

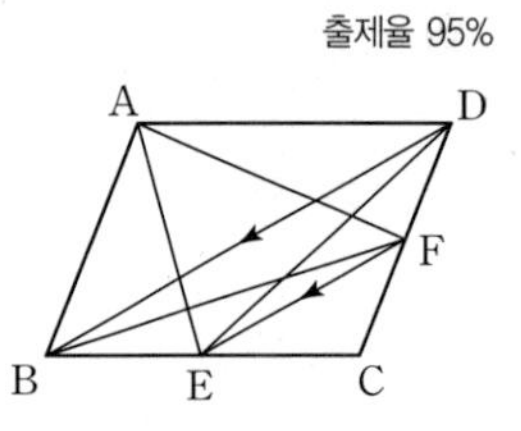

① $\triangle ABE$ ② $\triangle DAF$ ③ $\triangle AEF$
④ $\triangle DBF$ ⑤ $\triangle DBE$

출제율 90%

75 중 오른쪽 그림과 같은 평행사변형 ABCD에서 $\overline{BC}$, $\overline{CD}$의 중점을 각각 M, N이라 하자. $\square ABCD=24\text{ cm}^2$일 때, $\square AMCN$의 넓이를 구하여라.

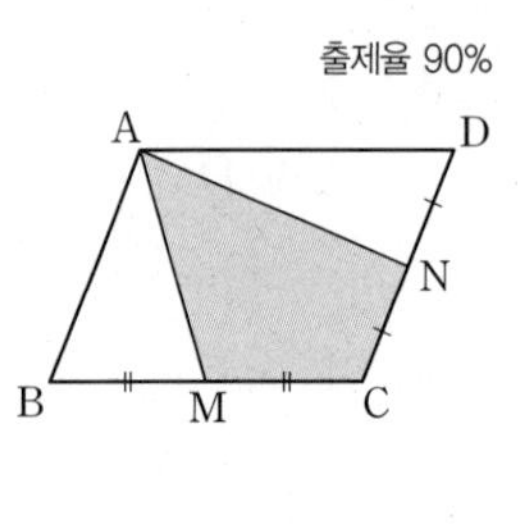

출제율 85%

76 중 오른쪽 그림의 평행사변형 ABCD에서 $\overline{AP}:\overline{PC}=1:2$이고 $\square ABCD=36\text{ cm}^2$일 때, $\triangle APD$의 넓이를 구하여라. (단, 점 P는 대각선 AC 위의 점이다.)

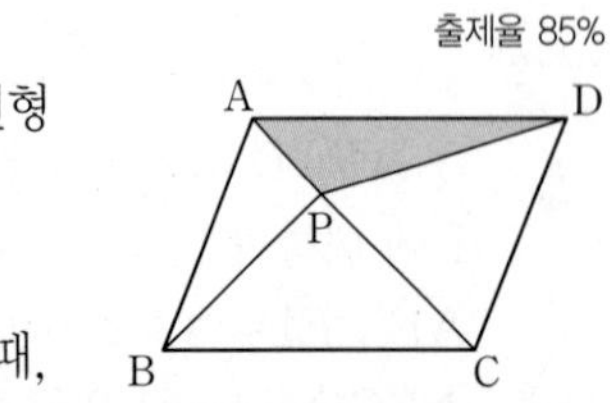

대표유형 사다리꼴에서 높이가 같은 두 삼각형의 넓이

77 오른쪽 그림은 $\overline{AD}\mathbin{/\!/}\overline{BC}$인 사다리꼴이다. $\triangle ABC$의 넓이가 52 cm^2, $\triangle OBC$의 넓이가 32 cm^2일 때, $\triangle DOC$의 넓이는?

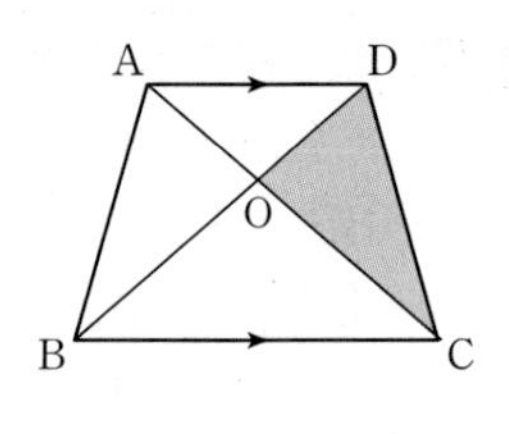

① 14 cm^2 ② 16 cm^2 ③ 18 cm^2
④ 20 cm^2 ⑤ 22 cm^2

내신 UP POINT

$\overline{AD}\mathbin{/\!/}\overline{BC}$인 사다리꼴 ABCD에서
(1) $\triangle OAB=\triangle OCD$
(2) $\triangle OAB:\triangle OBC$
$=\triangle ODA:\triangle OCD$
$=\overline{OA}:\overline{OC}$

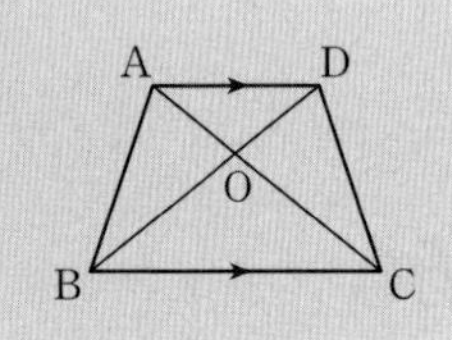

출제율 95%

78 중 오른쪽 그림에서 $\square ABCD$는 $\overline{AD}\mathbin{/\!/}\overline{BC}$인 사다리꼴이다. $\overline{OD}:\overline{OB}=2:3$, $\triangle ABD=40\text{ cm}^2$일 때, $\triangle ABC$의 넓이를 구하여라.

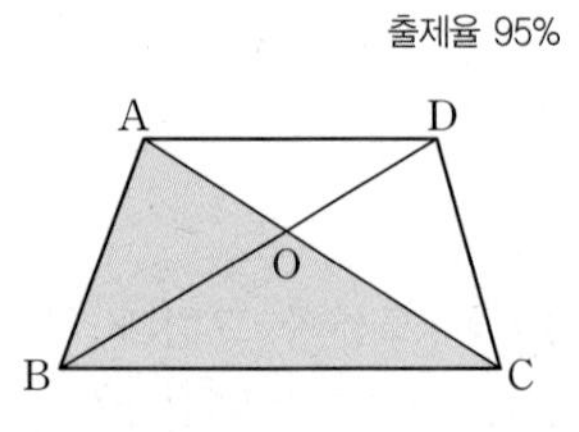

출제율 90%

79 중 오른쪽 그림의 사각형 ABCD에서 $\overline{AD}\mathbin{/\!/}\overline{BC}$이고, $\overline{AD}=8\text{ cm}$, $\overline{BC}=16\text{ cm}$이다. $\triangle AOD=10\text{ cm}^2$, $\triangle ABO=20\text{ cm}^2$일 때, $\triangle BOC$의 넓이는?

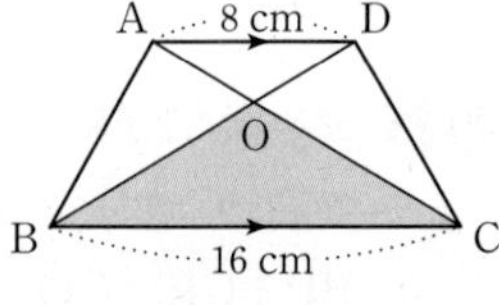

① 10 cm^2 ② 20 cm^2 ③ 30 cm^2
④ 40 cm^2 ⑤ 50 cm^2

개념 UP 01 여러 가지 사각형 사이의 관계의 활용

(1) 한 내각이 직각이거나 두 대각선의 길이가 같은 평행사변형은 직사각형이 된다.
(2) 이웃하는 두 변의 길이가 같거나 두 대각선이 서로 직교하는 평행사변형은 마름모가 된다.
(3) 이웃하는 두 변의 길이가 같거나 두 대각선이 서로 직교하는 직사각형은 정사각형이 된다.
(4) 한 내각이 직각이거나 두 대각선의 길이가 같은 마름모는 정사각형이 된다.

출제율 95%

80 상 오른쪽 그림과 같이 평행사변형 ABCD의 네 내각의 이등분선에 의하여 만들어지는 □EFGH는 어떤 사각형인지 말하여라.

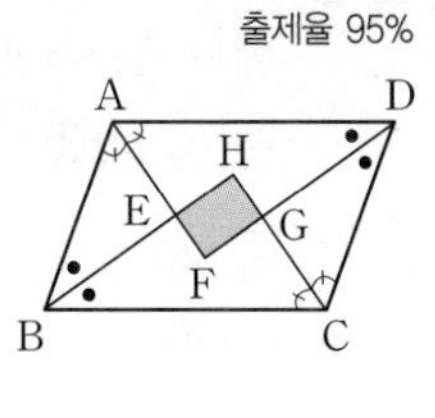

출제율 85%

81 상 오른쪽 그림과 같은 평행사변형 ABCD에서 두 대각선의 교점을 O라 하자. 점 O에서 수직으로 만나는 두 직선이 평행사변형 ABCD의 네 변과 만나는 점을 각각 E, F, G, H라 할 때, □EFGH는 어떤 사각형인지 말하여라.

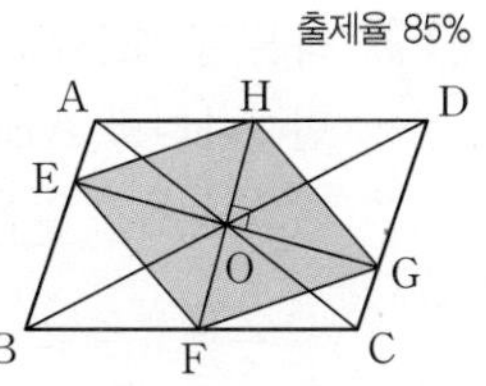

출제율 85%

82 상 오른쪽 그림과 같은 직사각형 ABCD에서 $\overline{AD}=2\overline{AB}$이고 $\overline{AD}$, $\overline{BC}$의 중점을 각각 M, N이라 할 때, □MPNQ는 어떤 사각형인지 말하여라.

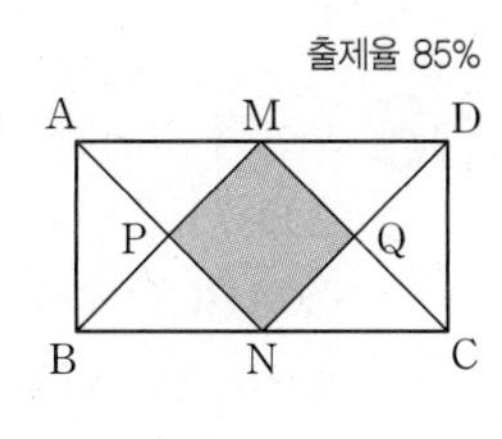

개념 UP 02 평행사변형에서의 넓이의 활용

오른쪽 그림의 평행사변형 ABCD에서
(1) △ABC=△EBC=△DBC
(2) △ABC=△ACD=△ABD
=△DBC

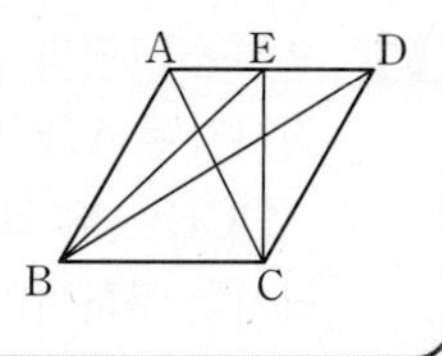

출제율 90%

83 상 오른쪽 그림의 평행사변형 ABCD에서 $\overline{AP}:\overline{PD}=1:2$, $\overline{AC}\,/\!/\,\overline{PQ}$이다. □ABCD$=48\text{ cm}^2$일 때, △BCQ의 넓이는?

① 8 cm^2 ② 9 cm^2 ③ 10 cm^2
④ 11 cm^2 ⑤ 12 cm^2

출제율 85%

84 상 오른쪽 그림과 같은 평행사변형 ABCD에서 $\overline{BE}:\overline{EO}=\overline{DF}:\overline{FO}=2:3$이다. □ABCD$=20\text{ cm}^2$일 때, □AECF의 넓이를 구하여라.

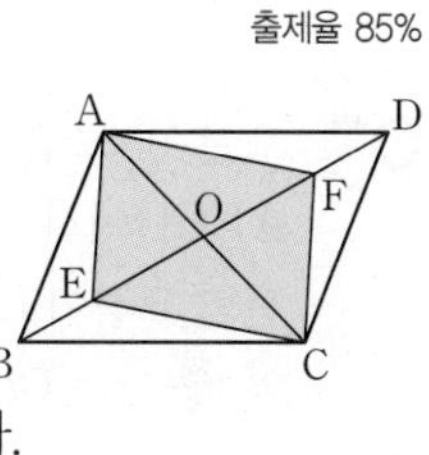

출제율 80%

85 상 오른쪽 그림과 같은 평행사변형 ABCD에서 $\overline{DE}:\overline{EC}=2:5$이고, $\overline{BE}$의 연장선과 $\overline{AD}$의 연장선의 교점을 F라 하자. □ABCD$=56\text{ cm}^2$일 때, △ECF의 넓이는?

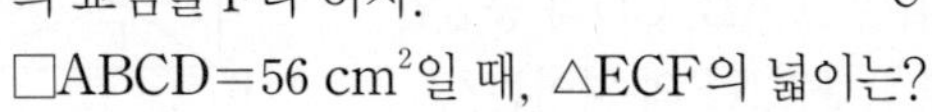

① 7 cm^2 ② 8 cm^2 ③ 14 cm^2
④ 16 cm^2 ⑤ 24 cm^2

내신 STYLE 학교 시험 100점 맞기

이것만 봐도 70점!

01 오른쪽 그림과 같은 직사각형 ABCD에서 $\angle OCB = 38°$일 때, $\angle x$의 크기를 구하여라.

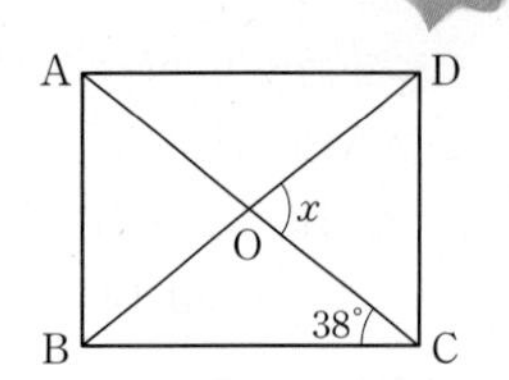

02 다음 조건을 만족하는 사각형 ABCD는 어떤 사각형인가?

$\angle C = 90°$, $\overline{AD} /\!/ \overline{BC}$, $\overline{AD} = \overline{BC}$, $\overline{AC} \perp \overline{BD}$

① 평행사변형 ② 마름모 ③ 직사각형
④ 정사각형 ⑤ 등변사다리꼴

03 오른쪽 그림과 같은 마름모 ABCD에서 점 O는 두 대각선의 교점이고 $\angle BCO = 52°$일 때, $\angle ADO$의 크기는?

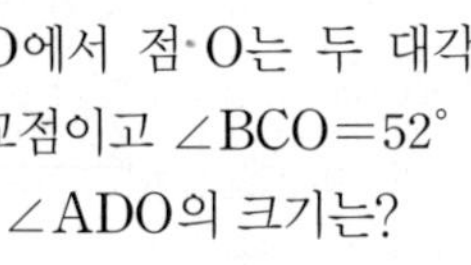

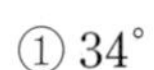

① 34° ② 36°
③ 38° ④ 42°
⑤ 50°

04 오른쪽 그림에서 두 점 M, N이 각각 직사각형 ABCD의 두 변 AB, CD의 중점일 때, □ECNF의 넓이는?

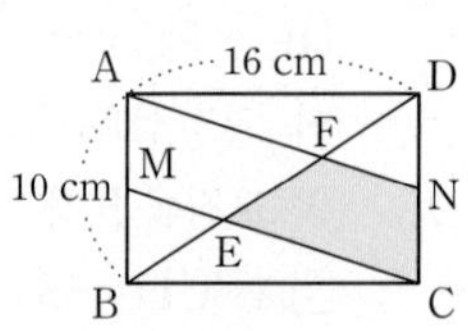

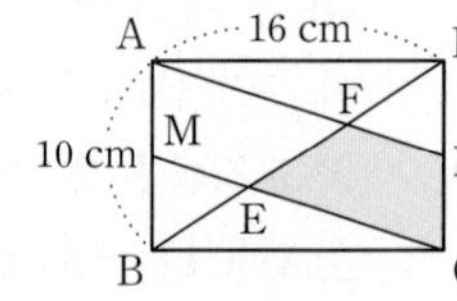

① 20 cm^2 ② 40 cm^2 ③ 50 cm^2
④ 60 cm^2 ⑤ 80 cm^2

05 오른쪽 그림과 같이 정사각형 ABCD의 대각선 AC 위에 한 점 P를 잡았다. $\angle PBC = 27°$일 때, $\angle x$의 크기를 구하여라.

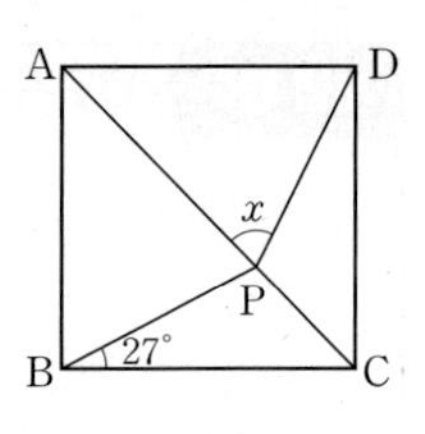

06 오른쪽 그림의 정사각형 ABCD에서 $\overline{AD} = \overline{AE}$, $\angle ABE = 30°$일 때, $\angle DEF$의 크기는?

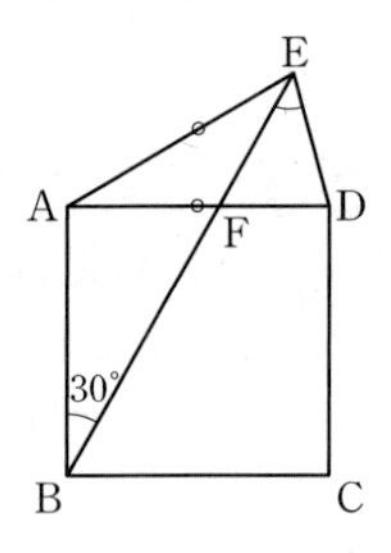

① 35° ② 40°
③ 45° ④ 50°
⑤ 60°

07 다음 중 오른쪽 그림과 같은 등변사다리꼴 ABCD에 대한 설명으로 옳지 않은 것은?

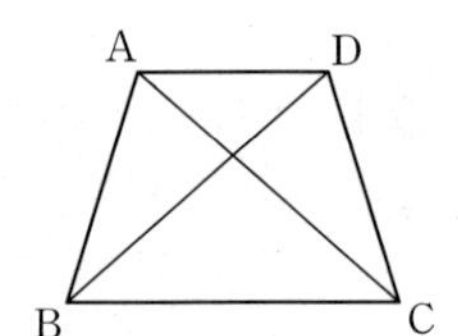

① $\angle B = \angle C$
② $\overline{AD} = \overline{AB}$
③ $\overline{AC} = \overline{BD}$
④ $\angle A = \angle D$
⑤ $\overline{AB} = \overline{CD}$

08 오른쪽 그림과 같이 $\overline{AD} /\!/ \overline{BC}$인 등변사다리꼴 ABCD에서 $\overline{AB} = \overline{AD} = \overline{DC} = 7$ cm, $\angle A = 120°$일 때, $\overline{BC}$의 길이를 구하여라.

09 다음 설명 중 옳지 <u>않은</u> 것은?

① 한 쌍의 대변만이 평행한 사각형은 사다리꼴이다.
② 두 대각선이 서로 다른 것을 수직이등분하는 평행사변형은 직사각형이다.
③ 두 대각선이 직교하는 직사각형은 정사각형이다.
④ 한 내각이 직각인 평행사변형은 직사각형이다.
⑤ 두 대각선이 직교하는 평행사변형은 마름모이다.

10 다음 중 두 대각선의 길이가 서로 같지 <u>않은</u> 사각형을 모두 고르면? (정답 2개)

① 평행사변형 ② 직사각형 ③ 마름모
④ 정사각형 ⑤ 등변사다리꼴

11 마름모의 각 변의 중점을 차례로 연결하여 만든 사각형은 어떤 사각형인가?

① 정사각형 ② 마름모 ③ 직사각형
④ 평행사변형 ⑤ 사다리꼴

12 오른쪽 그림과 같이 직사각형 ABCD의 각 변의 중점을 각각 E, F, G, H라 하자. □EFGH에 다음 중 어떤 조건을 추가했을 때, 정사각형이 되는가?

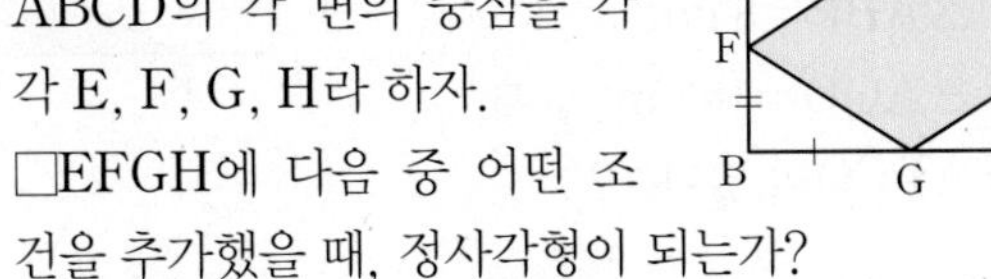

① $\overline{EF} /\!/ \overline{GH}$ ② $\overline{EH} = \overline{FG}$ ③ $\angle F = \angle H$
④ $\overline{EF} \perp \overline{FG}$ ⑤ $\overline{EG} \perp \overline{HF}$

13 오른쪽 그림에서 $\overline{AC} /\!/ \overline{DE}$일 때, 사각형 ABCD와 넓이가 같은 도형은?

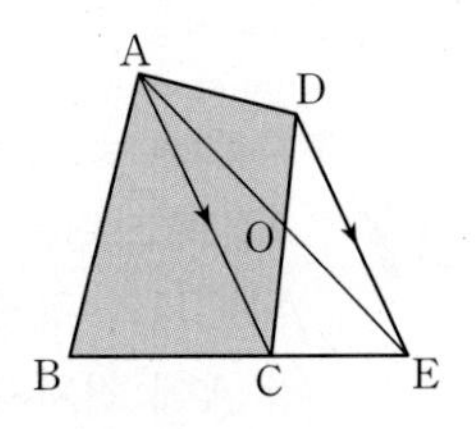

① △ABC
② △ADE
③ □ACED
④ □ABED
⑤ △ABE

14 오른쪽 그림과 같이 $\overline{AD} /\!/ \overline{BC}$인 사다리꼴 ABCD에서 $\overline{AE} /\!/ \overline{DC}$일 때, □ABED의 넓이를 구하여라.

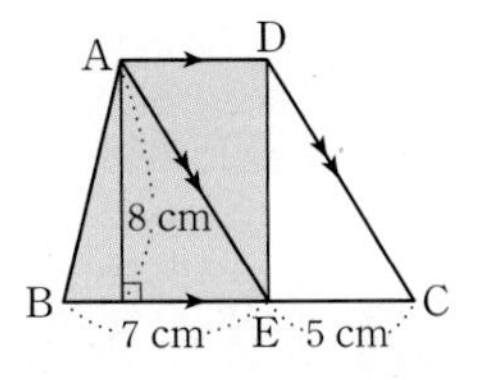

15 오른쪽 그림에서 △ABC의 넓이는 36 cm^2이다. $\overline{AP} : \overline{PC} = 2 : 1$, $\overline{BQ} : \overline{QC} = 1 : 2$일 때, △PQC의 넓이는?

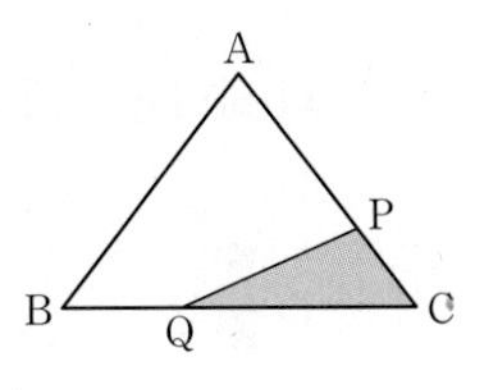

① 6 cm^2 ② 8 cm^2 ③ 10 cm^2
④ 12 cm^2 ⑤ 14 cm^2

16 오른쪽 그림과 같은 평행사변형 ABCD에서 △APD와 넓이가 같지 <u>않은</u> 것은?

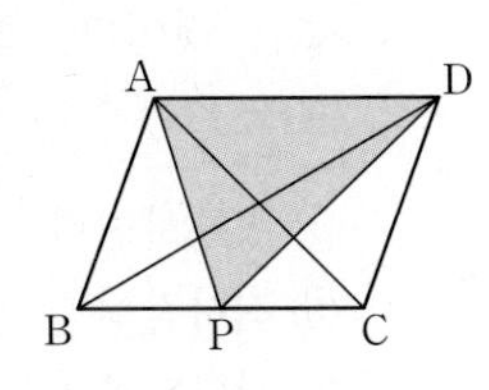

① △ABD ② △ACD
③ △ABC ④ △BCD
⑤ △PCD

17 오른쪽 그림은 직사각형 ABCD의 꼭짓점 C가 꼭짓점 A에 겹쳐지도록 접은 것이다. $\angle FAB=22^\circ$일 때, $\angle AEF$의 크기는?

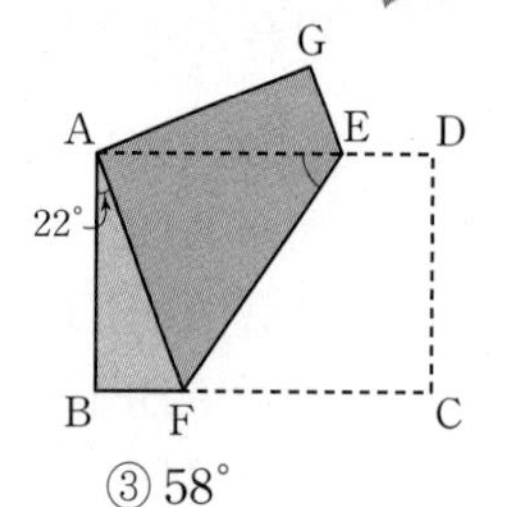

① 54° ② 56° ③ 58°
④ 60° ⑤ 62°

18 오른쪽 그림에서 $\overline{AB} /\!/ \overline{CD}$이고 $\overline{CD}$는 반지름의 길이가 3 cm인 원 O의 지름이다. 호 AB의 길이가 원의 둘레의 길이의 $\frac{1}{6}$일 때, 색칠한 부분의 넓이를 구하여라.

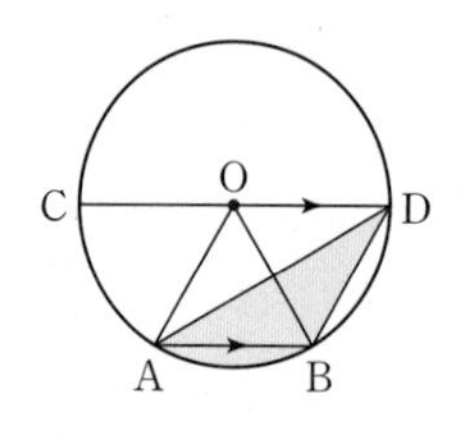

19 오른쪽 그림은 폭이 일정한 종이테이프를 찢어 두 장을 겹쳐 놓은 것이다. 겹쳐진 사각형 ABCD는 어떤 사각형인가?

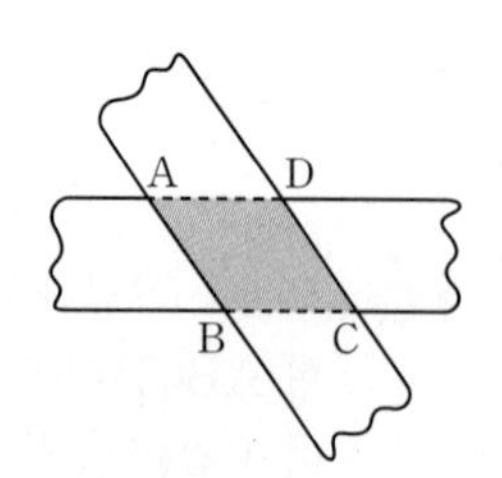

① 평행사변형 ② 마름모
③ 직사각형 ④ 정사각형
⑤ 사다리꼴

20 오른쪽 그림과 같은 평행사변형 ABCD에서 $\overline{BC}$, $\overline{DC}$의 중점을 각각 M, N이라 할 때, $\triangle AMN$과 $\triangle NMC$의 넓이의 비는?

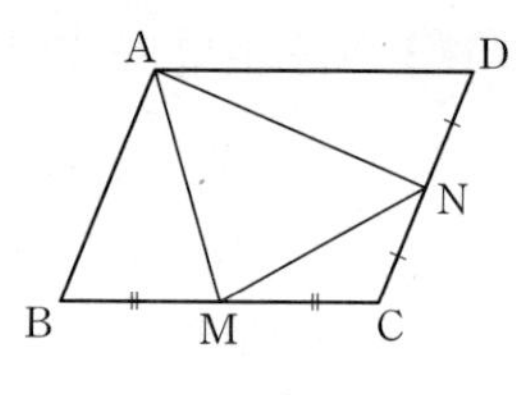

① 2 : 1 ② 3 : 1 ③ 4 : 1
④ 3 : 2 ⑤ 4 : 3

21 오른쪽 그림과 같이 정사각형 ABCD의 $\overline{BC}$, $\overline{CD}$ 위에 $\angle PAQ=45^\circ$, $\angle APQ=58^\circ$인 점 P, Q를 잡을 때, $\angle AQD$의 크기는?

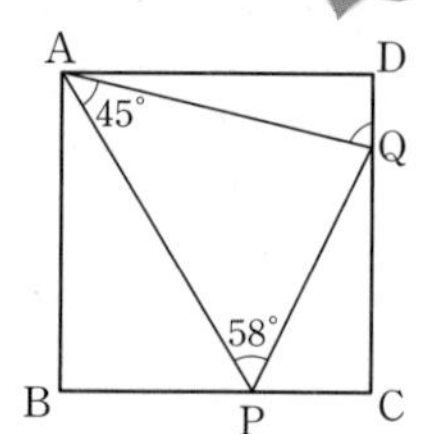

① 72° ② 75° ③ 77°
④ 80° ⑤ 82°

22 오른쪽 그림과 같은 직사각형 ABCD에서

$\square ABCD=64\text{ cm}^2$이고,
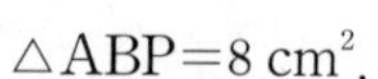
$\triangle ABP=8\text{ cm}^2$,
$\triangle AQD=16\text{ cm}^2$일 때,
$\triangle PCQ$의 넓이는?

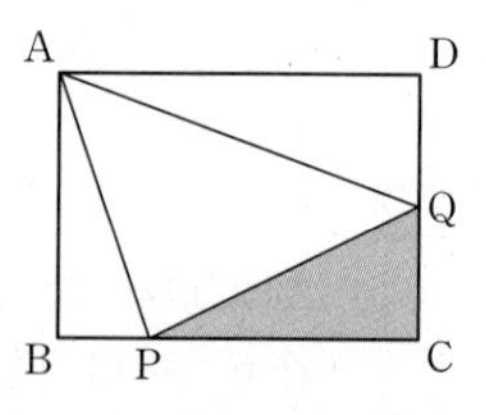

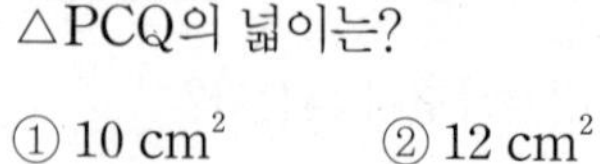

① 10 cm^2 ② 12 cm^2 ③ 14 cm^2
④ 16 cm^2 ⑤ 18 cm^2

단계형

23 오른쪽 그림과 같은 평행사변형 ABCD에서 $\overline{AD}=2\overline{AB}$이고, $\overline{CD}$의 연장선 위에 $\overline{CD}=\overline{CE}=\overline{DF}$가 되도록 점 E, F를 잡았다. 이때 ∠FPE의 크기를 구하여라. [8점]

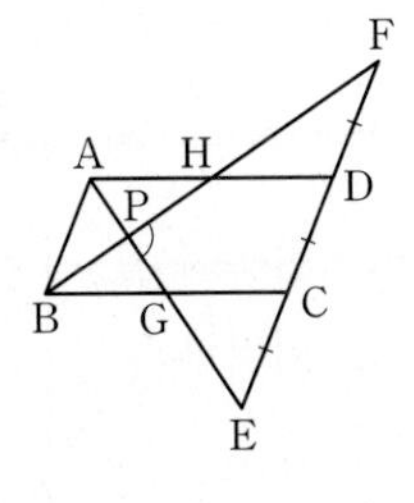

1단계 □ABGH가 평행사변형임을 설명하기 [3점]

2단계 □ABGH가 마름모임을 설명하기 [3점]

3단계 ∠FPE의 크기 구하기 [2점]

단계형

24 오른쪽 그림과 같이 $\overline{AD} /\!/ \overline{BC}$인 등변사다리꼴 ABCD에서 $\overline{OD} : \overline{OB}=1 : 2$이다. $\triangle OAB=6\ cm^2$일 때, △DBC의 넓이를 구하여라. [6점]

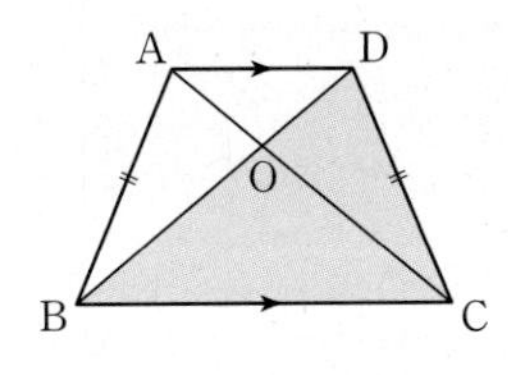

1단계 △ODC의 넓이 구하기 [3점]

2단계 △OBC의 넓이 구하기 [2점]

3단계 △DBC의 넓이 구하기 [1점]

사고력

25 오른쪽 그림의 정사각형 ABCD에서 $\overline{BC}=15$ cm, $\overline{BF}=10$ cm일 때, △BFE의 넓이를 구하여라. [6점]

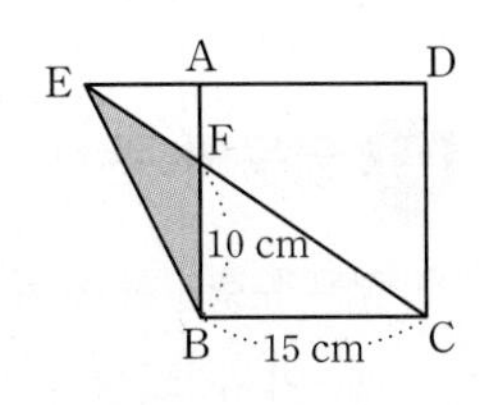

사고력

26 오른쪽 그림과 같이 등변사다리꼴 ABCD의 점 A에서 $\overline{BC}$에 내린 수선의 발을 E라 할 때, □ABCD의 넓이를 구하여라. [6점]

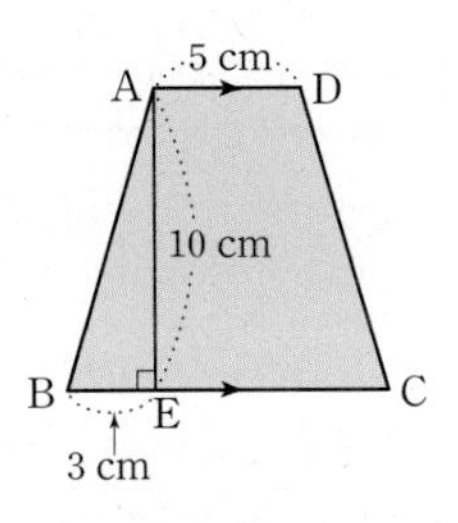

01 닮음의 뜻

(1) 닮은 도형 : 한 도형을 일정한 비율로 확대 또는 축소하여 다른 도형과 합동이 될 때, 이 두 도형은 서로 닮았다 또는 서로 닮음인 관계에 있다고 하고, 이러한 두 도형을 닮은 도형이라 한다.

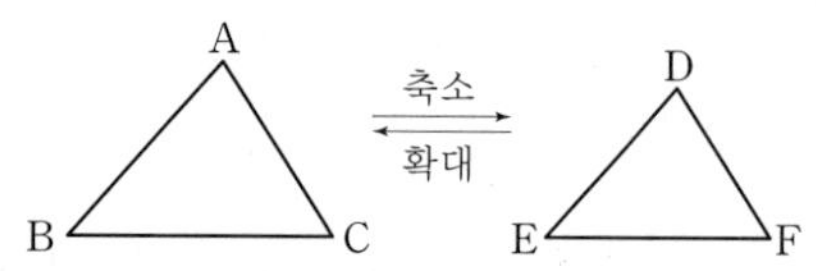

(2) 닮음의 기호 : △ABC와 △DEF가 서로 닮은 도형일 때, 이것을 기호로 △ABC∽△DEF로 나타낸다.

참고 닮은 도형임을 기호를 사용하여 나타낼 때에는 대응하는 꼭짓점의 순서대로 쓴다.

(3) 닮은 도형에서 대응하는 꼭짓점, 변, 각

△ABC∽△DEF일 때

① 대응하는 꼭짓점 : 점 A와 점 D, 점 B와 점 E, 점 C와 점 F

② 대응하는 변 : $\overline{AB}$와 $\overline{DE}$, $\overline{BC}$와 $\overline{EF}$, $\overline{AC}$와 $\overline{DF}$

③ 대응하는 각 : ∠A와 ∠D, ∠B와 ∠E, ∠C와 ∠F

포인트 개념

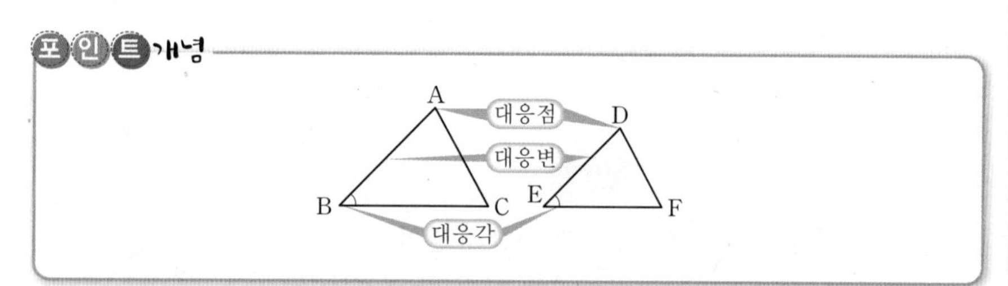

예제 1

다음 중 항상 닮은 도형인 것은 ○표, 아닌 것은 ×표 하여라.

(1) 두 정삼각형 ( )

(2) 두 직사각형 ( )

(3) 두 정사면체 ( )

(4) 두 직육면체 ( )

(5) 두 원기둥 ( )

02 평면도형에서의 닮음의 성질

서로 닮은 두 평면도형에서

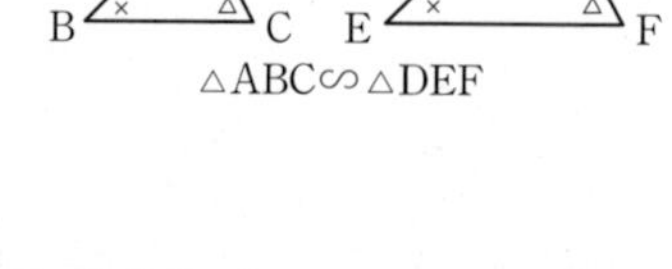

(1) 대응하는 변의 길이의 비는 일정하다.

➡ $\overline{AB}:\overline{DE}=\overline{BC}:\overline{EF}=\overline{CA}:\overline{FD}$

(2) 대응하는 각의 크기는 서로 같다.

➡ ∠A=∠D, ∠B=∠E, ∠C=∠F

(3) 닮음비 : 서로 닮은 두 평면도형에서 대응하는 변의 길이의 비

예 오른쪽 그림에서 △ABC∽△DEF일 때,
닮음비는 4 cm : 6 cm=2 : 3

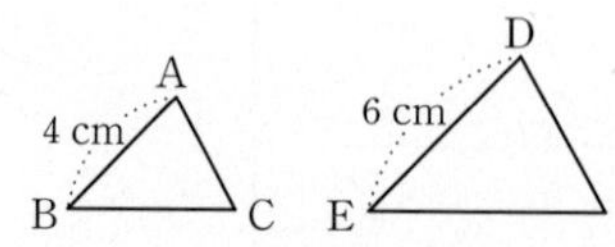

포인트 개념

• 항상 닮은 두 평면도형
두 정n각형, 두 직각이등변삼각형, 두 원, 중심각의 크기가 같은 두 부채꼴

예제 2

아래 그림에서 △ABC∽△DEF일 때, 다음을 구하여라.

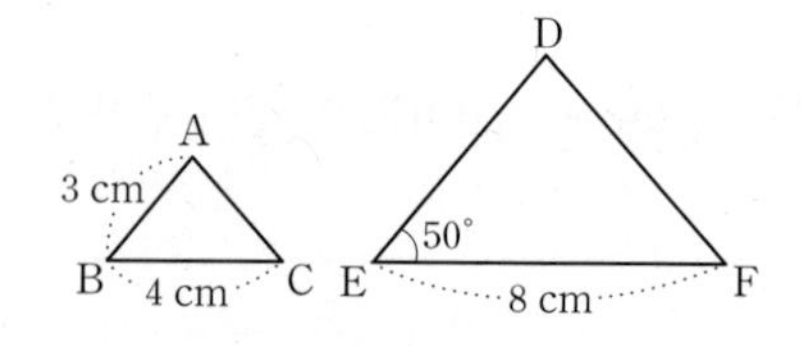

(1) △ABC와 △DEF의 닮음비

(2) $\overline{DE}$의 길이

(3) ∠B의 크기

03 입체도형에서의 닮음의 성질

서로 닮은 두 입체도형에서

(1) 대응하는 모서리의 길이의 비는 일정하다.

(2) 대응하는 면은 각각 서로 닮은 도형이다.

(3) 닮음비 : 서로 닮은 두 입체도형에서 대응하는 모서리의 길이의 비

예 다음 그림의 두 직육면체는 서로 닮은 도형이고 $\overline{AB}$에 대응하는 모서리가 $\overline{A'B'}$일 때

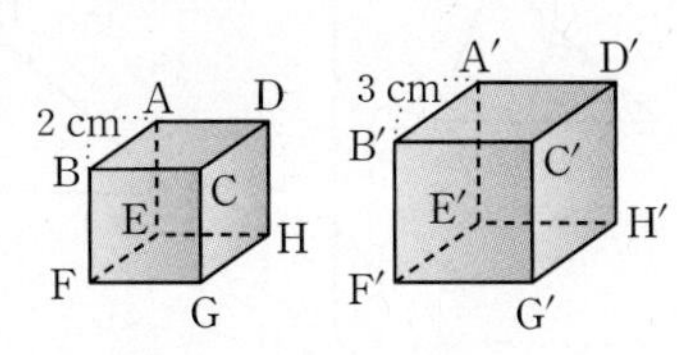

(1) $\overline{AB} : \overline{A'B'} = \overline{BC} : \overline{B'C'} = \overline{BF} : \overline{B'F'} = \cdots$

(2) □ABCD∽□A′B′C′D′, □BFGC∽□B′F′G′C′, ⋯

(3) 닮음비는 2 cm : 3 cm = 2 : 3

포인트개념

- 항상 닮은 두 입체도형
  두 정n면체($n=4, 6, 8, 12, 20$), 두 구

예제 3

아래 그림에서 두 직육면체는 서로 닮은 도형이고 □ABCD와 □A′B′C′D′이 서로 대응하는 면일 때, 다음을 구하여라.

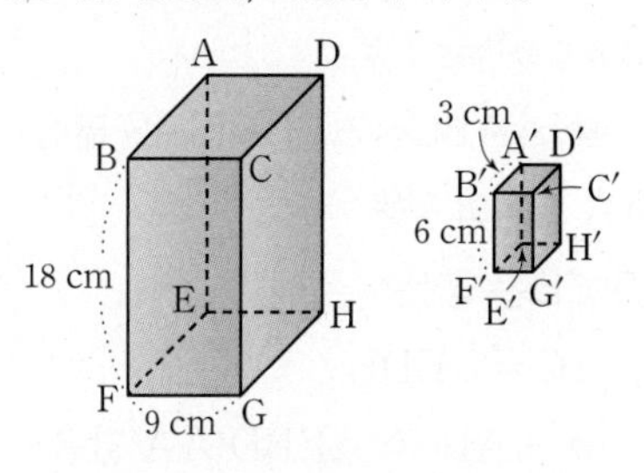

(1) 두 직육면체의 닮음비

(2) 모서리 AB에 대응하는 모서리

(3) $\overline{AB}$의 길이

04 삼각형의 닮음조건

두 삼각형 ABC와 A′B′C′은 다음 세 조건 중 어느 하나를 만족하면 닮은 도형이 된다.

(1) SSS 닮음 : 세 쌍의 대응하는 변의 길이의 비가 같다.

➡ $a : a' = b : b' = c : c'$

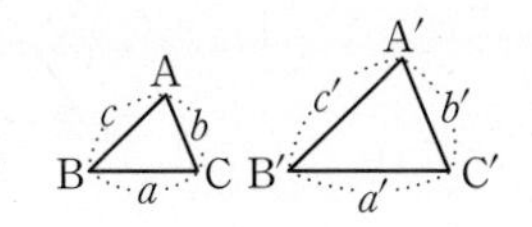

(2) SAS 닮음 : 두 쌍의 대응하는 변의 길이의 비가 같고, 그 끼인각의 크기가 같다.

➡ $b : b' = c : c'$, $\angle A = \angle A'$

(3) AA 닮음 : 두 쌍의 대응하는 각의 크기가 각각 같다.

➡ $\angle B = \angle B'$, $\angle C = \angle C'$

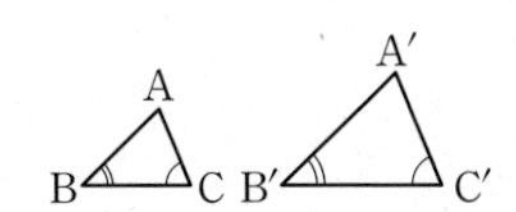

포인트개념

- S : Side(변), A : Angle(각)
- 삼각형의 닮음조건
  ① SSS 닮음 : 세 쌍의 대응하는 변
  ② SAS 닮음 : 두 쌍의 대응하는 변+끼인각
  ③ AA 닮음 : 두 쌍의 대응하는 각

예제 4

다음 두 삼각형이 서로 닮은 도형일 때, 닮음 조건을 말하여라.

(1)

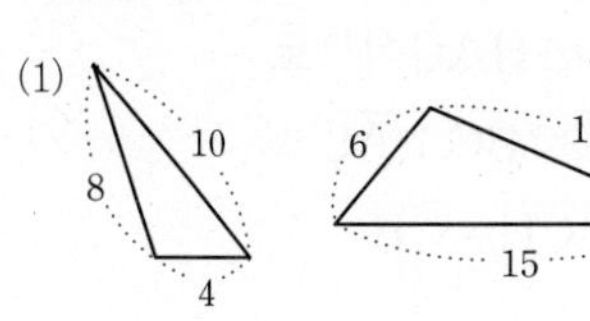

(2)

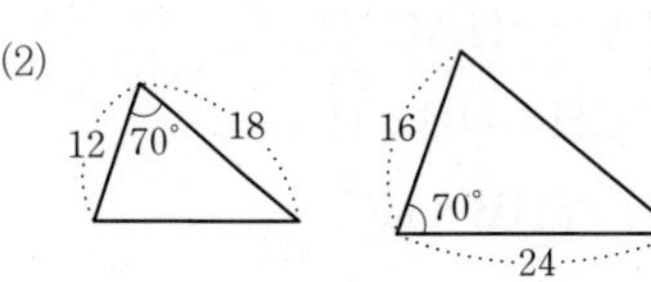

(3)

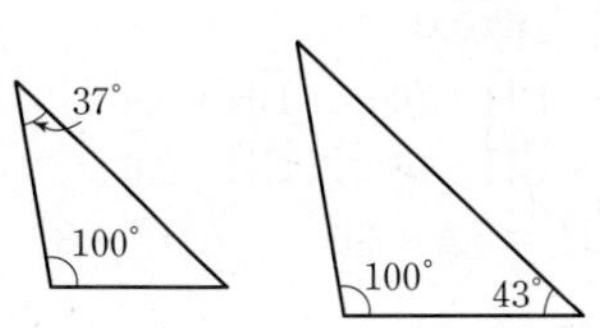

05 삼각형의 닮음조건의 활용

(1) SAS 닮음의 활용

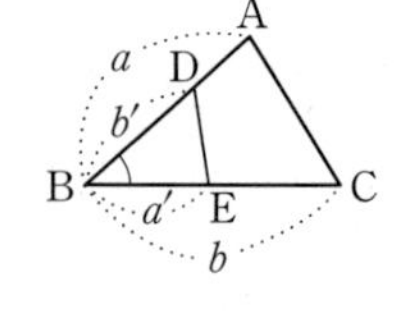

① ∠B는 공통

② $a : a' = b : b'$

➡ △ABC∽△EBD(SAS 닮음)

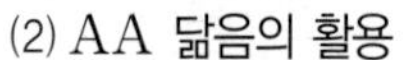

(2) AA 닮음의 활용

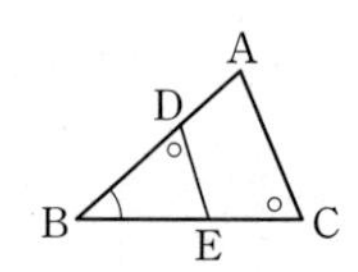

① ∠B는 공통

② ∠C＝∠EDB

➡ △ABC∽△EBD(AA 닮음)

포인트 개념

- 삼각형의 닮음조건을 이용하여 변의 길이 구하기
  ① 서로 닮은 두 삼각형 찾기
  ② 닮음비로 비례식 세우기
  ③ 비례식을 풀어 변의 길이 구하기

06 직각삼각형의 닮음

∠A＝90°인 직각삼각형 ABC의 꼭짓점 A에서 빗변 BC에 내린 수선의 발을 H라 하면

△ABC∽△HBA∽△HAC(AA 닮음)

(1) △ABC∽△HBA이므로

$\overline{AB} : \overline{HB} = \overline{BC} : \overline{BA}$

$\therefore \overline{AB}^2 = \overline{BH} \times \overline{BC}$

(2) △ABC∽△HAC이므로

$\overline{AC} : \overline{HC} = \overline{BC} : \overline{AC}$

$\therefore \overline{AC}^2 = \overline{CH} \times \overline{CB}$

(3) △HBA∽△HAC이므로

$\overline{AH} : \overline{CH} = \overline{HB} : \overline{HA}$

$\therefore \overline{AH}^2 = \overline{HB} \times \overline{HC}$

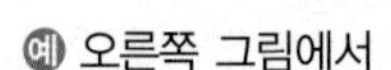

예 오른쪽 그림에서

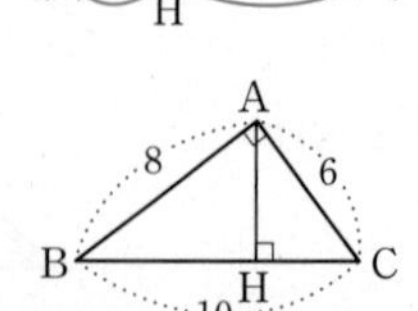

(1) $8^2 = \overline{BH} \times 10 \quad \therefore \overline{BH} = 6.4$

(2) $6^2 = \overline{CH} \times 10 \quad \therefore \overline{CH} = 3.6$

(3) $\overline{AH}^2 = 6.4 \times 3.6 \quad \therefore \overline{AH} = 4.8$

포인트 개념

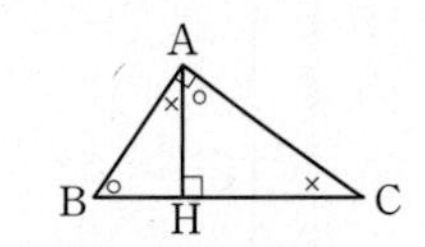

$\overline{AB} \times \overline{AC} = \overline{BC} \times \overline{AH}$

예제 5

다음 그림에서 x의 값을 구하여라.

(1)

(2)

예제 6

다음 그림에서 x의 값을 구하여라.

(1)

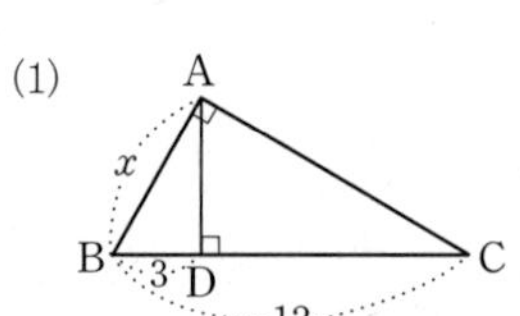

(2)

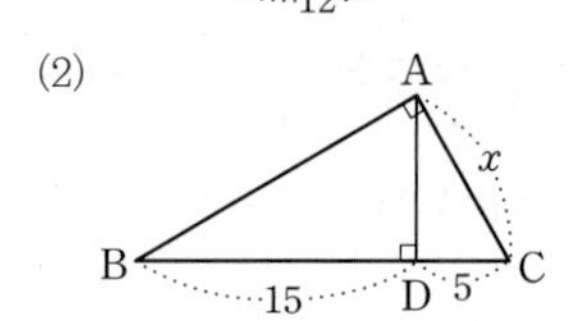

(3)

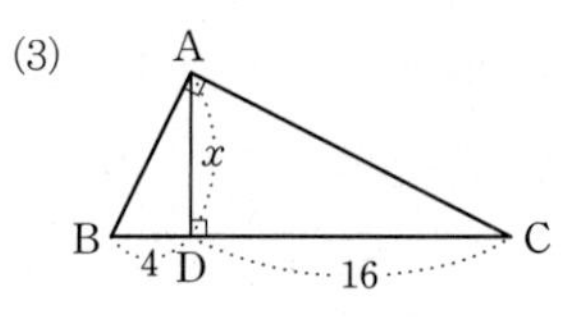

대표유형 닮음의 뜻

01 아래 그림에서 △ABC∽△DEF일 때, 다음을 구하여라.

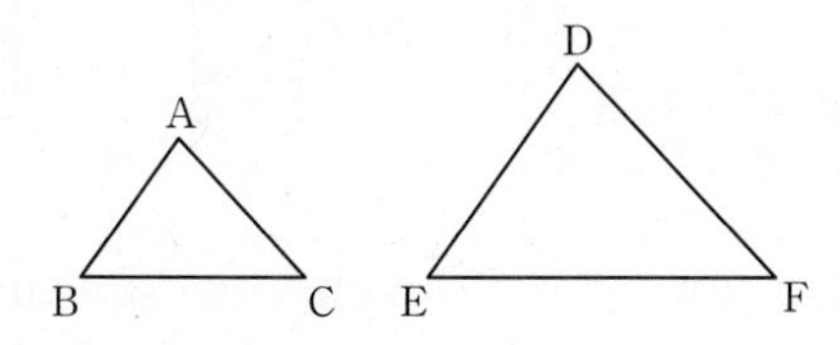

(1) 점 B에 대응하는 점
(2) 변 AB에 대응하는 변
(3) ∠C에 대응하는 각

출제율 95%

02 (하) 다음 그림에서 A−BCD∽E−FGH일 때, 모서리 BC에 대응하는 모서리와 면 ACD에 대응하는 면을 차례로 구하여라.

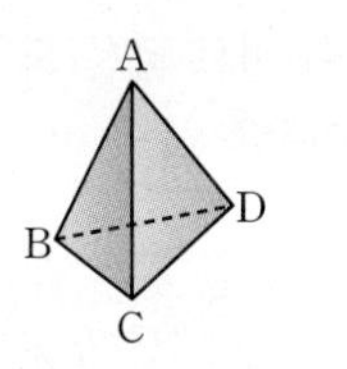

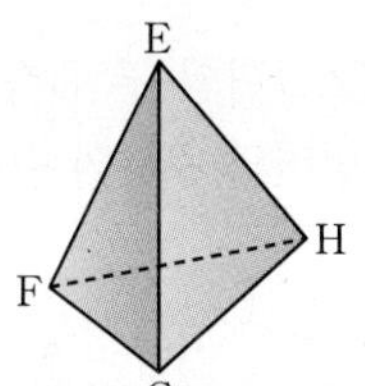

출제율 95%

03 (중) 다음 평면도형 중 항상 닮은 도형이 아닌 것은?

① 두 직각이등변삼각형　② 두 마름모
③ 두 정오각형　④ 두 정사각형
⑤ 두 원

출제율 95%

04 (중) 다음 보기 중에서 항상 닮은 도형인 것은 모두 몇 개인가?

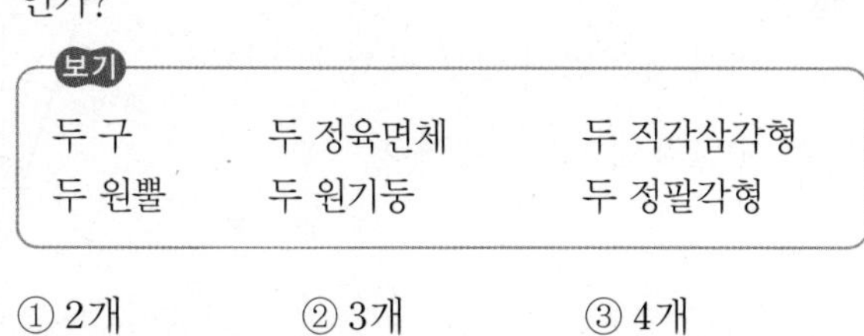

보기		
두 구	두 정육면체	두 직각삼각형
두 원뿔	두 원기둥	두 정팔각형

① 2개　② 3개　③ 4개
④ 5개　⑤ 6개

대표유형 평면도형에서의 닮음의 성질

05 다음 그림에서 △ABC∽△DEF일 때, a, b의 값을 각각 구하여라.

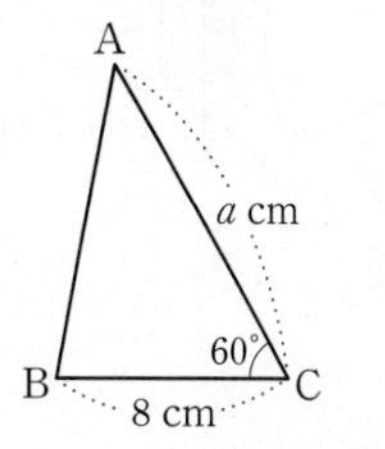

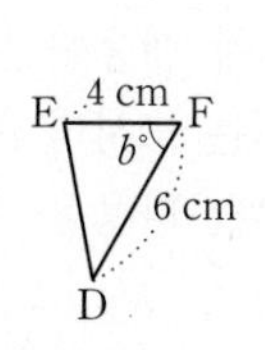

출제율 95%

06 (중) 다음 그림에서 □ABCD∽□EFGH일 때, 다음 중 옳은 것은?

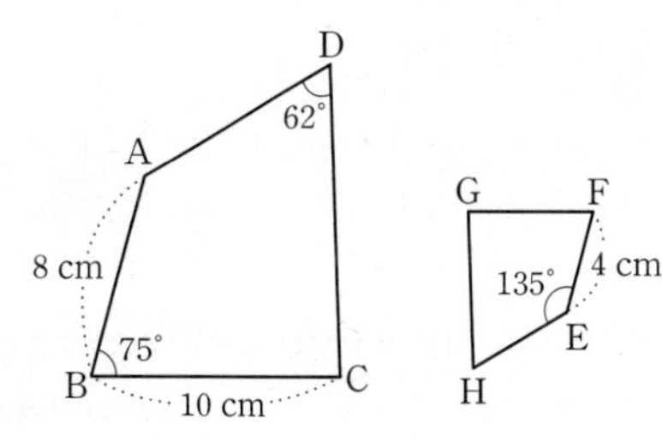

① ∠B=∠H　② ∠G=88°
③ $\overline{EH}$=5 cm　④ $\overline{AB}$의 대응변은 $\overline{GH}$이다.
⑤ □ABCD와 □EFGH의 닮음비는 4 : 5이다.

출제율 90%

07 (중) 다음 그림에서 △ABC∽△DEF이고 닮음비가 2 : 3일 때, △ABC의 둘레의 길이는?

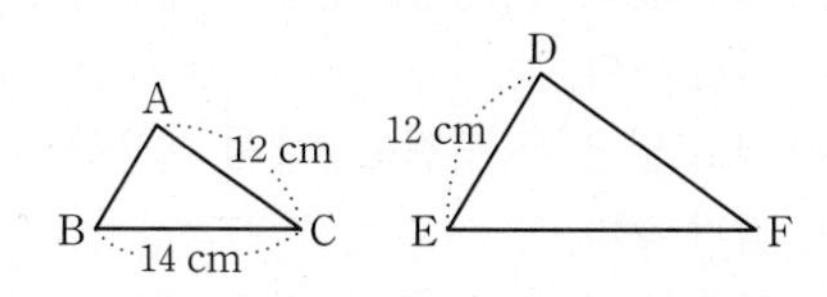

① 26 cm　② 28 cm　③ 30 cm
④ 34 cm　⑤ 34 cm

대표유형 입체도형에서의 닮음의 성질

08 오른쪽 그림의 두 삼각기둥은 서로 닮은 도형이고 모서리 AB에 대응하는 모서리는 모서리 A′B′일 때, 다음을 구하여라.

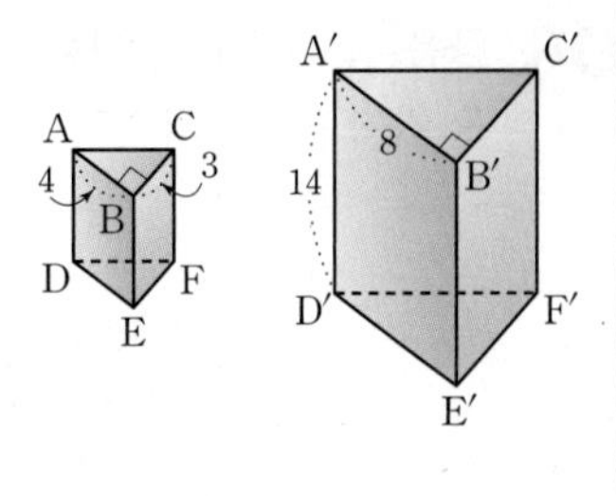

(1) 두 삼각기둥의 닮음비
(2) $\overline{AD}$와 $\overline{B'C'}$의 길이

출제율 95%

09 다음 그림에서 두 삼각뿔 A−BCD와 E−FGH는 서로 닮은 도형이고 $\overline{BD}$에 대응하는 모서리가 $\overline{FH}$일 때, $x+y$의 값은?

중

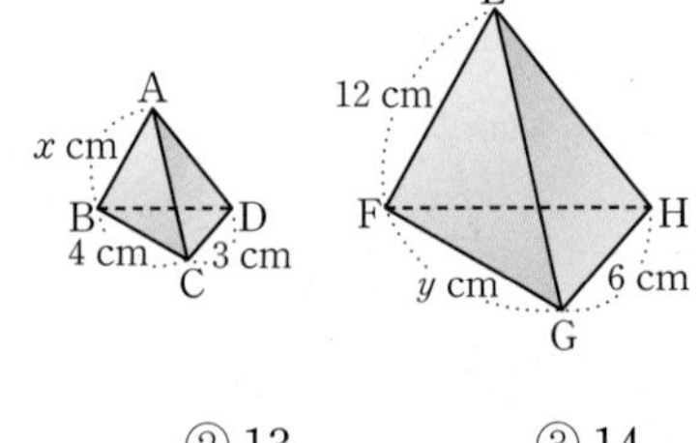

① 12 ② 13 ③ 14
④ 15 ⑤ 16

출제율 85%

10 다음 중 닮은 도형에 관한 설명으로 옳지 않은 것은?

중

① 서로 닮은 두 입체도형에서 대응하는 면은 각각 서로 닮은 도형이다.
② 서로 닮은 두 평면도형에서 대응하는 변의 길이는 각각 같다.
③ 서로 닮은 두 평면도형에서 대응하는 각의 크기는 각각 같다.
④ 합동인 두 평면도형은 닮은 도형이고 그 닮음비는 1 : 1이다.
⑤ 서로 닮은 두 입체도형에서 닮음비는 대응하는 모서리의 길이의 비이다.

대표유형 원뿔 또는 원기둥의 닮음비

11 오른쪽 그림에서 두 원기둥 A, B는 서로 닮은 도형일 때, x의 값은?

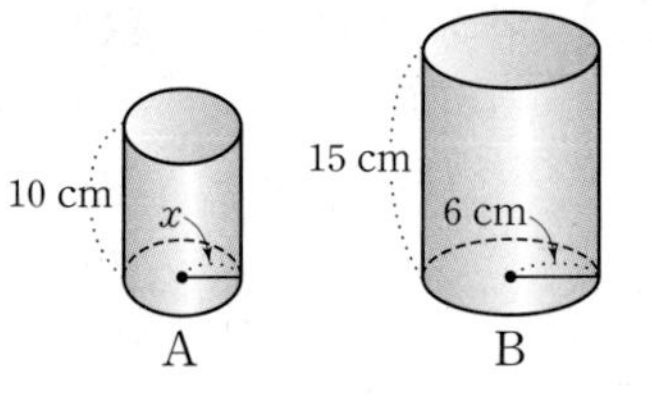

① 3 cm ② 3.5 cm ③ 4 cm
④ 4.5 cm ⑤ 5 cm

내신 UP POINT
서로 닮은 두 원뿔 또는 두 원기둥의 닮음비
높이의 비, 모선의 길이의 비, 밑면의 반지름의 길이의 비, 밑면의 둘레의 길이의 비

출제율 95%

12 다음 그림의 두 원뿔이 서로 닮은 도형일 때, 큰 원뿔의 밑면의 지름의 길이는?

중

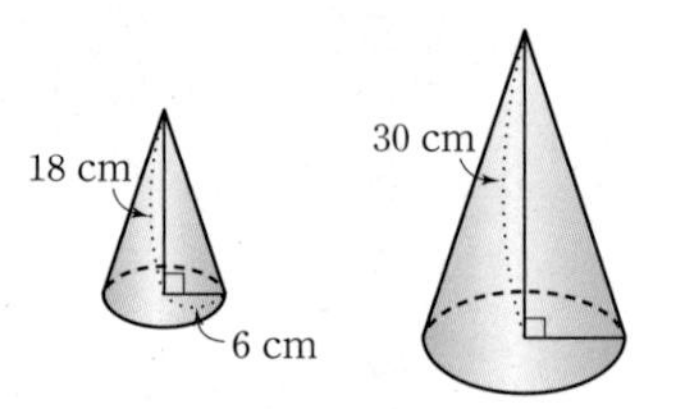

① 10 cm ② 12 cm ③ 16 cm
④ 20 cm ⑤ 24 cm

출제율 95%

13 오른쪽 그림과 같이 높이가 24 cm인 원뿔 모양의 그릇에 물을 넣어서 높이의 $\frac{1}{4}$만큼 채웠다. 이때 수면의 넓이를 구하여라.

중

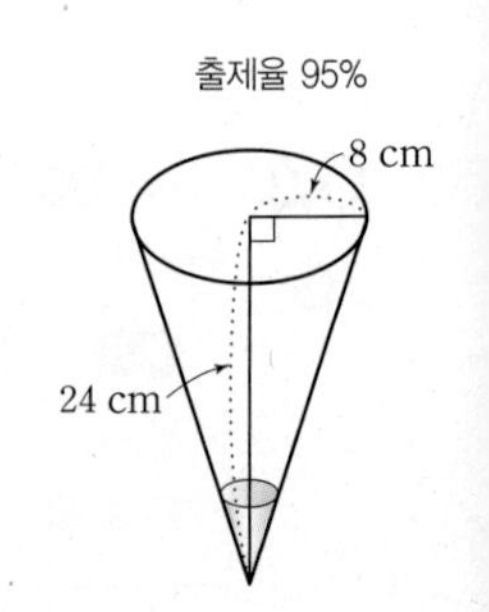

대표유형 삼각형의 닮음조건

14 다음 보기에서 닮음인 삼각형을 모두 찾아 기호로 나타내어라.

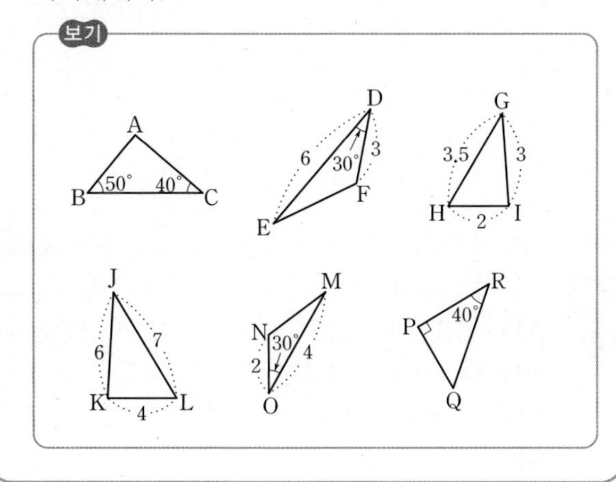

출제율 95%

15 하 다음 두 삼각형이 서로 닮은 도형임을 기호로 나타내고, 닮음조건을 말하여라.

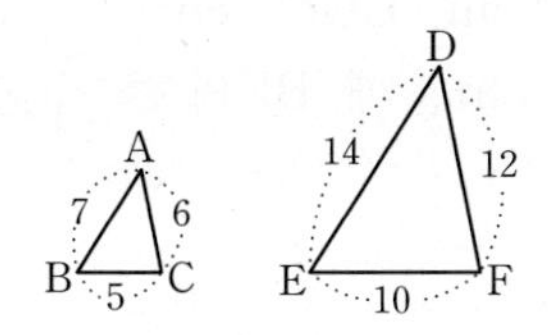

출제율 90%

16 중 오른쪽 그림에서 서로 닮음인 삼각형을 찾아 기호로 나타내고, 닮음조건을 말하여라.

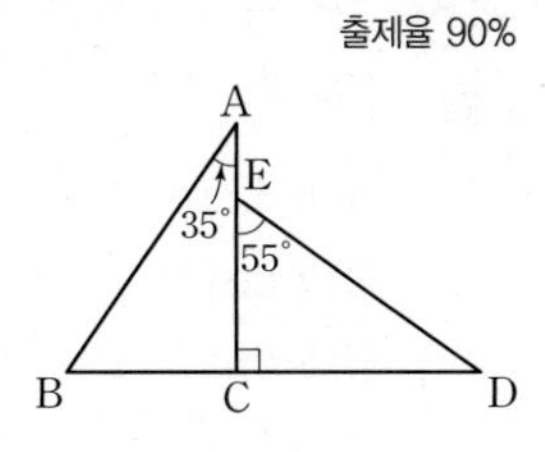

대표유형 삼각형의 닮음조건의 활용 – SAS 닮음

17 오른쪽 그림에서 $\overline{AC}$의 길이는?

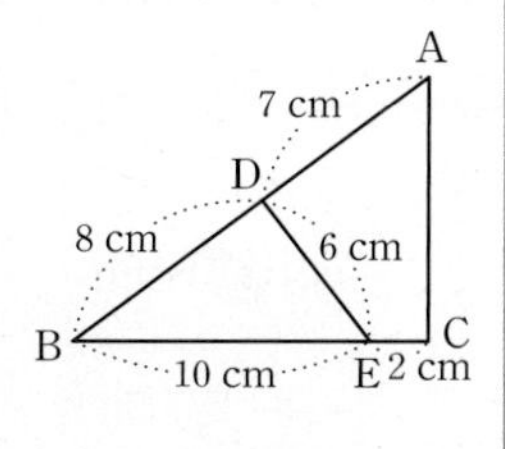

① 6 cm ② 9 cm
③ 12 cm ④ 15 cm
⑤ 18 cm

내신 UP POINT

끼인각을 공통으로 하고 두 쌍의 대응하는 변의 길이의 비가 같은 두 삼각형은 서로 닮은 도형이다.

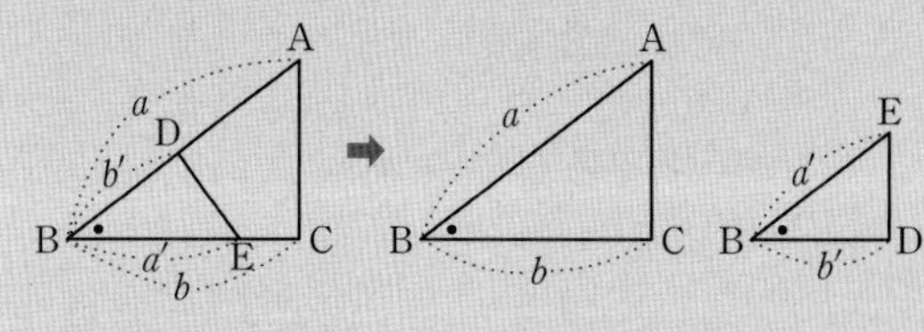

△ABC와 △EBD에서
① ∠B는 공통 ② $a : a' = b : b'$
∴ △ABC∽△EBD(SAS 닮음)

출제율 90%

18 하 다음 그림에서 $\overline{AB}$의 길이는?

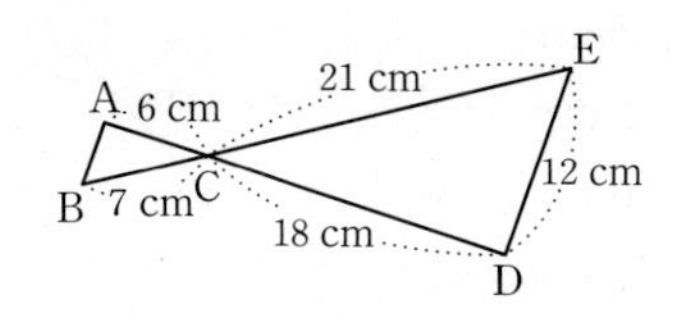

① 2 cm ② 2.5 cm ③ 3 cm
④ 3.5 cm ⑤ 4 cm

출제율 95%

19 중 오른쪽 그림에서 x의 값은?

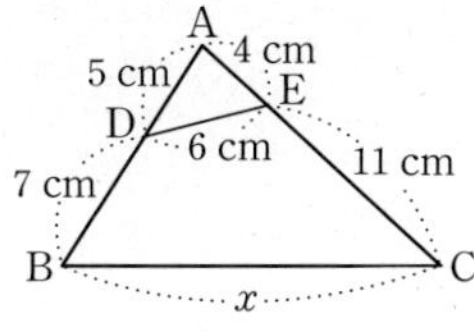

① 8 cm ② 12 cm
③ 16 cm ④ 18 cm
⑤ 20 cm

출제율 95%

20 오른쪽 그림에서 $\overline{BC}$의 길이를 구하여라.

중

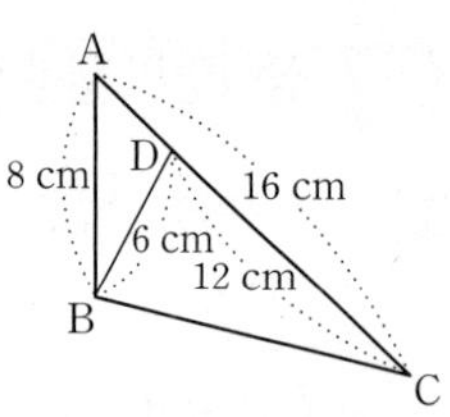

내신 UP POINT

끼인각을 공통으로 하고 두 쌍의 대응하는 변의 길이의 비가 같은 두 삼각형은 서로 닮은 도형이다.

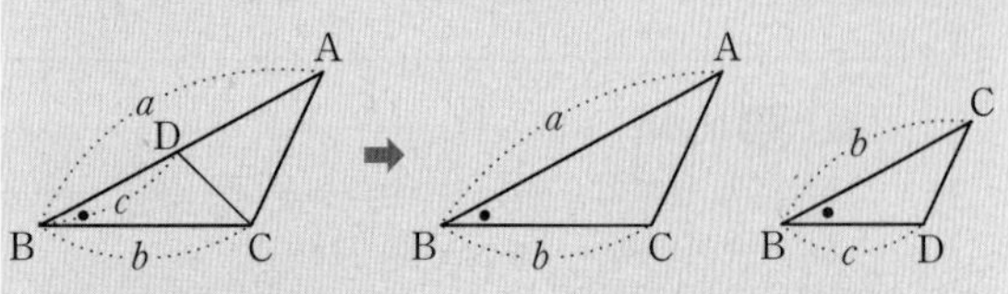

△ABC와 △CBD에서

① ∠B는 공통 ② $a : b = b : c$

∴ △ABC∽△CBD(SAS 닮음)

출제율 95%

22 오른쪽 그림에서 ∠ABC=∠DEC=80°일 때, $\overline{AC}$의 길이를 구하여라.

하

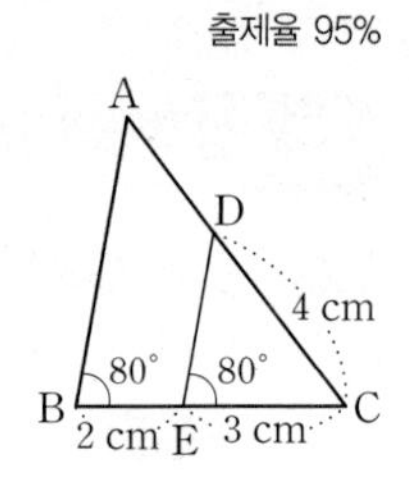

출제율 90%

23 오른쪽 그림과 같이 $\overline{AD} /\!/ \overline{BC}$인 사다리꼴 ABCD에서 대각선 AC, BD의 교점을 O라 할 때, $\overline{OB}$의 길이는?

하

A D 6 cm 4 cm 10 cm O B C

① 11 cm ② 12 cm ③ 13 cm
④ 14 cm ⑤ 15 cm

대표유형 **삼각형의 닮음조건의 활용 – AA 닮음**

21 오른쪽 그림에서 ∠C=∠ADE이고 $\overline{AD}$=5 cm, $\overline{DB}$=4 cm, $\overline{AE}$=6 cm일 때, x의 값을 구하여라.

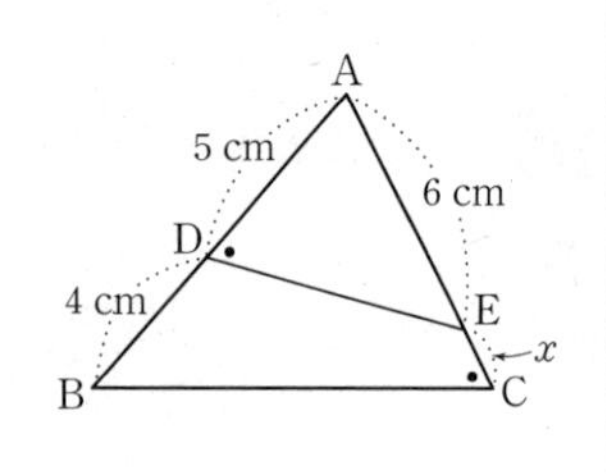

내신 UP POINT

공통인 각이 있고 다른 한 내각의 크기가 같은 두 삼각형은 서로 닮은 도형이다.

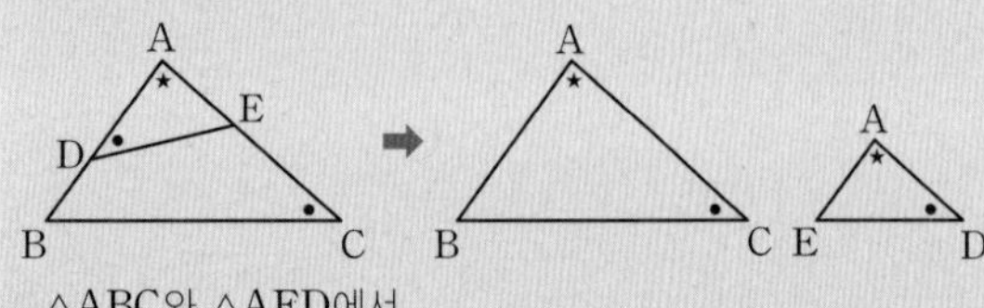

△ABC와 △AED에서

① ∠A는 공통 ② ∠ACB=∠ADE

∴ △ABC∽△AED(AA 닮음)

출제율 95%

24 오른쪽 그림에서 ∠A=∠DEC이고 $\overline{AD}$=2 cm, $\overline{CD}$=4 cm, $\overline{CE}$=3 cm일 때, $\overline{BE}$의 길이는?

중

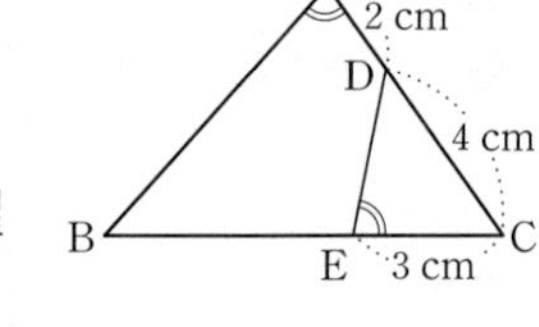

① 4 cm ② 5 cm ③ 5.5 cm
④ 6 cm ⑤ 7 cm

출제율 95%

25 오른쪽 그림에서 $\overline{AD}$의 길이는?

중

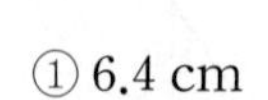

① 6.4 cm
② 7 cm
③ 8 cm
④ 8.1 cm
⑤ 9 cm

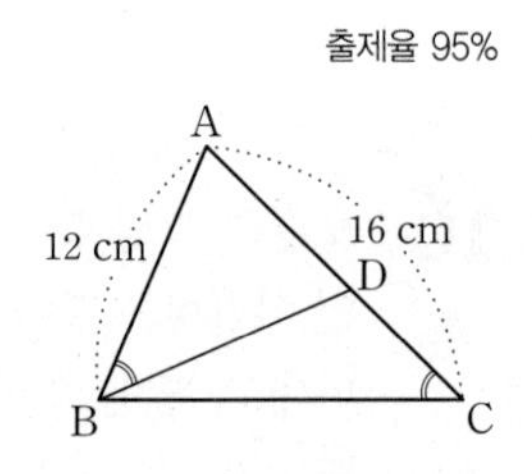

출제율 85%

26 상 오른쪽 그림에서 $\overline{AD} /\!/ \overline{BC}$, $\overline{AB} /\!/ \overline{DE}$이다. $\overline{AB}=6$ cm, $\overline{AD}=6$ cm, $\overline{BC}=8$ cm, $\overline{EC}=2$ cm일 때, x의 값을 구하여라.

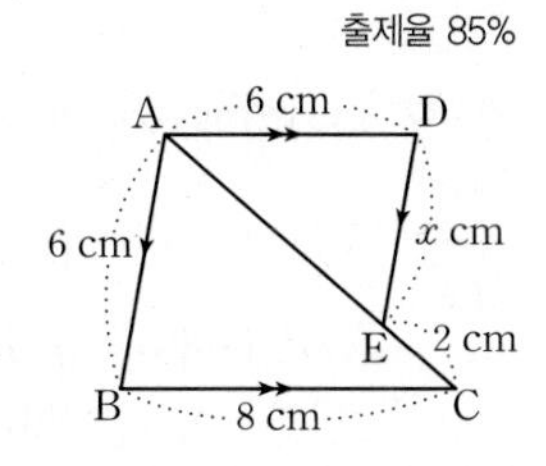

대표 유형 직각삼각형의 닮음

27 오른쪽 그림에서 점 C는 $\overline{BD}$ 위의 점이고 $\angle B=\angle D=\angle ACE=90^\circ$이다. $\overline{AB}=6$ cm, $\overline{AC}=10$ cm, $\overline{CE}=15$ cm일 때, $\overline{CD}$의 길이는?

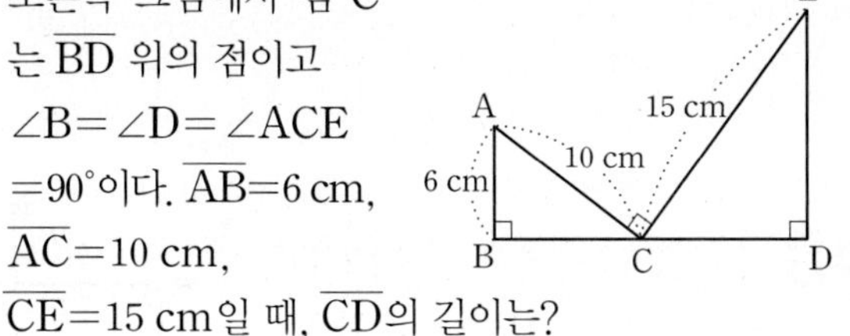

① 8 cm ② 9 cm ③ 10 cm
④ 11 cm ⑤ 12 cm

출제율 85%

28 중 오른쪽 그림과 같이 $\angle B=90^\circ$인 직각삼각형 ABC에서 $\overline{AE}=\overline{CE}$이고 $\overline{AB}=16$ cm, $\overline{AC}=20$ cm일 때, $\overline{AD}$의 길이를 구하여라.

출제율 90%

29 중 오른쪽 그림과 같이 $\triangle ABC$의 꼭짓점 B, C에서 대변에 내린 수선의 발을 각각 D, E라 할 때, 다음 중 서로 닮은 도형이 아닌 것은?

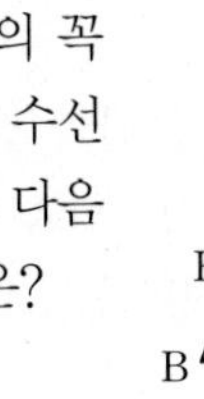

① $\triangle ABD$ ② $\triangle PBE$
③ $\triangle ACE$ ④ $\triangle PCD$
⑤ $\triangle CBD$

출제율 90%

30 상 오른쪽 그림과 같은 직각삼각형 ABC에서 $\angle A$의 이등분선이 $\overline{BC}$와 만나는 점을 E, 점 E에서 $\overline{AB}$에 내린 수선의 발을 D라 할 때, x의 값을 구하여라.

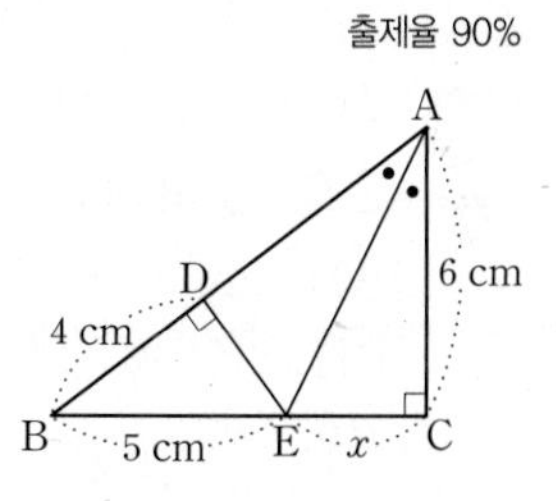

대표 유형 직각삼각형의 닮음의 활용

31 오른쪽 그림에서 $\overline{AB}=10$ cm, $\overline{BH}=5$ cm일 때, x의 길이는?

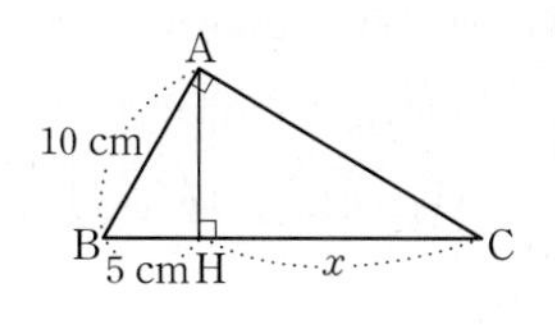

① 10 cm ② 12 cm ③ 15 cm
④ 16 cm ⑤ 20 cm

내신 UP POINT

$\angle A=90^\circ$인 직각삼각형 ABC의 꼭짓점 A에서 빗변 BC에 내린 수선의 발을 H라 하면

(1) $\overline{AB}^2=\overline{BH}\times\overline{BC}$
(2) $\overline{AC}^2=\overline{CH}\times\overline{CB}$
(3) $\overline{AH}^2=\overline{HB}\times\overline{HC}$
(4) $\overline{AB}\times\overline{AC}=\overline{BC}\times\overline{AH}$

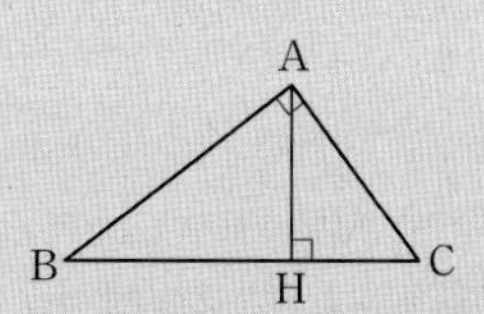

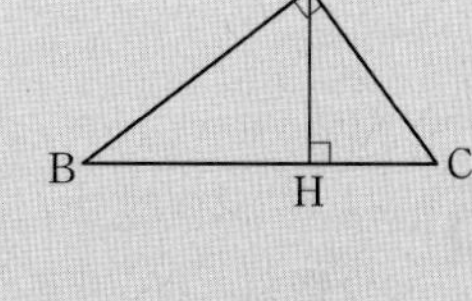

출제율 95%

32 중 오른쪽 그림에서 $\angle BAC=90^\circ$, $\overline{AH}\perp\overline{BC}$일 때, $\overline{HC}$의 길이는?

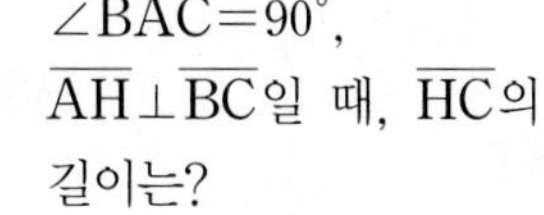

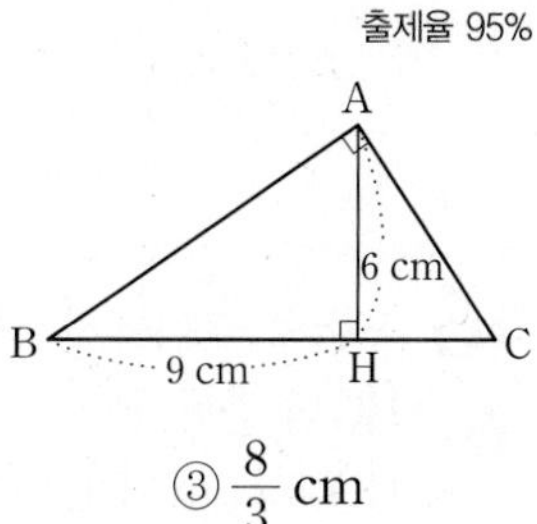

① 1 cm ② 2 cm ③ $\frac{8}{3}$ cm
④ 3 cm ⑤ 4 cm

출제율 95%

33 중 오른쪽 그림에서 $\angle BAC=90^\circ$, $\overline{AH}\perp\overline{BC}$이고 $\overline{AB}=5$, $\overline{BH}=3$일 때, $a+b$의 값은?

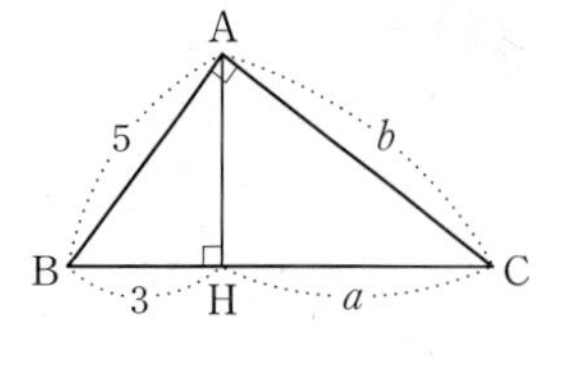

① 12　② 13　③ 14
④ 15　⑤ 16

출제율 95%

34 중 오른쪽 그림에서 $\angle BAC=90^\circ$이고 $\overline{AH}\perp\overline{BC}$일 때, $\overline{AH}$의 길이는?

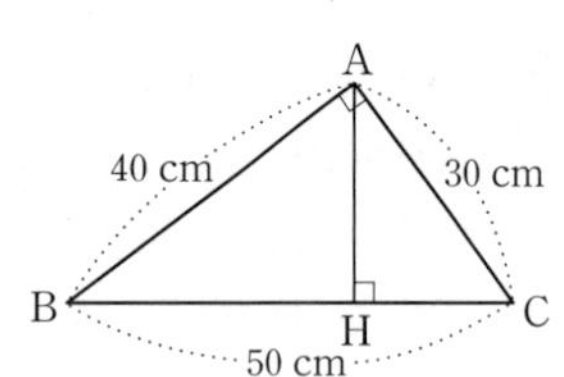

① 22 cm　② 23 cm
③ 24 cm　④ 25 cm　⑤ 26 cm

출제율 90%

35 중 오른쪽 그림에서 $\angle BAC=90^\circ$이고 $\overline{AH}\perp\overline{BC}$이다. $\overline{BH}=3$ cm, $\overline{CH}=12$ cm일 때, $\triangle ABC$의 넓이는?

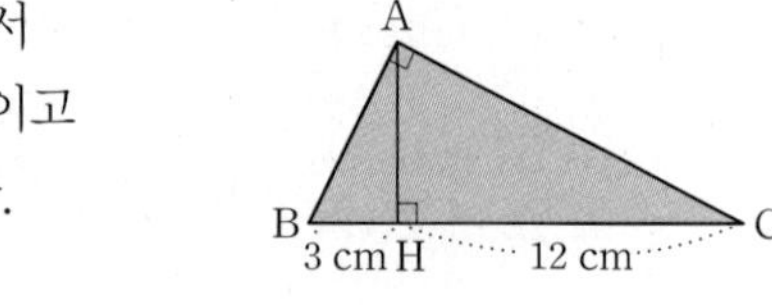

① 30 cm^2　② 35 cm^2　③ 36 cm^2
④ 45 cm^2　⑤ 50 cm^2

출제율 85%

36 상 오른쪽 그림에서 점 M은 $\overline{BC}$의 중점이고 $\overline{BD}=4$ cm, $\overline{DC}=16$ cm일 때, $\overline{DH}$의 길이를 구하여라.

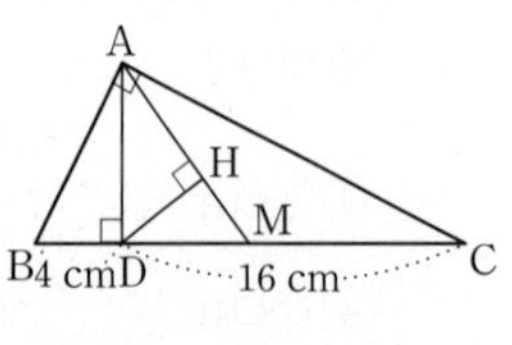

대표 유형 **사각형에서 닮은 삼각형**

37 오른쪽 그림의 직사각형 ABCD에서 점 E가 $\overline{BC}$의 중점일 때, $\overline{DF}$의 길이는?

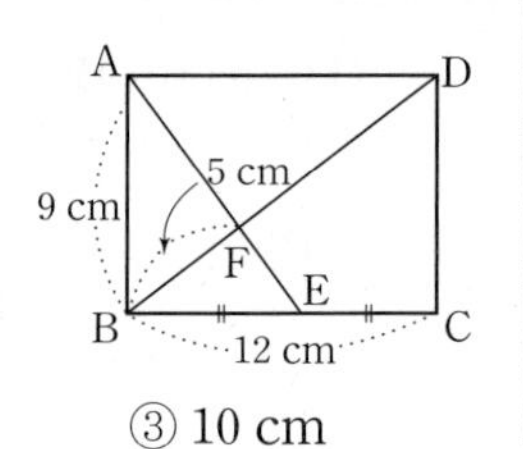

① 9 cm　② 9.5 cm　③ 10 cm
④ 10.5 cm　⑤ 11 cm

출제율 90%

38 중 오른쪽 그림에서 □ABCD는 직사각형이고 $\overline{EF}$가 대각선 AC를 수직이등분할 때, $\overline{AF}$의 길이를 구하여라.

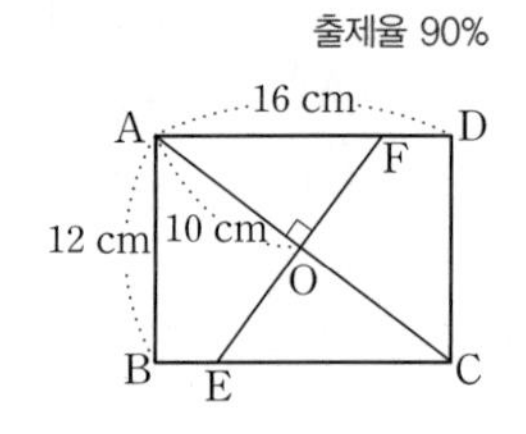

출제율 85%

39 중 오른쪽 그림의 평행사변형 ABCD에서 $\overline{EC}$의 길이는?

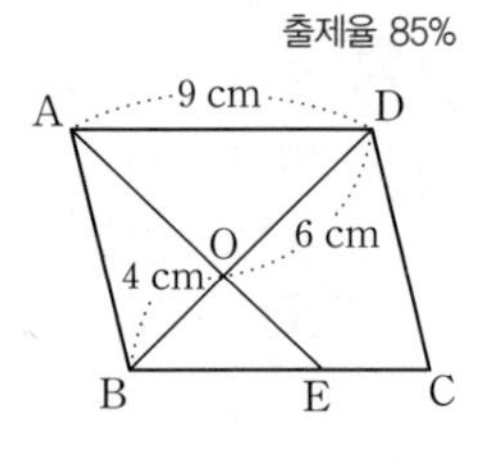

① 1 cm　② 2 cm
③ 2.5 cm　④ 3 cm
⑤ 3.5 cm

출제율 80%

40 중 오른쪽 그림과 같은 평행사변형 ABCD에서 $\overline{AE}$의 길이는?

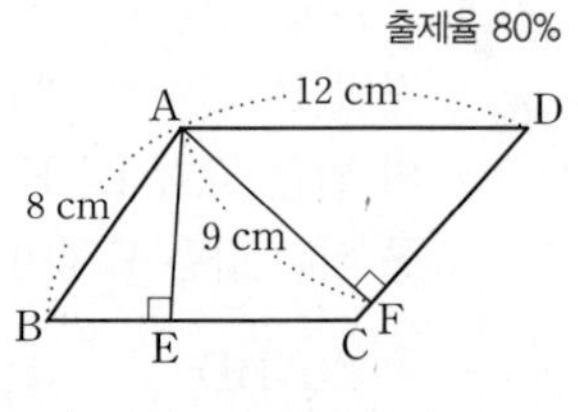

① 4 cm　② 5 cm
③ 6 cm　④ 7 cm　⑤ 8 cm

개념 UP 01 직각삼각형의 닮음

한 예각의 크기가 같은 두 직각삼각형은 서로 닮은 도형이다.

출제율 85%

41 (상) 오른쪽 그림과 같이 직각삼각형 ABC의 두 꼭짓점 A, C에서 점 B를 지나는 직선 l 위에 내린 수선의 발을 각각 D, E라 하자. $\overline{AD}=2$ cm, $\overline{BE}=4$ cm, $\overline{CE}=6$ cm일 때, $\overline{BD}$의 길이를 구하여라.

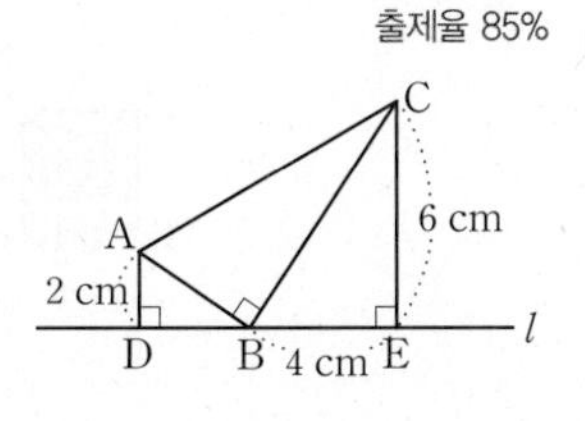

출제율 85%

42 (상) 오른쪽 그림에서 $\overline{AD}\perp\overline{BC}$, $\overline{BE}\perp\overline{AC}$이고 $\overline{BD}=\overline{DC}=6$ cm, $\overline{DP}=4$ cm일 때, $\overline{AP}$의 길이는?

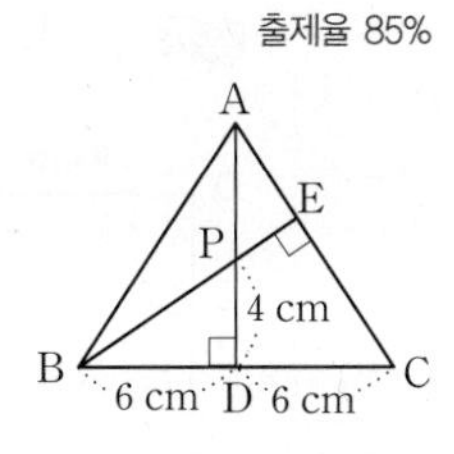

① 3 cm ② 3.5 cm ③ 4 cm
④ 4.5 cm ⑤ 5 cm

출제율 80%

43 (상) 오른쪽 그림에서 $\overline{AB}$, $\overline{DC}$, $\overline{PH}$는 모두 $\overline{BC}$에 수직이고 $\overline{PH}=4$ cm, $\overline{DC}=12$ cm일 때, $\overline{AB}$의 길이는?

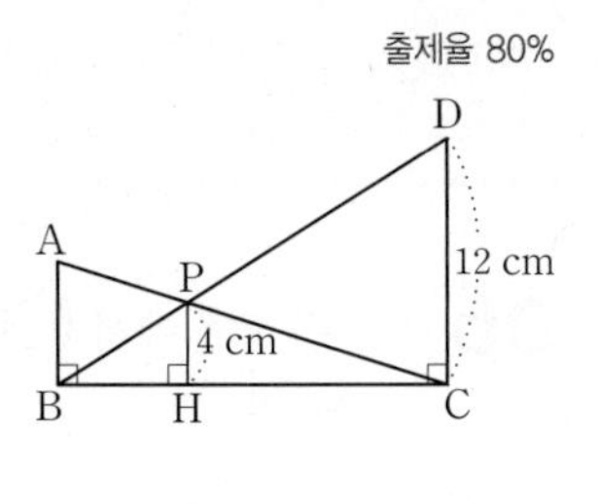

① 5 cm ② 6 cm ③ 7 cm
④ 8 cm ⑤ 9 cm

개념 UP 02 접은 직사각형, 접은 정삼각형

(1) 접은 직사각형

A F D
E
B C

△AEF∽△DFC
(AA 닮음)

(2) 접은 정삼각형

A
D E
B F C

△BFD∽△CEF
(AA 닮음)

출제율 85%

44 (중) 오른쪽 그림은 직사각형 ABCD를 점 B가 점 F에 오도록 접은 것이다. $\overline{AE}=3$ cm, $\overline{DF}=6$ cm, $\overline{CD}=8$ cm일 때, $\overline{AF}$의 길이는?

A F 6 cm D
3 cm
E
8 cm
B C

① 4 cm ② 5 cm ③ 6 cm
④ 7 cm ⑤ 8 cm

출제율 85%

45 (상) 오른쪽 그림은 $\overline{AB}=12$ cm, $\overline{BC}=16$ cm, $\overline{BD}=20$ cm인 직사각형 ABCD를 대각선 BD를 접는 선으로 하여 접은 것이다. 이때 $\overline{PQ}$의 길이를 구하여라.

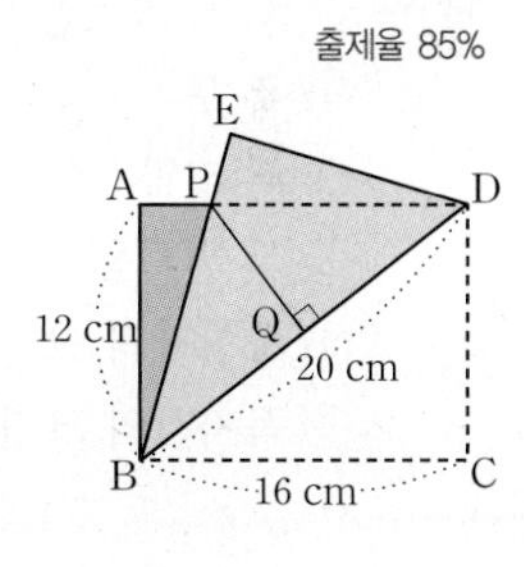

출제율 80%

46 (상) 오른쪽 그림은 정삼각형 ABC의 꼭짓점 A가 $\overline{BC}$ 위의 점 E에 오도록 접은 것이다. $\overline{BD}=16$ cm, $\overline{BE}=10$ cm, $\overline{ED}=14$ cm일 때, $\overline{AF}$의 길이를 구하여라.

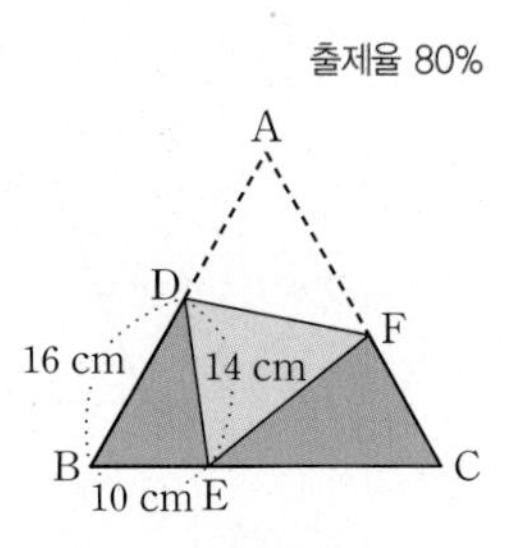

이것만 봐도

01 다음 그림과 같은 정삼각형 모양의 교통 표지와 직사각형 모양의 그림 액자가 있다. 이 교통 표지와 그림 액자에 대한 설명 중 옳은 것을 모두 고른 것은?

ㄱ. 교통 표지의 바깥쪽 삼각형과 안쪽 삼각형은 서로 닮은 도형이다.
ㄴ. 교통 표지의 바깥쪽 삼각형과 안쪽 삼각형은 서로 닮은 도형이 아니다.
ㄷ. 그림 액자의 바깥쪽 사각형과 안쪽 사각형은 서로 닮은 도형이다.
ㄹ. 그림 액자의 바깥쪽 사각형과 안쪽 사각형은 서로 닮은 도형이 아니다.

① ㄱ　② ㄱ, ㄷ　③ ㄱ, ㄹ
④ ㄴ, ㄷ　⑤ ㄴ, ㄹ

02 다음 중 항상 닮은 도형이 아닌 것은?

① 두 구
② 두 정팔각형
③ 두 원기둥
④ 중심각의 크기가 같은 두 부채꼴
⑤ 꼭지각의 크기가 같은 두 이등변삼각형

03 다음 그림에서 □ABCD∽□EFGH이고, 닮음비가 $a : b$, $\overline{EF}=c$라 할 때, $a+b+c$의 값은? (단, a, b는 서로소인 자연수)

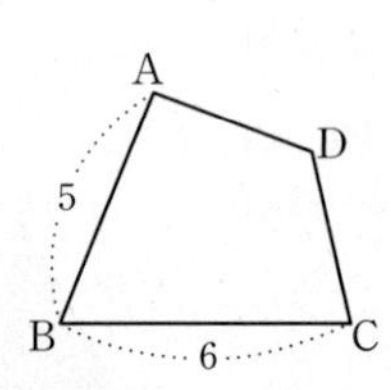

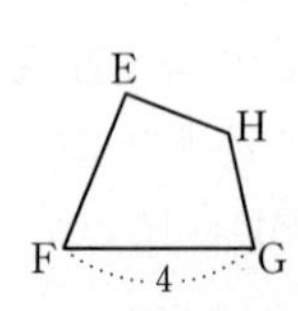

① $\frac{25}{3}$　② $\frac{26}{3}$　③ 9
④ $\frac{28}{3}$　⑤ $\frac{29}{3}$

04 다음 그림에서 두 삼각기둥은 서로 닮은 도형이고 $\overline{AB}$와 대응하는 변은 $\overline{GH}$일 때, x, y, z의 값을 각각 구하여라.

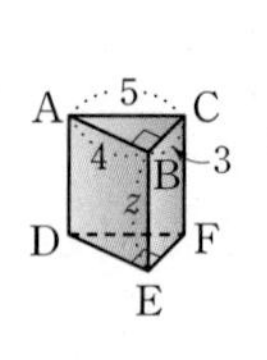

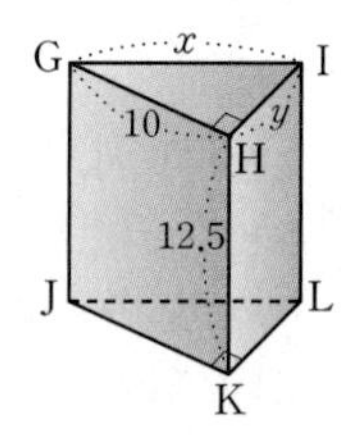

05 오른쪽 그림의 △ABC와 닮음인 것을 보기에서 모두 고른 것은?

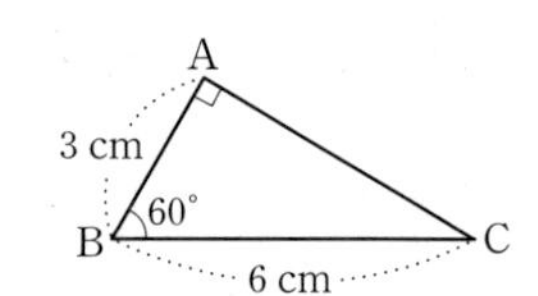

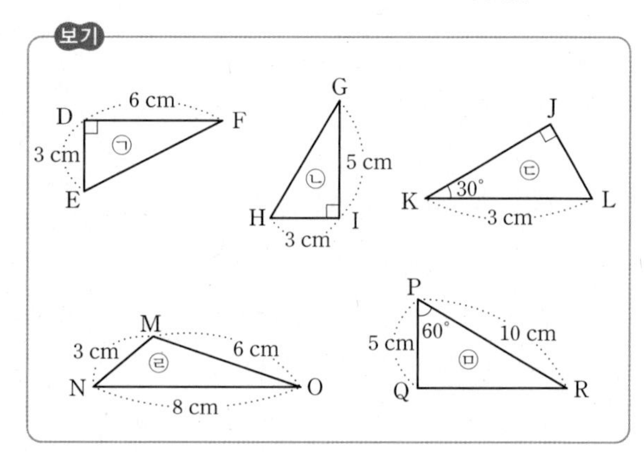

① ㉠, ㉡　② ㉠, ㉢　③ ㉡, ㉣
④ ㉢, ㉤　⑤ ㉣, ㉤

06 오른쪽 그림에서 $\overline{CD}$의 길이를 구하여라.

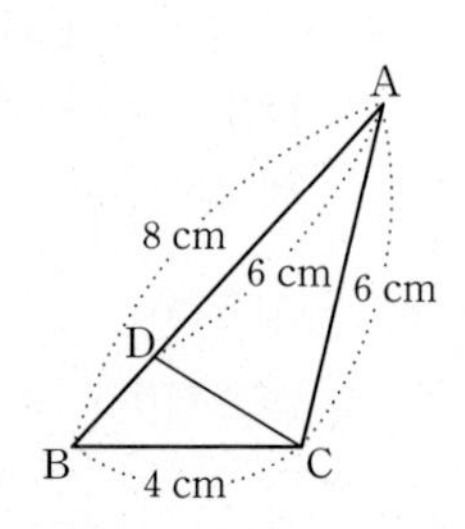

07 오른쪽 그림에서 $\angle B = \angle ACD$이고 $\overline{AB}=10$ cm, $\overline{BC}=7$ cm, $\overline{AC}=8$ cm일 때, $\overline{AD}$의 길이는?

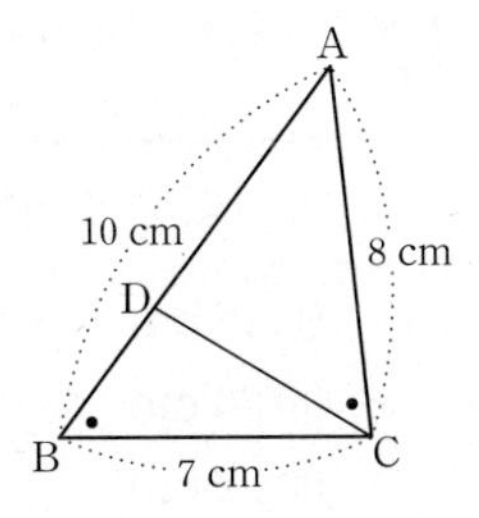

① 6 cm ② 6.4 cm ③ 8 cm ④ 8.6 cm ⑤ 9 cm

08 오른쪽 그림에서 $\overline{AB}\perp\overline{CE}$, $\overline{AC}\perp\overline{BD}$일 때, x의 값은?

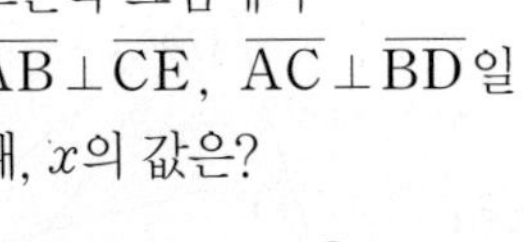

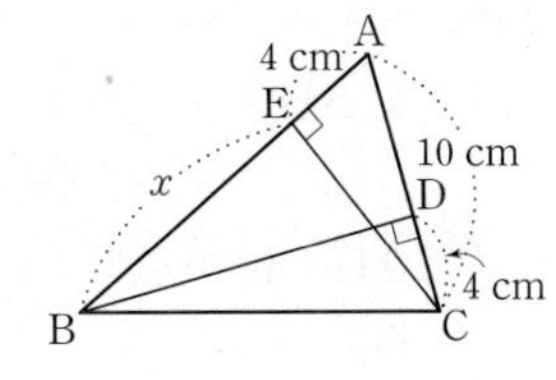

① 7 cm ② 8 cm ③ 9 cm ④ 10 cm ⑤ 11 cm

09 오른쪽 그림에서 $\angle BAC=90°$이고 $\overline{AH}\perp\overline{BC}$일 때, $x-y$의 값은?

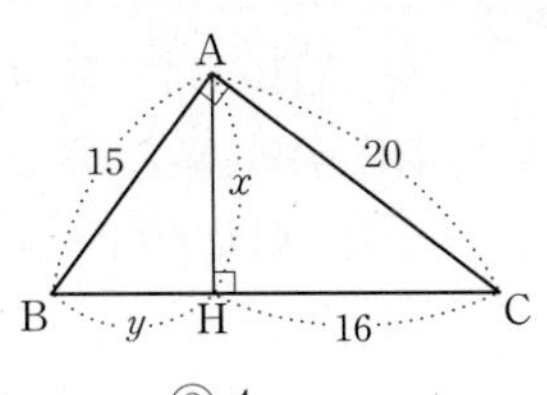
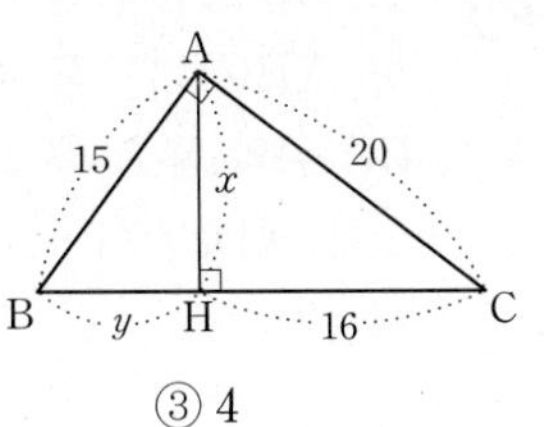

① 2 ② 3 ③ 4 ④ 5 ⑤ 6

10 오른쪽 그림과 같이 $\angle ABC=\angle EFC=\angle DCB=90°$이고 $\overline{AB}=10$ cm, $\overline{CD}=15$ cm, $\overline{BF}=6$ cm일 때, $\triangle EBC$의 넓이는?

① 15 cm² ② 30 cm² ③ 45 cm² ④ 60 cm² ⑤ 75 cm²

11 오른쪽 그림은 연못의 너비를 알아보기 위해 측정하여 나타낸 것이다. 직각삼각형 ACD에서 $\overline{BC}=24$ m, $\overline{BD}=18$ m일 때, x의 값은?

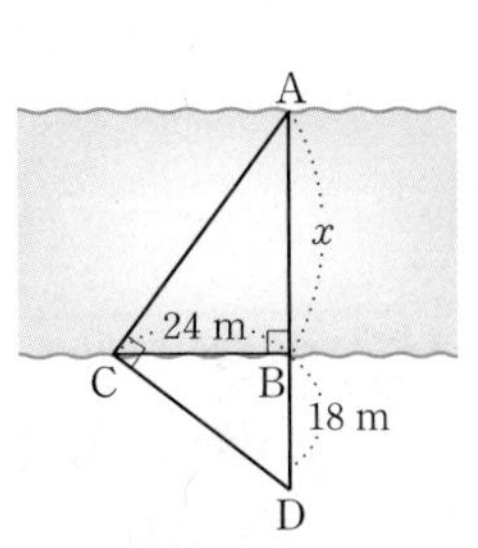

① 32 m ② 36 m ③ 40 m ④ 44 m ⑤ 48 m

12 오른쪽 그림과 같은 평행사변형 ABCD에서 $\overline{AD}$의 길이를 구하여라.

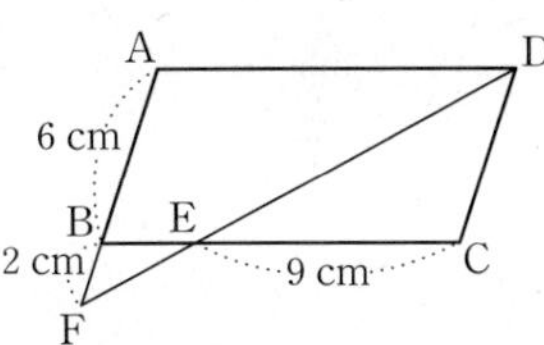

13 오른쪽 그림의 정삼각형 ABC에서 $\overline{DF}$를 접는 선으로 하여 꼭짓점 A가 $\overline{BC}$ 위의 점 E에 오도록 접었다. $\overline{BE}=5$, $\overline{ED}=7$, $\overline{DB}=8$일 때, $\overline{AF}$의 길이는?

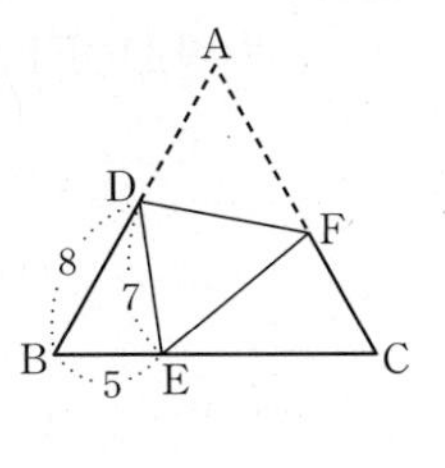

① $\frac{25}{4}$ ② 7 ③ 8 ④ $\frac{35}{4}$ ⑤ $\frac{19}{2}$

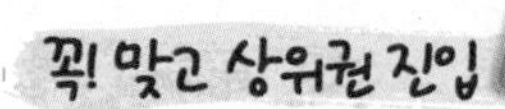

14 다음 그림에서 $\overline{AC}=\overline{EC}=\overline{CD}$일 때, 옳지 않은 것은?

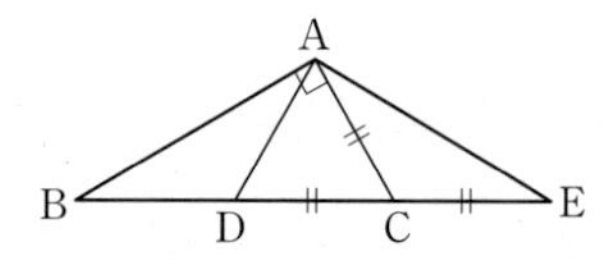

① $\angle DAE=90°$　② $\angle BAD=\angle BEA$
③ $\triangle ABD \backsim \triangle EBA$　④ $\overline{AB}^2=\overline{BE}\times\overline{BD}$
⑤ $\overline{DB}=\overline{DA}$

15 오른쪽 그림에서 $\angle B=\angle AEF$, $\overline{DE}/\!/\overline{BC}$이다. $\overline{AB}=6$, $\overline{AC}=5$, $\overline{AE}=3$일 때, xy의 값은?

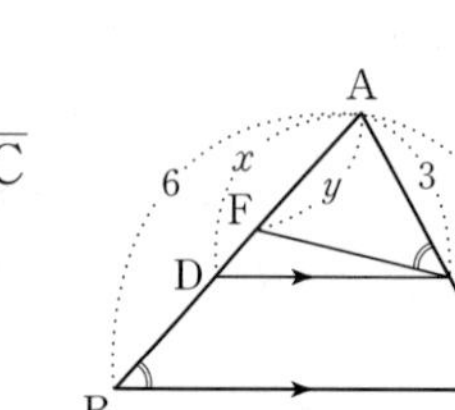

① $\frac{25}{3}$　② $\frac{17}{2}$
③ 9　④ $\frac{19}{2}$
⑤ $\frac{29}{3}$

16 다음 그림에서 $\overline{AB}=4$ cm, $\overline{BC}=12$ cm일 때, 정사각형 DBEF의 한 변의 길이는?

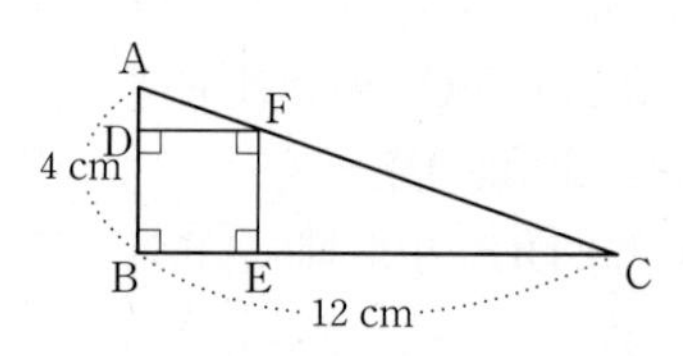

① 2 cm　② $\frac{5}{2}$ cm　③ $\frac{7}{3}$ cm
④ 3 cm　⑤ $\frac{10}{3}$ cm

17 오른쪽 그림에서 $\angle B=90°$이고 $\overline{AC}\perp\overline{BD}$, $\overline{AB}:\overline{BC}=3:4$일 때, $\overline{BC}$의 길이는?

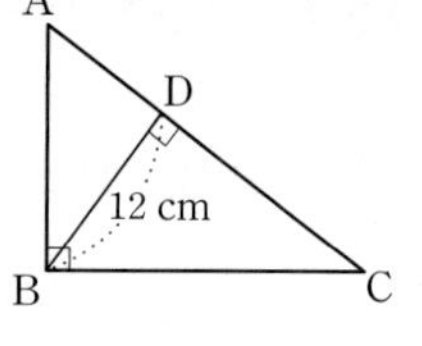

① 16 cm　② 18 cm
③ 20 cm　④ 21 cm
⑤ 22 cm

18 오른쪽 그림에서
$\angle ABD=\angle BCE$
$=\angle CAF$,
$\overline{AB}=4$ cm, $\overline{BC}=6$ cm, $\overline{DE}=2$ cm일 때, $\overline{EF}$의 길이는?

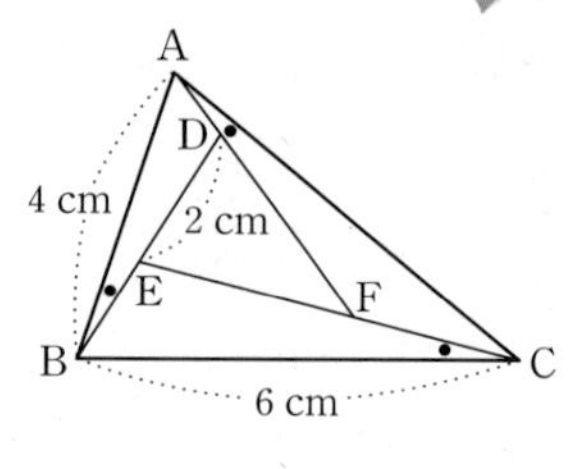

① 2 cm　② 2.5 cm　③ 3 cm
④ 3.5 cm　⑤ 4 cm

19 오른쪽 그림과 같이 정사각형 ABCD를 꼭짓점 A가 $\overline{BC}$ 위의 점 A′에 오도록 접었다. 이때 $\overline{CG}+\overline{GA'}$의 길이는?

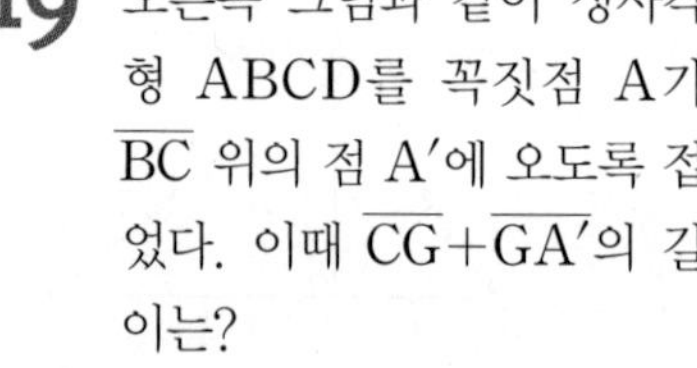

① 30 cm　② 31 cm　③ 32 cm
④ 33 cm　⑤ 34 cm

단계형

20 다음 그림에서 △ABC∽△DEF일 때, △DEF의 둘레의 길이를 구하여라. [5점]

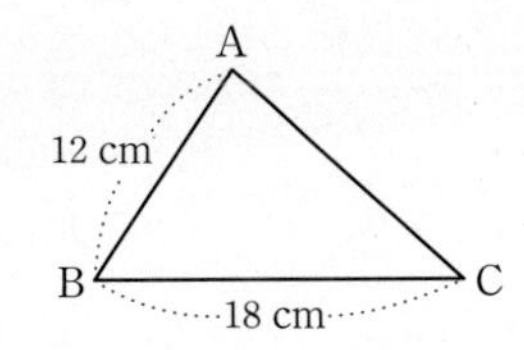

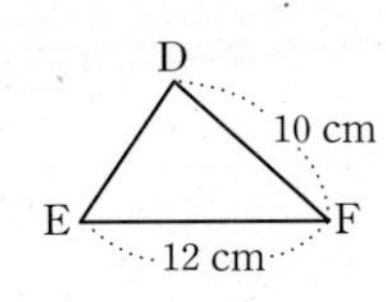

1단계 △ABC와 △DEF의 닮음비 구하기 [2점]

2단계 $\overline{DE}$의 길이 구하기 [2점]

3단계 △DEF의 둘레의 길이 구하기 [1점]

단계형

21 오른쪽 그림에서 $\angle A=90^{\circ}$이고, $\overline{BC}\perp\overline{AH}$이다. $\overline{AB}=25$ cm, $\overline{BH}=20$ cm일 때, $\overline{AH}$의 길이를 구하여라. [5점]

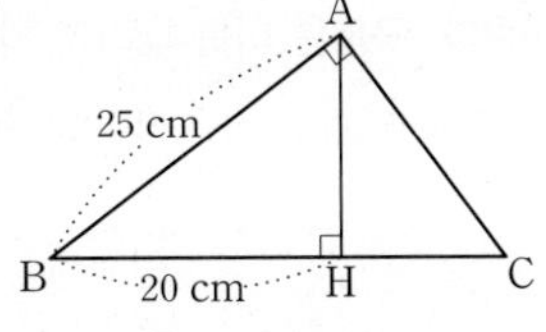

1단계 $\overline{BC}$의 길이 구하기 [2점]

2단계 $\overline{CH}$의 길이 구하기 [1점]

3단계 $\overline{AH}$의 길이 구하기 [2점]

사고력

22 오른쪽 그림에서 $\overline{AC}$의 길이를 구하여라. [6점]

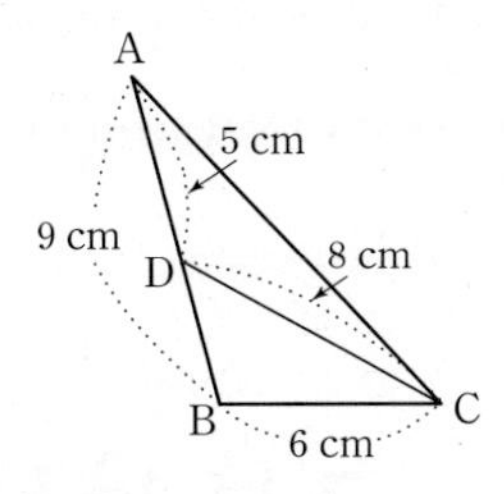

사고력

23 오른쪽 그림에서 □ABCD는 직사각형이고, $\overline{PQ}$는 대각선 BD의 수직이등분선이다. 이때 $\overline{AP}$의 길이를 구하여라. [8점]

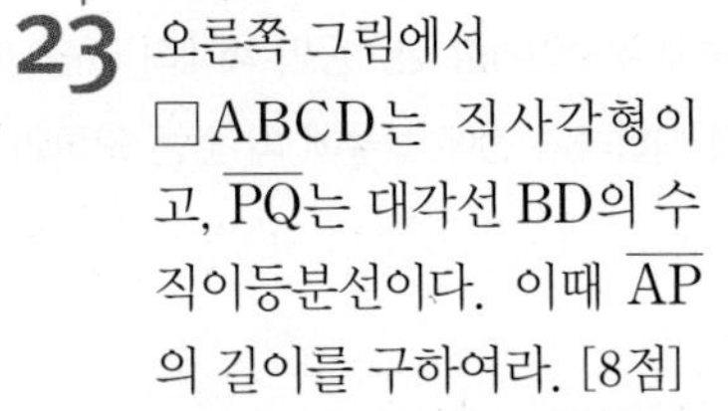
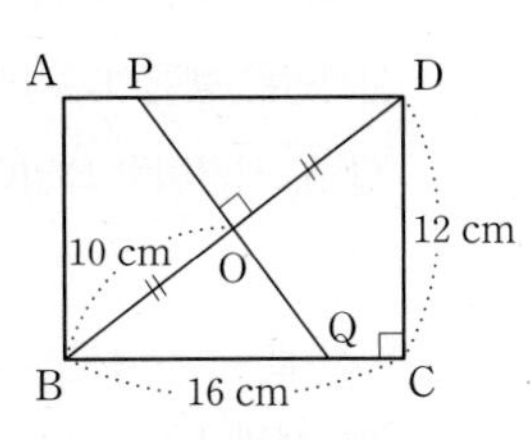

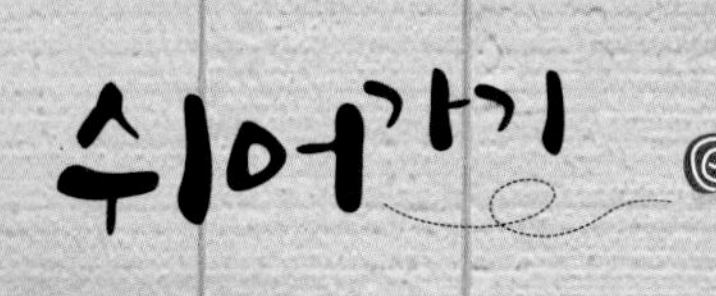

진정한 사랑은 행복을 준다!

미국의 작가이자 사회사업가인 헬렌 켈러에 관한 다음과 같은 일화가 전해집니다.

어느 날 헬렌은 정원에서 꽃 한 송이를 꺾어서 설리반 선생님께 드렸습니다. 그때 설리반 선생님은 헬렌의 손바닥에 글을 썼습니다.
"나는 당신을 사랑합니다."
헬렌은 고개를 갸웃거렸습니다. 사랑이란 말을 이해하지 못한 것입니다. 설리반은 헬렌의 손을 잡아 헬렌의 가슴에 대고 "사랑은 여기에 있습니다."라고 글을 썼습니다. 설리반은 헬렌의 말을 마음으로 읽고 있었습니다.
"사랑이란 꽃의 향기와 같습니까?"
헬렌의 물음에 설리반은 그렇지 않다고 분명하게 알려주었습니다.

며칠 후, 헬렌의 집에는 아침부터 먹구름이 뒤덮여 있었습니다. 태양은 가려져 어두운데다가 바람까지 불어 오후까지 내내 음울한 분위기가 계속 되었습니다. 헬렌은 그것을 느낌으로 알 수 있었습니다. 그러다 갑자기 구름이 걷히고 햇살이 비치기 시작했습니다. 헬렌은 기뻐하며 물었습니다.
"사랑이란 이런 것입니까?"
설리반은 헬렌의 손바닥에 무엇인가를 한참동안 써내려 갔습니다.
"헬렌, 사랑이란 태양이 나타나기 전에 하늘에 떠 있는 구름과 같은 것이란다. 구름은 비를 내리게 하는 것이지. 너도 비를 맞아 보았지? 햇볕을 쬐고 난 뒤 비가 내리면 땅 위의 나무들과 꽃, 풀들은 너무나 기뻐한단다. 비를 맞아야 쑥쑥 자라거든. 이제 사랑이 무엇인지 알 수 있겠지?"
"예, 선생님."
"사랑이란 손에 잡히지 않는 것이지만 그것이 사람에게 부어져 있을 때, 비로소 알 수 있는 것이란다. 사랑이 없으면 행복할 수 없단다."

헬렌은 이렇게 진실한 설리반 선생님의 가르침을 받아 사랑을 배우게 되었고 희망의 빛을 발견하게 되었습니다. 헬렌 켈러는 아무 것도 없는 암흑에서 단지 설리반 선생님의 따뜻한 손길로 쓴 손바닥 글씨 하나에 사랑이 전달되어 행복을 전파하는 사람이 됐습니다.

우리도 겉으로만 사랑한다고 하지 말고 마음 안에서 우러 나오는 진정한 사랑을 해 보면 어떨까요? 분명 행복해지는 것을 느끼게 될 것입니다.

중학 수학

Part Ⅱ

싹쓸이 핵심 기출문제

싹쓸이 핵심 예상문제

실전 모의고사

학교 시험 끝내주는 싹쓸이 핵심 기출문제

01 이등변삼각형의 성질(1)

오른쪽 그림과 같이 $\overline{AB}=\overline{AC}$인 이등변삼각형 ABC에서 $\angle ACD=112°$일 때, $\angle A$의 크기는?

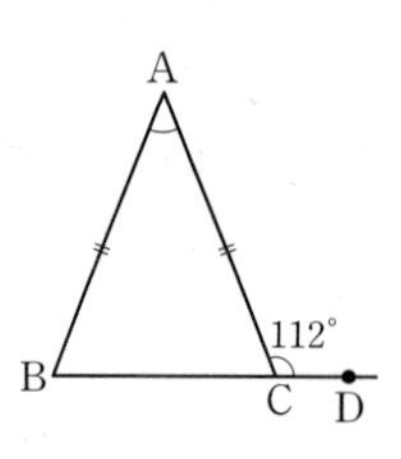

① 36°　　② 38°
③ 40°　　④ 42°
⑤ 44°

02 이등변삼각형의 성질(2)

오른쪽 그림과 같이 $\overline{AB}=\overline{AC}$인 이등변삼각형 ABC에서 $\angle A$의 이등분선과 $\overline{BC}$의 교점을 D라 할 때, 다음 중 옳은 것을 모두 고르면? (정답 2개)

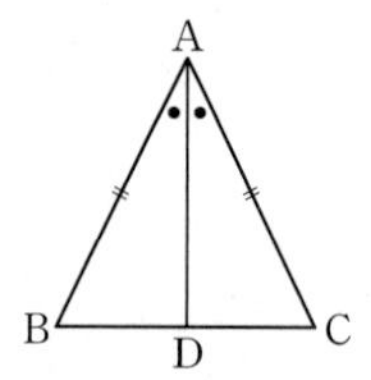

① $\overline{BD}=\overline{CD}$　　② $\overline{AD}=\overline{BC}$
③ $\angle A=\angle C$　　④ $\overline{AD}\perp\overline{BC}$
⑤ $\angle B=\angle CAD$

03 이등변삼각형이 되는 조건

오른쪽 그림과 같이 $\angle B=90°$인 직각삼각형 ABC에서 $\overline{AB}=8$ cm, $\overline{AD}=\overline{BD}$, $\angle C=30°$일 때, $\overline{AC}$의 길이는?

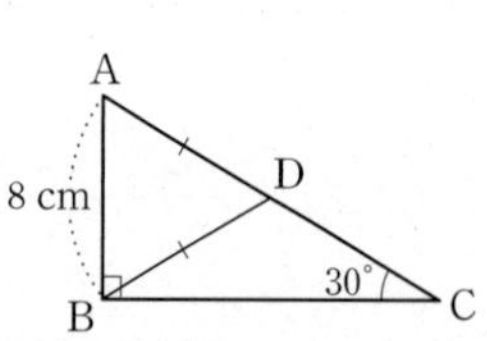

① 12 cm　　② 14 cm　　③ 16 cm
④ 18 cm　　⑤ 20 cm

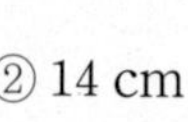
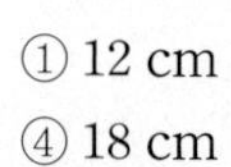

04 이등변삼각형의 성질의 활용

오른쪽 그림의 △ABC에서 $\overline{AB}=\overline{AC}$, $\overline{BC}=\overline{BD}=\overline{AD}$일 때, $\angle x$의 크기를 구하여라.

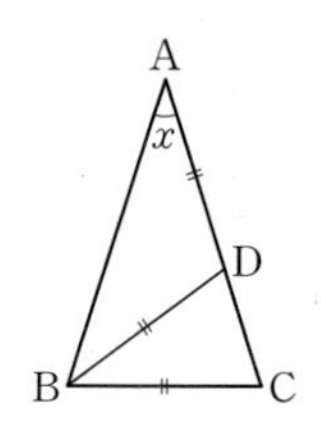

05 직각삼각형의 합동조건

오른쪽 그림과 같은 두 직각삼각형 ABC, DEF가 서로 합동이 되는 조건이 아닌 것은?

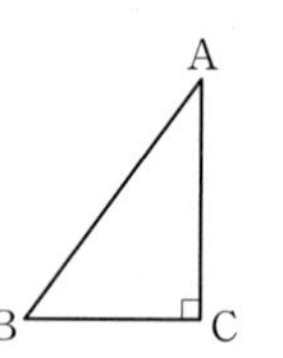

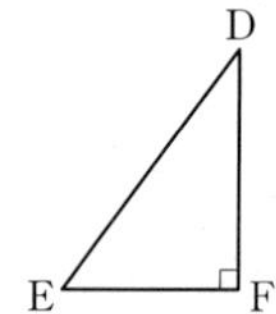

① $\overline{AB}=\overline{DE}$, $\angle A=\angle D$
② $\overline{AC}=\overline{DF}$, $\overline{AB}=\overline{DE}$
③ $\angle A=\angle D$, $\angle B=\angle E$
④ $\overline{AC}=\overline{DF}$, $\overline{BC}=\overline{EF}$
⑤ $\overline{AC}=\overline{DF}$, $\angle A=\angle D$

06 직각삼각형의 합동조건의 활용

오른쪽 그림과 같이 직각이등변삼각형 ABC의 꼭짓점 B, C에서 직선 l 위에 내린 수선의 발을 각각 D, E라 하자. $\overline{BD}=10$ cm, $\overline{CE}=8$ cm일 때, $\overline{DE}$의 길이는?

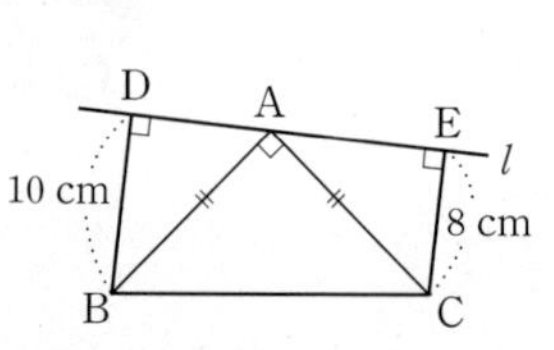

① 14 cm　　② 15 cm　　③ 16 cm
④ 17 cm　　⑤ 18 cm

07 삼각형의 외심

오른쪽 그림에서 점 O는 $\triangle ABC$의 외심이다. 다음 중 옳지 않은 것은?

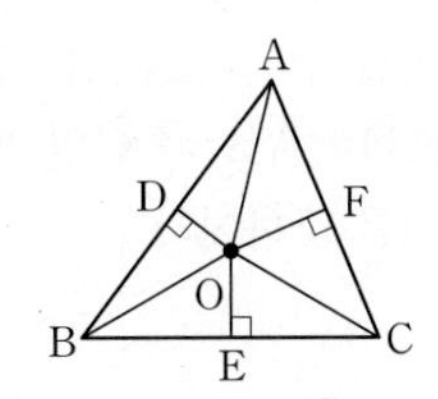

① $\overline{OA}=\overline{OB}=\overline{OC}$
② $\angle OAD=\angle OBD$
③ $\overline{AD}=\overline{BD}$
④ $\triangle OAF=\triangle OCF$
⑤ $\triangle ODB\equiv\triangle OEB$

08 직각삼각형의 외심

오른쪽 그림에서 점 O는 $\angle A=90^\circ$인 직각삼각형 ABC의 외심이고 $\overline{OA}=4$ cm일 때, $\overline{BC}$의 길이는?

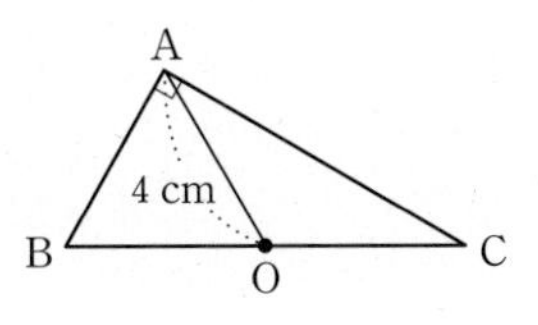

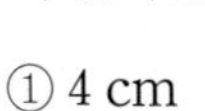

① 4 cm ② 5 cm ③ 6 cm
④ 7 cm ⑤ 8 cm

09 삼각형의 외심의 활용

오른쪽 그림에서 점 O는 $\triangle ABC$의 외심이고 $\angle OBC=20^\circ$, $\angle OCA=25^\circ$일 때, $\angle x$의 크기는?

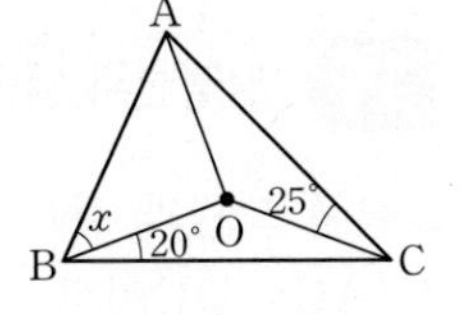

① 35° ② 40°
③ 45° ④ 50°
⑤ 55°

10 삼각형의 내심

오른쪽 그림에서 점 I는 $\triangle ABC$의 내심이고 $\angle IBA=35^\circ$, $\angle ICA=24^\circ$일 때, $\angle x$의 크기는?

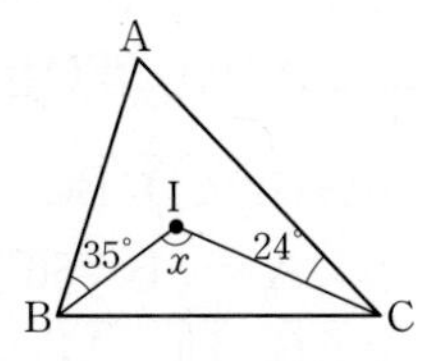

① 119° ② 120°
③ 121° ④ 122°
⑤ 123°

11 내심을 지나는 평행선

오른쪽 그림에서 점 I는 $\triangle ABC$의 내심이고, $\overline{DE}\,/\!/\,\overline{BC}$이다.
$\overline{AB}=14$ cm, $\overline{AC}=17$ cm일 때, $\triangle ADE$의 둘레의 길이를 구하여라.

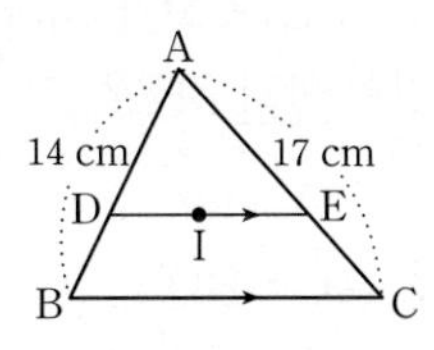

12 평행사변형의 성질

오른쪽 그림의 평행사변형 ABCD에서 $\angle A : \angle B=3:2$일 때, $\angle C$의 크기를 구하여라.

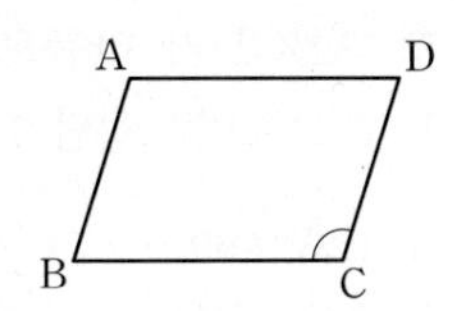

13 평행사변형이 되는 조건

다음 조건을 만족하는 □ABCD가 평행사변형인 것을 모두 고르면? (단, 점 O는 두 대각선의 교점이다.) (정답 2개)

① $\overline{AB}=\overline{CD}$, $\overline{BC}=\overline{DA}$
② $\angle A=\angle B=60°$, $\angle C=\angle D=120°$
③ $\overline{AB}/\!/\overline{DC}$, $\overline{AD}=\overline{BC}$
④ $\overline{AB}=\overline{BC}$, $\overline{CD}=\overline{DA}$
⑤ $\overline{AO}=\overline{CO}$, $\overline{BO}=\overline{DO}$

14 평행사변형이 직사각형이 되는 조건

다음 중 오른쪽 그림과 같은 평행사변형 ABCD가 직사각형이 되는 조건이 아닌 것은?

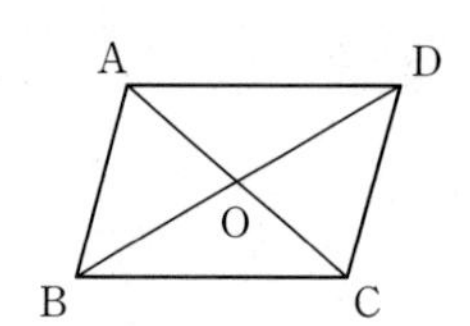

① $\angle A=90°$　② $\overline{AO}=\overline{DO}$
③ $\overline{AC}=\overline{BD}$　④ $\overline{AO}\perp\overline{BD}$
⑤ $\angle A=\angle B$

15 평행사변형이 마름모가 되는 조건

다음 중 오른쪽 그림과 같은 평행사변형 ABCD가 마름모가 되는 조건을 모두 고르면? (정답 2개)

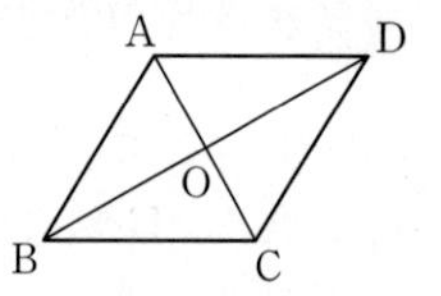

① $\angle A=90°$　② $\overline{AB}=\overline{BC}$
③ $\overline{AC}=\overline{BD}$　④ $\overline{AC}\perp\overline{BD}$
⑤ $\angle A=90°$, $\overline{AC}=\overline{BD}$

16 등변사다리꼴의 성질

오른쪽 그림은 $\overline{AD}/\!/\overline{BC}$인 등변사다리꼴이다. $\angle A=120°$, $\overline{AD}=\overline{AB}=\overline{DC}$일 때, $\angle BDC$의 크기를 구하여라.

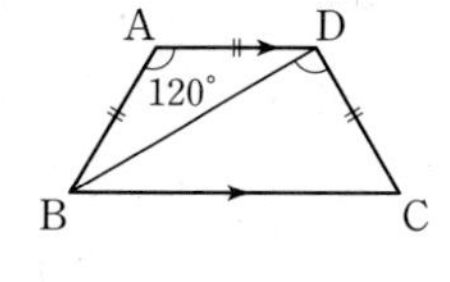

17 여러 가지 사각형의 대각선

다음 중 대각선의 길이가 같은 사각형끼리 짝지어진 것은?

① 직사각형, 사다리꼴　② 평행사변형, 마름모
③ 마름모, 직사각형　④ 정사각형, 등변사다리꼴
⑤ 등변사다리꼴, 마름모

18 각 변의 중점을 연결하여 만든 사각형

사각형과 그 사각형의 각 변의 중점을 차례로 연결하여 만든 사각형을 바르게 짝지은 것은?

① 직사각형 ➡ 직사각형　② 평행사변형 ➡ 직사각형
③ 마름모 ➡ 마름모　④ 정사각형 ➡ 사다리꼴
⑤ 등변사다리꼴 ➡ 마름모

19 평행선과 넓이

오른쪽 그림과 같은 사각형 ABCD에서 $\overline{AC}/\!/\overline{DE}$이고 $\triangle ABC=24\text{ cm}^2$, $\triangle ACE=16\text{ cm}^2$일 때, □ABCD의 넓이를 구하여라.

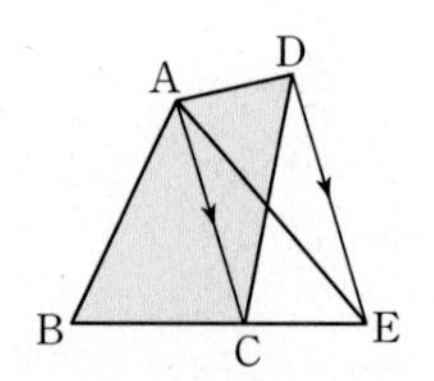

20 높이가 같은 두 삼각형의 넓이의 비

오른쪽 그림과 같이 $\overline{AD} /\!/ \overline{BC}$인 사다리꼴 ABCD에서 $\overline{OB} : \overline{OD} = 2 : 1$이다. $\triangle AOD$의 넓이가 $10\ cm^2$일 때, $\triangle OBC$의 넓이를 구하여라.

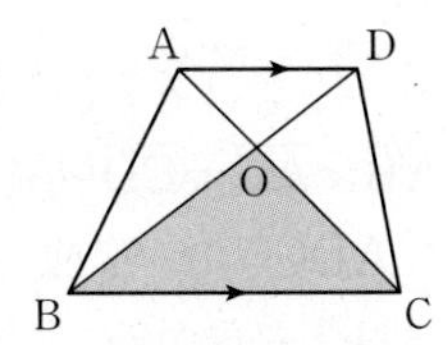

21 항상 닮은 도형 찾기

다음 중 항상 닮은 도형인 것을 모두 고르면? (정답 2개)

① 두 원 ② 두 직사각형 ③ 두 평행사변형
④ 두 정육각형 ⑤ 두 마름모

22 평면도형에서의 닮음의 성질

오른쪽 그림에서 $\square ABCD \backsim \square A'B'C'D'$일 때, 다음 중 옳지 않은 것은?

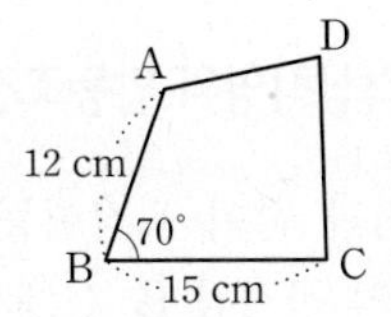

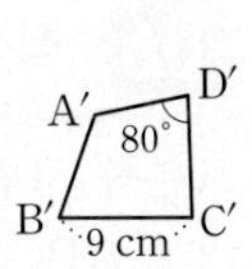

① $\angle D = 80°$
② $\overline{AD} : \overline{A'D'} = 5 : 3$
③ $\overline{A'B'} = 9\ cm$
④ $\angle B' = 70°$
⑤ $\square ABCD$와 $\square A'B'C'D'$의 닮음비는 $5 : 3$이다.

23 삼각형의 닮음조건의 활용 – SAS 닮음

오른쪽 그림에서 $\overline{AC}$의 길이를 구하여라.

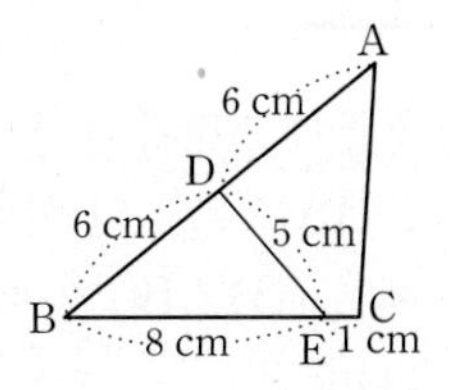

24 삼각형의 닮음조건의 활용 – AA 닮음

오른쪽 그림에서 $\angle ADE = \angle ABC$일 때, $\overline{BE}$의 길이를 구하여라.

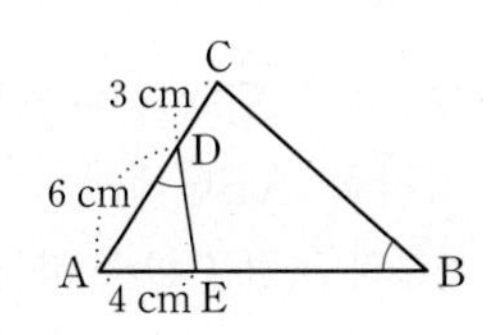

25 직각삼각형의 닮음

오른쪽 그림과 같이 $\angle A = 90°$인 직각삼각형 ABC에서 $\overline{AH} \perp \overline{BC}$일 때, x의 값을 구하여라.

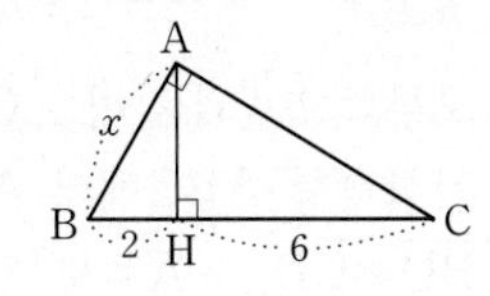

학교 시험 끝내주는 싹쓸이 핵심 예상문제

01 이등변삼각형의 성질(1)

오른쪽 그림과 같이 $\overline{AB}=\overline{AC}$이고 $\angle BAC=70^\circ$인 이등변삼각형 ABC에서 $\overline{AD}/\!/\overline{BC}$일 때, $\angle DAC$의 크기는?

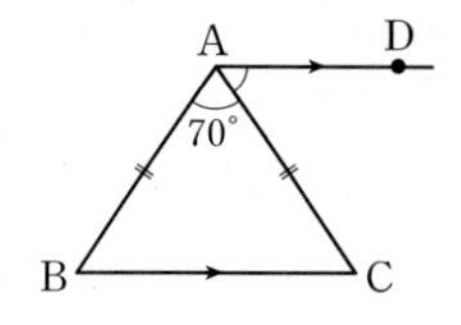

① 50° ② 55°
③ 60° ④ 65°
⑤ 70°

02 이등변삼각형의 성질(2)

오른쪽 그림과 같이 $\overline{AB}=\overline{AC}$인 이등변삼각형 ABC에서 $\angle A$의 이등분선과 $\overline{BC}$의 교점을 D라 하자. $\overline{AD}$ 위에 한 점 P를 잡을 때, 다음 중 옳지 않은 것은?

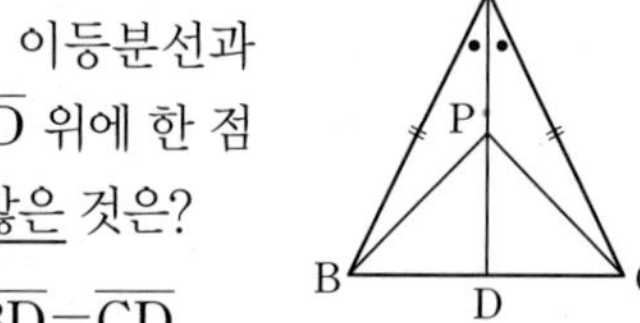

① $\overline{AD}\perp\overline{BC}$ ② $\overline{BD}=\overline{CD}$
③ $\overline{AP}=\overline{BP}=\overline{CP}$ ④ $\angle PDC=90^\circ$
⑤ $\triangle PBD\equiv\triangle PCD$

03 이등변삼각형이 되는 조건

오른쪽 그림과 같이 $\angle C=90^\circ$인 직각삼각형 ABC에서 $\overline{AC}=5\text{ cm}$, $\overline{BD}=\overline{CD}$, $\angle A=60^\circ$일 때, $\overline{AB}$의 길이는?

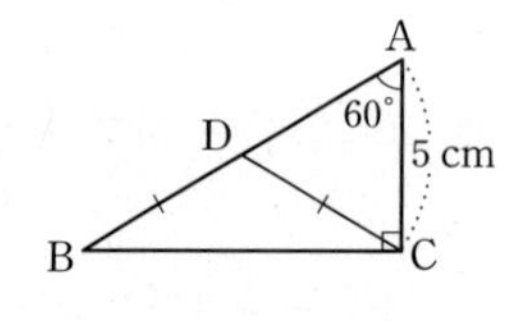

① 5 cm ② 7 cm ③ 10 cm
④ 15 cm ⑤ 18 cm

04 이등변삼각형의 성질의 활용

오른쪽 삼각형 DBC에서 $\overline{AB}=\overline{AC}=\overline{CD}$이고 $\angle ADC=70^\circ$일 때, $\angle DCE$의 크기를 구하여라.

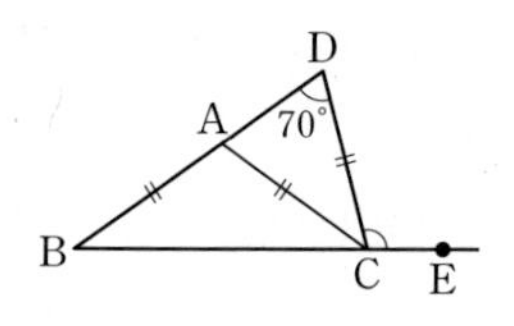

05 직각삼각형의 합동조건

다음 그림과 같은 두 직각삼각형에서 $\overline{EF}$의 길이를 구하여라.

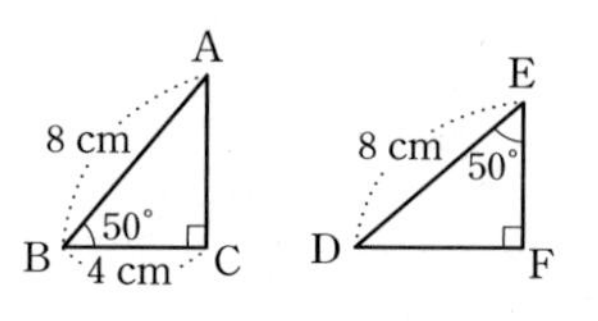

06 직각삼각형의 합동조건의 활용

오른쪽 그림과 같이 직각이등변삼각형 ABC의 꼭짓점 B, C에서 직선 l 위에 내린 수선의 발을 각각 D, E라 하자. $\overline{DE}=16\text{ cm}$, $\overline{CE}=6\text{ cm}$일 때, $\triangle DBA$의 넓이를 구하여라.

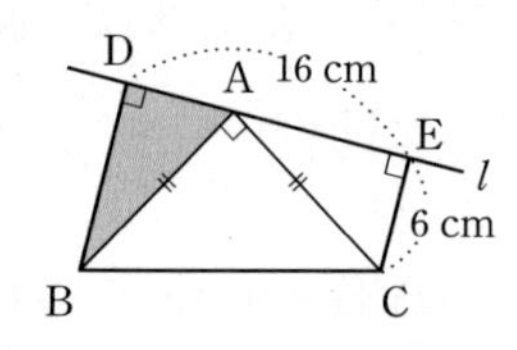

07 삼각형의 외심

오른쪽 그림에서 점 O는 △ABC의 외심이고 ∠AOC=126°일 때, ∠x의 크기는?

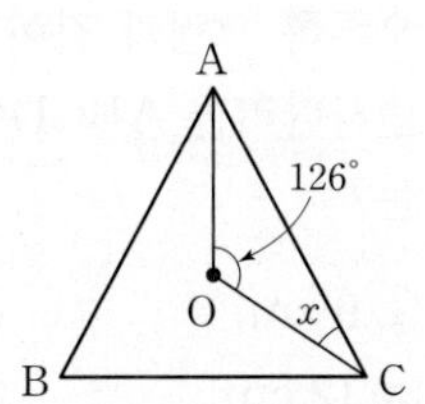

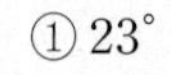

① 23° ② 27°
③ 31° ④ 33°
⑤ 35°

08 직각삼각형의 외심

오른쪽 그림과 같은 직각삼각형 ABC에서 점 O는 $\overline{BC}$의 중점이고 ∠B=44°일 때, ∠x의 크기는?

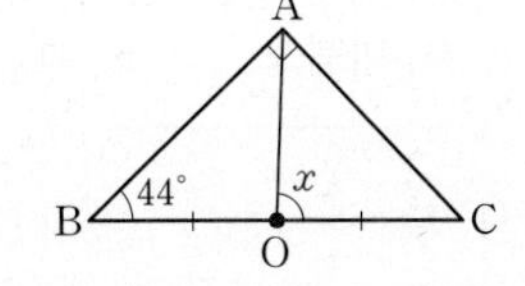

① 66° ② 77°
③ 88° ④ 90°
⑤ 95°

09 삼각형의 외심의 활용

오른쪽 그림에서 점 O는 △ABC의 외심이고 ∠OBA=28°, ∠OCB=25°일 때, ∠x의 크기는?

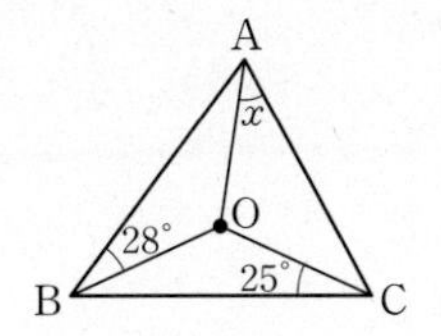

① 34° ② 35°
③ 36° ④ 37°
⑤ 38°

10 삼각형의 내심

오른쪽 그림에서 점 I는 △ABC의 내심이고 ∠IBA=25°, ∠BIC=120°일 때, ∠x의 크기는?

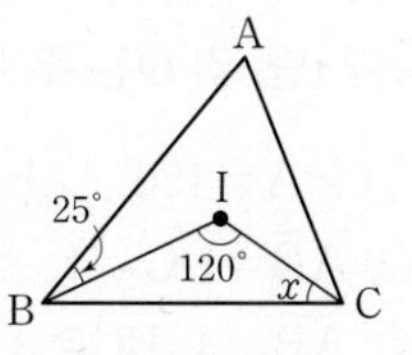

① 25° ② 30°
③ 35° ④ 40°
⑤ 45°

11 내심을 지나는 평행선

오른쪽 그림에서 점 I는 △ABC의 내심이고, $\overline{DE} /\!/ \overline{BC}$이다. $\overline{DB}$=8 cm, $\overline{EC}$=6 cm일 때, $\overline{DE}$의 길이를 구하여라.

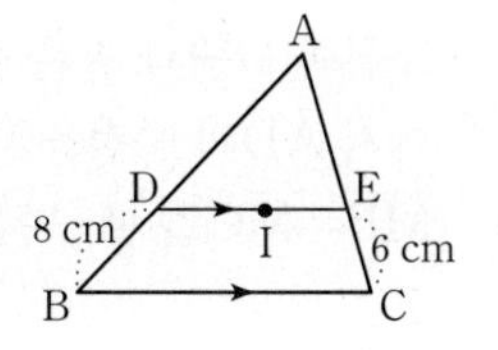

12 평행사변형의 성질

다음 그림과 같은 평행사변형 ABCD에서 $\overline{BC}$의 길이는?

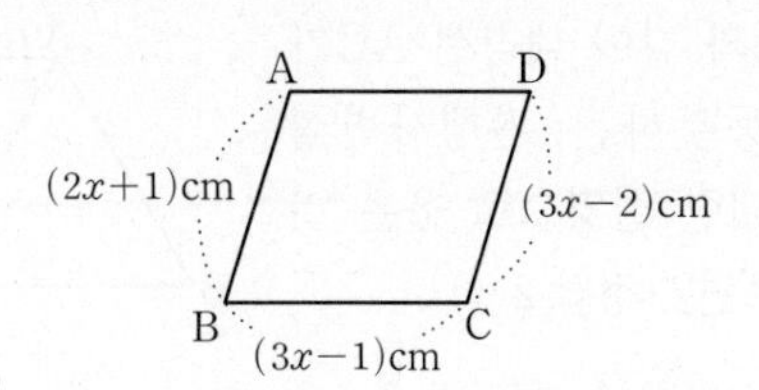

① 6 cm ② 6.5 cm ③ 7 cm
④ 7.5 cm ⑤ 8 cm

13 평행사변형이 되는 조건

다음 조건을 만족하는 □ABCD가 평행사변형이 아닌 것은? (단, 점 O는 두 대각선의 교점이다.)

① $\angle A=120°$, $\angle B=60°$, $\angle C=120°$
② $\overline{AB}=\overline{DC}=4$, $\angle ABO=\angle CDO=45°$
③ $\overline{AB}=4$, $\overline{BC}=3$, $\overline{CD}=4$, $\overline{DA}=3$
④ $\overline{AB}/\!/\overline{DC}$, $\overline{AB}=\overline{DC}=5$
⑤ $\angle A+\angle B=180°$, $\angle C+\angle D=180°$

14 평행사변형이 직사각형이 되는 조건

오른쪽 그림과 같은 평행사변형 ABCD에서 $\overline{AD}$의 중점을 M이라 하고 $\overline{MB}=\overline{MC}$일 때, 다음 중 옳지 않은 것은?

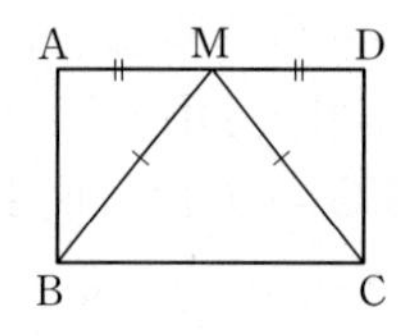

① $\angle A=90°$ ② $\overline{AC}\perp\overline{BD}$ ③ $\overline{AD}=\overline{BC}$
④ $\overline{AC}=\overline{BD}$ ⑤ $\angle A=\angle B=\angle C=\angle D$

15 평행사변형이 마름모가 되는 조건

오른쪽 그림과 같이 대각선 AC가 ∠A를 이등분하는 평행사변형 ABCD에 대한 설명으로 옳은 것을 모두 고르면? (정답 2개)

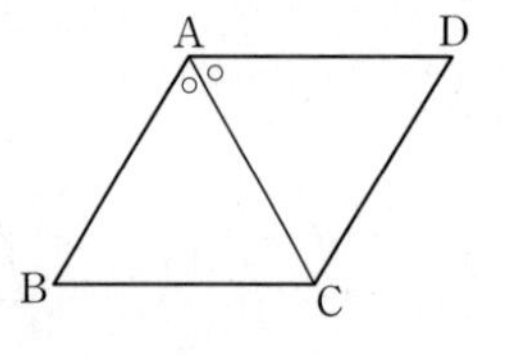

① 네 내각의 크기가 모두 같다.
② 두 대각선이 서로 직교한다.
③ 두 대각선의 길이가 같다.
④ 이웃하는 두 내각의 크기가 같다.
⑤ 이웃하는 두 변의 길이가 같다.

16 등변사다리꼴의 성질

오른쪽 그림과 같이 $\overline{AD}/\!/\overline{BC}$인 등변사다리꼴 ABCD에서 $\overline{BC}$의 길이는?

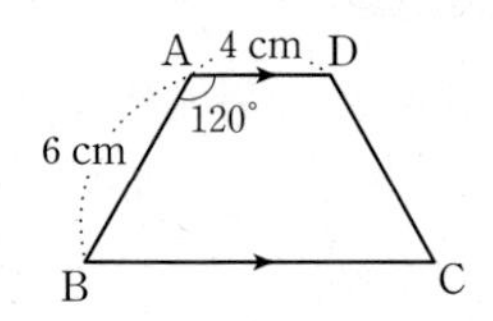

① 9 cm ② 10 cm
③ 12 cm ④ 13 cm
⑤ 14 cm

17 여러 가지 사각형의 대각선

다음 사각형 중에서 두 대각선이 서로 다른 것을 수직이등분하는 것을 모두 고른 것은?

ㄱ. 사다리꼴 ㄴ. 평행사변형 ㄷ. 직사각형
ㄹ. 마름모 ㅁ. 정사각형

① ㄷ, ㄹ ② ㄷ, ㅁ ③ ㄹ, ㅁ
④ ㄱ, ㄴ, ㅁ ⑤ ㄷ, ㄹ, ㅁ

18 각 변의 중점을 연결하여 만든 사각형

오른쪽 그림과 같은 마름모 ABCD에서 네 변의 중점을 각각 P, Q, R, S라 할 때, □PQRS는 어떤 사각형인지 말하여라.

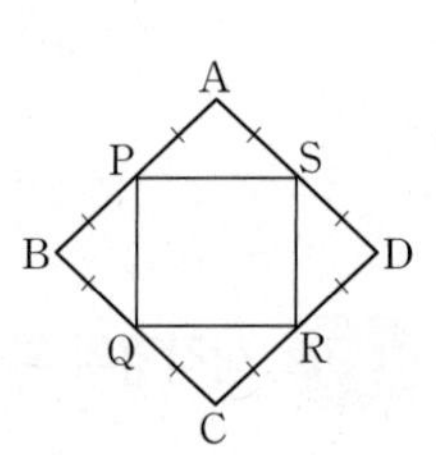

19 평행선과 넓이

오른쪽 그림과 같은 사각형 ABCD에서 $\overline{AE}/\!/\overline{DC}$일 때, □ABED의 넓이를 구하여라.

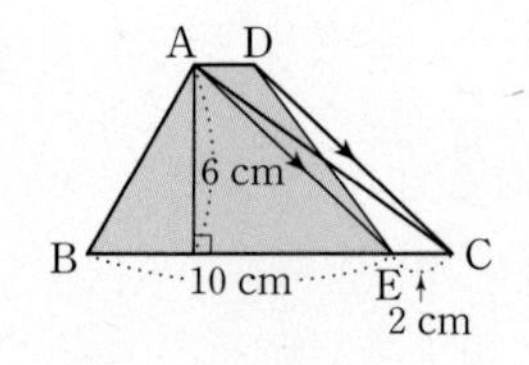

20 높이가 같은 두 삼각형의 넓이의 비

오른쪽 그림과 같이 $\overline{AD} /\!/ \overline{BC}$인 사다리꼴 ABCD에서 $\overline{OB} : \overline{OD} = 3 : 2$이다. □ABCD의 넓이가 75 cm^2일 때, △OBC의 넓이를 구하여라.

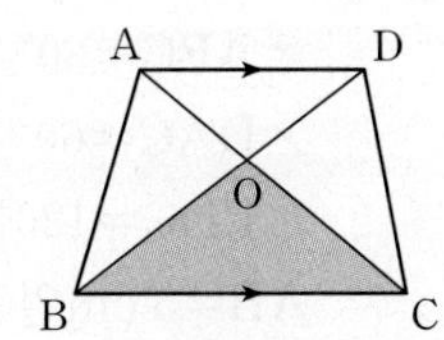

21 항상 닮은 도형 찾기

다음 보기 중 항상 닮은 도형인 것은 모두 몇 개인지 구하여라.

보기

ㄱ. 두 정삼각형
ㄴ. 두 구
ㄷ. 두 오각기둥
ㄹ. 두 마름모
ㅁ. 두 정육면체
ㅂ. 두 정사각형
ㅅ. 두 직각이등변삼각형

22 평면도형에서의 닮음의 성질

다음 그림에서 △ABC∽△A′B′C′일 때, 물음에 답하여라.

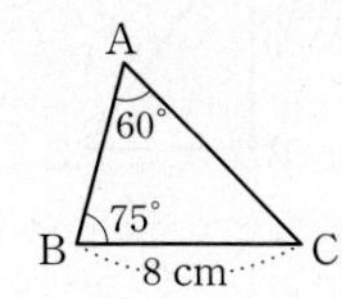

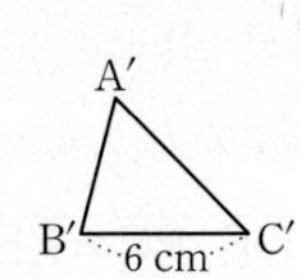

(1) ∠C′의 크기를 구하여라.

(2) △ABC와 △A′B′C′의 닮음비를 구하여라.

23 삼각형의 닮음조건의 활용 − SAS 닮음

오른쪽 그림에서 $\overline{BC}$의 길이를 구하여라.

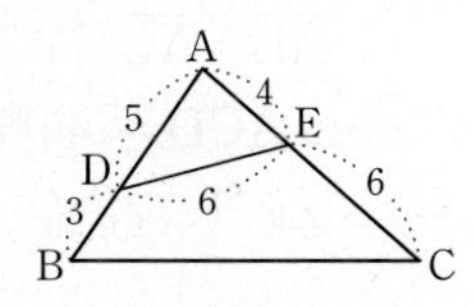

24 삼각형의 닮음조건의 활용 − AA 닮음

오른쪽 그림에서 ∠ABC=∠ACD일 때, $\overline{AD}$의 길이를 구하여라.

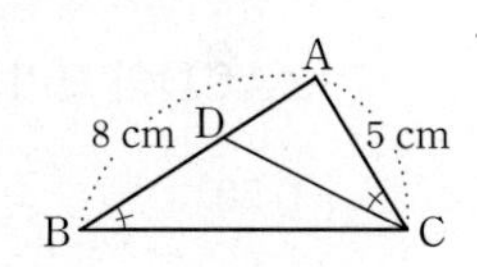

25 직각삼각형의 닮음

오른쪽 그림에서 $\overline{BD}$의 길이를 구하여라.

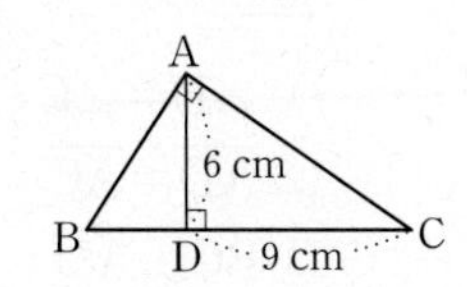

01 오른쪽 그림과 같이 $\overline{AB}=\overline{AC}$이고 $\angle ACD=140^\circ$일 때, $\angle x$의 크기는?

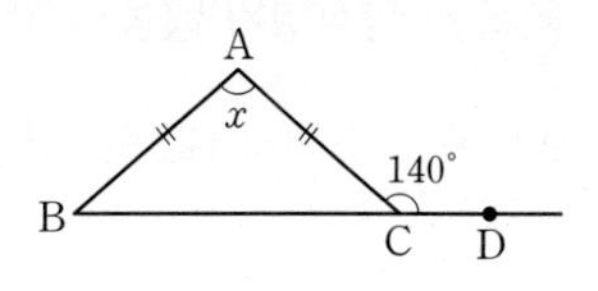

① 80° ② 90° ③ 100°
④ 110° ⑤ 120°

02 오른쪽 그림에서 $\triangle ABC$와 $\triangle DCE$는 이등변삼각형일 때, $\angle ACD$의 크기는?

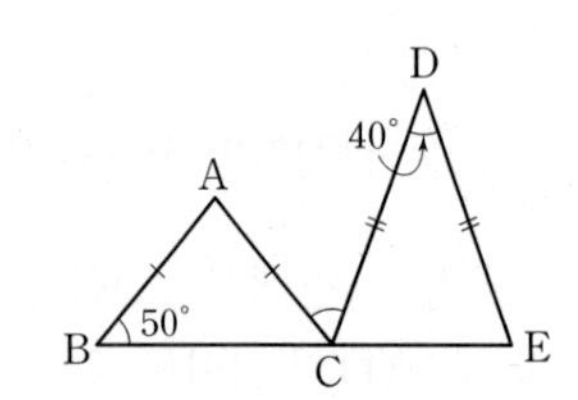

① 50° ② 55°
③ 60° ④ 65°
⑤ 70°

03 오른쪽 그림과 같은 이등변삼각형 ABC에서 옳지 않은 것은?

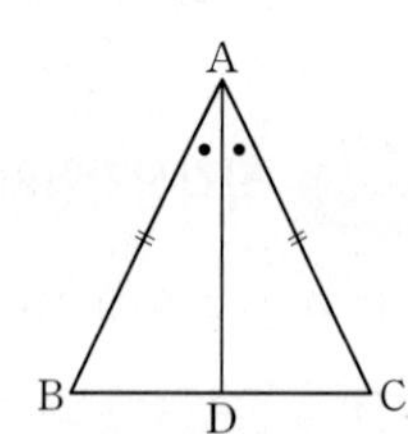

① $\angle B=\angle C$
② $\overline{AD}=\overline{AC}$
③ $\overline{BC}\perp\overline{AD}$
④ $\overline{BD}=\overline{CD}$
⑤ $\triangle ABD\equiv\triangle ACD$

04 오른쪽 그림과 같이 $\angle ABC=30^\circ$, $\angle DAC=60^\circ$, $\angle EDC=120^\circ$이고 $\overline{AB}=5$ cm일 때, $\overline{CD}$의 길이는?

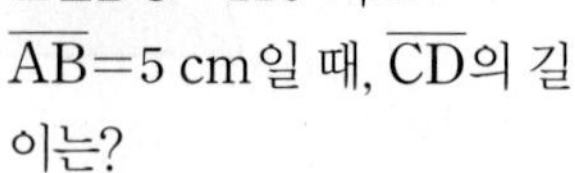

① 4 cm ② 5 cm ③ 6 cm
④ 7 cm ⑤ 8 cm

05 직사각형 모양의 종이를 오른쪽 그림과 같이 접었다. $\angle EGF=40^\circ$일 때, $\angle GFE$의 크기는?

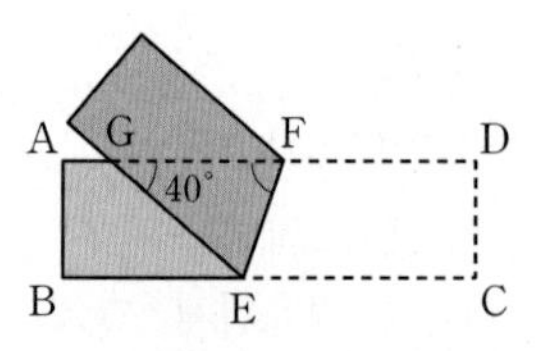

① 60° ② 65° ③ 70°
④ 75° ⑤ 80°

06 다음 중 오른쪽 그림과 같은 두 직각삼각형이 서로 합동이 되는 조건이 아닌 것은?

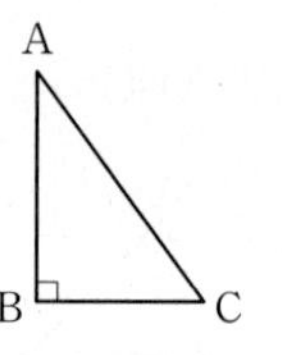

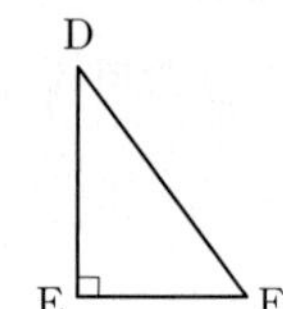

① $\overline{AB}=\overline{DE}$, $\overline{BC}=\overline{EF}$
② $\overline{BC}=\overline{EF}$, $\angle C=\angle F$
③ $\angle A=\angle D$, $\angle C=\angle F$
④ $\overline{AC}=\overline{DF}$, $\overline{BC}=\overline{EF}$
⑤ $\overline{AC}=\overline{DF}$, $\angle C=\angle F$

07 오른쪽 그림과 같이 $\overline{AB}=\overline{AC}$인 직각이등변 삼각형 ABC에서 $\angle BAC=90°$이고 $\overline{DB}=4$ cm, $\overline{EC}=6$ cm일 때, □DBCE의 넓이는?

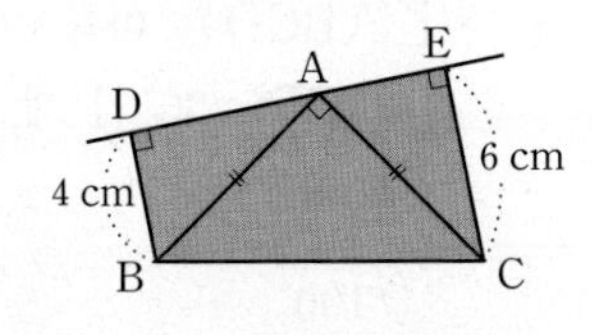

① 40 cm^2 ② 50 cm^2 ③ 60 cm^2
④ 70 cm^2 ⑤ 80 cm^2

08 오른쪽 그림에서 점 O는 △ABC의 외심이고 $\overline{AD}=6$ cm, $\overline{BE}=5$ cm, $\overline{CF}=4$ cm일 때, △ABC의 둘레의 길이는?

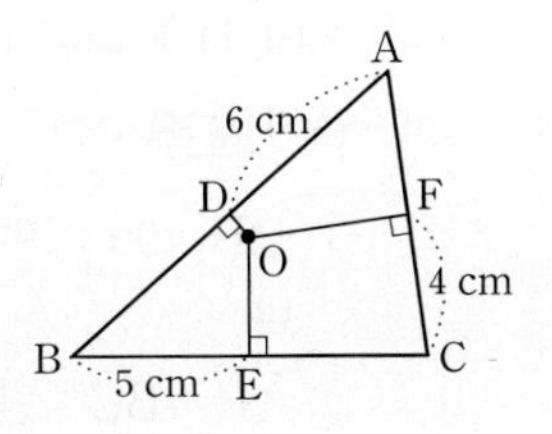

① 30 cm ② 35 cm ③ 40 cm
④ 45 cm ⑤ 50 cm

09 오른쪽 그림에서 점 O는 △ABC의 외심이고 ∠AOB : ∠BOC : ∠COA = 2 : 3 : 4일 때, ∠ABO의 크기는?

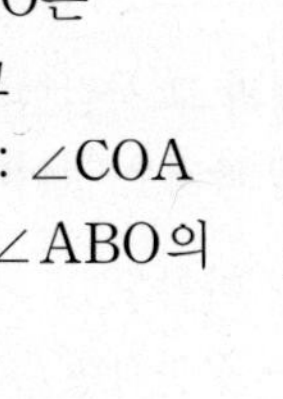

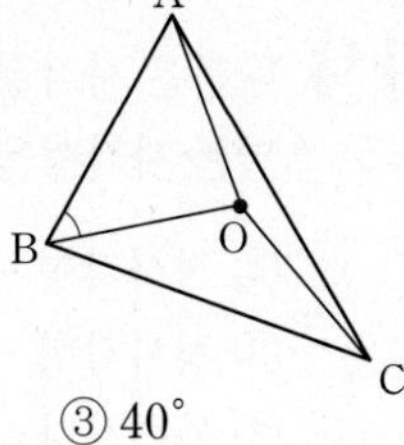

① 30° ② 35° ③ 40°
④ 45° ⑤ 50°

10 오른쪽 그림과 같은 직각삼각형 ABC에서 빗변의 길이가 10 cm이고 ∠B=30°일 때, ∠AOC의 크기를 구하여라.

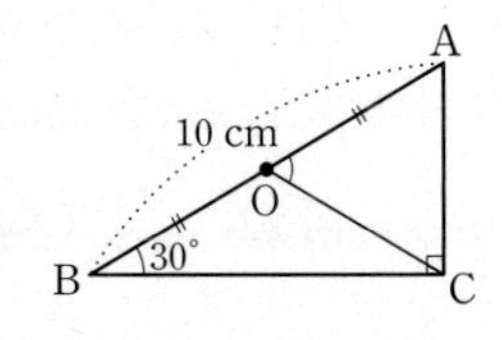

11 오른쪽 그림과 같이 정삼각형 ABC의 내심을 I라 할 때, 다음 설명 중 옳지 않은 것은?

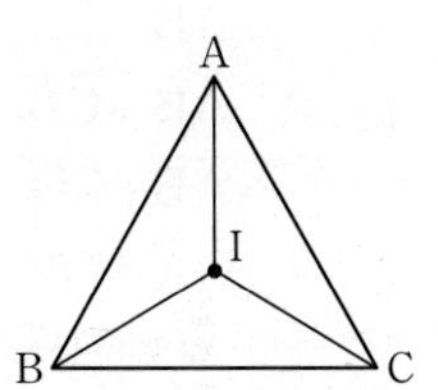

① ∠BIC=100°
② $\overline{IA}=\overline{IB}=\overline{IC}$
③ △IAB≡△IAC
④ ∠BCI=∠CAI
⑤ △ABC의 넓이는 △IAB의 넓이의 3배이다.

12 오른쪽 그림과 같은 평행사변형 ABCD에서 ∠ABD=∠CBD이고 ∠ADC=84°일 때, $\angle x$의 크기는?

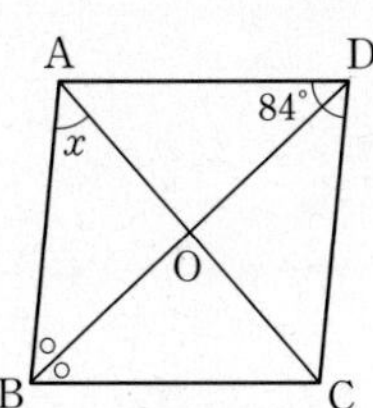

① 46° ② 48°
③ 52° ④ 56°
⑤ 60°

13 평행사변형 ABCD에서 $\overline{AB}=3x-3$, $\overline{BC}=4x-8$, $\overline{CD}=2x+5$일 때, $\overline{AD}$의 길이는?

① 15　② 18　③ 19　④ 22　⑤ 24

14 다음 중 오른쪽 그림의 □ABCD가 평행사변형이 되는 조건인 것은?

① $\overline{AB}=\overline{CD}$, $\overline{AC}=\overline{BD}$
② $\overline{AB}=\overline{CD}$, $\overline{AD}/\!/\overline{BC}$
③ $\overline{AB}/\!/\overline{CD}$, $\overline{AC}=\overline{BD}$
④ $\overline{OA}=\overline{OB}$, $\overline{OC}=\overline{OD}$
⑤ $\angle OAB=\angle OCD$, $\angle OAD=\angle OCB$

15 오른쪽 그림에서 □ABCD는 평행사변형이고 $\triangle PAB=14\text{ cm}^2$, $\triangle PCD=35\text{ cm}^2$일 때, □ABCD의 넓이는?

① 80 cm^2　② 85 cm^2　③ 90 cm^2　④ 96 cm^2　⑤ 98 cm^2

16 오른쪽 그림의 직사각형 ABCD에서 $\overline{BD}=18\text{ cm}$일 때, $\overline{AO}$의 길이는?

① 6 cm　② 7 cm　③ 8 cm　④ 9 cm　⑤ 10 cm

17 오른쪽 그림에서 □ABCD는 마름모이다. $\angle ABD=30°$일 때, $\angle C$의 크기는?

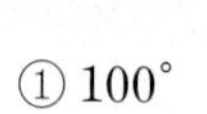

① 100°　② 120°　③ 140°　④ 150°　⑤ 155°

18 오른쪽 그림의 평행사변형 ABCD에 대한 다음 설명 중 옳지 <u>않은</u> 것은?

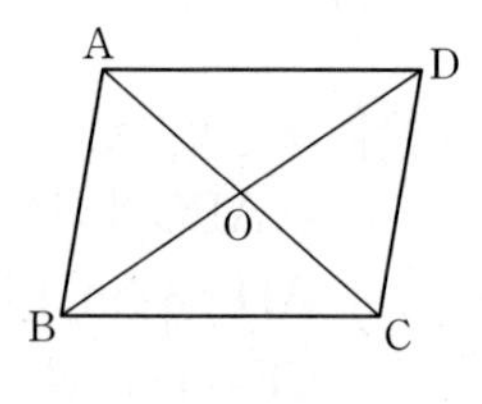

① $\angle B=90°$이면 직사각형이다.
② $\overline{AB}=\overline{BC}$이면 마름모이다.
③ $\overline{AC}\perp\overline{BD}$이면 마름모이다.
④ $\angle B+\angle D=180°$이면 직사각형이다.
⑤ $\overline{AC}=\overline{BD}$이면 정사각형이다.

19 다음은 사각형과 그 사각형의 각 변의 중점을 연결하여 만든 사각형을 짝지은 것이다. 옳지 <u>않은</u> 것은?

① 직사각형 – 마름모　② 마름모 – 직사각형
③ 정사각형 – 정사각형　④ 평행사변형 – 평행사변형
⑤ 등변사다리꼴 – 직사각형

20 다음 그림에서 □ABCD∽□EFGH일 때, $\overline{HG}$의 길이는?

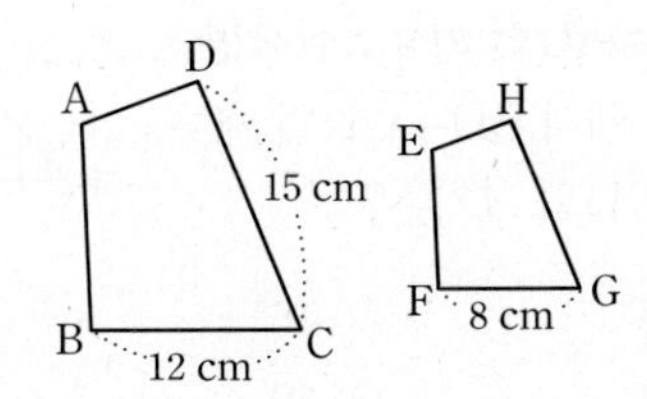

① 6 cm ② 7 cm ③ 8 cm
④ 9 cm ⑤ 10 cm

21 오른쪽 그림에서 ∠ADE=∠ABC일 때, $\overline{AE}$의 길이는?

① 18 cm
② 19 cm
③ 20 cm
④ 21 cm
⑤ 22 cm

22 오른쪽 그림의 △ABC에서 ∠BAC=∠ADC=90°이다. $\overline{AB}$=20 cm, $\overline{BD}$=16 cm일 때, $\overline{AC}$의 길이는?

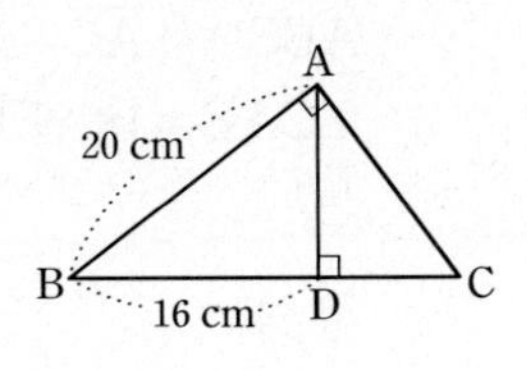

① 14 cm ② 15 cm ③ 16 cm
④ 17 cm ⑤ 18 cm

서술형 문제

23 오른쪽 그림과 같이 △ABC에서 $\overline{AB}=\overline{AC}=\overline{CD}$이고 ∠BAC=100°일 때, ∠$x$의 크기를 구하여라. [7점]

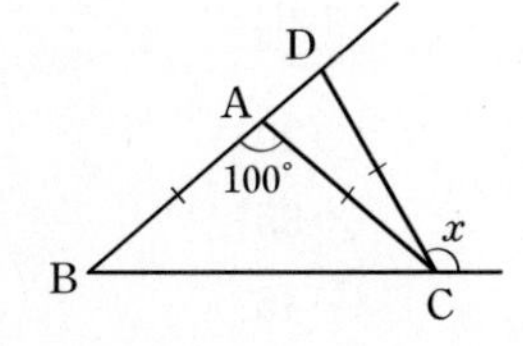

24 오른쪽 그림에서 점 O와 점 I는 각각 △ABC의 외심과 내심이다. ∠BOC=100°일 때, ∠BIC−∠BAC의 크기를 구하여라. [8점]

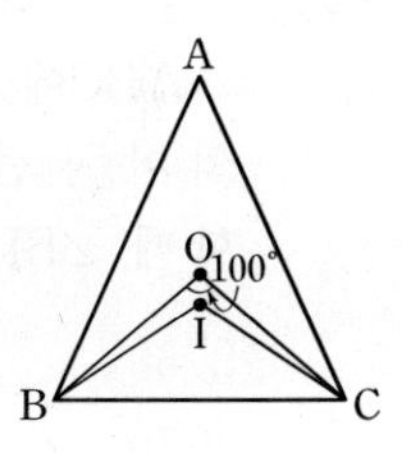

25 오른쪽 그림과 같이 $\overline{AD}$∥$\overline{BC}$인 사다리꼴 ABCD에서 $\overline{OD}:\overline{OB}=2:3$이다. △ABD=40 cm²일 때, △ABC의 넓이를 구하여라. [8점]

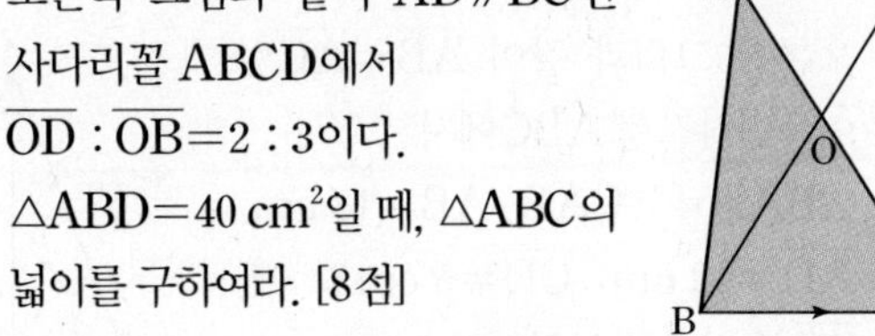

01 오른쪽 그림과 같이 $\overline{AB}=\overline{AC}$이고 $\angle ACD=100°$일 때, $\angle x$의 크기는?

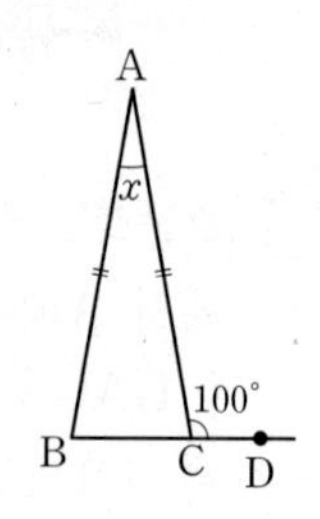

① 20°　② 30°　③ 35°　④ 40°　⑤ 45°

02 오른쪽 그림과 같이 $\overline{AB}=\overline{AC}$인 $\triangle ABC$에서 $\angle A=32°$이고 $\angle ABC$의 이등분선과 변 AC의 교점을 D라 할 때, $\angle BDC$의 크기는?

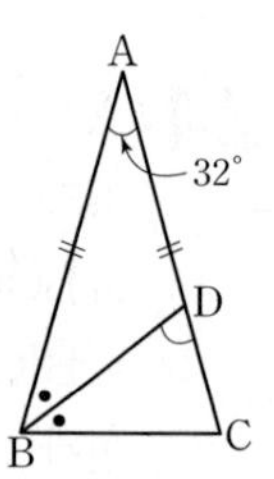

① 68°　② 69°　③ 70°　④ 71°　⑤ 72°

03 오른쪽 그림과 같이 $\overline{AB}=\overline{AC}$인 이등변삼각형 ABC에서 $\angle BAD=\angle CAD$, $\overline{AB}=13$ cm, $\overline{AD}=12$ cm, $\overline{CD}=5$ cm일 때, $\overline{BC}$의 길이를 구하여라.

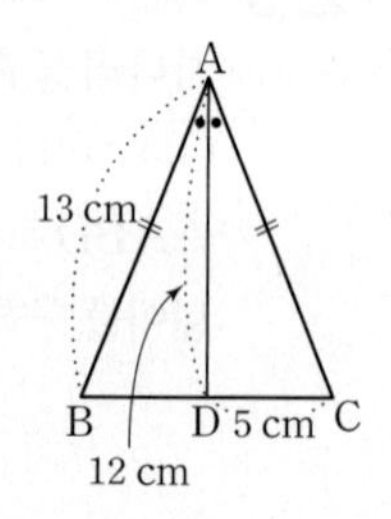

04 오른쪽 그림과 같이 $\overline{AB}=\overline{AC}$인 이등변삼각형 ABC에서 $\overline{BD}=\overline{CD}$일 때, $\angle ACD$의 크기는?

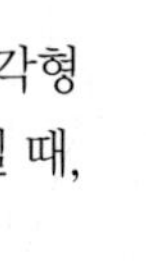

① 45°　② 46°　③ 47°　④ 48°　⑤ 49°

05 오른쪽 그림과 같은 $\triangle ABC$에서 $\angle A=68°$, $\angle B=44°$, $\overline{BC}=4$ cm일 때, $\overline{AB}$의 길이를 구하여라.

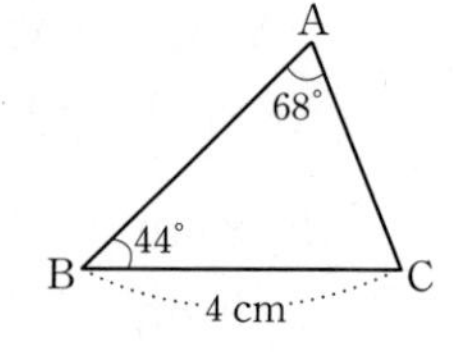

06 오른쪽 그림의 직각삼각형 ABC에서 $\overline{AC}=\overline{AD}$, $\overline{AB}\perp\overline{DE}$, $\angle CAE=18°$일 때, $\angle B$의 크기는?

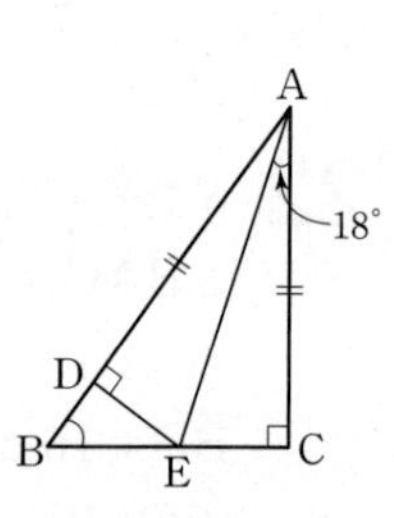

① 44°　② 49°　③ 54°　④ 59°　⑤ 64°

07 오른쪽 그림에서 점 O는 $\triangle ABC$의 외심이고, $\overline{AO}$는 $\angle A$의 이등분선이다. $\angle OBC = \angle OAB + 15°$일 때, $\angle BOC$의 크기는?

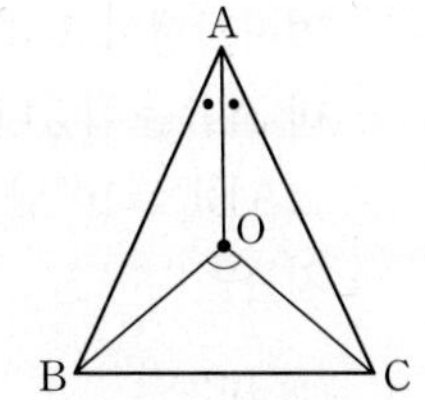

① 100° ② 110° ③ 120°
④ 130° ⑤ 140°

08 오른쪽 그림에서 점 O는 $\triangle ABC$의 외심이고 $\angle OBC = 20°$, $\angle OAC = 22°$일 때, $\angle x$의 크기는?

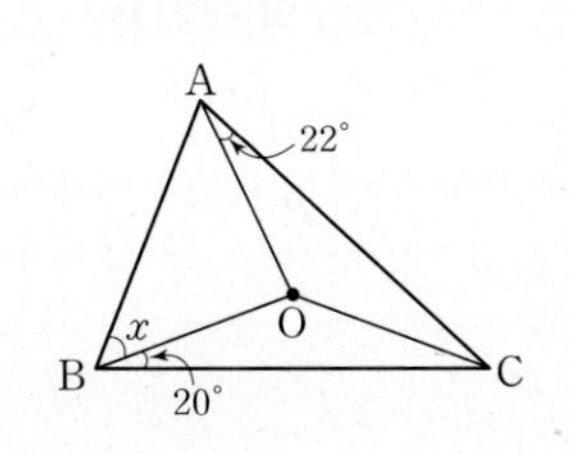

① 38° ② 40° ③ 46°
④ 48° ⑤ 58°

09 오른쪽 그림에서 점 I는 $\triangle ABC$의 내심이고 $\angle x : \angle y : \angle z = 2 : 3 : 4$일 때, $\angle ABC$의 크기는?

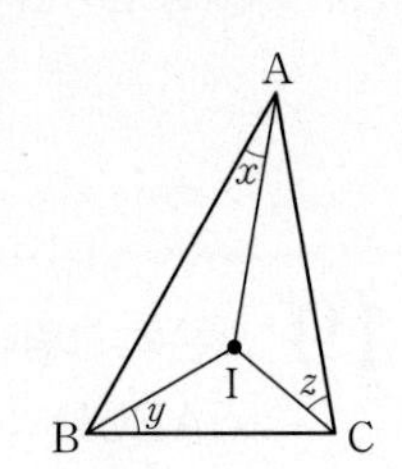

① 40° ② 45°
③ 50° ④ 55°
⑤ 60°

10 오른쪽 그림에서 점 O와 점 I는 각각 $\triangle ABC$의 외심과 내심이다. $\angle A = 70°$, $\angle C = 50°$일 때, $\angle IBO$의 크기는?

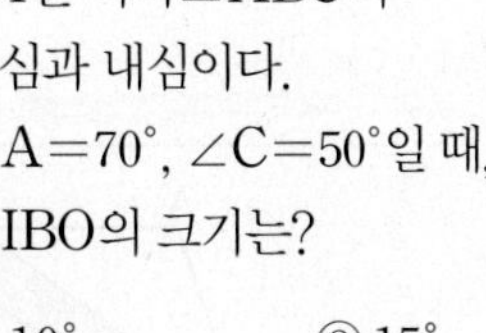

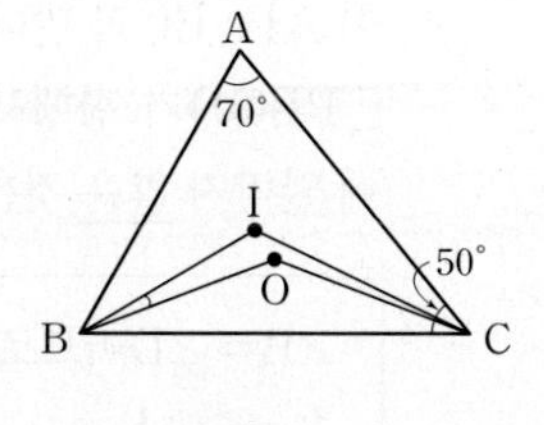

① 10° ② 15° ③ 20°
④ 25° ⑤ 30°

11 오른쪽 그림의 평행사변형 ABCD에서 $\angle A : \angle B = 2 : 1$일 때, $\angle D$의 크기는?

① 54° ② 56° ③ 60°
④ 65° ⑤ 72°

12 오른쪽 그림과 같은 사각형 ABCD가 평행사변형이 되도록 하는 x의 값을 구하여라.

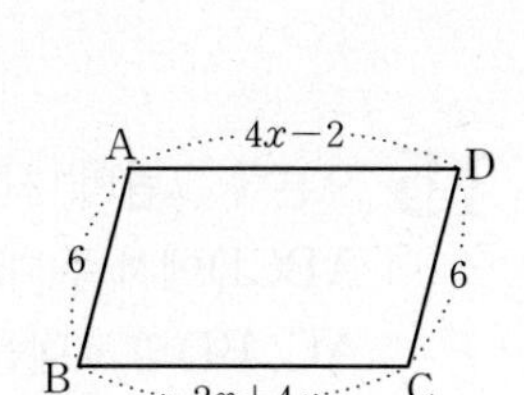

13 다음은 평행사변형 ABCD에서 ∠B, ∠D의 이등분선이 $\overline{AD}$, $\overline{BC}$와 만나는 점을 각각 P, Q라 할 때, □PBQD가 평행사변형임을 설명하는 과정이다. 빈칸에 알맞지 않은 것은?

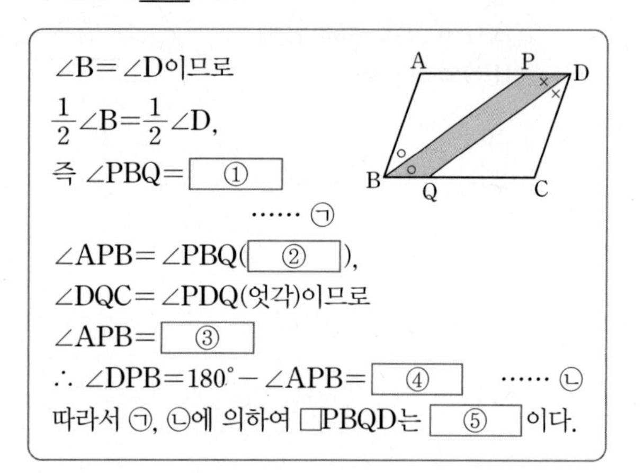

∠B=∠D이므로

$\frac{1}{2}$∠B=$\frac{1}{2}$∠D,

즉 ∠PBQ= ① ⋯⋯ ㉠

∠APB=∠PBQ(②),

∠DQC=∠PDQ(엇각)이므로

∠APB= ③

∴ ∠DPB=180°−∠APB= ④ ⋯⋯ ㉡

따라서 ㉠, ㉡에 의하여 □PBQD는 ⑤ 이다.

① ∠PDQ ② 엇각 ③ ∠DQC
④ ∠PAB ⑤ 평행사변형

14 오른쪽 그림에서 □ABCD는 평행사변형이고, 점 O는 두 대각선의 교점이다.
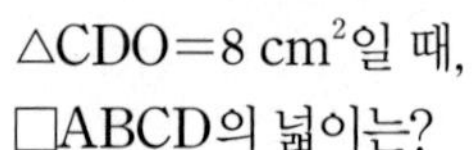
△CDO=8 cm²일 때, □ABCD의 넓이는?

① 16 cm² ② 20 cm² ③ 24 cm²
④ 28 cm² ⑤ 32 cm²

15 오른쪽 그림의 마름모 ABCD에서 두 대각선 AC, BD의 교점을 O라 하자. ∠OAB=58°일 때, ∠ODC의 크기는?

① 28° ② 29° ③ 30°
④ 31° ⑤ 32°

16 오른쪽 그림에서 □ABCD는 정사각형이고 대각선 AC 위에 한 점 P를 잡았다. ∠ABP=10°일 때, ∠x의 크기는?

① 45° ② 50°
③ 55° ④ 60°
⑤ 65°

17 오른쪽 그림에서 □ABCD는 $\overline{AD}$//$\overline{BC}$인 등변사다리꼴이다. $\overline{DA}$=$\overline{DC}$이고 ∠DAC=36°일 때, ∠x의 크기는?

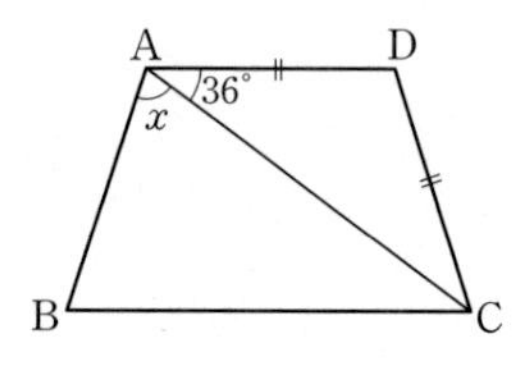

① 70° ② 72° ③ 74°
④ 76° ⑤ 78°

18 다음 중 사각형과 보기의 대각선의 성질이 바르게 짝지어지지 않은 것은?

보기

ㄱ. 두 대각선이 서로 다른 것을 이등분한다.
ㄴ. 두 대각선의 길이는 서로 같다.
ㄷ. 두 대각선은 서로 수직으로 만난다.

① 정사각형 – ㄱ, ㄴ, ㄷ ② 평행사변형 – ㄱ
③ 직사각형 – ㄱ, ㄴ ④ 마름모 – ㄱ, ㄷ
⑤ 등변사다리꼴 – ㄱ, ㄴ

19 오른쪽 그림과 같이 □ABCD의 꼭짓점 D를 지나고 $\overline{AC}$와 평행한 직선이 $\overline{BC}$의 연장선과 만나는 점을 E라 하자. △ABC=12 cm², △ACE=15 cm²일 때, □ABCD의 넓이를 구하여라.

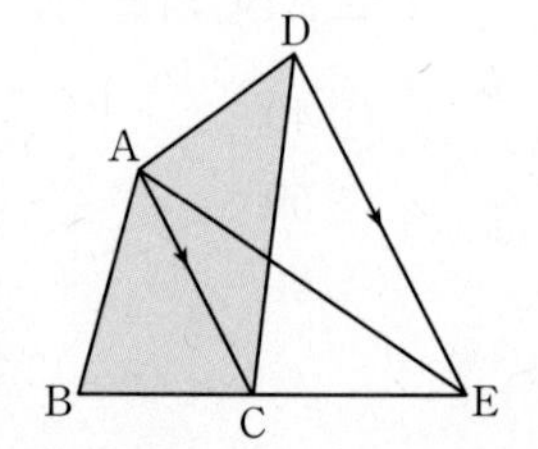

20 다음 그림에서 두 원뿔이 서로 닮은 도형일 때, 큰 원뿔의 밑면의 넓이를 구하여라.

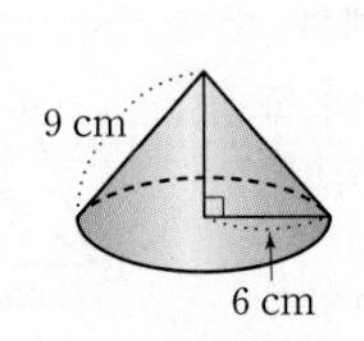

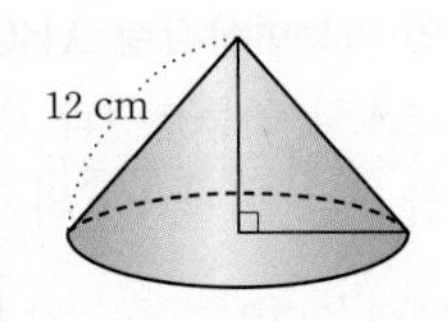

21 다음 삼각형 중에서 서로 닮은 삼각형끼리 바르게 짝지은 것은?

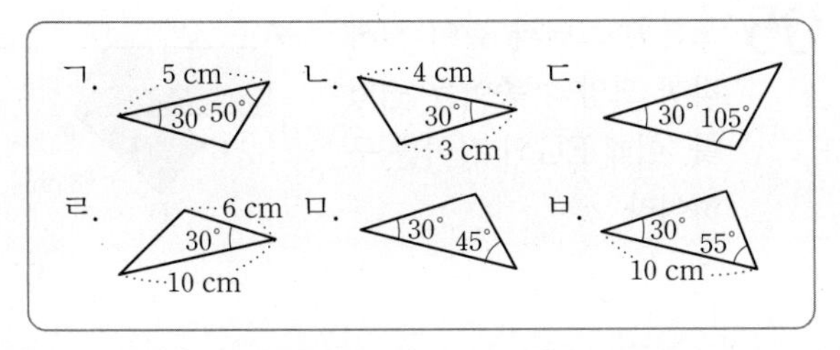

① ㄱ, ㄹ ② ㄴ, ㅂ ③ ㄷ, ㅁ
④ ㄹ, ㅁ ⑤ ㅁ, ㅂ

22 오른쪽 그림에서 $\overline{AB}$의 길이를 구하여라.

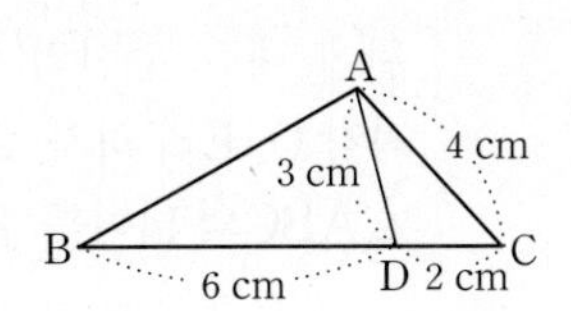

서술형 문제

23 오른쪽 그림과 같이 $\angle C=90°$인 직각삼각형 ABC에서 $\angle A$의 이등분선이 $\overline{BC}$와 만나는 점을 D라 하자. $\overline{AB}=12$ cm이고, $\triangle ABD$의 넓이가 $24\ cm^2$일 때, $\overline{CD}$의 길이를 구하여라. [7점]

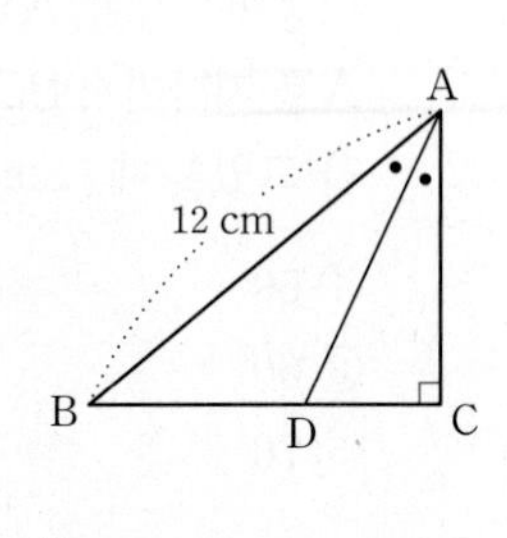

24 오른쪽 그림과 같은 평행사변형 ABCD에서 $\overline{AD}$의 중점을 E라 하고, $\overline{BE}$의 연장선이 $\overline{CD}$의 연장선과 만나는 점을 F라 하자. $\overline{AB}=7$ cm, $\overline{BC}=16$ cm일 때, $\overline{CF}$의 길이를 구하여라. [8점]

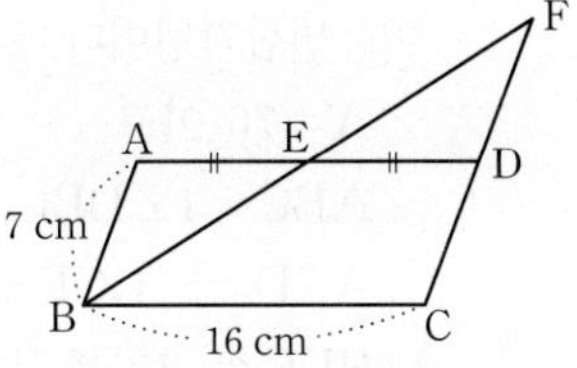

25 오른쪽 그림의 $\triangle ABC$에서 $\angle A=90°$, $\overline{BM}=\overline{CM}$, $\overline{AG}\perp\overline{BC}$, $\overline{GH}\perp\overline{AM}$, $\overline{BG}=4$ cm, $\overline{CG}=1$ cm일 때, $\overline{AH}$의 길이를 구하여라. [8점]

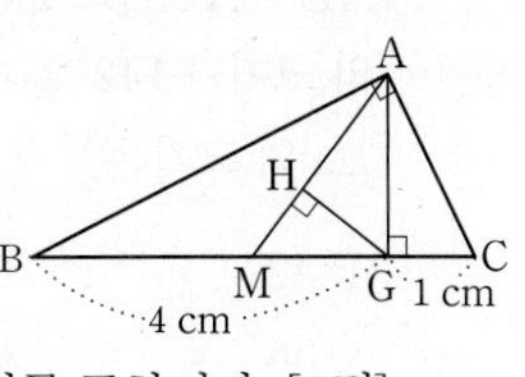

01 오른쪽 그림과 같이 $\overline{AB}=\overline{AC}$인 이등변삼각형 ABC에서 꼭짓점 A를 지나면서 $\overline{BC}$에 평행한 직선을 그었을 때, $\angle x$의 크기는?

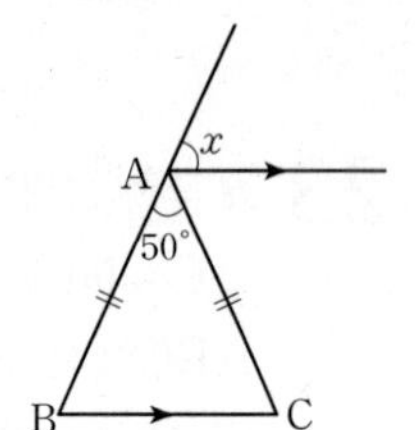

① 50° ② 55°
③ 60° ④ 65°
⑤ 70°

02 오른쪽 그림과 같이 △ABC는 $\overline{AB}=\overline{AC}$인 이등변삼각형이다. $\angle A=76°$이고 $\angle ABC=4\angle DBC$, $\angle ACD=\angle DCE$일 때, $\angle BDC$의 크기를 구하여라.

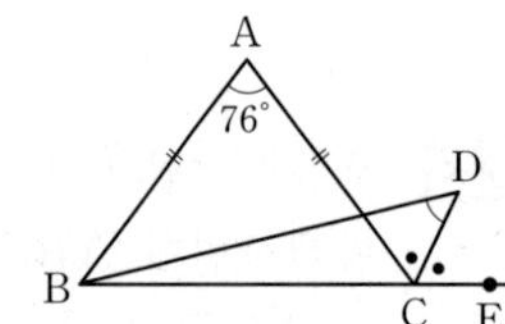

03 오른쪽 그림에서 $\overline{AB}=\overline{AC}$이고 ∠C의 외각의 크기가 142°일 때, $\angle x$의 크기는?

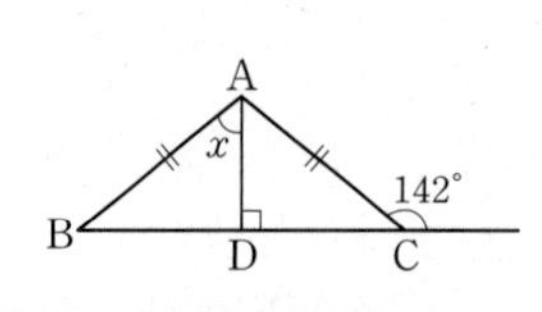

① 42° ② 48° ③ 52°
④ 56° ⑤ 56°

04 오른쪽 그림과 같이 $\overline{AB}=\overline{AC}$인 이등변삼각형 ABC에서 ∠A의 이등분선과 $\overline{BC}$의 교점을 D라 할 때, $\overline{BE}$의 길이는?

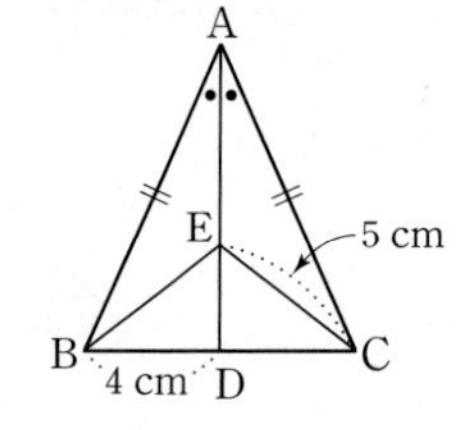

① 4.2 cm ② 4.4 cm
③ 4.5 cm ④ 4.8 cm
⑤ 5 cm

05 오른쪽 그림과 같이 직사각형 모양의 종이를 접었다. 이때 $\overline{EG}$의 길이를 구하여라.

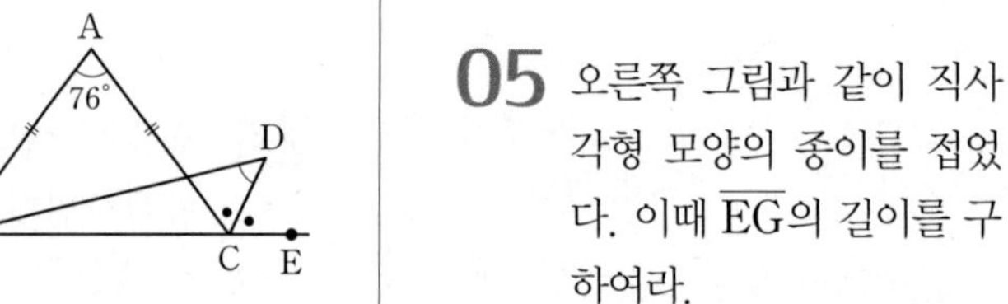

06 오른쪽 그림과 같이 직각이등변삼각형 ABC의 두 꼭짓점 A, C에서 꼭짓점 B를 지나는 직선 l 위에 내린 수선의 발을 각각 D, E라 하자. $\overline{AD}=8$ cm, $\overline{CE}=6$ cm일 때, △ABC의 넓이를 구하여라.

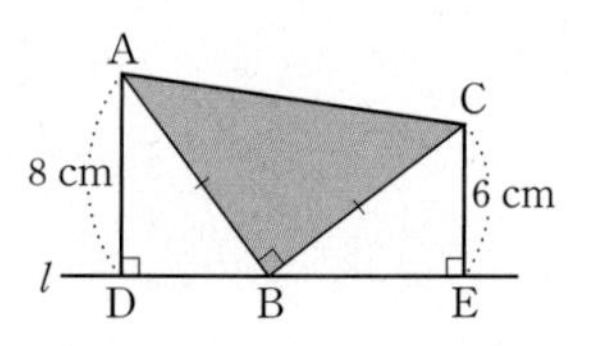

07 오른쪽 그림에서 $\overline{PA}=\overline{PB}$, $\angle AOB=48°$일 때, $\angle x$의 크기를 구하여라.

08 오른쪽 그림은 고분 발굴 현장에서 발견된 원형인 유물의 일부분이다. 이 유물의 중심을 구하는 방법은?

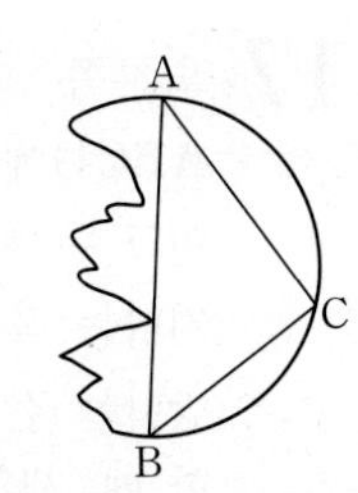

① $\angle A$의 이등분선
② $\overline{BC}$, $\overline{CA}$의 수선의 교점
③ $\overline{BC}$, $\overline{CA}$의 이등분선의 교점
④ $\angle B$, $\angle C$의 이등분선의 교점
⑤ $\overline{BC}$, $\overline{CA}$의 수직이등분선의 교점

09 오른쪽 그림과 같이 $\overline{AB}$를 지름으로 하는 원 O에서 $\angle B=30°$일 때, $\angle A$의 크기는?

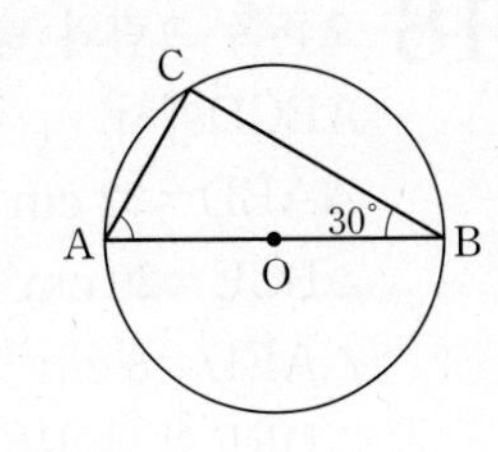

① 60°　　② 62°
③ 65°　　④ 70°
⑤ 75°

10 오른쪽 그림에서 점 I는 $\triangle ABC$의 내심이다. $\overline{DE}\,/\!/\,\overline{BC}$이고 $\triangle ABC$의 둘레의 길이가 21 cm, $\triangle ADE$의 둘레의 길이가 14 cm일 때, $\overline{BC}$의 길이를 구하여라.

11 오른쪽 그림에서 점 I가 $\triangle ABC$의 내심일 때, $\triangle ABC$와 $\triangle IBC$의 넓이의 비는?

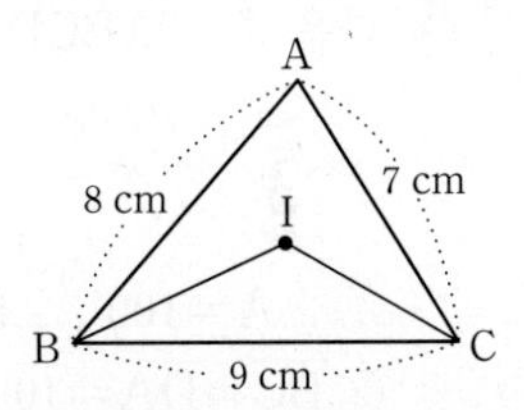

① 3 : 1　　② 5 : 3
③ 2 : 1　　④ 8 : 3
⑤ 24 : 7

12 오른쪽 그림의 평행사변형 ABCD에서 $\angle x$의 크기는?

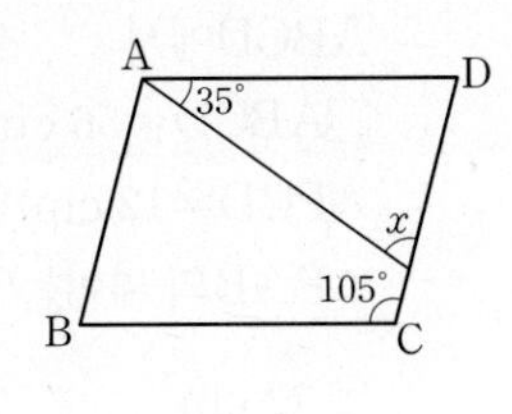

① 50°　　② 55°
③ 60°　　 ④ 65°
⑤ 70°

13 오른쪽 그림의 평행사변형 ABCD에서 점 O는 두 대각선의 교점이고 $\overline{BC}=14$ cm, $\overline{AC}=16$ cm, $\overline{BD}=18$ cm일 때, △AOD의 둘레의 길이는?

① 29 cm ② 30 cm ③ 31 cm
④ 32 cm ⑤ 33 cm

14 다음 중 □ABCD가 평행사변형이 되는 조건인 것을 모두 고르면? (단, 점 O는 두 대각선의 교점이다.)

(정답 2개)

① $\angle A=100^\circ$, $\angle B=80^\circ$, $\angle C=80^\circ$
② $\overline{BC}=\overline{DA}=10$ cm, $\overline{AB}/\!/\overline{DC}$
③ $\angle DAC=\angle ACB$, $\overline{AD}=\overline{BC}=8$ cm
④ $\overline{AB}=7$ cm, $\overline{BC}=5$ cm, $\overline{CD}=5$ cm, $\overline{DA}=7$ cm
⑤ $\overline{AO}=\overline{CO}$, $\overline{BO}=\overline{DO}$

15 오른쪽 그림의 평행사변형 ABCD에서 □ABCD$=56$ cm^2,
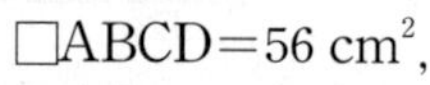
△PCD$=12$ cm^{2}일 때, △PAB의 넓이는?

① 12 cm^2 ② 14 cm^2 ③ 16 cm^2
④ 20 cm^2 ⑤ 22 cm^2

16 다음 설명 중 옳지 <u>않은</u> 것은?

① 등변사다리꼴은 평행사변형이다.
② 직사각형은 두 대각선의 길이가 같다.
③ 정사각형은 두 대각선이 서로 수직이다.
④ 마름모는 이웃하는 두 변의 길이가 같다.
⑤ 정사각형은 두 대각선이 서로 다른 것을 수직이등분한다.

17 오른쪽 그림의 정사각형 ABCD에서 $\overline{AB}=16$ cm이고 두 대각선의 교점 O를 지나는 직선이 $\overline{AD}$, $\overline{BC}$와 만나는 점을 각각 E, F라 할 때, 색칠한 부분의 넓이는?

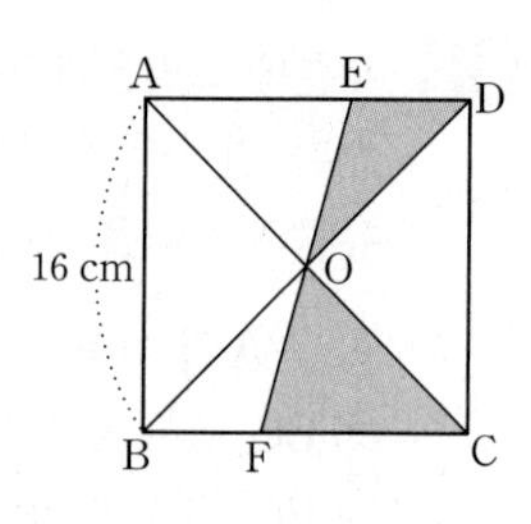

① 52 cm^2 ② 56 cm^2 ③ 60 cm^2
④ 64 cm^2 ⑤ 68 cm^2

18 오른쪽 그림의 평행사변형 ABCD에서 △ABD$=32$ cm^2, △BCE$=20$ cm^2, △AFD$=8$ cm^{2}일 때, △DFE의 넓이는?

① 3 cm^2 ② 4 cm^2 ③ 5 cm^2
④ 6 cm^2 ⑤ 7 cm^2

19 오른쪽 그림과 같은 $\triangle ABC$에서 $\overline{BD} : \overline{DC} = 3 : 2$, $\triangle ABC = 30\ cm^2$일 때, $\triangle ABD$의 넓이는?

① $17\ cm^2$　② $18\ cm^2$　③ $19\ cm^2$
④ $20\ cm^2$　⑤ $21\ cm^2$

20 다음 보기 중에서 항상 닮은 도형인 것은 모두 몇 개인가?

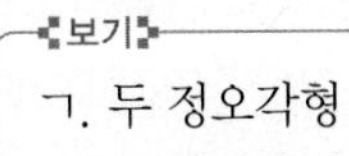

보기	
ㄱ. 두 정오각형	ㄴ. 두 직각삼각형
ㄷ. 두 직사각형	ㄹ. 두 구
ㅁ. 두 원기둥	ㅂ. 두 정팔면체

① 2개　② 3개　③ 4개
④ 5개　⑤ 6개

21 오른쪽 그림에서 $\overline{AB} /\!/ \overline{ED}$, $\overline{AE} /\!/ \overline{BC}$일 때, $\overline{AD}$의 길이는?

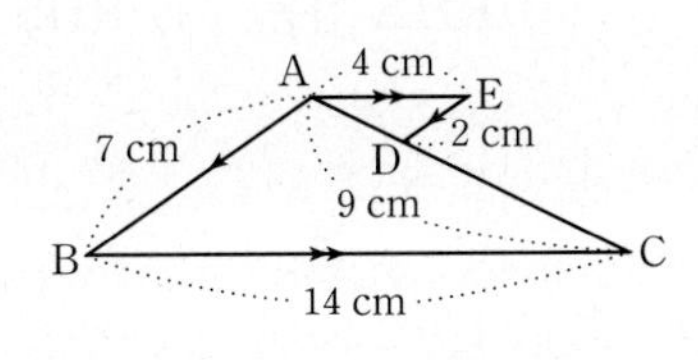

① 2 cm　② $\frac{18}{7}$ cm　③ 3 cm
④ $\frac{23}{7}$ cm　⑤ 4 cm

22 오른쪽 그림에서 $\angle BAC = \angle ADC = 90°$, $\overline{AC} = 6$ cm, $\overline{DC} = 4$ cm일 때, $\overline{BD}$의 길이를 구하여라.

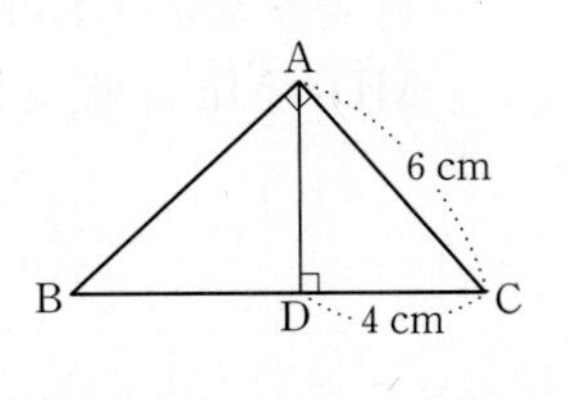

서술형 문제

23 오른쪽 그림의 $\angle C = 90°$인 직각삼각형 ABC에서 $\overline{AD} = \overline{CD}$, $\overline{AC} = 7$ cm일 때, $\overline{AB}$의 길이를 구하여라. [7점]

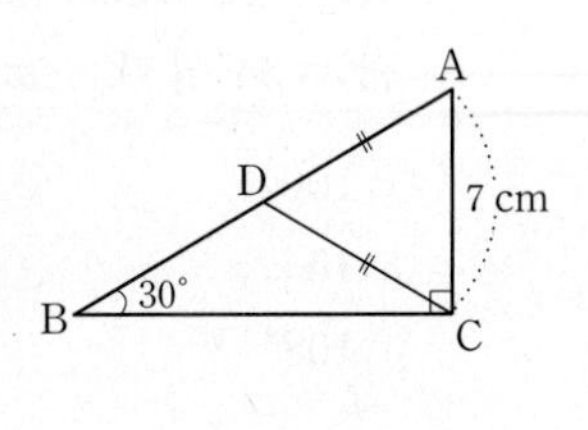

24 오른쪽 그림과 같은 평행사변형 ABCD에서 $\overline{AE}$, $\overline{CF}$가 각각 $\angle A$, $\angle C$의 이등분선일 때, $\angle x$의 크기를 구하여라. [8점]

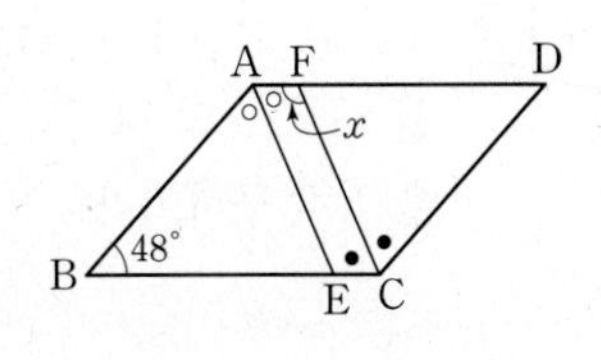

25 오른쪽 그림에서 $\overline{AC}$의 길이를 구하여라. [8점]

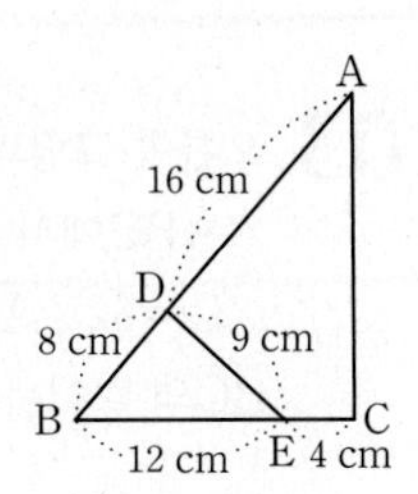

01 오른쪽 그림에서 $\overline{AB}=\overline{AC}=\overline{CD}$이고 $\angle B=34°$일 때, $\angle x$의 크기는?

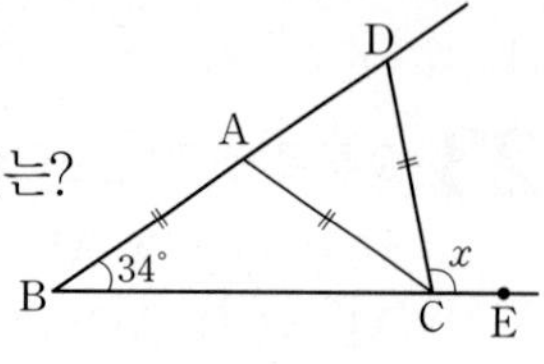

① $100°$ ② $102°$ ③ $104°$ ④ $106°$ ⑤ $108°$

02 오른쪽 그림에서 $\overline{AB}=\overline{AC}$일 때, $\angle x$의 크기와 y의 값을 각각 구하여라.

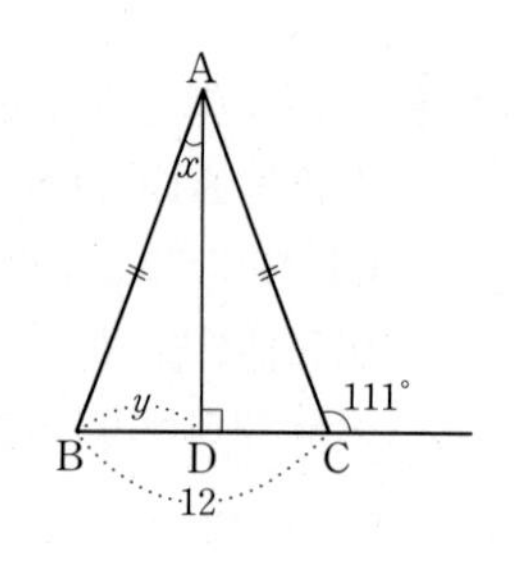

03 오른쪽 그림과 같은 $\triangle ABC$에서 $\angle B=56°$, $\angle C=62°$, $\overline{AB}=10\text{ cm}$, $\overline{BC}$의 길이를 구하여라.

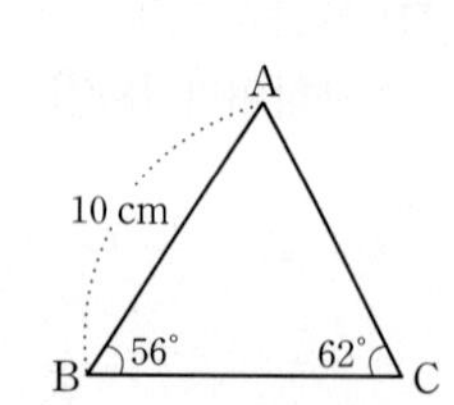

04 오른쪽 그림의 $\triangle ABC$에서 $\angle B=\angle C$, $\overline{BC}=8\text{ cm}$이다. $\triangle ABC$의 둘레의 길이가 22 cm일 때, $\overline{AB}$의 길이는?

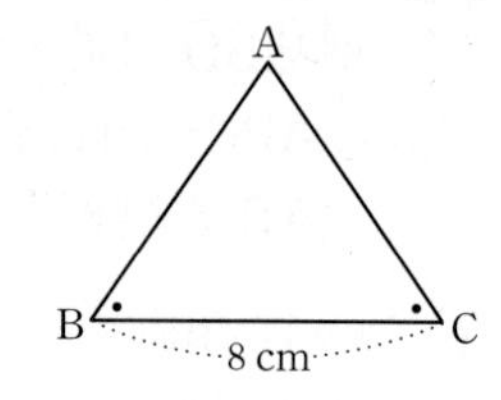

① 6 cm ② 7 cm ③ 8 cm ④ 12 cm ⑤ 14 cm

05 다음 그림에서 두 삼각형 ABC와 DEF는 합동이다. 다음 중 만족하는 합동조건은?

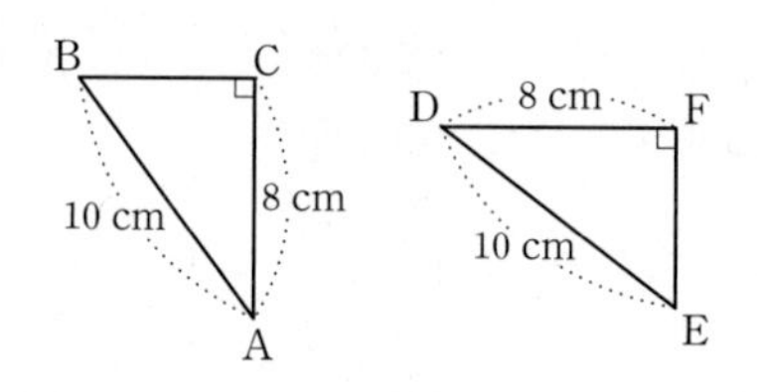

① SSS 합동 ② SAS 합동 ③ ASA 합동 ④ RHA 합동 ⑤ RHS 합동

06 오른쪽 그림과 같이 $\angle A=66°$인 $\triangle ABC$에서 $\overline{BC}$의 중점을 M이라 하고, 점 M에서 $\overline{AB}$, $\overline{AC}$에 내린 수선의 발을 각각 D, E라 하자. $\overline{MD}=\overline{ME}$일 때, $\angle B$의 크기를 구하여라.

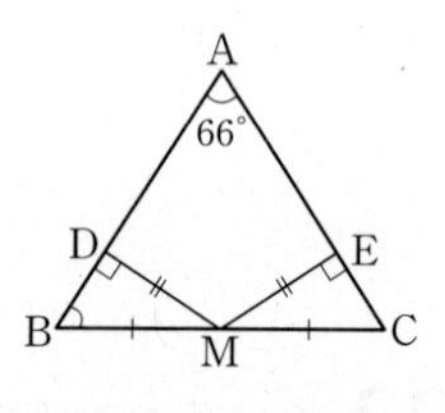

07 삼각형의 외심에 대한 설명 중 옳지 않은 것을 모두 고르면? (정답 2개)

① 외접원의 중심이다.
② 세 내각의 이등분선의 교점이다.
③ 세 변의 수직이등분선의 교점이다.
④ 세 변에 이르는 거리가 같은 점이다.
⑤ 세 꼭짓점에 이르는 거리가 같은 점이다.

08 오른쪽 그림에서 $\triangle ABC$는 $\angle C=90°$인 직각삼각형이다. $\overline{AB}=17$ cm, $\overline{BC}=15$ cm, $\overline{CA}=8$ cm일 때, $\triangle ABC$의 외접원의 둘레의 길이를 구하여라.

09 오른쪽 그림에서 $\overline{BD}$는 $\triangle ABC$의 외심 O를 지난다. $\angle A=54°$일 때, $\angle DBC$의 크기는?

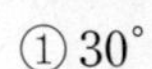

① 30° ② 36°
③ 40° ④ 45°
⑤ 48°

10 오른쪽 그림에서 점 I는 $\triangle ABC$의 내심이다. $\overline{DE} /\!/ \overline{BC}$이고 $\overline{AB}=3$ cm, $\overline{AC}=4$ cm일 때, $\triangle ADE$의 둘레의 길이는?

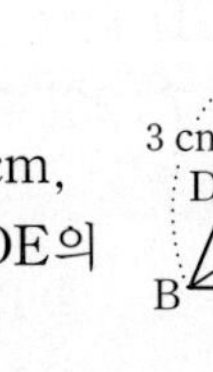

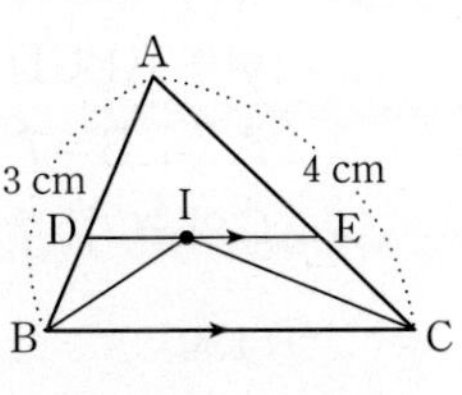

① 6 cm ② 7 cm ③ 8 cm
④ 9 cm ⑤ 10 cm

11 오른쪽 그림에서 점 I는 $\triangle ABC$의 내심이고 $\overline{AD}=2$ cm, $\overline{BD}=5$ cm, $\overline{AC}=6$ cm일 때, $\overline{BC}$의 길이는?

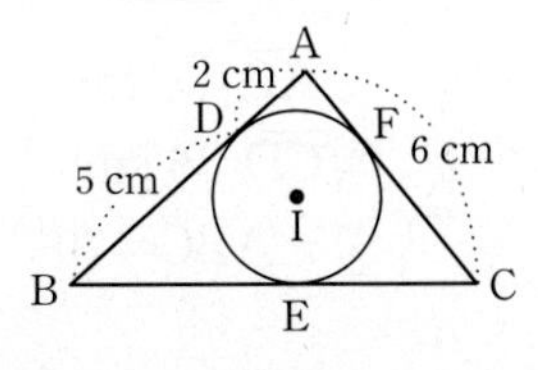

① 8 cm ② 9 cm ③ 10 cm
④ 11 cm ⑤ 12 cm

12 오른쪽 그림의 평행사변형 ABCD에서 $\overline{BE}$는 $\angle B$의 이등분선이고 $\overline{AB}=8$ cm, $\overline{BC}=12$ cm일 때, $\overline{DE}$의 길이를 구하여라.

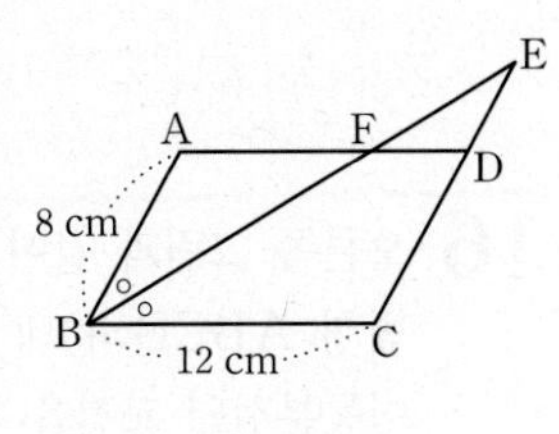

13 오른쪽 그림과 같은 평행사변형 ABCD에서 $\angle A : \angle B = 7 : 2$일 때, $\angle C$의 크기는?

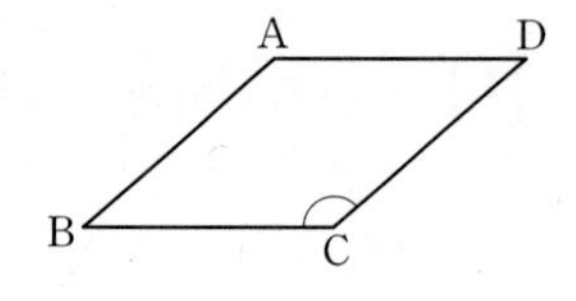

① 130° ② 135° ③ 140°
④ 145° ⑤ 150°

14 오른쪽 그림과 같은 평행사변형 ABCD에서 $\overline{AB}=6$ cm, $\overline{AC}=8$ cm, $\angle CDA=70°$일 때, 다음 중 옳지 않은 것은?

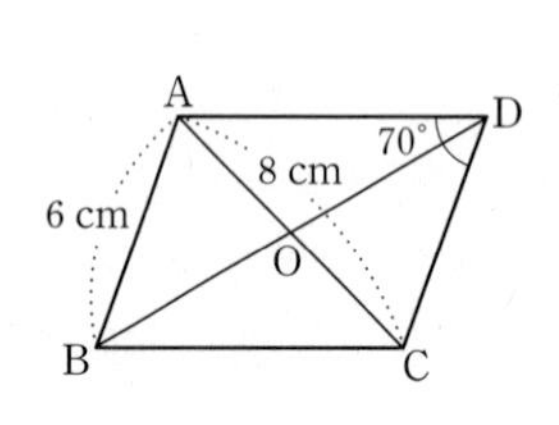

① $\overline{AO}=4$ cm ② $\overline{BD}=8$ cm
③ $\overline{CD}=6$ cm ④ $\angle BCD=110°$
⑤ $\angle ABC=70°$

15 오른쪽 그림의 □ABCD는 평행사변형이고, 점 M, N은 각각 $\overline{AD}$, $\overline{BC}$의 중점이다. □ABCD$=24$ cm²일 때, □MPNQ의 넓이를 구하여라.

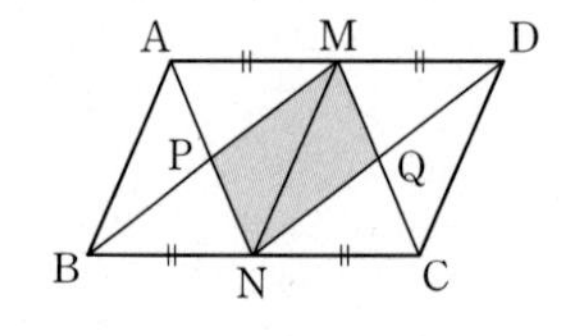

16 오른쪽 그림과 같이 평행사변형 ABCD의 네 내각의 이등분선의 교점을 각각 P, Q, R, S라 할 때, □PQRS는 어떤 사각형인가?

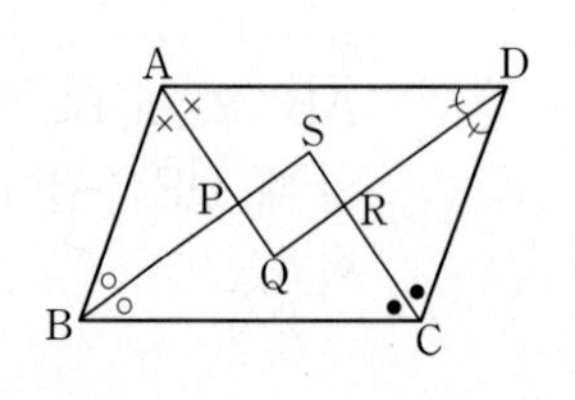

① 사다리꼴 ② 평행사변형 ③ 직사각형
④ 마름모 ⑤ 정사각형

17 다음 중 옳지 않은 것은?

① 등변사다리꼴의 두 대각선의 길이는 서로 같다.
② 정사각형의 두 대각선은 길이가 같고, 서로 다른 것을 수직이등분한다.
③ 평행사변형의 한 내각이 직각이면 직사각형이 된다.
④ 평행사변형의 두 대각선이 서로 직교하면 직사각형이 된다.
⑤ 평행사변형의 이웃하는 두 변의 길이가 같고, 두 대각선의 길이가 같으면 정사각형이 된다.

18 다음 중 사각형과 그 사각형의 각 변의 중점을 연결하여 만든 사각형을 바르게 짝지은 것은?

① 직사각형 – 직사각형
② 평행사변형 – 평행사변형
③ 마름모 – 정사각형
④ 등변사다리꼴 – 직사각형
⑤ 사각형 – 등변사다리꼴

19 오른쪽 그림에서 $\overline{AC} /\!/ \overline{DE}$이고 $\triangle ABC=24$ cm², $\triangle ACE=18$ cm²일 때, □ABCD의 넓이는?

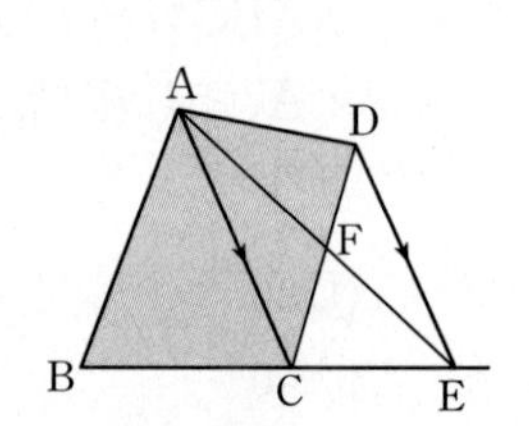

① 40 cm² ② 42 cm²
③ 44 cm² ④ 46 cm²
⑤ 48 cm²

20 다음 그림에서 두 삼각기둥은 서로 닮은 도형이고 모서리 AB에 대응하는 모서리는 모서리 A′B′일 때, $x+y$의 값은?

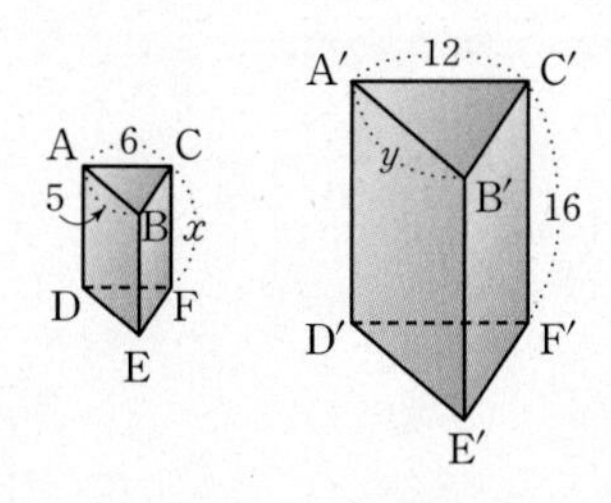

① 15 ② 16 ③ 17
④ 18 ⑤ 19

21 오른쪽 그림에서 △ABC와 △EBD의 닮음비는?

① 1 : 1 ② 2 : 3
③ 2 : 5 ④ 3 : 2
⑤ 5 : 2

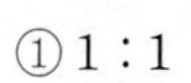

22 오른쪽 그림에서 ∠BAC=90°이고 $\overline{AH}\perp\overline{BC}$이다. $\overline{BH}=9$ cm, $\overline{CH}=4$ cm일 때, △ABC의 넓이는?

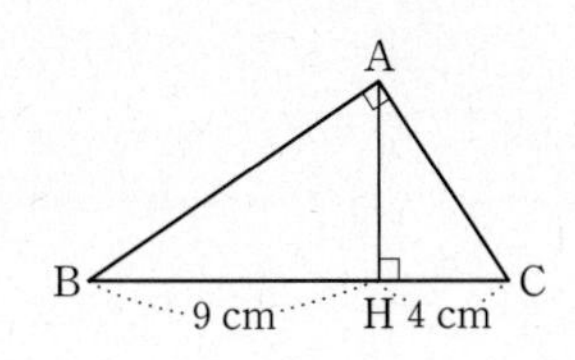

① 36 cm² ② 39 cm² ③ 42 cm²
④ 45 cm² ⑤ 52 cm²

서술형 문제

23 오른쪽 그림과 같이 $\overline{AB}=\overline{AC}$인 이등변삼각형 ABC에서 $\overline{BD}=\overline{CE}$, $\overline{BE}=\overline{CF}$이고 ∠A=80°일 때, ∠EDF의 크기를 구하여라. [7점]

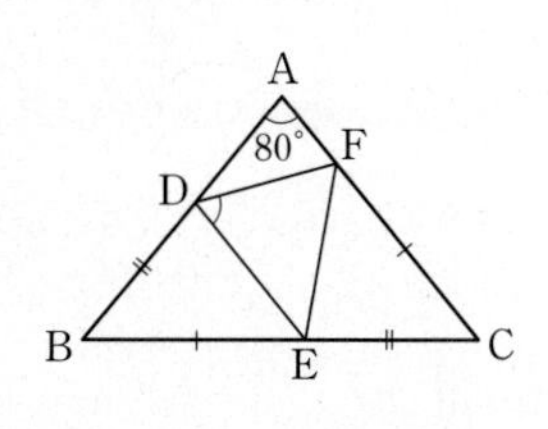

24 오른쪽 그림과 같은 평행사변형 ABCD의 꼭짓점 B, D에서 대각선 AC에 내린 수선의 발을 각각 P, Q라 하자. ∠DPC=50°일 때, ∠x의 크기를 구하여라. [8점]

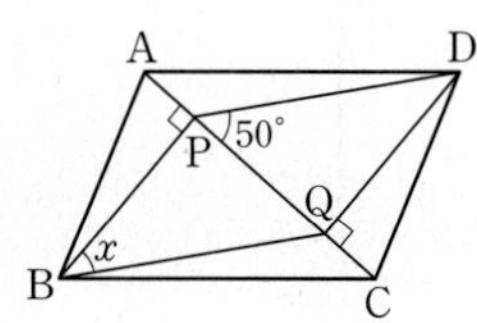

25 오른쪽 그림에서 ∠C=∠BDE이고 $\overline{AD}=4$ cm, $\overline{BD}=5$ cm, $\overline{BE}=3$ cm일 때, $\overline{EC}$의 길이를 구하여라. [8점]

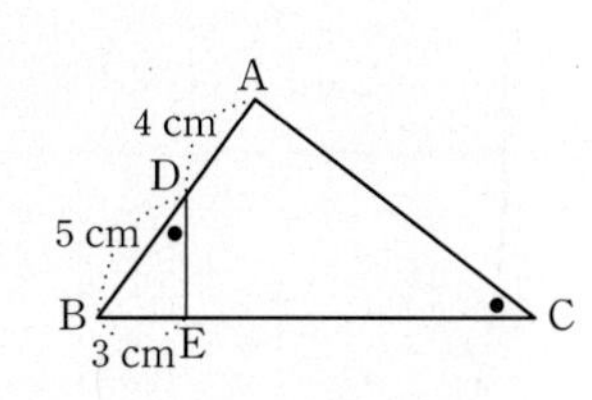

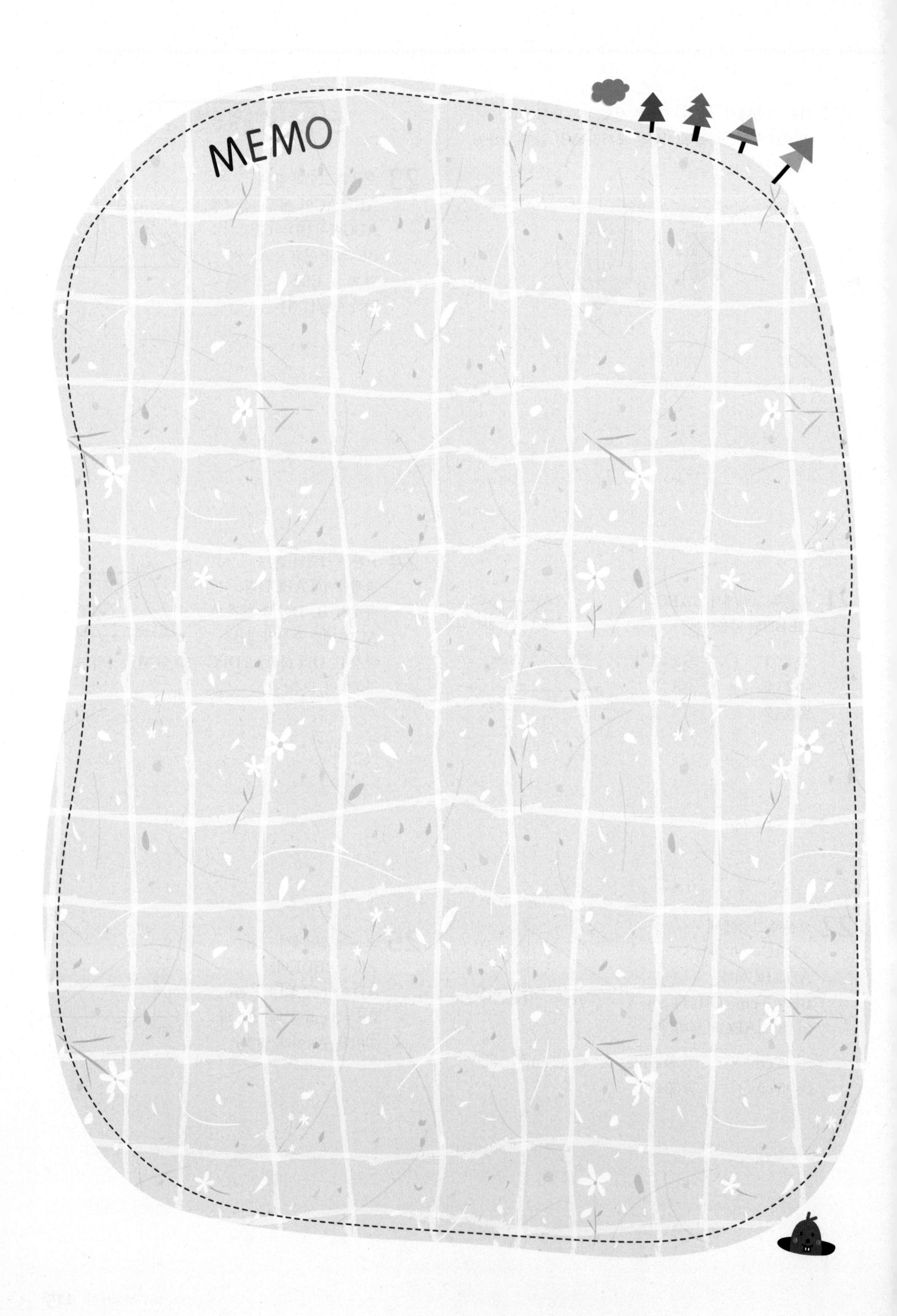
MEMO

실전에 강한 절대 공부 감각
절대 공감

중간고사대비

절대공부감각 내신업

www.왕수학.com

BEST 유형 + BEST 기출 총망라

중학 수학 2·2

중간고사 정답 및 해설

정답 & 해설

1. 이등변삼각형

시험에 꼭 나오는 핵심 개념 6쪽~7쪽

예제 1 답 5 cm

예제 2 답 (1) 55° (2) 44°

(2) $\overline{AB}=\overline{AC}$이므로 $\angle B=\angle C=68°$

$\therefore \angle x=180°-(68°+68°)=44°$

예제 3 답 (1) 4 (2) 40

(2) $\overline{AB}=\overline{AC}$, $\angle BAD=\angle CAD$이므로 $\angle ADB=90°$

따라서 $\angle BAD=180°-(50°+90°)=40°$이므로 $x=40$

예제 4 답 (1) 10 (2) 7

(1) $\angle A=\angle B$이므로 $\overline{AC}=\overline{BC}$

$\therefore x=10$

(2) $\angle C=180°-(100°+40°)=40°$이므로

$\angle B=\angle C$ $\therefore \overline{AB}=\overline{AC}$

$\therefore x=7$

유형 격파 + 기출 문제 8쪽~13쪽

01 $\overline{AC}$, $\overline{AD}$, $\angle CAD$, SAS 02 ④ 03 ⑤ 04 ③
05 ③ 06 ③ 07 84° 08 90° 09 50° 10 ③
11 $\overline{CD}$, $\overline{CD}$, $\overline{PD}$, $\angle PDC$, SAS 12 ③ 13 ②
14 70° 15 ② 16 ⑤ 17 $\angle ACB$, $\angle ABC$, $\angle DCB$
18 7 cm 19 ② 20 90° 21 ③ 22 ⑤
23 $\overline{AD}$, $\overline{BD}$ 24 6 cm 25 ③ 26 ④ 27 22°
28 90° 29 60° 30 28° 31 46° 32 ② 33 36°
34 4.8 cm 35 66° 36 32°

02 ④ SSS

03 $\angle ACB=180°-110°=70°$
$\overline{AB}=\overline{AC}$이므로 $\angle ABC=\angle ACB=70°$
$\therefore \angle x=180°-(70°+70°)=40°$

04 $\overline{AB}=\overline{AC}$이므로 $\angle B=\angle C=\angle x$
$72°+\angle x+\angle x=180°$
$2\angle x=108°$ $\therefore \angle x=54°$

05 $\angle x=\angle B$(동위각)
$\triangle ABC$는 이등변삼각형이므로 $\angle B=\angle C$
$\therefore \angle x=\frac{1}{2}\times(180°-76°)=52°$

06 삼각형의 세 내각의 크기의 합은 180°이고, $\angle B=\angle C$이므로
$\angle A+\angle B+\angle C=\angle A+\frac{5}{2}\angle A+\frac{5}{2}\angle A=6\angle A=180°$
$\therefore \angle A=30°$

07 $\overline{AB}=\overline{AC}$이므로 $\angle ABC=\angle C=\frac{1}{2}\times(180°-52°)=64°$
$\angle ABD=\angle DBC$이므로 $\angle DBC=\frac{1}{2}\times 64°=32°$
따라서 $\triangle BCD$에서 $\angle x=180°-(32°+64°)=84°$

08 $\triangle ACD$에서 $\angle DAC=45°$
$\overline{AD}/\!/\overline{BC}$이므로 $\angle ACB=\angle DAC=45°$(엇각)
따라서 $\angle B=\angle ACB=45°$이므로
$\angle BAC=180°-(45°+45°)=90°$

09 $\triangle ABC$는 이등변삼각형이므로 $\angle ACB=\frac{1}{2}\times(180°-32°)=74°$
$\triangle DCE$는 이등변삼각형이므로 $\angle DCE=\angle DEC=56°$
따라서 $\angle ACB+\angle ACD+\angle DCE=180°$이므로
$\angle ACD=180°-(74°+56°)=50°$

10 ③ SAS

12 $\triangle ABC$는 이등변삼각형이고 $\angle BAD=\angle CAD$이므로 $\overline{AD}$는 $\overline{BC}$를 수직이등분한다.
$\therefore \overline{BD}=\overline{CD}=4(\text{cm})$

13 이등변삼각형의 꼭지각의 이등분선은 밑변을 수직이등분하므로
$\overline{BD}=\overline{CD}$, $\overline{AD}\perp\overline{BC}$

14 $\angle CAD=\angle BAD=20°$이고 $\angle ADC=90°$이므로
$\angle ACD=180°-(20°+90°)=70°$

15 $\angle B=\angle ACD=180°-112°=68°$
$\therefore \angle x=180°-(68°+90°)=22°$
또, $\overline{BD}=\overline{CD}$이므로 $y=2\times5=10$

16 ⑤ ASA

18 $\angle A=180°-(80°+50°)=50°$
$\angle A=\angle C$이므로 $\triangle ABC$는 $\overline{AB}=\overline{BC}$인 이등변삼각형이다.
$\therefore \overline{BC}=\overline{AB}=7(\text{cm})$

19 $\angle B=\angle C$이므로 $\triangle ABC$는 $\overline{AB}=\overline{AC}$인 이등변삼각형이다.
$\overline{AD}\perp\overline{BC}$이므로 $\overline{BD}=\overline{CD}$ $\therefore \overline{CD}=\frac{1}{2}\times10=5(\text{cm})$

20 $\angle A=\angle C$이므로 $\triangle ABC$는 $\overline{BA}=\overline{BC}$인 이등변삼각형이다.
그런데 $\overline{AD}=\overline{CD}$이므로 $\overline{BD}$는 $\overline{AC}$의 수직이등분선이다.
$\therefore \angle x=90°$

21 $\triangle ABC$에서 $\angle B=\angle C$이므로 $\overline{AB}=\overline{AC}$
$\therefore \overline{AB}=\frac{1}{2}\times(20-6)=7(\text{cm})$

22 $\angle BAC=180°-(30°+90°)=60°$이므로 $\angle ACD=60°$
따라서 $\triangle ADC$는 한 변의 길이가 12 cm인 정삼각형이다.
$\therefore \overline{AD}=12(\text{cm})$
$\angle DCB=90°-60°=30°$이므로 $\overline{BD}=\overline{CD}=12(\text{cm})$
$\therefore \overline{AB}=\overline{AD}+\overline{BD}=12+12=24(\text{cm})$

23 $\angle ABC=\angle ACB=\frac{1}{2}\times(180°-36°)=72°$
따라서 $\angle ABD=\frac{1}{2}\times72°=36°$이므로
$\overline{AD}=\overline{BD}$이고 $\angle BDC=36°+36°=72°$

또, $\triangle BCD$에서 $\angle BCD=\angle BDC=72°$이므로 $\overline{BC}=\overline{BD}$
$\therefore \overline{BC}=\overline{BD}=\overline{AD}$

24 $\triangle ABC$에서 $40°=20°+\angle ACB$ $\therefore \angle ACB=20°$
또, $\triangle CDA$에서 $\angle CDA=180°-140°=40°$
따라서 $\triangle ABC$와 $\triangle CDA$는 각각 $\overline{AB}=\overline{AC}$, $\overline{AC}=\overline{CD}$인 이등변삼각형이므로 $\overline{AB}=\overline{CD}=6(cm)$

25 $\triangle ABC$에서 $\angle ACB=\angle B=35°$이므로
$\angle CAD=35°+35°=70°$
또, $\triangle CDA$에서 $\angle CDA=\angle CAD=70°$
$\therefore \angle x=35°+70°=105°$

26 ④ $\angle ADB=180°-(36°+36°)=108°$

27 $\triangle ABC$에서 $\angle ACB=\angle ABC=\angle x$이므로
$\angle CAD=\angle CDA=\angle x+\angle x=2\angle x$
또, $\triangle BCD$에서 $\angle DCE=\angle DEC=\angle x+2\angle x=3\angle x$이고
$\angle E=66°$이므로 $3\angle x=66°$ $\therefore \angle x=22°$

28 $\angle BAM=a$, $\angle CAM=b$라 하면
$\triangle ABM$은 이등변삼각형이므로 $\angle ABM=\angle BAM=a$
$\triangle AMC$는 이등변삼각형이므로 $\angle ACM=\angle CAM=b$
$\triangle ABC$에서 $2a+2b=180°$이므로 $a+b=90°$
$\therefore \angle BAC=a+b=90°$

29 $\overline{AD}=\overline{BD}$이므로 $\angle ABD=x$라 하면 $\angle BAD=\angle CAD=x$
$\triangle ABC$에서 $2x+x+90°=180°$이므로 $x=30°$
$\therefore \angle ADC=\angle ABD+\angle BAD=30°+30°=60°$

30 $\overline{AB}=\overline{AC}$이므로
$\angle ABC=\angle ACB=\frac{1}{2}\times(180°-56°)=62°$
$\angle DBC=\frac{1}{2}\angle ABC=\frac{1}{2}\times 62°=31°$
$\angle DCE=\frac{1}{2}\angle ACE=\frac{1}{2}\times(180°-62°)=\frac{1}{2}\times 118°=59°$
$\angle DCE=\angle DBC+\angle BDC$이므로
$\angle BDC=\angle DCE-\angle DBC=59°-31°=28°$

31 $\overline{AB}=\overline{AC}$이므로 $\angle ABC=\angle ACB=\frac{1}{2}\times(180°-70°)=55°$
$\therefore \angle DCB=55°-32°=23°$
$\triangle DBC\equiv\triangle ECB$(SAS 합동)이므로 $\angle EBC=\angle DCB=23°$
따라서 $\triangle PBC$에서 $\angle DPB=23°+23°=46°$

32 $\angle A=x$라 하면 $\overline{AE}=\overline{BE}$이므로 $\angle A=\angle DBE=x$
$\triangle ABC$는 이등변삼각형이므로 $\angle ABC=\angle ACB=x+27°$
$\triangle ABC$의 세 내각의 크기의 합은 $180°$이므로
$\angle A+\angle ABC+\angle ACB=x+(x+27°)+(x+27°)=180°$
$3x=126°$ $\therefore \angle A=x=42°$

33 $\overline{CD}=\overline{AC}$, $\overline{BE}=\overline{AB}$, $\overline{AB}=\overline{AC}$이므로 $\overline{BE}=\overline{CD}$
$\therefore \overline{BD}=\overline{CE}$
따라서 $\triangle ABD\equiv\triangle ACE$(SAS 합동)이므로 $\overline{AD}=\overline{AE}$
$\triangle ADE$에서 $\angle ADE=\frac{1}{2}\times(180°-36°)=72°$
따라서 $\triangle CAD$에서 $\angle CAD=\angle CDA=72°$이므로
$\angle C=180°-(72°+72°)=36°$

34 $\angle ABC=\angle CBF$(접은 각), $\angle ACB=\angle CBF$(엇각)이므로
$\angle ABC=\angle ACB$
따라서 $\triangle ABC$는 $\overline{AB}=\overline{AC}$인 이등변삼각형이므로
$\overline{AC}=4.8(cm)$

35 $\angle EGF=\angle C'GF$(접은 각), $\angle EFG=\angle C'GF$(엇각)이므로
$\angle EGF=\angle EFG$
따라서 $\angle GEF=\angle BEC=48°$(맞꼭지각)이므로
$\angle EFG=\frac{1}{2}\times(180°-48°)=66°$

36 $\angle ABC=\angle CBD$(접은 각), $\angle ACB=\angle CBD$(엇각)이므로
$\angle ABC=\angle ACB=\angle x$
$\angle ABC+\angle ACB=64°$이므로 $\angle x+\angle x=64°$ $\therefore \angle x=32°$

학교 시험 100점맞기

14쪽~17쪽

01 ②	02 ③	03 ①	04 ③	05 ⑤	06 ①
07 $\angle CAD$, $\overline{AD}$, $\angle ADB$, ASA			08 ③	09 ③	10 ②
11 ④	12 ②	13 ④	14 ⑤	15 ③	16 ③
17 ②	18 ④	19 9°	20 42°	21 20°	22 8 cm

02 $\angle ACB=180°-105°=75°$
$\overline{AB}=\overline{AC}$이므로 $\angle ABC=\angle ACB=75°$
$\therefore \angle x=180°-(75°+75°)=30°$

03 $\angle x=\angle B$(동위각)
$\triangle ABC$는 이등변삼각형이므로 $\angle B=\angle C$
$\therefore \angle x=\frac{1}{2}\times(180°-84°)=48°$

04 $\overline{AB}=\overline{AC}$이므로 $\angle B=\angle C=\frac{1}{2}\times(180°-48°)=66°$
$\angle ABD=\angle DBC$이므로 $\angle DBC=\frac{1}{2}\times 66°=33°$
따라서 $\triangle BCD$에서 $\angle BDC=180°-(33°+66°)=81°$

05 $\overline{AB}=\overline{AC}$, $\angle BAD=\angle CAD$, $\overline{AD}$는 공통
$\therefore \triangle ABD\equiv\triangle ACD$(SAS 합동)
$\therefore \angle B=\angle C$, $\overline{BD}=\overline{CD}$, $\angle ADB=\angle ADC=90°$

06 $\angle B=\angle ACD=180°-106°=74°$
따라서 $\triangle ABD$에서 $\angle ADB=90°$이므로
$\angle x=180°-(74°+90°)=16°$
또, $\overline{BD}=\overline{CD}$이므로 $y=\frac{1}{2}\times 18=9$

08 $\angle B=180°-(70°+55°)=55°$
$\angle B=\angle C$이므로 $\triangle ABC$는 $\overline{AB}=\overline{AC}$인 이등변삼각형이다.
$\therefore \overline{AC}=\overline{AB}=5(cm)$

09 $\angle B=\angle C$이므로 $\triangle ABC$는 $\overline{AB}=\overline{AC}$인 이등변삼각형이다.
$\overline{AD}$가 $\angle A$의 이등분선이므로 $\overline{BD}=\overline{CD}$

$\therefore \overline{BC}=2\times4=8(cm)$

10 $\triangle DCA$는 이등변삼각형이므로 $\overline{DC}=\overline{DA}=4(cm)$

$\triangle ABC$에서 $\angle B=180^\circ-(50^\circ+90^\circ)=40^\circ$

$\angle DCB=90^\circ-50^\circ=40^\circ$

따라서 $\triangle DBC$는 $\overline{DB}=\overline{DC}$인 이등변삼각형이다.

$\therefore \overline{DB}=\overline{DC}=4(cm)$

11 (i) $\overline{AB}=\overline{AC}$, $\angle A$는 공통, $\overline{AE}=\overline{AD}$이므로

$\triangle ABE\equiv\triangle ACD$(SAS 합동)

(ii) $\overline{BD}=\overline{CE}$, $\angle DBC=\angle ECB$, $\overline{BC}$는 공통이므로

$\triangle DBC\equiv\triangle ECB$(SAS 합동)

(iii) $\angle DBF=\angle ECF(\because \triangle ABE\equiv\triangle ACD)$, $\overline{BD}=\overline{CE}$

$\angle BDF=\angle CEF(\because \triangle DBC\equiv\triangle ECB)$이므로

$\triangle DBF\equiv\triangle ECF$(ASA 합동)

12 $\angle B=\angle C=\frac{1}{2}\times(180^\circ-88^\circ)=46^\circ$

$\triangle BED$에서 $\overline{BD}=\overline{BE}$이므로 $\angle BED=\frac{1}{2}\times(180^\circ-46^\circ)=67^\circ$

$\triangle CFE$에서 $\overline{CE}=\overline{CF}$이므로 $\angle CEF=\frac{1}{2}\times(180^\circ-46^\circ)=67^\circ$

$\therefore \angle x=180^\circ-(67^\circ+67^\circ)=46^\circ$

13 $\triangle ABC$는 직각이등변삼각형이므로 $\angle ABC=\angle ACB=45^\circ$

2•+2×=$(180^\circ-45^\circ)+(180^\circ-45^\circ)=270^\circ$

∴ •+×$=135^\circ$

따라서 $\triangle BPC$에서 $\angle BPC=180^\circ-$(•+×)$=180^\circ-135^\circ=45^\circ$

14 $\triangle BDF\equiv\triangle CED$(SAS 합동)이므로

$\angle x=180^\circ-(\angle BDF+\angle CDE)=180^\circ-(\angle BDF+\angle BFD)$

$=\angle B=\frac{1}{2}\times(180^\circ-28^\circ)=76^\circ$

15 $\triangle PBD$와 $\triangle PCD$에서

$\overline{AD}$는 이등변삼각형 ABC의 꼭지각의 이등분선이므로

$\angle PDB=\angle PDC=90^\circ$

$\overline{BD}=\overline{CD}$, $\overline{PD}$는 공통

$\therefore \triangle PBD\equiv\triangle PCD$(SAS 합동)

따라서 $\triangle PBC$는 $\overline{PB}=\overline{PC}$인 직각이등변삼각형이므로

$\angle PBD=\angle PCD=45^\circ$, 즉 $\triangle PBD$와 $\triangle PCD$는 모두 직각이등변삼각형이다.

$\therefore \overline{BD}=\overline{CD}=\overline{PD}=8(cm)$

$\therefore \overline{BC}=2\times8=16(cm)$

16 $\angle ABC=\angle CBF$(접은 각), $\angle ACB=\angle CBF$(엇각)이므로

$\angle ABC=\angle ACB=\angle x$

$\angle ABC+\angle ACB=66^\circ$이므로 $\angle x+\angle x=66^\circ$ $\quad\therefore \angle x=33^\circ$

17 $\angle ABM=\angle ACM=\frac{1}{2}\times(180^\circ-40^\circ)=70^\circ$

또, $\triangle MDB$와 $\triangle MCE$는 이등변삼각형이므로

$\angle MDB=\angle MEC=70^\circ$

따라서 $\angle BMD=\angle CME=180^\circ-(70^\circ+70^\circ)=40^\circ$이므로

$\angle DME=180^\circ-(40^\circ+40^\circ)=100^\circ$

$\therefore$ (부채꼴 MED의 넓이)$=\pi\times6^2\times\frac{100^\circ}{360^\circ}=10\pi(cm^2)$

18 $\triangle ABC$는 이등변삼각형이므로 $\angle ABC=\angle ACB$, $\overline{BM}=\overline{CM}$

$\angle BDM=\angle CEM=90^\circ$이므로 $\angle BMD=\angle CME$

따라서 $\triangle BMD\equiv\triangle CME$(ASA 합동)이므로 $\overline{DM}=\overline{EM}$

$\triangle ABC=\frac{1}{2}\times\overline{AC}\times\overline{BF}=\frac{1}{2}\times(\overline{AB}\times\overline{DM}+\overline{AC}\times\overline{EM})$

$\frac{6}{2}\times\overline{AC}=\frac{1}{2}\times\overline{AC}\times(\overline{DM}+\overline{EM})$

따라서 $\overline{DM}+\overline{EM}=6(cm)$이므로 $\overline{DM}=3(cm)$

19 1단계 $\overline{AB}=\overline{AC}$이므로 $\angle ACB=\angle ABC=63^\circ$

2단계 $\overline{CB}=\overline{CD}$이므로 $\angle CDB=\angle CBD=63^\circ$

$\therefore \angle BCD=180^\circ-(63^\circ+63^\circ)=54^\circ$

3단계 $\angle x=\angle ACB-\angle BCD=63^\circ-54^\circ=9^\circ$

20 1단계 $\angle B=\angle x$라 하면

$\angle DEB=\angle x$, $\angle EDA=\angle EAD=\angle x+\angle x=2\angle x$

$\angle AEC=2\angle x+\angle x=3\angle x$

$\therefore \angle C=\angle AEC=3\angle x$

2단계 $\angle C=\angle B+46^\circ$이므로 $3\angle x=\angle x+46^\circ$

$2\angle x=46^\circ$ $\quad\therefore \angle x=23^\circ$

3단계 $\triangle AEC$에서 $\angle EAC+3\angle x+3\angle x=180^\circ$

$\therefore \angle EAC=180^\circ-6\angle x=180^\circ-6\times23^\circ=42^\circ$

21 $\overline{AB}=\overline{AC}$이므로

$\angle ABC=\angle ACB=\frac{1}{2}\times(180^\circ-40^\circ)=70^\circ$ …… ❶

$\angle DBC=\frac{1}{2}\angle ABC=\frac{1}{2}\times70^\circ=35^\circ$ …… ❷

$\angle DCE=\frac{1}{2}\angle ACE=\frac{1}{2}\times(180^\circ-70^\circ)=\frac{1}{2}\times110^\circ=55^\circ$ …… ❸

$\therefore \angle x=\angle DCE-\angle DBC=55^\circ-35^\circ=20^\circ$ …… ❹

채점 기준	배점
❶ $\angle ABC$, $\angle ACB$의 크기를 각각 구하기	2점
❷ $\angle DBC$의 크기 구하기	2점
❸ $\angle DCE$의 크기 구하기	2점
❹ $\angle x$의 크기 구하기	2점

22 $\angle B=\angle C=\frac{1}{2}\times(180^\circ-36^\circ)=72^\circ$

$\angle ABD=\frac{1}{2}\angle B=\frac{1}{2}\times72^\circ=36^\circ$ $\quad\therefore \overline{AD}=\overline{BD}$ …… ❶

$\angle BDC=\angle A+\angle ABD=36^\circ+36^\circ=72^\circ$

$\therefore \overline{BD}=\overline{BC}$ …… ❷

$\therefore \overline{AD}=\overline{BD}=\overline{BC}=8(cm)$ …… ❸

채점 기준	배점
❶ $\overline{AD}=\overline{BD}$임을 알기	2점
❷ $\overline{BD}=\overline{BC}$임을 알기	2점
❸ $\overline{AD}$의 길이 구하기	1점

2. 직각삼각형의 합동과 삼각형의 외심, 내심

시험에 꼭 나오는 핵심개념 18~21쪽

예제 1 답 5 cm

$\triangle$EBD와 $\triangle$EBC에서

$\angle EDB=\angle ECB=90^\circ$, $\overline{EB}$는 공통, $\angle EBD=\angle EBC$이므로

$\triangle EBD\equiv\triangle EBC$(RHA 합동)

$\therefore \overline{BD}=\overline{BC}=\overline{AC}=5(\text{cm})$

예제 2 답 4 cm

$\triangle$ADE와 $\triangle$ACE에서

$\angle ADE=\angle ACE=90^\circ$, $\overline{AE}$는 공통, $\overline{AD}=\overline{AC}$이므로

$\triangle ADE\equiv\triangle ACE$(RHS 합동)

$\therefore \overline{AD}=\overline{AC}=\overline{BC}=4(\text{cm})$

예제 3 답 7 cm

$\triangle$ABD와 $\triangle$AED에서

$\angle ABD=\angle AED=90^\circ$, $\overline{AD}$는 공통, $\angle BAD=\angle EAD$이므로

$\triangle ABD\equiv\triangle AED$(RHA 합동)

$\therefore \overline{BD}=\overline{ED}=7(\text{cm})$

예제 4 답 $25\pi\text{ cm}^2$

$\pi\times5^2=25\pi(\text{cm}^2)$

예제 5 답 $x=40$, $y=7$

점 O가 직각삼각형 ABC의 외심이므로 $\overline{OA}=\overline{OB}=\overline{OC}$

$\therefore x=40,\ y=\frac{1}{2}\times14=7$

예제 6 답 (1) 30° (2) 100°

(1) $25^\circ+\angle x+35^\circ=90^\circ$

$\therefore \angle x=30^\circ$

(2) $\angle x=2\times50^\circ=100^\circ$

예제 7 답 20°

내심은 세 내각의 이등분선의 교점이므로 $\angle x=20^\circ$

예제 8 답 (1) 20° (2) 113°

(1) $\angle x+30^\circ+40^\circ=90^\circ$

$\therefore \angle x=20^\circ$

(2) $\angle x=90^\circ+\frac{1}{2}\times46^\circ=113^\circ$

예제 9 답 3 cm

$\overline{AF}=\overline{AD}=2(\text{cm})$이므로 $\overline{CF}=5-2=3(\text{cm})$

예제 10 답 1 cm

$\triangle ABC=\frac{1}{2}\times4\times3=6(\text{cm}^2)$

내접원의 반지름의 길이를 r라 하면

$6=\frac{1}{2}\times r\times(3+4+5)$, $6r=6$

$\therefore r=1(\text{cm})$

유형 격파 + 기출 문제 22쪽~33쪽

01 ⑤ 02 (1) RHS 합동 (2) RHA 합동 03 5 cm
04 $\triangle ABC\equiv\triangle KJL$(RHA 합동), $\triangle GHI\equiv\triangle OMN$(RHS 합동)
05 4 cm 06 5 cm 07 ⑤ 08 ② 09 ② 10 9 cm
11 ③ 12 ③ 13 120 cm² 14 4 cm² 15 24 cm
16 ⑤ 17 ④ 18 ①, ④ 19 SAS, $\triangle$COE, $\overline{OC}$, $\overline{OC}$, 90°, $\overline{OC}$, $\overline{OF}$, RHS, $\overline{CF}$, 수직이등분 20 3 cm 21 30°
22 ② 23 ② 24 4 cm 25 30 cm² 26 ④ 27 70°
28 8 cm 29 50° 30 ① 31 $\overline{OB}$, $\overline{OC}$, $\angle y$, $\angle z$, 180°, 180, 90° 32 ④ 33 ④ 34 50° 35 38° 36 126°
37 ① 38 ③ 39 ② 40 ② 41 ②
42 12π cm² 43 ①, ③ 44 ②, ③ 45 $\overline{IF}$, $\overline{IE}$, $\overline{IE}$, 90°, $\overline{CI}$, $\overline{IF}$, RHS, 이등분 46 9π cm² 47 ③ 48 ② 49 ①
50 25° 51 ② 52 70° 53 104° 54 125° 55 120°
56 3 cm 57 22 cm 58 19 cm 59 1 cm 60 $\frac{5}{3}$ cm 61 ②
62 2 cm 63 40 cm 64 52 cm² 65 $(82-16\pi)$ cm² 66 ③
67 ③ 68 ④ 69 ③ 70 ①, ④ 71 142° 72 7.5°
73 ②, ③ 74 15° 75 ③ 76 ③ 77 48 cm² 78 65°
79 118° 80 123°

01 ① RHA 합동 ② RHS 합동 ③ SAS 합동 ④ ASA 합동

⑤ 두 삼각형의 세 내각의 크기가 각각 같다고 해서 두 삼각형이 항상 합동이 되는 것은 아니다.

03 $\triangle$ABC와 $\triangle$FED에서

$\angle B=\angle E=90^\circ$, $\overline{AC}=\overline{FD}=10(\text{cm})$, $\angle C=\angle D=60^\circ$

따라서 $\triangle ABC\equiv\triangle FED$(RHA 합동)이므로 $\overline{DE}=\overline{CB}=5(\text{cm})$

05 $\triangle$DBM과 $\triangle$ECM에서

$\angle BDM=\angle CEM=90^\circ$, $\overline{BM}=\overline{CM}$, $\angle B=\angle C$

따라서 $\triangle DBM\equiv\triangle ECM$(RHA 합동)이므로

$\overline{EM}=\overline{DM}=4(\text{cm})$

06 $\triangle$ACP와 $\triangle$BDP에서

$\angle ACP=\angle BDP=90^\circ$, $\overline{AP}=\overline{BP}$, $\angle APC=\angle BPD$(맞꼭지각)

따라서 $\triangle ACP\equiv\triangle BDP$(RHA 합동)이므로 $\overline{AC}=\overline{BD}=5(\text{cm})$

07 $\triangle$DBA와 $\triangle$EAC에서

$\angle D=\angle E=90^\circ$, $\overline{AB}=\overline{CA}$, $\angle DBA=90^\circ-\angle DAB=\angle EAC$

따라서 $\triangle DBA\equiv\triangle EAC$(RHA 합동)이므로

$\overline{DE}=\overline{DA}+\overline{AE}=\overline{EC}+\overline{BD}=4+8=12(\text{cm})$

08 $\triangle$ACD와 $\triangle$BEC에서

$\angle A=\angle B=90^\circ$, $\overline{CD}=\overline{EC}$, $\angle ADC=90^\circ-\angle DCA=\angle BCE$

따라서 $\triangle ACD\equiv\triangle BEC$(RHA 합동)이므로

$\overline{AB}=\overline{AC}+\overline{CB}=\overline{BE}+\overline{DA}=4+6=10(\text{cm})$

$\therefore \square ABED=\frac{1}{2}\times(6+4)\times10=50(\text{cm}^2)$

09 $\triangle$DBC와 $\triangle$DBE에서

$\angle DCB=\angle DEB=90^\circ$, $\overline{DB}$는 공통, $\overline{BC}=\overline{BE}$

따라서 $\triangle DBC\equiv\triangle DBE$(RHS 합동)이므로

$\overline{DC}=\overline{DE}$, $\angle BDC=\angle BDE$, $\angle CBD=\angle EBD$

10 $\triangle ABE$와 $\triangle DBE$에서
$\angle A=\angle BDE=90°$, $\overline{BE}$는 공통, $\overline{AB}=\overline{DB}$
따라서 $\triangle ABE\equiv\triangle DBE$(RHS 합동)이므로 $\overline{DE}=\overline{AE}=9(cm)$

11 $\triangle ADE$와 $\triangle ACE$에서
$\angle ADE=\angle ACE=90°$, $\overline{AE}$는 공통, $\overline{AD}=\overline{AC}$
따라서 $\triangle ADE\equiv\triangle ACE$(RHS 합동)이므로
$\angle DAE=\angle CAE=23°$
$\therefore \angle DEA=\angle CEA=180°-(23°+90°)=67°$
$\therefore \angle DEB=180°-(67°+67°)=46°$

12 $\triangle EBC$와 $\triangle DCB$에서
$\angle BEC=\angle CDB=90°$, $\overline{BC}$는 공통, $\overline{BE}=\overline{CD}$
$\therefore \triangle EBC\equiv\triangle DCB$(RHS 합동)
$\angle EBC=\angle DCB$이므로 $\triangle ABC$에서
$\angle EBC=\frac{1}{2}\times(180°-40°)=70°$
$\therefore \angle BCE=180°-(90°+70°)=20°$

13 $\triangle BDE$와 $\triangle BDC$에서
$\angle BED=\angle C=90°$, $\overline{BD}$는 공통, $\overline{BE}=\overline{BC}$
$\therefore \triangle BDE\equiv\triangle BDC$(RHS 합동)
따라서 $\overline{ED}=\overline{CD}=8(cm)$이므로
$\triangle ABD=\frac{1}{2}\times30\times8=120(cm^2)$

14 $\triangle BDE$와 $\triangle BDC$에서
$\angle BED=\angle BCD=90°$, $\overline{BD}$는 공통, $\angle DBE=\angle DBC$이므로
$\triangle BDE\equiv\triangle BDC$(RHA 합동)
따라서 $\overline{CD}=\overline{ED}=2(cm)$이므로
$\triangle BCD=\frac{1}{2}\times4\times2=4(cm^2)$

15 $\triangle AOP$와 $\triangle BOP$에서
$\angle OAP=\angle OBP=90°$, $\overline{OP}$는 공통, $\angle AOP=\angle BOP$이므로
$\triangle AOP\equiv\triangle BOP$(RHA 합동)
따라서 $\overline{AO}=\overline{BO}=8(cm)$, $\overline{BP}=\overline{AP}=4(cm)$이므로
($\square AOBP$의 둘레의 길이)$=8+8+4+4=24(cm)$

16 $\triangle AOP$와 $\triangle BOP$에서
$\angle OAP=\angle OBP=90°$, $\overline{OP}$는 공통, $\overline{AP}=\overline{BP}$이므로
$\triangle AOP\equiv\triangle BOP$(RHS 합동)
$\therefore \overline{AO}=\overline{BO}$, $\angle APO=\angle BPO$, $\angle AOP=\angle BOP$

17 ㄴ. 점 O가 $\triangle ABC$의 외심이므로 $\overline{OA}=\overline{OB}=\overline{OC}$
ㄷ. $\triangle OAD$와 $\triangle OBD$에서
$\angle ODA=\angle ODB$, $\overline{AD}=\overline{BD}$, $\overline{OD}$는 공통
$\therefore \triangle OAD\equiv\triangle OBD$(SAS 합동)
ㅁ. $\overline{OE}$는 $\overline{BC}$의 수직이등분선이므로 $\overline{BE}=\overline{CE}$

18 ① 삼각형의 외심에서 세 꼭짓점에 이르는 거리는 같다.
④ 삼각형의 외심은 세 변의 수직이등분선의 교점이다.

20 $\overline{OD}$는 $\overline{BC}$의 수직이등분선이므로 $\overline{CD}=\overline{BD}=3(cm)$

21 $\triangle OCA$에서 $\overline{OC}=\overline{OA}$이므로 $\angle OCA=\angle OAC$
$\therefore \angle x=\frac{1}{2}\times(180°-120°)=30°$

22 점 O가 $\triangle ABC$의 외심이므로 $\overline{OA}=\overline{OB}=\overline{OC}$
$\triangle AOC$의 둘레의 길이는
$\overline{OA}+\overline{OC}+\overline{AC}=2\overline{OA}+10=24$, $2\overline{OA}=14$
$\therefore \overline{OA}=7(cm)$
따라서 $\triangle ABC$의 외접원의 반지름의 길이는 7 cm이다.

23 점 O는 직각삼각형 ABC의 외심이므로
$\overline{OA}=\overline{OB}=\overline{OC}=\frac{1}{2}\times10=5(cm)$

24 직각삼각형의 외심은 빗변의 중점이므로 외접원의 반지름의 길이는
$\frac{1}{2}\overline{AB}=\frac{1}{2}\times8=4(cm)$

25 $\overline{BO}=\overline{CO}$이므로 $\triangle OAB=\triangle OCA$
$\therefore \triangle ABC=2\triangle OAB=2\times15=30(cm^2)$

26 점 M은 $\triangle ABC$의 외심이므로 $\overline{AM}=\overline{BM}=\overline{CM}$
$\therefore \angle ABM=\angle BAM=42°$
$\therefore \angle x=\angle ABM+\angle BAM=42°+42°=84°$

27 점 M은 삼각형 ABC의 외심이므로 $\overline{BM}=\overline{CM}$
$\triangle MBC$는 이등변삼각형이므로 $\angle MCB=\angle B=20°$
따라서 $\angle ACB=90°$이므로 $\angle ACM=90°-20°=70°$

28 빗변의 중점을 O라 하면 점 O는 $\triangle ABC$의 외심이므로 $\overline{OA}=\overline{OB}=\overline{OC}$

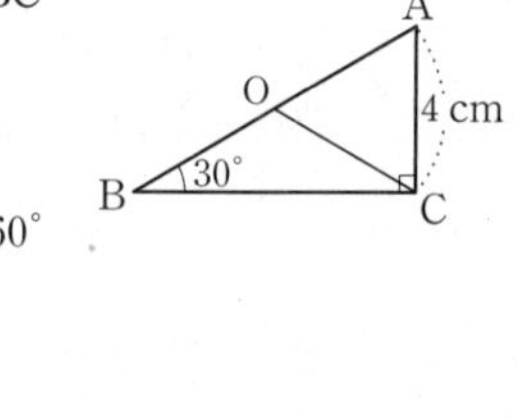

$\triangle OBC$에서 $\angle OBC=\angle OCB=30°$
$\therefore \angle OCA=\angle OAC=90°-30°=60°$
따라서 $\triangle AOC$는 정삼각형이므로
$\overline{AO}=\overline{AC}=4(cm)$
$\therefore \overline{AB}=2\overline{AO}=2\times4=8(cm)$

29 $\angle BMC=180°\times\frac{4}{9}=80°$
따라서 $\overline{MB}=\overline{MC}$이므로 $\triangle MBC$에서
$\angle B=\frac{1}{2}\times(180°-80°)=50°$

30 $\angle x+30°+40°=90°$ $\quad\therefore \angle x=20°$

32 $\overline{OB}=\overline{OC}$이므로 $\angle OBC=\angle OCB=\frac{1}{2}\times(180°-110°)=35°$
$\angle OBA+35°+30°=90°$ $\quad\therefore \angle OBA=25°$

33 $\overline{OC}$를 그으면 $35°+26°+\angle OCA=90°$이므로 $\angle OCA=29°$

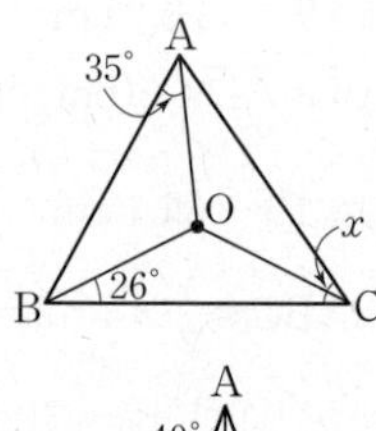

따라서 $\angle OCB=\angle OBC=26°$이므로
$\angle x=\angle OCA+\angle OCB$
$=29°+26°=55°$

34 $\overline{OB}$를 그으면
$\angle OAB+\angle OCB+\angle OAC=90°$이므로
$\angle OCB=90°-40°=50°$

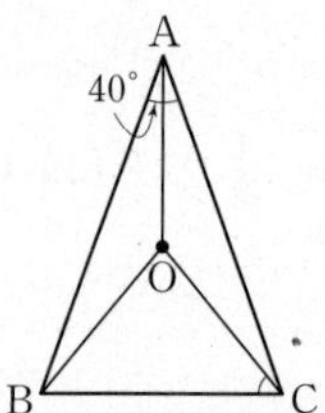

35 $\overline{OA}$, $\overline{OC}$를 그으면

$\angle OAB+\angle OBC+\angle OAC=90°$이므로

$\angle OBC=90°-52°=38°$

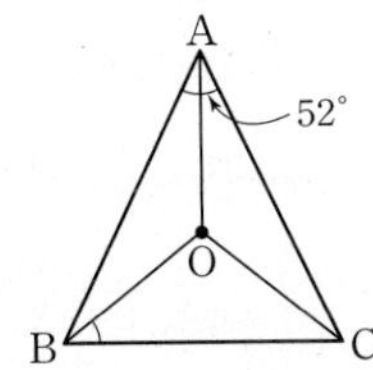

36 $\angle x=2\times 63°=126°$

37 $\angle x=2\angle C=2\times(28°+26°)=108°$

38 점 O가 △ABC의 외심이므로 $\overline{OB}=\overline{OC}$

$\angle OCB=\angle OBC=22°$이므로

$\angle BOC=180°-(22°+22°)=136°$

따라서 $\angle BOC=2\angle A$이므로

$\angle A=\frac{1}{2}\angle BOC=\frac{1}{2}\times 136°=68°$

39 $\angle AOB=2\angle C=2\times 58°=116°$

$\therefore \angle BAO=\frac{1}{2}\times(180°-116°)=32°$

40 점 O가 △ABC의 외심이므로 $\overline{OA}=\overline{OB}$

$\angle OAB=\angle OBA=\angle x$ $\therefore \angle BAC=\angle x+\angle y$

$\angle BOC=2\angle BAC$이므로 $2(\angle x+\angle y)=100°$

$\therefore \angle x+\angle y=50°$

41 $\angle COA=360°\times\frac{5}{12}=150°$이므로 $\angle ABC=\frac{1}{2}\times 150°=75°$

42 $\angle BOC=2\times 60°=120°$

$\therefore$ (색칠한 부분의 넓이)$=\pi\times 6^2\times\frac{120°}{360°}=12\pi(\text{cm}^2)$

46 내접원 I의 반지름의 길이는 $\overline{ID}=3(\text{cm})$이므로 구하는 넓이는

$\pi\times 3^2=9\pi(\text{cm}^2)$

47 $\angle BAI=\angle IAC=35°$이므로 △IAB에서

$\angle x=180°-(120°+35°)=25°$

48 점 I가 △ABC의 내심이므로 $\angle ABI=\angle IBC=28°$

$\angle A=180°-(\angle B+\angle C)=180°-(56°+68°)=56°$

$\therefore \angle BAI=\frac{1}{2}\angle A=\frac{1}{2}\times 56°=28°$

49 점 I가 △ABC의 내심이므로

$40°+\angle x+20°=90°$ $\therefore \angle x=30°$

50 $\overline{AI}$를 그으면

$\angle BAI=\frac{1}{2}\times 50°=25°$이므로

$25°+40°+\angle x=90°$

$\therefore \angle x=25°$

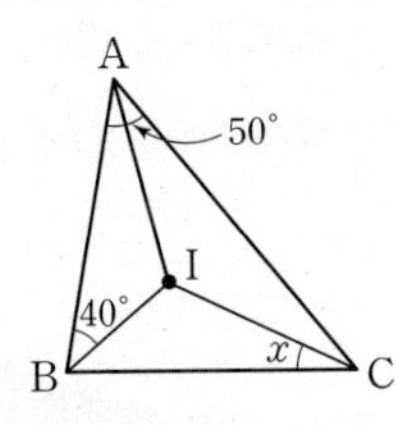

51 $\angle y+25°+30°=90°$ $\therefore \angle y=35°$

$\angle IAB=\angle IAC=35°$, $\angle IBA=\angle IBC=25°$이므로

$\angle x=180°-(35°+25°)=120°$

$\therefore \angle x-\angle y=120°-35°=85°$

52 $\angle IAE=a$, $\angle IBD=b$라 하면 $\angle BAC=2a$, $\angle ABC=2b$

△ABE에서 $2a+b+\angle AEB=180°$

△ABD에서 $a+2b+\angle ADB=180°$

$(2a+b+\angle AEB)+(a+2b+\angle ADB)=360°$

$3a+3b+195°=360°$, $3(a+b)=165°$ $\therefore a+b=55°$

△ABC에서 $a+b+\frac{1}{2}\angle C=90°$이므로

$55°+\frac{1}{2}\angle C=90°$ $\therefore \angle C=70°$

53 $142°=90°+\frac{1}{2}\angle x$, $\frac{1}{2}\angle x=52°$ $\therefore \angle x=104°$

54 $\angle x=90°+\frac{1}{2}\angle A=90°+35°=125°$

55 $\angle ABC:\angle BCA:\angle CAB=1:3:5$이므로

$\angle BCA=180°\times\frac{3}{9}=60°$

$\angle AIB=90°+\frac{1}{2}\angle BCA=90°+30°=120°$ $\therefore \angle AIB=120°$

56 $\overline{CF}=\overline{CE}=2(\text{cm})$이므로 $\overline{AF}=5-2=3(\text{cm})$

$\therefore \overline{AD}=\overline{AF}=3(\text{cm})$

57 $\overline{BE}=\overline{BD}=5(\text{cm})$, $\overline{AF}=\overline{AD}=2(\text{cm})$이므로

$\overline{CE}=\overline{CF}=6-2=4(\text{cm})$

$\therefore \overline{BC}=\overline{BE}+\overline{CE}=5+4=9(\text{cm})$

따라서 △ABC의 둘레의 길이는 $7+9+6=22(\text{cm})$

58 $\overline{AD}=\overline{AF}=x$, $\overline{BD}=\overline{BE}=y$, $\overline{CE}=\overline{CF}=z$이므로

$\overline{AB}=\overline{AD}+\overline{BD}=x+y=13(\text{cm})$ …… ㉠

$\overline{BC}=\overline{BE}+\overline{CE}=y+z=14(\text{cm})$ …… ㉡

$\overline{AC}=\overline{AF}+\overline{CF}=x+z=11(\text{cm})$ …… ㉢

㉠+㉡+㉢을 하면 $2(x+y+z)=38$

$\therefore x+y+z=19(\text{cm})$

59 $\overline{BD}=x(\text{cm})$라 하면 $\overline{BD}=\overline{BE}=x(\text{cm})$이므로

$\overline{AD}=(3-x)(\text{cm})$, $\overline{CE}=(4-x)(\text{cm})$

$\overline{AD}=\overline{AF}=(3-x)(\text{cm})$, $\overline{CE}=\overline{CF}=(4-x)(\text{cm})$

$\overline{AC}=\overline{AF}+\overline{CF}=(3-x)+(4-x)=5$, $2x=2$ $\therefore x=1$

$\therefore \overline{BD}=1(\text{cm})$

60 $\overline{AI}$, $\overline{BI}$, $\overline{CI}$를 긋고

내접원 I의 반지름의 길이를 r라 하면

△ABC=△IAB+△IBC+△ICA

$25=\frac{1}{2}\times r\times(8+8+14)$ $\therefore r=\frac{5}{3}(\text{cm})$

A
14 cm
8 cm
I
B
8 cm
C

61 내접원 I의 반지름의 길이를 r라 하면

$\triangle ABC=\frac{1}{2}\times 12\times 5=\frac{1}{2}\times r\times(5+12+13)$

$15r=30$ $\therefore r=2(\text{cm})$

62 $\triangle ABC=\frac{1}{2}\times 8\times 6=\frac{1}{2}\times x\times(6+8+10)$

$12x=24$ $\therefore x=2(\text{cm})$

63 $\triangle ABC=\frac{1}{2}\times 4\times(\overline{AB}+\overline{BC}+\overline{CA})=80$

$\therefore \overline{AB}+\overline{BC}+\overline{CA}=40(\text{cm})$

64 내접원 I의 반지름의 길이를 r라 하면

$\triangle ABC=\frac{1}{2}\times r\times(26+24+10)=\frac{1}{2}\times 24\times 10$

$30r=120\qquad \therefore r=4(\text{cm})$

$\therefore\ \triangle IAB=\frac{1}{2}\times 26\times 4=52(\text{cm}^2)$

65 내접원 I의 반지름의 길이를 r라 하면 $2\pi r=8\pi\qquad \therefore r=4(\text{cm})$

$\triangle ABC$의 둘레의 길이가 41 cm이므로 $\overline{AB}+\overline{BC}+\overline{CA}=41(\text{cm})$

$\therefore$ (색칠한 부분의 넓이)=($\triangle ABC$의 넓이)−(내접원 I의 넓이)

$=\frac{1}{2}\times r\times(\overline{AB}+\overline{BC}+\overline{CA})-\pi r^2$

$=\frac{1}{2}\times 4\times 41-\pi\times 4^2=(82-16\pi)(\text{cm}^2)$

66 $\angle DBI=\angle CBI=\angle DIB$이므로 $\triangle DBI$는 $\overline{DB}=\overline{DI}$인 이등변삼각형이다.

또, $\angle ECI=\angle BCI=\angle EIC$이므로 $\triangle EIC$는 $\overline{EI}=\overline{EC}$인 이등변삼각형이다.

67 $\overline{DE}=\overline{DI}+\overline{EI}=\overline{DB}+\overline{EC}=3+2=5(\text{cm})$

68 $\overline{AC}=\overline{AB}=12(\text{cm})$이므로 $\overline{EI}=\overline{EC}=12-8=4(\text{cm})$

$\angle B=\angle C$이므로 $\angle IBC=\angle ICB\qquad \therefore \overline{IB}=\overline{IC}$

따라서 $\triangle DBI\equiv\triangle ECI$(ASA 합동)이므로 $\overline{DI}=\overline{DB}=4(\text{cm})$

$\therefore \overline{DE}=4+4=8(\text{cm})$

69 외심과 내심이 일치하므로 $\triangle ABC$는 정삼각형이다.

$\therefore \angle x=60^\circ$

70 ① 삼각형의 외심에서 세 꼭짓점에 이르는 거리는 같다.

④ 정삼각형의 외심과 내심은 일치한다.

71 점 O는 $\triangle ABC$의 외심이므로 $\angle BOC=2\angle A=2\times 52^\circ=104^\circ$

따라서 점 I는 $\triangle OBC$의 내심이므로

$\angle BIC=90^\circ+\frac{1}{2}\angle BOC=90^\circ+\frac{1}{2}\times 104^\circ=90^\circ+52^\circ=142^\circ$

72 $\angle ABC=\frac{1}{2}\times(180^\circ-70^\circ)=55^\circ$이므로

$\angle IBA=\frac{1}{2}\times 55^\circ=27.5^\circ$

점 O가 외심이므로 $\overline{OA}=\overline{OB}$에서 $\triangle OAB$는 이등변삼각형이다.

$\therefore \angle OBA=\angle OAB=\frac{1}{2}\times 70^\circ=35^\circ$

$\therefore \angle IBO=35^\circ-27.5^\circ=7.5^\circ$

73 ① 점 I는 $\triangle ABC$의 내심이므로 $\overline{ID}=\overline{IE}=\overline{IF}$

② 점 I는 $\triangle DEF$의 외심이다.

③ 점 I는 $\triangle ABC$의 내심이므로 $\triangle BIE\equiv\triangle BID$, $\triangle CIE\equiv\triangle CIF$

④ $\triangle ADI\equiv\triangle AFI$(RHA 합동)이므로 $\triangle ADI=\triangle AFI$

⑤ $\triangle ABC$가 정삼각형이면 점 I는 $\triangle ABC$의 외심이기도 하므로 $\overline{AI}=\overline{BI}=\overline{CI}$이다.

74 $\triangle ABC$는 이등변삼각형이므로 외심과 내심은 꼭지각의 이등분선 위에 있다.

$\overline{AO}$를 그으면

$\angle BAO=\angle CAO=\angle ABO=\angle ACO=20^\circ$

점 I는 내심이므로

$\angle IBC=\frac{1}{2}\angle ABC$

$=\frac{1}{2}\times\frac{1}{2}\times(180^\circ-40^\circ)=\frac{1}{2}\times 70^\circ=35^\circ$

$\therefore \angle x=\angle ABC-(\angle ABO+\angle IBC)=70^\circ-(20^\circ+35^\circ)=15^\circ$

75 $\overline{DB}=\overline{DI}=3\text{ cm}$, $\overline{EC}=\overline{EI}=2(\text{cm})$

$\therefore$ ($\triangle ADE$의 둘레의 길이)$=\overline{AD}+\overline{DE}+\overline{AE}=\overline{AB}+\overline{AC}$

$=6+3+4+2=15(\text{cm})$

76 $\overline{DE}=\overline{DI}+\overline{EI}=\overline{DB}+\overline{EC}$이므로

($\triangle ABC$의 둘레의 길이)$=\overline{AD}+\overline{DB}+\overline{BC}+\overline{AE}+\overline{EC}$

$=\overline{AD}+\overline{DE}+\overline{BC}+\overline{AE}$

$=15+15+24+10=64(\text{cm})$

77 $\overline{DE}=\overline{DB}+\overline{EC}$이므로

($\triangle ADE$의 둘레의 길이)$=\overline{AB}+\overline{AC}=16+16=32(\text{cm})$

따라서 $\triangle ADE$의 내접원의 반지름의 길이가 3 cm이므로

$\triangle ADE$의 넓이는 $\frac{1}{2}\times 3\times 32=48(\text{cm}^2)$

78 점 O가 $\triangle ABC$의 외심이므로 $\angle ODC=90^\circ$

$\overline{AB}=\overline{AC}$이므로 $\angle ACB=\frac{1}{2}\times(180^\circ-80^\circ)=50^\circ$

점 I가 $\triangle ABC$의 내심이므로 $\angle ICD=\frac{1}{2}\times 50^\circ=25^\circ$

따라서 $\triangle DEC$에서 $\angle x=180^\circ-(90^\circ+25^\circ)=65^\circ$

79 $\overline{AI}$, $\overline{DI}$, $\overline{CI}$를 그으면

$\angle AIC=90^\circ+\frac{1}{2}\angle B=90^\circ+\frac{1}{2}\times 68^\circ=124^\circ$

점 I가 $\triangle ACD$의 외심이므로

$\triangle IDA$와 $\triangle ICD$는 이등변삼각형이다.

$\angle IAD=\angle IDA=\angle x$,

$\angle ICD=\angle IDC=\angle y$라 하면 $\square AICD$에서

$124^\circ+2\angle x+2\angle y=360^\circ$이므로

$2(\angle x+\angle y)=236^\circ\qquad \therefore \angle D=\angle x+\angle y=118^\circ$

80 점 O가 $\triangle ABC$의 외심이므로 $\angle OAC=\angle OCA=52^\circ$

$\triangle AOC$에서 $\angle BOC=52^\circ+52^\circ=104^\circ$

점 I가 $\triangle ABC$의 내심이고 $\angle B=180^\circ-(52^\circ+90^\circ)=38^\circ$이므로

$\angle ABI=\frac{1}{2}\angle B=\frac{1}{2}\times 38^\circ=19^\circ$

따라서 $\triangle OBD$에서 $\angle x=104^\circ+19^\circ=123^\circ$

학교 시험 100점 맞기

34쪽~37쪽

01 ④ 02 ④ 03 ⑤ 04 ④ 05 36 cm 06 60°
07 ⑤ 08 ① 09 5π cm 10 ② 11 ③ 12 ③
13 ⑤ 14 ③ 15 7 cm
16 $\overline{AB}$, $\overline{BC}$의 수직이등분선의 교점을 찾아 원을 그린다. 17 ③
18 ⑤ 19 ③ 20 ① 21 32 cm 22 $84\pi\text{ cm}^2$
23 10 cm 24 60°

01 $\triangle BED$와 $\triangle CFD$에서

$\angle BED=\angle CFD=90^\circ$, $\overline{BD}=\overline{CD}$, $\angle DBE=\angle DCF$

따라서 $\triangle BED\equiv\triangle CFD$(RHA 합동)이므로

$\overline{DE}=\overline{DF}$, $\angle BDE=\angle CDF$

또, $\overline{BE}=\overline{CF}$이므로 $\overline{AE}=\overline{AB}-\overline{BE}=\overline{AC}-\overline{CF}=\overline{AF}$

02 $\triangle ADE$와 $\triangle ACE$에서

$\angle ADE=\angle ACE=90^\circ$, $\overline{AE}$는 공통, $\overline{AD}=\overline{AC}$

따라서 $\triangle ADE\equiv\triangle ACE$(RHS 합동)이므로 $\angle DAE=\angle CAE$

따라서 $\angle BAC=\angle ABC=45^\circ$이므로

$\angle AEC=90^\circ-\angle CAE=90^\circ-\frac{1}{2}\angle A=90^\circ-22.5^\circ=67.5^\circ$

03 $\triangle COP$와 $\triangle DOP$에서

$\angle PCO=\angle PDO=90^\circ$, $\overline{OP}$는 공통, $\angle COP=\angle DOP$

따라서 $\triangle COP\equiv\triangle DOP$(RHA 합동)이므로 $\overline{PC}=\overline{PD}$

05 점 O가 $\triangle ABC$의 외심이므로

$\overline{AD}=\overline{BD}$, $\overline{BE}=\overline{CE}$, $\overline{AF}=\overline{CF}$

따라서 $\triangle ABC$의 둘레의 길이는

$2\times(5+6+7)=2\times18=36(\text{cm})$

06 점 O가 $\triangle ABC$의 외심이므로 $30^\circ+16^\circ+\angle OCA=90^\circ$

$\therefore \angle OCA=44^\circ$

$\overline{OB}=\overline{OC}$이므로 $\angle OCB=\angle OBC=16^\circ$

$\therefore \angle ACB=\angle OCA+\angle OCB=44^\circ+16^\circ=60^\circ$

07 $\angle OBC=\angle OCB=32^\circ$이므로

$\angle BOC=180^\circ-(32^\circ+32^\circ)=116^\circ$

$\therefore \angle x=\frac{1}{2}\angle BOC=\frac{1}{2}\times116^\circ=58^\circ$

08 ① 이등변삼각형의 외심은 삼각형의 내부 또는 외부에 있다. 또, 빗변의 중점일 수도 있다.

09 직각삼각형의 외심은 빗변의 중점이므로

$\triangle ABC$의 외접원의 반지름의 길이는 $\frac{5}{2}$ cm이다.

따라서 $\triangle ABC$의 외접원의 둘레의 길이는 $2\pi\times\frac{5}{2}=5\pi(\text{cm})$

10 $\angle x+33^\circ+30^\circ=90^\circ$ $\therefore \angle x=27^\circ$

11 점 I가 $\triangle ABC$의 내심이므로

$90^\circ+\frac{1}{2}\angle x=138^\circ$, $\frac{1}{2}\angle x=48^\circ$ $\therefore \angle x=96^\circ$

12 $\overline{AD}=x(\text{cm})$라 하면 $\overline{AF}=x(\text{cm})$이므로

$\overline{BD}=(12-x)(\text{cm})$, $\overline{CF}=(13-x)(\text{cm})$

$\overline{BC}=\overline{BE}+\overline{CE}=\overline{BD}+\overline{CF}=(12-x)+(13-x)=15$, $2x=10$

$\therefore x=5$

$\therefore \overline{AD}=5(\text{cm})$

13 $\triangle ABC$는 직각삼각형이므로 $x=\frac{1}{2}\times13=6.5(\text{cm})$

$\frac{1}{2}\times12\times5=\frac{1}{2}y\times(13+12+5)$에서 $y=2(\text{cm})$

$\therefore$ (x와 y의 차)$=6.5-2=4.5(\text{cm})$

14 $\angle DBI=\angle CBI=\angle DIB$이므로 $\overline{DI}=\overline{DB}=4(\text{cm})$

$\angle ECI=\angle BCI=\angle EIC$이므로 $\overline{EC}=\overline{EI}$

$\therefore \overline{EC}=\overline{EI}=\overline{DE}-\overline{DI}=9-4=5(\text{cm})$

15 $\triangle ADC$와 $\triangle CEB$에서

$\angle ADC=\angle CEB=90^\circ$, $\overline{AC}=\overline{CB}$

$\angle ACD+\angle CAD=\angle ACD+\angle BCE=90^\circ$이므로

$\angle CAD=\angle BCE$

따라서 $\triangle ADC\equiv\triangle CEB$(RHA 합동)이므로

$\overline{CE}=\overline{AD}=14(\text{cm})$, $\overline{CD}=\overline{BE}=7(\text{cm})$

$\therefore \overline{DE}=\overline{CE}-\overline{CD}=14-7=7(\text{cm})$

16 $\triangle ABC$의 외심을 찾아 $\triangle ABC$의 외접원을 그리면 되므로 $\overline{AB}$, $\overline{BC}$의 수직이등분선의 교점을 찾아 원을 그린다.

17 점 I는 $\triangle ABC$의 내심이므로 $\angle ABI=\angle DBI=30^\circ$

또, $\overline{AB}/\!/\overline{ID}$이므로 $\angle ABI=\angle BID=30^\circ$(엇각)

$\therefore \angle DBI=\angle BID=30^\circ$

같은 방법으로 $\angle ICE=\angle CIE=30^\circ$이므로

$\triangle IDE$에서 $\angle IDE=\angle IED=60^\circ$

따라서 $\triangle IDE$는 정삼각형이므로 $\overline{BD}=\overline{DE}=\overline{EC}$

$\therefore \overline{BD}=\frac{1}{3}\overline{BC}=\frac{1}{3}\times18=6(\text{cm})$

18 $\triangle ABD\equiv\triangle ACD$(ASA 합동)이므로 $\overline{BD}=\overline{CD}$

점 I는 $\overline{BC}$와 $\overline{AC}$의 수직이등분선의 교점이므로 $\triangle ABC$의 외심이기도 하다.

따라서 $\triangle ABC$는 정삼각형이므로 $\overline{BD}=\frac{1}{2}\times6=3(\text{cm})$

19 $\overline{AC}$의 중점 M을 잡아 $\overline{EM}$, $\overline{DM}$을 그으면

$\angle ADC=\angle AEC=90^\circ$이므로 직각삼각형 ADC와 AEC에서 점 M은 외심이다.

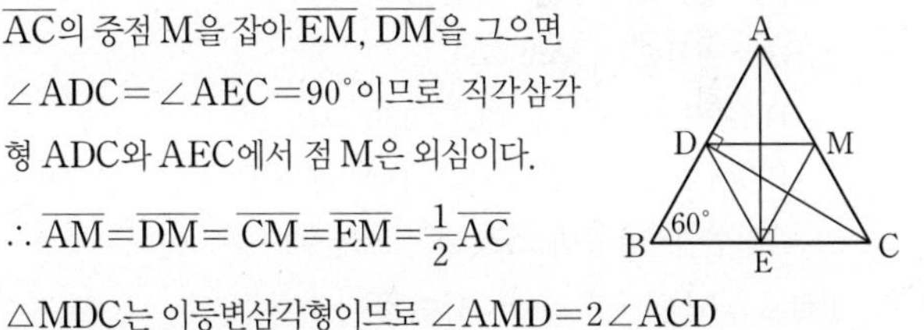

$\therefore \overline{AM}=\overline{DM}=\overline{CM}=\overline{EM}=\frac{1}{2}\overline{AC}$

$\triangle MDC$는 이등변삼각형이므로 $\angle AMD=2\angle ACD$

마찬가지로 $\angle AME=2\angle ACE$

또, $\overline{CD}\perp\overline{AB}$, $\angle B=60^\circ$이므로 $\angle BCD=30^\circ$

$\therefore \angle DME=\angle AME-\angle AMD=2\angle ACE-2\angle ACD$
$=2\angle BCD=60^\circ$

따라서 $\triangle DEM$은 정삼각형이다. $\therefore \overline{DE}=\overline{DM}=\frac{1}{2}\overline{AC}$

$\therefore k=\frac{1}{2}$

20 $\overline{AE}=x(\text{cm})$라 하면 $\overline{CE}=(5-x)(\text{cm})$

$\overline{BG}=\overline{AB}-\overline{AG}=\overline{AB}-\overline{AE}=(3-x)(\text{cm})$

$\overline{BH}=\overline{BG}=(3-x)(\text{cm})$, $\overline{CH}=\overline{CE}=(5-x)(\text{cm})$

$\overline{BH}+\overline{CH}=\overline{BC}$이므로

$(3-x)+(5-x)=4$에서 $2x=4$ $\therefore x=2$

$\overline{CF}=\overline{AE}$이므로 $\overline{CF}=2(\text{cm})$

$\therefore \overline{EF}=5-2-2=1(\text{cm})$

21 1단계 $\overline{DE}/\!/\overline{BC}$이므로 $\angle DIB=\angle IBC$

점 I가 $\triangle ABC$의 내심이므로 $\angle DBI=\angle IBC$

따라서 $\angle DBI=\angle DIB$이므로 $\triangle DBI$는 이등변삼각형이다.

(2단계) $\overline{DE}/\!/\overline{BC}$이므로 $\angle EIC=\angle ICB$

점 I가 $\triangle ABC$의 내심이므로 $\angle ECI=\angle ICB$

따라서 $\angle EIC=\angle ECI$이므로 $\triangle EIC$는 이등변삼각형이다.

(3단계) $\overline{DB}=\overline{DI}$, $\overline{EC}=\overline{EI}$이므로 $\triangle ADE$의 둘레의 길이는

$\overline{AD}+\overline{DE}+\overline{EA}=\overline{AB}+\overline{AC}=20+12=32(\text{cm})$

22 (1단계) $\triangle ABC$의 내접원의 반지름의 길이를 x cm라 하면

$\frac{1}{2}\times16\times12=\frac{1}{2}\times x\times(16+20+12)$, $48x=192$

$\therefore x=4$

$\therefore S_1=\pi\times4^2=16\pi(\text{cm}^2)$

(2단계) $\triangle ABC$의 외접원의 반지름의 길이를 y cm라 하면

$y=\frac{1}{2}\times20=10 \quad \therefore S_2=\pi\times10^2=100\pi(\text{cm}^2)$

(3단계) $S_2-S_1=100\pi-16\pi=84\pi(\text{cm}^2)$

23 $\triangle DBA$와 $\triangle EAC$에서

$\angle ADB=\angle CEA=90^\circ$, $\overline{AB}=\overline{CA}$

$\angle DAB=90^\circ-\angle EAC=\angle ECA$이므로

$\triangle DBA\equiv\triangle EAC$(RHA 합동) …… ❶

$\therefore \overline{DA}=\overline{EC}$, $\overline{AE}=\overline{BD}$ …… ❷

$\therefore \overline{DE}=\overline{DA}+\overline{AE}=\overline{EC}+\overline{BD}=6+4=10(\text{cm})$ …… ❸

채점 기준	배점
❶ $\triangle DBA\equiv\triangle EAC$임을 설명하기	3점
❷ $\overline{DA}$, $\overline{AE}$와 길이가 같은 변 구하기	2점
❸ $\overline{DE}$의 길이 구하기	1점

24 $\angle IAB=\angle IAC=\angle a$,

$\angle IBA=\angle IBC=\angle b$라 하면

$\triangle ABE$에서 $2\angle a+\angle b+92^\circ=180^\circ$ …… ㉠

$\triangle ABD$에서 $\angle a+2\angle b+88^\circ=180^\circ$ …… ㉡ …… ❶

㉠, ㉡을 연립하여 풀면 $\angle a=28^\circ$, $\angle b=32^\circ$ …… ❷

따라서 $\triangle ADC$에서 $\angle a+\angle C=88^\circ$

$28^\circ+\angle C=88^\circ \quad \therefore \angle C=60^\circ$ …… ❸

채점 기준	배점
❶ $\angle a$, $\angle b$에 대한 식 세우기	3점
❷ $\angle a$, $\angle b$의 크기 각각 구하기	3점
❸ $\angle c$의 크기 구하기	1점

3. 평행사변형

시험에 꼭 나오는 핵심 개념 38쪽~41쪽

예제 1 답 $\angle x=30^\circ$, $\angle y=60^\circ$

예제 2 답 $x=8$, $y=10$

$x+2=10 \quad \therefore x=8$

$y-3=7 \quad \therefore y=10$

예제 3 답 40°

$\angle C=\angle A=110^\circ$이므로 $\triangle BCD$에서

$\angle x=180^\circ-(30^\circ+110^\circ)=40^\circ$

예제 4 답 $x=6$, $y=5$

$x=\frac{1}{2}\times12=6$

예제 5 답 (1) ○ (2) ×

예제 6 답 $\angle x=106^\circ$, $\angle y=74^\circ$

$\angle y+106^\circ=180^\circ \quad \therefore \angle y=74^\circ$

예제 7 답 (1) ○ (2) ×

예제 8 답 2 cm

$\angle AEB=\angle EBC=\angle ABE$이므로

$\overline{AE}=\overline{AB}=10(\text{cm})$

$\therefore \overline{DE}=\overline{AD}-\overline{AE}=12-10=2(\text{cm})$

예제 9 답 (1) 20 cm^2 (2) 10 cm^2 (3) 20 cm^2

(1) $\triangle ABC=\frac{1}{2}\square ABCD=\frac{1}{2}\times40=20(\text{cm}^2)$

(2) $\triangle BCO=\frac{1}{4}\square ABCD=\frac{1}{4}\times40=10(\text{cm}^2)$

(3) $\triangle PAB+\triangle PCD=\frac{1}{2}\square ABCD=\frac{1}{2}\times40=20(\text{cm}^2)$

유형 격파 + 기출 문제 42쪽~51쪽

01 ⑤ 02 ③ 03 ⑤ 04 ③
05 $\overline{DC}$, $\angle DAC$, $\overline{AC}$, ASA, $\overline{CB}$
06 $\angle DCA$, $\angle DAC$, $\overline{AC}$, ASA, $\angle C$, $\angle D$
07 $\angle DCO$, $\angle CDO$, $\overline{CD}$, ASA, $\overline{CO}$, $\overline{BO}$
08 ④ 09 ④ 10 22 cm 11 5 cm 12 ② 13 ③
14 ④ 15 ③, ④ 16 4
17 $\angle x=70^\circ$, $\angle y=110^\circ$, $\angle z=70^\circ$
18 ② 19 ② 20 ③ 21 ③ 22 ① 23 56°
24 ③ 25 ③ 26 55° 27 100° 28 8 cm 29 ③
30 2 cm 31 $x=7$, $y=7$ 32 ④ 33 ③ 34 ③
35 $\overline{AC}$, SSS, $\angle BAC$, $\overline{AD}/\!/\overline{BC}$
36 180°, $\overline{BC}$, 180°, $\overline{DC}$, 평행사변형 37 ③
38 $\overline{AD}$, $\angle CAD$, SAS, $\angle DCA$, $\overline{AB}$ 39 ③
40 $\angle B=70^\circ$, $\angle C=110^\circ$ 41 (1) ○ (2) ○ (3) × (4) ○ (5) ×
42 ③, ④ 43 $x=7$, $y=5$ 44 $x=6$, $y=11$ 45 ④
46 ③ 47 ⑤ 48 $\triangle CDF$, $\overline{CF}$, $\overline{FC}$, 평행사변형
49 $\angle EDF$, $\angle BFD$, 평행사변형 50 $\overline{CO}$, $\overline{DO}$, $\overline{FO}$, 평행사변형
51 $\overline{OR}$, $\overline{OS}$, 평행사변형 52 13 cm 53 8 cm 54 3 cm
55 80 cm^2 56 ③ 57 ③ 58 15 cm^2 59 9 cm^2 60 ④
61 평행사변형, $\overline{QN}$, 평행사변형, $\overline{MQ}$, 평행사변형
62 $\square ABFC$, $\square ACED$, $\square BFED$ 63 ② 64 22 cm
65 ①

01 $\overline{AB}/\!/\overline{CD}$이므로 $\angle BAC=\angle DCA=\angle x$(엇각)

$\triangle ABC$에서 $\angle x+50^\circ+60^\circ=180^\circ \quad \therefore \angle x=70^\circ$

02 평행사변형의 뜻 : 두 쌍의 대변이 각각 평행한 사각형

03 $\overline{AD}/\!/\overline{BC}$이므로 $\angle BCE+\angle ADC=180°$
$\therefore \angle ADC=180°-100°=80°$
$\triangle AED$에서 $25°+\angle AED+80°=180°$ $\therefore \angle AED=75°$

04 $\angle ABO=\angle ODC=50°$(엇각)이므로 $\angle ABC=50°+35°=85°$
$\triangle ABC$에서 $\angle x+85°+\angle y=180°$ $\therefore \angle x+\angle y=95°$

09 ④ $\angle ABC+\angle BCD=180°$

10 평행사변형의 두 쌍의 대변의 길이는 각각 같으므로 평행사변형 ABCD의 둘레의 길이는 $6+5+6+5=22$(cm)

11 $\overline{AB}=\overline{DC}$, $\overline{AD}=\overline{BC}$이므로
평행사변형 ABCD의 둘레의 길이는
$2(\overline{AB}+\overline{BC})=18$(cm) $\therefore \overline{AB}+\overline{BC}=9$(cm)
따라서 $\overline{AB}=4$(cm)이므로 $\overline{BC}=9-4=5$(cm)

12 □ABCD는 평행사변형이므로 $\overline{AB}=\overline{DC}$
$10-2x=7-x$
$\therefore x=3$

13 $\overline{AD}=\overline{BC}$이므로 $5=x+3$에서 $x=2$
또, $\overline{AB}=\overline{DC}$이므로 $y-3=2x-2$ ⋯⋯ ㉠
㉠에 $x=2$를 대입하면 $y-3=2$이므로 $y=5$
$\therefore x+y=2+5=7$

14 평행사변형에서 두 쌍의 대변의 길이가 각각 같으므로 $a=10$, $b=8$
또, 두 쌍의 대각의 크기가 각각 같으므로
$\angle c=60°$, $\angle d=\angle e=180°-60°=120°$

15 ① $\overline{AD}=\overline{BC}=12$(cm) ② $\overline{OB}=\overline{OD}=\frac{1}{2}\times 18=9$(cm)
⑤ $\angle BCD=180°-65°=115°$

16 $3x=3$이므로 $x=1$
$2y-1=5$이므로 $y=3$
$\therefore x+y=1+3=4$

17 $\angle y=\angle A=110°$
$\angle x=180°-110°=70°$
$\angle z=\angle x=70°$

18 $\angle A+\angle B=180°$이고 $\angle A:\angle B=3:2$이므로
$\angle B=180°\times\frac{2}{5}=72°$ $\therefore \angle D=\angle B=72°$

19 $\angle A+\angle B=180°$이고 $\angle A:\angle B=5:4$이므로
$\angle C=\angle A=180°\times\frac{5}{9}=100°$

20 □ABCD는 평행사변형이므로 $\angle A=\angle C$
$\triangle ABD$에서 $\angle A+35°+20°=180°$ $\therefore \angle A=125°$
$\therefore \angle x=\angle A=125°$

21 □ABCD는 평행사변형이므로 $\angle ADC=\angle B=75°$
$\triangle AHD$에서 $\angle ADH=180°-(40°+90°)=50°$
$\therefore \angle CDH=75°-50°=25°$

22 $\overline{AD}/\!/\overline{BC}$이므로 $\angle BAE=\angle DAE=\angle AEB=62°$(엇각)
$\therefore \angle D=\angle B=180°-(62°+62°)=56°$

23 $\angle ADB=\angle CBD$이고 $\angle ABD=\angle CBD$이므로 $\triangle ABD$는 이등변삼각형이다.
또, $\overline{OB}=\overline{OD}$이므로 $\angle AOD=90°$, $\angle ADO=\frac{1}{2}\angle ADC=34°$
$\therefore \angle x=180°-(90°+34°)=56°$

24 $2(\bullet+\times)=180°$이므로 $\bullet+\times=90°$
$\therefore \angle APB=180°-90°=90°$
따라서 $\triangle ABP$는 $\angle APB=90°$인 직각삼각형이다.

25 $\triangle ABM$과 $\triangle DCM$에서
$\overline{AM}=\overline{DM}$, $\overline{MB}=\overline{MC}$, $\overline{AB}=\overline{DC}$($\because$ □ABCD는 평행사변형)
$\therefore \triangle ABM\equiv\triangle DCM$(SSS 합동)
따라서 $\angle A=\angle D$이고 $\angle A+\angle D=180°$이므로
$\angle A=90°$

26 $\angle AEB=\angle DAE$(엇각)
$\overline{AD}=\overline{DF}$이므로 $\angle DAE=\angle DFE$
$\angle BAE=\angle DFE$(엇각)
$\therefore \angle AEB=\angle BAE=\frac{1}{2}\times(180°-70°)=55°$

27 $\angle FDB=\angle BDC=40°$(접은 각)
$\angle ABD=\angle BDC=40°$(엇각)
따라서 $\triangle FBD$에서
$\angle x=180°-(\angle FBD+\angle FDB)=180°-(40°+40°)=100°$

28 $\overline{AD}/\!/\overline{BC}$이므로 $\angle ADE=\angle CED$
따라서 $\angle CDE=\angle CED$이므로 $\triangle CDE$는 이등변삼각형이다.
$\overline{CE}=\overline{CD}=5$(cm) $\therefore \overline{BC}=3+5=8$(cm)
$\therefore \overline{AD}=\overline{BC}=8$(cm)

29 $\overline{AF}/\!/\overline{BC}$이므로
$\angle EDF=\angle ECB$(엇각), $\angle DEF=\angle CEB$(맞꼭지각), $\overline{ED}=\overline{EC}$
따라서 $\triangle EDF\equiv\triangle ECB$(ASA 합동)이므로 $\overline{DF}=\overline{CB}=3$(cm)
$\therefore \overline{AF}=\overline{AD}+\overline{DF}=\overline{BC}+\overline{BC}=3+3=6$(cm)

30 $\overline{AD}/\!/\overline{EC}$이므로 $\angle BEF=\angle ADF$(엇각)
$\angle BEF=\angle CDE$이므로 $\triangle CDE$는 이등변삼각형이다.
따라서 $\overline{CE}=\overline{CD}=6$(cm)이므로 $\overline{BE}=\overline{CE}-\overline{BC}=6-4=2$(cm)

31 $\angle DAF=\angle AFB$(엇각)이므로 $\triangle BFA$는 이등변삼각형이다.
따라서 $\overline{BC}=\overline{BF}+\overline{FC}=\overline{BA}+\overline{FC}=4+3=7$(cm)이므로 $x=7$
또, $\angle DEA=\angle BAF$(엇각)이므로 $\triangle DAE$도 이등변삼각형이다.
$\therefore y=x=7$

32 $\angle DAF=\angle AFB$(엇각)이므로 $\overline{BF}=\overline{AB}=9$(cm)
$\therefore \overline{FC}=\overline{BC}-\overline{BF}=14-9=5$(cm)
$\angle ADE=\angle DEC$(엇각)이므로 $\overline{CE}=\overline{DC}=9$(cm)
$\therefore \overline{BE}=\overline{BC}-\overline{CE}=14-9=5$(cm)
$\therefore \overline{EF}=14-(5+5)=4$(cm)

33 평행사변형에서 두 대각선은 서로 다른 것을 이등분하므로

$\overline{OA}=\overline{OC}$, $\overline{OB}=\overline{OD}$
$\angle OAP=\angle OCQ$(엇각), $\angle AOP=\angle COQ$(맞꼭지각)이므로
$\triangle AOP\equiv\triangle COQ$(ASA 합동)
$\angle ODP=\angle OBQ$(엇각), $\angle DOP=\angle BOQ$(맞꼭지각)이므로
$\triangle POD\equiv\triangle QOB$(ASA 합동)
$\therefore \overline{OP}=\overline{OQ}$

34 $\overline{AO}=\frac{7}{2}(\text{cm})$, $\overline{BO}=\frac{11}{2}(\text{cm})$
따라서 $\triangle ABO$의 둘레의 길이는
$\overline{AB}+\overline{BO}+\overline{AO}=5+\frac{11}{2}+\frac{7}{2}=14(\text{cm})$

39 $\overline{AB}=\overline{DC}$, $\overline{AD}=\overline{BC}$이면 사각형 ABCD는 평행사변형이므로
$3x-5=x+3$, $2x=8$ $\quad\therefore x=4$

40 두 쌍의 대각의 크기가 각각 같으면 사각형 ABCD는 평행사변형이다.
$\therefore \angle B=180^\circ-110^\circ=70^\circ$, $\angle C=\angle A=110^\circ$

41 (1) 두 쌍의 대변이 각각 평행하다.
(2) 두 쌍의 대변의 길이가 각각 같다.
(4) 한 쌍의 대변이 평행하고 그 길이가 같다.

42 ③ 두 쌍의 대각의 크기가 각각 같다.
④ 두 쌍의 대변의 길이가 각각 같다.

43 □ABCD가 평행사변형이 되려면 $\overline{OA}=\overline{OC}$, $\overline{OB}=\overline{OD}$이어야 하므로 $x=7$, $y=5$

44 두 쌍의 대변의 길이가 각각 같으면 평행사변형이므로
$$\begin{cases} x+1=y-4 & \cdots ㉠ \\ 2x+4=3x-2 & \cdots ㉡ \end{cases}$$
㉡에서 $x=6$이고, $x=6$을 ㉠에 대입하면 $y=11$
$\therefore x=6$, $y=11$

45 두 쌍의 대각의 크기가 각각 같아야 하므로 $\angle D=\angle B=65^\circ$
$\angle B+\angle BCD=180^\circ$이어야 하므로 $\angle x=180^\circ-(65^\circ+45^\circ)=70^\circ$
$\triangle ACD$에서 $\angle x+\angle y+\angle D=70^\circ+\angle y+65^\circ=180^\circ$
$\therefore \angle y=45^\circ$

46 ③ 한 쌍의 대변이 평행하고 그 길이가 같을 때, 평행사변형이 된다.

47 ② 두 쌍의 대각의 크기가 각각 같을 때, 평행사변형이 된다.
③, ④ 한 쌍의 대변이 평행하고, 그 길이가 같으므로 □ABCD는 평행사변형이다.

52 점 A와 E를 연결하면 $\overline{AO}/\!/\overline{ED}$이고,
$\overline{OA}=\overline{OC}=\overline{ED}$이므로 □AODE는 평행사변형이다.
따라서 $\overline{AF}=\overline{FD}$, $\overline{OF}=\overline{FE}$이므로
$\overline{AF}=\frac{1}{2}\overline{AD}=\frac{1}{2}\overline{BC}=7(\text{cm})$,
$\overline{OF}=\frac{1}{2}\overline{OE}=\frac{1}{2}\overline{CD}=\frac{1}{2}\overline{AB}=6(\text{cm})$
$\therefore \overline{AF}+\overline{OF}=7+6=13(\text{cm})$

53 $\overline{AD}/\!/\overline{EB}$, $\overline{AE}/\!/\overline{DB}$이므로 □AEBD는 평행사변형이다.
$\therefore \overline{EB}=\overline{AD}=8(\text{cm})$

54 $\angle AEB=\angle EBC=\angle ABE$이므로 $\overline{AE}=\overline{AB}=15(\text{cm})$
$\therefore \overline{DE}=\overline{AD}-\overline{AE}=18-15=3(\text{cm})$

55 □ABCD는 평행사변형이므로
$\triangle ABO=\triangle BCO=\triangle CDO=\triangle DAO$
따라서 $\triangle DAO=\frac{1}{4}$□ABCD이므로 $20=\frac{1}{4}$□ABCD에서
□ABCD$=80(\text{cm}^2)$

56 □ABNM$=\frac{1}{2}$□ABCD
$\triangle MPN=\frac{1}{4}$□ABNM$=\frac{1}{4}\times\frac{1}{2}$□ABCD$=\frac{1}{8}$□ABCD
$\therefore$ □MPNQ$=2\triangle MPN=\frac{1}{4}$□ABCD$=\frac{1}{4}\times 28=7(\text{cm}^2)$

57 ②, ④ $\triangle AOP$와 $\triangle COQ$에서
$\overline{AO}=\overline{CO}$, $\angle AOP=\angle COQ$(맞꼭지각)
$\angle PAO=\angle QCO$(엇각)이므로
$\triangle AOP\equiv\triangle COQ$(ASA 합동) $\quad\therefore \overline{OP}=\overline{OQ}$
⑤ $\triangle ODP+\triangle COQ=\triangle ODP+\triangle AOP=\triangle ODA=\triangle OCD$

58 $\triangle PDA+\triangle PBC=\frac{1}{2}$□ABCD$=\frac{1}{2}\times 30=15(\text{cm}^2)$

59 $\triangle ABP+\triangle CDP=\triangle BCP+\triangle DAP=\frac{1}{2}$□ABCD
$15+\triangle CDP=\frac{1}{2}\times 48$
$\therefore \triangle CDP=9(\text{cm}^2)$

60 $\triangle PAD+\triangle PBC=\frac{1}{2}$□ABCD$=\frac{1}{2}\times 7\times 4=14(\text{cm}^2)$
$\therefore \triangle PAD=14-6=8(\text{cm}^2)$

62 □ABFC에서 $\overline{AB}/\!/\overline{CF}$, $\overline{AB}=\overline{CF}$이므로 □ABFC는 평행사변형이다.
□ACED에서 $\overline{AD}/\!/\overline{CE}$, $\overline{AD}=\overline{CE}$이므로 □ACED는 평행사변형이다.
□BFED에서 $\overline{BC}=\overline{CE}$, $\overline{DC}=\overline{CF}$이므로 □BFED는 평행사변형이다.

63 $\overline{AB}=\overline{PB}$, $\overline{BC}=\overline{BQ}$, $\angle ABC=60^\circ-\angle QBA=\angle PBQ$이므로
$\triangle ABC\equiv\triangle PBQ$(SAS 합동)
$\therefore \overline{AC}=\overline{PQ}$ $\quad\therefore \overline{AR}=\overline{PQ}$ $\quad\cdots\cdots$ ㉠
같은 방법으로 하면 $\triangle ABC\equiv\triangle RQC$(SAS 합동)이므로
$\overline{AB}=\overline{RQ}$ $\quad\therefore \overline{AP}=\overline{RQ}$ $\quad\cdots\cdots$ ㉡
㉠, ㉡에서 □QPAR는 두 쌍의 대변의 길이가 각각 같으므로 평행사변형이다.
또, $\triangle PBQ\equiv\triangle RQC$에서 $\angle BPQ=\angle QRC$

64 $\overline{AB}=\overline{DB}$, $\overline{BC}=\overline{BE}$, $\angle ABC=60^\circ-\angle EBA=\angle DBE$
$\therefore \triangle ABC\equiv\triangle DBE$(SAS 합동)
$\overline{AC}=\overline{FC}$, $\overline{BC}=\overline{EC}$, $\angle ACB=60^\circ-\angle ECA=\angle FCE$
$\therefore \triangle ABC\equiv\triangle FEC$(SAS 합동)
$\therefore \overline{DE}=\overline{AC}=\overline{AF}$, $\overline{EF}=\overline{BA}=\overline{DA}$

따라서 □AFED는 두 쌍의 대변의 길이가 각각 같으므로 평행사변형이다.

∴ (□AFED의 둘레의 길이)$=2\times(5+6)=22$(cm)

65 점 Q가 점 C를 출발한 지 x초 후의 $\overline{CQ}$의 길이는 $4x$ cm

점 P는 점 Q보다 6초 빨리 출발했으므로 점 Q가 점 C를 출발한 지 x초 후의 $\overline{AP}$의 길이는 $2(x+6)$ cm

□APCQ에서 $\overline{AP}/\!/\overline{CQ}$이므로 $\overline{AP}=\overline{CQ}$이면 □APCQ는 평행사변형이 된다.

즉, $2(x+6)=4x$이어야 하므로 $2x=12$ ∴ $x=6$

따라서 □APCQ가 평행사변형이 되는 것은 점 Q가 점 C를 출발한 지 6초 후이다.

학교 시험 100점 맞기 52쪽~55쪽

01 ⑤	02 ③	03 ②	04 ①	05 59°	06 ③
07 ④	08 ②	09 ③	10 ③	11 ②	12 ⑤
13 ④	14 평행사변형, $\overline{SR}$, 평행사변형, $\overline{QR}$, 평행사변형				
15 30 cm²	16 ④	17 ③	18 24 cm	19 ①	20 ③
21 ③	22 32°	23 해설 참조		24 $2x-y-8=0$	
25 6					

01 $\overline{AB}/\!/\overline{DC}$이므로 $\angle ABD=\angle CDB=35°$

∴ $\angle ABC=35°+25°=60°$

따라서 △ABC에서 $\angle BCA=180°-(80°+60°)=40°$

03 □ABCD는 평행사변형이므로 $\overline{AB}=\overline{DC}$ ∴ $x=6$

$\angle A+\angle D=180°$이므로 $125°+y°=180°$ ∴ $y=55$

04 $\angle A+\angle D=180°$이므로 $\angle A=180°\times\frac{5}{9}=100°$

∴ $\angle C=\angle A=100°$

05 $\angle D=\angle B=62°$이므로 $\angle ADE=\frac{1}{2}\angle D=31°$

△AFD에서 $\angle DAF=180°-(90°+31°)=59°$

$\angle A+\angle B=180°$이므로 $(\angle BAF+59°)+62°=180°$

∴ $\angle BAF=59°$

06 $\overline{AD}/\!/\overline{BC}$이므로 $\angle ACB=34°$

$\angle BCD=180°-76°=104°$이므로

$\angle ACD=104°-34°=70°$

∴ $\angle HDC=180°-(90°+70°)=20°$

07 $\angle A+\angle B=180°$, $\angle B-\angle A=62°$이므로 두 식을 연립하면

$\angle A=59°$, $\angle B=121°$

08 $\angle AFB=\angle EAF$(엇각)이므로 △ABF에서 $\overline{BF}=\overline{AB}=3$(cm)

∴ $\overline{FC}=\overline{BC}-\overline{BF}=5-3=2$(cm)

09 (□ABCD의 둘레의 길이)$=2(\overline{AB}+\overline{AD})=42$(cm)이므로

$\overline{AB}+\overline{AD}=\frac{1}{2}\times42=21$(cm)

∴ $\overline{AB}=21\times\frac{2}{7}=6$(cm)

10 △ABE와 △FCE에서

$\angle AEB=\angle FEC$(맞꼭지각), $\overline{BE}=\overline{CE}$, $\angle ABE=\angle FCE$(엇각)

∴ △ABE≡△FCE(ASA 합동)

∴ $\overline{CF}=\overline{BA}=\overline{CD}=9$(cm)

11 ① 두 쌍의 대각의 크기가 각각 같다.

③ 한 쌍의 대변이 평행하고, 그 길이가 같다.

④ 두 대각선이 서로 다른 것을 이등분한다.

⑤ 한 쌍의 대변이 평행하고, 그 길이가 같다.

12 □AEIH는 평행사변형이므로 $x=\overline{AH}=15$

□EBFI는 평행사변형이므로

$y=\overline{EB}=\overline{AB}-\overline{AE}=18-9=9$

$65°+z°=180°$ ∴ $z=115$

∴ $x+y+z=15+9+115=139$

13 $\overline{AC}$와 $\overline{BD}$의 교점을 O라 하면 $\overline{AO}=\overline{CO}$, $\overline{EO}=\overline{FO}$이므로

□AECF는 평행사변형이다.

15 □ABCD는 평행사변형이므로

$\triangle PDA+\triangle PBC=\frac{1}{2}\square ABCD=\frac{1}{2}\times10\times6=30(\text{cm}^2)$

16 $\angle B=\angle ADC$이므로 $\angle ADC=\angle ADE+\angle EDC=60°$

∴ $\angle y=60°\times\frac{1}{3}=20°$

$\angle DCE=180°-60°=120°$이므로

$\angle DEC=180°-(120°+20°)=40°$

∴ $\angle x=180°-(70°+40°)=70°$

따라서 $\angle x+\angle y=90°$

17 $\angle BCD=180°-76°=104°$이므로 $\angle BCA=104°-46°=58°$

$\angle DAC=\angle BCA=58°$(엇각)이므로 $\angle DAE=\frac{1}{2}\times58°=29°$

∴ $\angle x=\angle DAE=29°$(엇각)

18 $\angle DAE=\angle AEB$(엇각)이므로 △ABE는 $\overline{BA}=\overline{BE}$인 이등변삼각형이다. 그런데 $\angle B=60°$이므로 △ABE는 정삼각형이다.

∴ $\overline{AE}=9$(cm), $\overline{CE}=\overline{BC}-\overline{BE}=12-9=3$(cm)

따라서 □AECF는 평행사변형이므로

(□AECF의 둘레의 길이)$=2\times(9+3)=24$(cm)

19 △BOP≡△DOQ(ASA 합동)이므로

$\triangle APO+\triangle DOQ=\triangle APO+\triangle BOP=\triangle ABO=\frac{1}{4}\square ABCD$

$=\frac{1}{4}\times64=16(\text{cm}^2)$

20 $\angle FBC=\angle AFB=\angle ABF$이므로 $\overline{AF}=\overline{AB}=3$(cm)

$\triangle ABC=\frac{1}{2}\times3\times4=6(\text{cm}^2)$이므로

△ABC의 점 A에서 $\overline{BC}$에 내린 수선의 발을 H라 하면

$\triangle ABC=\frac{1}{2}\times5\times\overline{AH}=6(\text{cm}^2)$ ∴ $\overline{AH}=\frac{12}{5}$(cm)

∴ $\triangle ABF=\frac{1}{2}\times\overline{AF}\times\overline{AH}=\frac{1}{2}\times3\times\frac{12}{5}=\frac{18}{5}(\text{cm}^2)$

21 점 Q가 점 C를 출발한 지 x초 후의 $\overline{CQ}$의 길이는 $3x$ cm

점 P는 점 Q보다 5초 빨리 출발했으므로 점 Q가 점 C를 출발한 지 x초 후의 $\overline{AP}$의 길이는 $2(x+5)$ cm

□APCQ에서 $\overline{AP}/\!/\overline{CQ}$이므로 $\overline{AP}=\overline{CQ}$이면 □APCQ는 평행사변형이 된다. 즉, $3x=2(x+5)$이어야 하므로 $x=10$

따라서 □APCQ가 평행사변형이 되는 것은 점 Q가 점 C를 출발한 지 10초 후이다.

22 (1단계) △ABC에서 $\angle BAC=180°-(64°+64°)=52°$

(2단계) △ACE에서 $\angle CAE=\angle CEA$이고

$\angle CAE+\angle CEA=\angle ACB=64°$이므로

$\angle CAE=\frac{1}{2}\times 64°=32°$

(3단계) □ABCD는 평행사변형이므로

$\angle BAD=180°-64°=\angle BAC+\angle CAE+\angle DAE$

$116°=52°+32°+\angle DAE$ $\quad\therefore \angle DAE=32°$

23 (1단계) △AEH와 △CGF에서

$\overline{AE}=\overline{CG}$, $\overline{AH}=\overline{CF}$, $\angle EAH=\angle GCF$이므로

△AEH≡△CGF(SAS 합동) $\therefore \overline{EH}=\overline{GF}$

(2단계) △EBF와 △GDH에서

$\overline{EB}=\overline{GD}$, $\overline{BF}=\overline{DH}$, $\angle EBF=\angle GDH$이므로

△EBF≡△GDH(SAS 합동) $\therefore \overline{EF}=\overline{GH}$

(3단계) □EFGH는 두 쌍의 대변의 길이가 각각 같으므로 평행사변형이다.

24 $\overline{AD}=\overline{BC}=8$, 점 A의 좌표는 $(-1, 6)$이므로

점 D의 좌표는 $(7, 6)$이다. …… ❶

따라서 두 점 $C(4, 0)$, $D(7, 6)$을 지나는 직선의 기울기는

$\frac{6-0}{7-4}=\frac{6}{3}=2$

$y=2x+b$로 놓고 $x=4$, $y=0$을 대입하면 $b=-8$ …… ❷

따라서 구하는 직선의 방정식은 $y=2x-8$에서 $2x-y-8=0$

…… ❸

채점 기준	배점
❶ 점 D의 좌표 구하기	3점
❷ 두 점 C, D를 지나는 직선의 기울기와 y절편 구하기	2점
❸ 두 점 C, D를 지나는 직선의 방정식 구하기	1점

25 □ABCD에서 두 대각선이 서로 다른 것을 이등분하면 평행사변형이 된다는 조건을 이용하여

$2x=\frac{1}{2}\times 12=6$이므로 $x=3$ …… ❶

$3y=\frac{1}{2}\times 18=9$이므로 $y=3$ …… ❷

$\therefore x+y=3+3=6$ …… ❸

채점 기준	배점
❶ x의 값 구하기	2점
❷ y의 값 구하기	2점
❸ $x+y$의 값 구하기	1점

4. 여러 가지 사각형

시험에 꼭 나오는 핵심 개념 56쪽~59쪽

예제 1 답 14

$x=\overline{BD}=2\overline{BO}=2\times 7=14$

예제 2 답 $x=5$, $y=50$

$x=\frac{1}{2}\overline{AC}=\frac{1}{2}\times 10=5$

$\angle AOB=90°$이므로 $y=180-(40+90)=50$

예제 3 답 $x=9$, $y=90$

$x=\frac{1}{2}\overline{AC}=\frac{1}{2}\overline{BD}=\frac{1}{2}\times 18=9$

예제 4 답 $\angle x=70°$, $\angle y=110°$

$\angle x=\angle B=70°$

$\angle y=180°-70°=110°$

예제 5 답 (1) 직사각형 (2) 마름모 (3) 정사각형

예제 6 답 ⑤

① 직사각형 – 마름모

② 마름모 – 직사각형

③ 평행사변형 – 평행사변형

④ 정사각형 – 정사각형

예제 7 답 △PBC, △ACD

예제 8 답 30 cm^2

$\overline{BC}:\overline{CD}=1:2$이므로 $15:\triangle ACD=1:2$

$\therefore \triangle ACD=30(cm^2)$

유형 격파 + 기출 문제 60쪽~71쪽

01 ④ 02 ③ 03 ⑤ 04 ② 05 ①, ④
06 $\overline{BC}$, SSS, ∠C, ∠A, 직사각형 07 ④ 08 ④
09 직사각형 10 ④ 11 (1) 112° (2) 8 cm 12 35°
13 ② 14 ④ 15 ② 16 ② 17 $\overline{AO}$, ∠AOD, $\overline{AD}$, 마름모 18 $\angle x=36°$, $y=10$ cm 19 ④
20 ③, ⑤ 21 (1) 10 cm (2) 45° 22 ③ 23 ⑤ 24 ④
25 6 cm 26 ④ 27 20° 28 15° 29 ㄱ, ㄹ 30 ②, ④
31 ① 32 ① 33 $\overline{DE}$, ∠DEC, ∠C, $\overline{DC}$, $\overline{DC}$
34 $\overline{DC}$, $\overline{BC}$, SAS, $\overline{DB}$ 35 ③, ⑤ 36 ⑤
37 (1) 118° (2) 18 cm 38 34° 39 ① 40 ② 41 ①
42 ⑤ 43 60° 44 ③ 45 30° 46 (1) 직사각형 (2) 정사각형 47 마름모 48 ㄹ, ㅁ 49 ⑤ 50 2개
51 ④ 52 ② 53 SAS, $\overline{GF}$, SAS, $\overline{GH}$
54 △CGF, SAS, $\overline{GF}$, 마름모 55 SAS, ∠AHE, SAS, ∠DGH, 직사각형 56 ④ 57 ④ 58 28 cm
59 직사각형 60 ④ 61 (1) 20 cm^2 (2) 25 cm^2
62 ② 63 36 cm^2 64 ⑤ 65 10 cm^2 66 105 cm^2
67 10 cm^2 68 ④ 69 ⑤ 70 ⑤ 71 ⑤

72 ①	73 ⑤	74 ③	75 12 cm^2	76 6 cm^2	77 ④
78 60 cm^2	79 ④	80 직사각형	81 마름모	
82 정사각형	83 ①	84 12 cm^2	85 ②	

01 직사각형의 두 대각선은 길이가 같고, 서로 다른 것을 이등분하므로
$\overline{AO}=\frac{1}{2}\overline{AC}=\frac{1}{2}\overline{BD}=\frac{1}{2}\times16=8(cm)$

03 $\overline{OA}=\overline{OB}$이므로 $\angle OAB=\angle OBA=54°$
$\therefore \angle DOC=\angle AOB=180°-(54°+54°)=72°$

04 $x=\overline{AC}=2\overline{OC}=2\times5=10$
$\triangle ABC$에서 $y°+90°+52°=180°$, $y=38$
$\therefore x+y=48$

05 ④ 평행사변형에서 이웃하는 두 내각의 크기가 같으면 네 내각의 크기가 모두 같으므로 직사각형이 된다.

07 ① 한 내각이 직각이다. ② $\angle A=\angle B=90°$
③ 두 대각선의 길이가 같다.
⑤ 두 대각선은 길이가 같고, 서로 다른 것을 이등분한다.

08 ㄴ. $\angle A=90°$이면 $\angle A=\angle B=\angle C=\angle D=90°$이므로 직사각형이 된다.
ㄷ. $\overline{BD}=8(cm)$이면 $\overline{AC}=\overline{BD}$이므로 직사각형이 된다.

09 $\angle OCD=\angle ODC$이면 $\triangle OCD$는 이등변삼각형이므로 $\overline{OC}=\overline{OD}$
□ABCD가 평행사변형이므로 $\overline{OA}=\overline{OC}$, $\overline{OB}=\overline{OD}$에서 $\overline{AC}=\overline{BD}$
따라서 □ABCD는 두 대각선의 길이가 같으므로 직사각형이다.

11 (1) $\angle C=\angle A$이므로 $\angle C=112°$
(2) $\overline{AB}=\overline{AD}$이므로 $\overline{AB}=8(cm)$

12 □ABCD는 마름모이므로 $\overline{AB}=\overline{AD}$
따라서 $\triangle ABD$는 이등변삼각형이므로
$\angle ABD=\frac{1}{2}\times(180°-110°)=35°$

13 □ABCD는 마름모이므로 $2x+3=3x-1$ $\therefore x=4$
$\therefore \overline{CD}=2x+3=2\times4+3=11$

14 $\triangle ABC$와 $\triangle ADC$에서 $\overline{AB}=\overline{AD}$, $\overline{BC}=\overline{DC}$, $\overline{AC}$는 공통
따라서 $\triangle ABC\equiv\triangle ADC$(SSS 합동)이므로 $\angle BAC=\angle DAC=60°$
$\triangle ABC$에서 $\overline{AB}=\overline{BC}$이므로 $\angle BCA=60°$ $\therefore \angle ABC=60°$
따라서 $\triangle ABC$는 정삼각형이므로 $\overline{AC}=8(cm)$

15 $\overline{CB}=\overline{CD}$이므로 $\angle CBD=\angle CDB=\frac{1}{2}\times(180°-112°)=34°$
따라서 $\angle x=\angle BEH$(맞꼭지각)이므로 $\triangle BHE$에서
$\angle x=180°-(34°+90°)=56°$

16 ② $\overline{OA}=\overline{OD}$이면 두 대각선의 길이가 같으므로 직사각형이 된다.

18 $\overline{AD}/\!/\overline{BC}$이므로 $\angle ADO=\angle OBC=36°$(엇각)
$\triangle AOD$에서 $\angle AOD=180°-(54°+36°)=90°$
따라서 □ABCD는 마름모이므로 $\angle x=36°$, $y=10(cm)$

19 $\overline{AB}/\!/\overline{DC}$이므로 $\angle ABD=\angle BDC$(엇각)
$\triangle BCD$는 이등변삼각형이므로 $\overline{BC}=\overline{CD}$
따라서 □ABCD는 이웃하는 두 변의 길이가 같은 평행사변형이므로 마름모이다.

20 $\overline{AD}/\!/\overline{BC}$로부터 $\angle EDO=\angle FBO$이므로
$\triangle EOD\equiv\triangle FOB$(ASA 합동)
따라서 $\overline{ED}/\!/\overline{BF}$, $\overline{ED}=\overline{BF}$이므로 □EBFD는 평행사변형이다.
또, 평행사변형 □EBFD의 두 대각선이 서로 직교하므로 □EBFD는 마름모이다.
$\therefore \overline{EB}=\overline{BF}$

21 (1) $\overline{AC}=\overline{BD}=2\overline{BO}=2\times5=10(cm)$
(2) $\triangle DBC$는 직각이등변삼각형이므로 $\angle BDC=45°$

22 $\overline{OA}=\frac{1}{2}\overline{BD}=7(cm)$이고, $\angle AOB=90°$이므로
□ABCD $=\triangle ABD+\triangle BCD=2\triangle ABD$
$=2\times\left(\frac{1}{2}\times14\times7\right)=98(cm^2)$

23 ⑤ $\angle ABE=\angle BCF=90°$이고 $\overline{AB}=\overline{BC}$, $\overline{BE}=\overline{CF}$이므로
$\triangle ABE\equiv\triangle BCF$(SAS 합동)

24 ④ $\triangle DEF\equiv\triangle DCF$(RHS 합동)이므로 $\angle DFE=\angle DFC$

25 $\triangle ABF\equiv\triangle DAG$(RHA 합동)이므로
$\overline{AG}=\overline{BF}=12(cm)$, $\overline{AF}=\overline{DG}=6(cm)$
$\therefore \overline{FG}=\overline{AG}-\overline{AF}=12-6=6(cm)$

26 $\overline{AD}=\overline{AE}$이므로 $\triangle ADE$는 이등변삼각형이다.
$\angle ADE=\angle AED=70°$이므로 $\angle EAD=40°$
$\triangle ABE$에서 $\angle EAB=40°+90°=130°$
따라서 $\overline{AB}=\overline{AE}$이므로 $\angle ABE=\frac{1}{2}\times(180°-130°)=25°$

27 $\triangle ABE$와 $\triangle BCF$에서
$\overline{AB}=\overline{BC}$, $\angle ABE=\angle BCF=90°$, $\overline{BE}=\overline{CF}$이므로
$\triangle ABE\equiv\triangle BCF$(SAS 합동)
$\therefore \angle GBE=\angle BAE=110°-90°=20°$

28 $\triangle PBC$는 정삼각형이므로 $\angle PCB=60°$
$\therefore \angle PCD=90°-60°=30°$
$\overline{BC}=\overline{CD}$이고, $\overline{BC}=\overline{CP}$이므로 $\overline{CD}=\overline{CP}$
따라서 $\triangle PCD$에서 $\angle PDC=\frac{1}{2}\times(180°-30°)=75°$이므로
$\angle ADP=\angle ADC-\angle PDC=90°-75°=15°$

29 ㄱ. 이웃하는 두 변의 길이가 같으므로 정사각형이 된다.
ㄹ. 두 대각선이 서로 직교하므로 정사각형이 된다.

30 ② $\angle ABC+\angle BCD=180°$
따라서 $\angle ABC=\angle BCD$이면 $\angle ABC=\angle BCD=90°$이므로 정사각형이 된다.
④ $\overline{AO}=\overline{DO}$이면 $\overline{AC}=\overline{BD}$이므로 정사각형이 된다.

31 오른쪽 그림에서

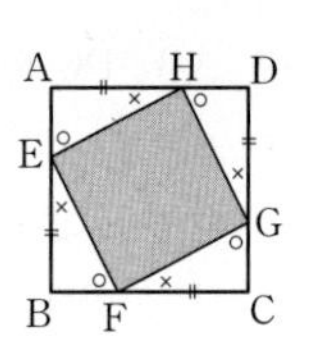

$\triangle AEH \equiv \triangle BFE \equiv \triangle CGF \equiv \triangle DHG$

(SAS 합동)

따라서 $\overline{EH}=\overline{FE}=\overline{GF}=\overline{HG}$이고

$\circ + \times = 90°$이므로 □EFGH는 정사각형이다.

32 ③ $\angle ABD = \angle ACD$이므로 $\angle OBC = \angle OCB$

따라서 $\triangle OBC$는 이등변삼각형이므로 $\overline{OB}=\overline{OC}$

⑤ $\overline{AB}=\overline{DC}$, $\overline{BC}$는 공통, $\angle ABC = \angle DCB$

$\therefore \triangle ABC \equiv \triangle DCB$(SAS 합동)

35 ③, ⑤ 직사각형, 정사각형은 한 쌍의 대변이 평행하고 밑변의 양 끝각의 크기가 같으므로 등변사다리꼴이다.

36 $\overline{BD}=\overline{AC}=8+16=24(\text{cm})$

37 (1) $\angle A = \angle D = \angle x$, $\angle B = \angle C = 62°$

$2(\angle x + 62°) = 360°$ $\quad \therefore \angle x = 118°$

(2) $y=\overline{AC}=18(\text{cm})$

38 $\overline{AB}=\overline{AD}$이므로 $\angle ABD = \angle ADB$

$\overline{AD} /\!/ \overline{BC}$이므로 $\angle ADB = \angle DBC$

$\therefore \angle ABD = \angle DBC = \angle x$

□ABCD가 등변사다리꼴이므로 $\angle B = \angle C = 68$에서 $2\angle x = 68°$

$\therefore \angle x = 34°$

39 $\angle ADC = 180° - (35° + 35°) = 110°$이므로

$\angle x = \angle BAD - \angle DAC = 110° - 35° = 75°$

40 점 D에서 $\overline{BC}$에 내린 수선의 발을 Q라 하면

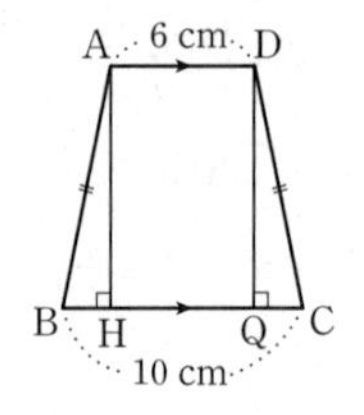

$\triangle ABH \equiv \triangle DCQ$(RHA 합동)

$\therefore \overline{BH}=\overline{CQ}$

□AHQD는 직사각형이므로

$\overline{HQ}=\overline{AD}=8(\text{cm})$

$\therefore \overline{BH}=\frac{1}{2}\times(12-8)=2(\text{cm})$

41 점 A에서 $\overline{BC}$에 내린 수선의 발을 F라 하면

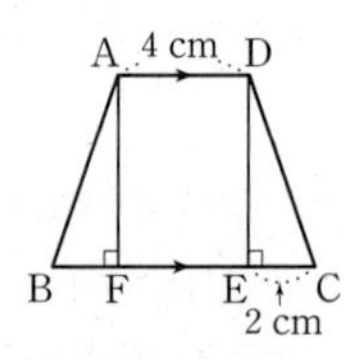

$\triangle ABF \equiv \triangle DCE$(RHA 합동)이므로

$\overline{BF}=\overline{CE}=2(\text{cm})$

따라서 $\overline{FE}=\overline{AD}=4(\text{cm})$이므로

$\overline{BC}=\overline{BF}+\overline{FE}+\overline{EC}=2+4+2=8(\text{cm})$

42 점 D를 지나고 $\overline{AB}$에 평행한 직선을 그어 $\overline{BC}$와 만나는 점을 E라 하면

□ABED는 평행사변형이므로

$\overline{BE}=\overline{AD}=9(\text{cm})$,

$\overline{DE}=\overline{AB}=12(\text{cm})$

또, $\angle DEC = \angle B = \angle C = 60°$이므로 $\angle EDC = 60°$

따라서 $\triangle DEC$는 한 변의 길이가 12 cm인 정삼각형이므로

$\overline{EC}=12(\text{cm})$

$\therefore \overline{BC}=9+12=21(\text{cm})$

43 점 D를 지나고 $\overline{AB}$에 평행한 직선을 그어 $\overline{BC}$와 만나는 점을 E라 하면

□ABED는 평행사변형이므로

$\overline{DE}=\overline{AB}$, $\overline{BE}=\overline{AD}$

그런데 $\overline{AB}=\overline{AD}=\overline{DC}$, $\overline{BE}=\overline{EC}$이므로 $\overline{DE}=\overline{EC}=\overline{DC}$

따라서 $\triangle DEC$는 정삼각형이므로 $\angle C = 60°$

44 점 D에서 $\overline{BC}$에 내린 수선의 발을 F라 하면

□AEFD는 직사각형이므로

$\overline{EF}=\overline{AD}=6(\text{cm})$

$\triangle ABE \equiv \triangle DCF$(RHA 합동)이므로

$\overline{CF}=\overline{BE}=2(\text{cm})$

$\therefore$ □$ABCD=\frac{1}{2}\times(6+10)\times 8=64(\text{cm}^2)$

45 $\angle ADB = \angle DBC = \angle x$라 하면

$\angle ABD = \angle ADB = \angle x$이므로 $\angle B = \angle C = 2\angle x$

$\triangle BCD$에서 $\angle x + 2\angle x + 90° = 180°$ $\quad \therefore \angle DBC = \angle x = 30°$

48 ㄹ. 평행사변형의 두 대각선의 길이가 같으면 직사각형이 된다.

ㅁ. 평행사변형의 이웃하는 두 변의 길이가 같으면 마름모가 된다.

49 ⑤ $\angle A = \angle C$이므로 $\angle A + \angle C = 180°$이면 $\angle A = \angle C = 90°$

따라서 □ABCD는 한 내각의 크기가 90°인 평행사변형이므로 직사각형이 된다.

50 두 대각선이 서로 다른 것을 수직이등분하는 사각형은 마름모, 정사각형의 2개이다.

51 정사각형, 직사각형, 등변사다리꼴은 두 대각선의 길이가 서로 같다.

52 등변사다리꼴, 사다리꼴은 두 대각선이 서로 다른 것을 이등분하지 않는다.

56 일반 사각형의 각 변의 중점을 연결하여 만든 사각형은 평행사변형이다.

57 정사각형의 각 변의 중점을 연결하여 만든 사각형은 정사각형이므로 □EFGH는 정사각형이다.

④ $\angle EHG + \angle EFG = 90° + 90° = 180°$

58 □EFGH는 마름모이므로 □EFGH의 둘레의 길이는

$\overline{EF}+\overline{FG}+\overline{GH}+\overline{HE}=4\times 7=28(\text{cm})$

59 □ABCD는 등변사다리꼴이므로 □EFGH는 마름모이고, 마름모 EFGH의 각 변의 중점을 연결하여 만든 □IJKL은 직사각형이다.

60 □$ABCD=\triangle ABC+\triangle ACD=\triangle ABC+\triangle ACE$

$=30+15=45(\text{cm}^2)$

61 (1) $\triangle ABD=\triangle ABC=20(\text{cm}^2)$

(2) $\triangle BCD=\triangle ACD$이므로

□$ACED=\triangle ACD+\triangle CED=15+10=25(\text{cm}^2)$

62 $\triangle DEB=\triangle ABD=$□$ABCD-\triangle DBC=12-5=7(\text{cm}^2)$

63 $\overline{AC} /\!/ \overline{DE}$이므로 $\triangle ACD=\triangle ACE=\frac{1}{2}\times 3\times 6=9(\text{cm}^2)$

$\triangle ABC=\frac{1}{2}\times 9\times 6=27(\text{cm}^2)$

$\therefore \square ABCD = \triangle ABC + \triangle ACD = 27 + 9 = 36(cm^2)$

64 점 E에서 $\overline{BC}$에 내린 수선의 발을 G라 하면

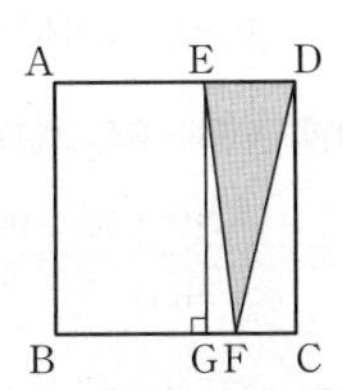

$\square EGCD = \frac{3}{8}\square ABCD = \frac{3}{8} \times 80 = 30(cm^2)$

$\therefore \triangle EFD = \frac{1}{2}\square EGCD = \frac{1}{2} \times 30 = 15(cm^2)$

65 $\overline{BP} : \overline{CP} = 2 : 1$이므로 $\triangle ABP = \frac{2}{3}\triangle ABC = \frac{2}{3} \times 15 = 10(cm^2)$

66 $\triangle EOC = 24(cm^2)$이므로

$\triangle BCE = \frac{5}{2}\triangle EOC = \frac{5}{2} \times 24 = 60(cm^2)$

$\therefore \triangle ABC = \frac{7}{4}\triangle BCE = \frac{7}{4} \times 60 = 105(cm^2)$

67 $\overline{BM} = \overline{CM}$이므로

$\triangle ABM = \frac{1}{2}\triangle ABC = \frac{1}{2} \times 30 = 15(cm^2)$

$\overline{AP} : \overline{PM} = 1 : 2$이므로

$\triangle PBM = \frac{2}{3}\triangle ABM = \frac{2}{3} \times 15 = 10(cm^2)$

68 $\triangle APQ : \triangle PCQ = 3 : 1$이므로 $36 : \triangle PCQ = 3 : 1$

$\therefore \triangle PCQ = 12(cm^2)$

$\therefore \triangle APC = \triangle APQ + \triangle PCQ = 36 + 12 = 48(cm^2)$

또, $\triangle ABP : \triangle APC = 1 : 3$이므로 $\triangle ABP : 48 = 1 : 3$

$\therefore \triangle ABP = 16(cm^2)$

$\therefore \triangle ABC = \triangle ABP + \triangle APC = 16 + 48 = 64(cm^2)$

69 $\overline{AE}$를 그으면 $\overline{BC} : \overline{CE} = 3 : 2$이므로

$\triangle ABC : \triangle ACE = 3 : 2$

$\triangle ABE = \triangle ABC + \triangle ACE$

$= \triangle ABC + \triangle ACD$

$= \square ABCD = 40(cm^2)$

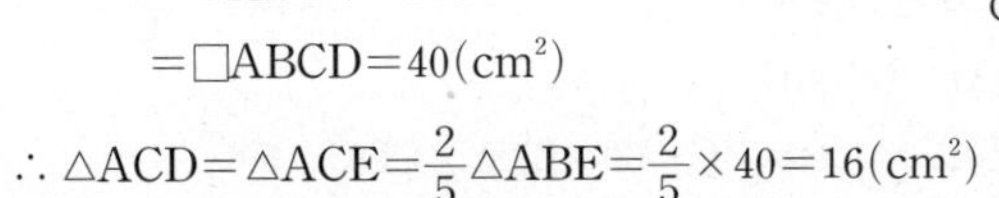

$\therefore \triangle ACD = \triangle ACE = \frac{2}{5}\triangle ABE = \frac{2}{5} \times 40 = 16(cm^2)$

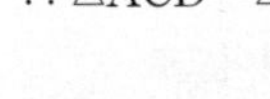

70 $\overline{AQ}$를 그으면

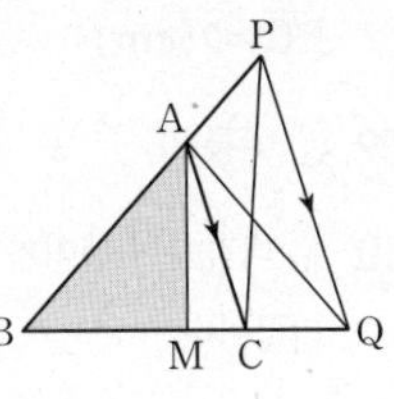

$\triangle ABM = \triangle AMQ = \triangle AMC + \triangle ACQ$

$= \triangle AMC + \triangle ACP = \square AMCP$

이므로 $\triangle PBC = \triangle ABM + \square AMCP$

$= 2\triangle ABM$

$\therefore \triangle ABM = \frac{1}{2}\triangle PBC = \frac{1}{2} \times 36 = 18(cm^2)$

71 $\overline{AC}$를 그으면

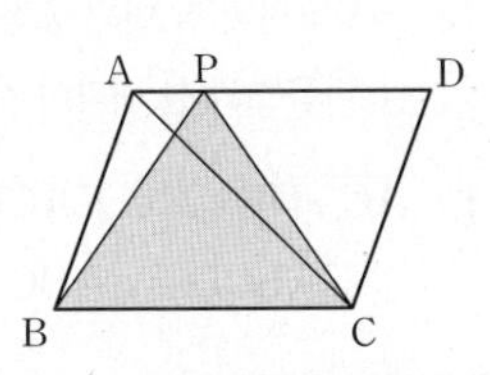

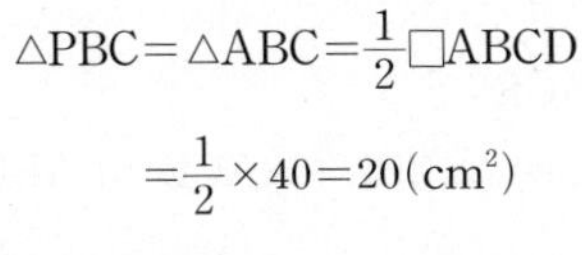

$\triangle PBC = \triangle ABC = \frac{1}{2}\square ABCD$

$= \frac{1}{2} \times 40 = 20(cm^2)$

72 $\overline{BC}$ 위에 $\overline{AB} /\!/ \overline{EF}$가 되도록

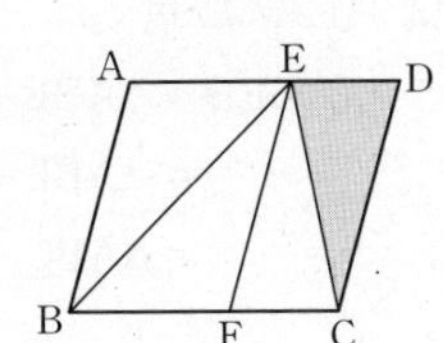

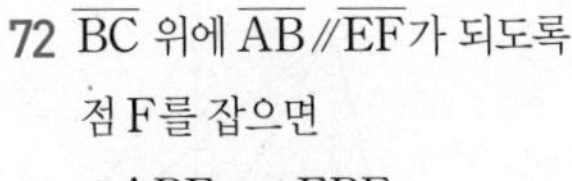

점 F를 잡으면

$\triangle ABE = \triangle EBF$,

$\triangle ECD = \triangle EFC$이므로

$\triangle ABE + \triangle ECD = \frac{1}{2}\square ABCD = \frac{1}{2} \times 150 = 75(cm^2)$

$\overline{AE} : \overline{ED} = 3 : 2$이므로 $\triangle ABE : \triangle ECD = 3 : 2$

$\therefore \triangle ECD = \frac{2}{5} \times 75 = 30(cm^2)$

73 두 점 A와 C를 연결하면

$\triangle AED = \triangle ACD = \triangle ABC$,

$\triangle AEC = \triangle DEC$

$\therefore \triangle ABE = \triangle ABC - \triangle AEC$

$= \triangle AED - \triangle DEC$

$= 22 - 10 = 12(cm^2)$

74 $\overline{AD} /\!/ \overline{BC}$이므로 $\triangle ABE = \triangle DBE$

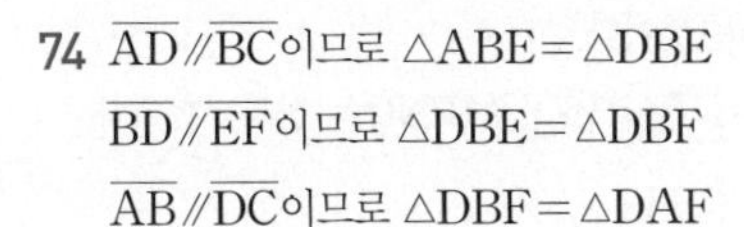

$\overline{BD} /\!/ \overline{EF}$이므로 $\triangle DBE = \triangle DBF$

$\overline{AB} /\!/ \overline{DC}$이므로 $\triangle DBF = \triangle DAF$

75 $\overline{AC}$를 그으면

$\triangle AMC = \frac{1}{4}\square ABCD$,

$\triangle ACN = \frac{1}{4}\square ABCD$

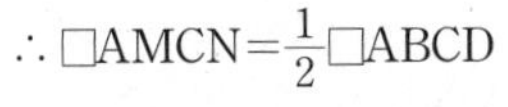

$\therefore \square AMCN = \frac{1}{2}\square ABCD$

$= \frac{1}{2} \times 24 = 12(cm^2)$

76 $\triangle APD = \frac{1}{3}\triangle ACD = \frac{1}{3} \times \frac{1}{2}\square ABCD = \frac{1}{6} \times 36 = 6(cm^2)$

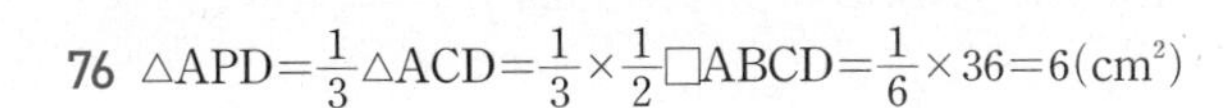

77 밑변 BC가 공통이고 높이가 같으므로

$\triangle DBC = \triangle ABC = 52(cm^2)$

$\therefore \triangle DOC = \triangle DBC - \triangle OBC = 52 - 32 = 20(cm^2)$

78 $\triangle AOD : \triangle ABO = \overline{OD} : \overline{OB} = 2 : 3$이므로

$\triangle ABO = \frac{3}{5}\triangle ABD = \frac{3}{5} \times 40 = 24(cm^2)$

$\triangle OCD = \triangle ABO = 24(cm^2)$이므로

$24 : \triangle OBC = 2 : 3$, $2\triangle OBC = 72$ $\quad \therefore \triangle OBC = 36(cm^2)$

$\therefore \triangle ABC = \triangle ABO + \triangle OBC = 24 + 36 = 60(cm^2)$

79 $\triangle ABD = \triangle AOD + \triangle ABO = 10 + 20 = 30(cm^2)$이고

$\triangle ABD$와 $\triangle ABC$의 높이가 같으므로

$\triangle ABD : \triangle ABC = 8 : 16 = 1 : 2$

$\triangle ABC = 2 \times 30 = 60(cm^2)$

$\therefore \triangle BOC = \triangle ABC - \triangle ABO = 60 - 20 = 40(cm^2)$

80 $\triangle ABE$에서 $\angle EAB = \frac{1}{2}\angle A$, $\angle EBA = \frac{1}{2}\angle B$

이때 $\angle A + \angle B = 180°$이므로

$\angle EAB + \angle EBA = \frac{1}{2}(\angle A + \angle B) = 90°$

따라서 $\angle AEB = 90°$이므로 $\angle HEF = 90°$(맞꼭지각)

같은 방법으로 $\angle EFG = \angle FGH = \angle GHE = 90°$

따라서 $\square EFGH$는 네 내각의 크기가 모두 $90°$이므로 직사각형이다.

81 $\triangle AEO$와 $\triangle CGO$에서

$\overline{AO} = \overline{CO}$, $\angle AOE = \angle COG$(맞꼭지각), $\angle OAE = \angle OCG$(엇각)

$\therefore$ △AEO≡△CGO(ASA 합동)
마찬가지로 △AOH≡△COF(ASA 합동)
$\therefore \overline{EO}=\overline{GO}, \overline{HO}=\overline{FO}$
따라서 □EFGH는 두 대각선이 서로 다른 것을 수직이등분하므로 마름모이다.

82 $\overline{MN}$을 그으면 □ABNM에서 $\overline{AM}=\overline{BN}$, $\overline{AM}/\!/\overline{BN}$이므로 □ABNM은 평행사변형이다.
그런데 $\overline{AM}=\overline{AB}$, ∠A=90°이므로 □ABNM은 정사각형이다.
□ANCM이 평행사변형이므로 $\overline{PN}/\!/\overline{MQ}$
□MBND가 평행사변형이므로 $\overline{PM}/\!/\overline{NQ}$
따라서 □MPNQ는 평행사변형이다.
이때 ∠MPN=90°, $\overline{MP}=\overline{NP}$이므로 □MPNQ는 정사각형이다.

83 $\overline{AB}/\!/\overline{DC}$이므로 △BCQ=△ACQ
$\overline{AC}/\!/\overline{PQ}$이므로 △ACQ=△ACP
$\therefore$ △BCQ=△ACP
$\overline{AP}:\overline{PD}=1:2$이므로 △ACP : △PCD=1 : 2
□ABCD=48(cm²)이므로 △ACD=24(cm²)
$\therefore$ △ACP$=\frac{1}{3}\times24=8(\text{cm}^2)$
$\therefore$ △BCQ=8(cm²)

84 △ABO$=\frac{1}{4}$□ABCD$=\frac{1}{4}\times20=5(\text{cm}^2)$
△ABE : △AEO=2 : 3이므로
△AEO$=\frac{3}{5}$△ABO$=\frac{3}{5}\times5=3(\text{cm}^2)$
따라서 □AECF는 평행사변형이므로
□AECF=4△AEO$=4\times3=12(\text{cm}^2)$

85 $\overline{BD}$를 그으면 $\overline{AF}/\!/\overline{BC}$이므로
△DBF=△DCF
$\therefore$ △ECF=△DBE
$\overline{AD}/\!/\overline{GE}$가 되도록 $\overline{AB}$ 위에 점 G를 잡으면 $\overline{AB}/\!/\overline{DC}$이므로

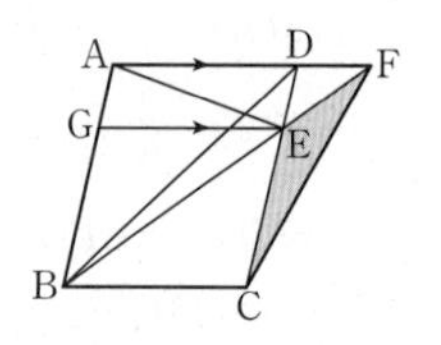

△DBE=△DAE$=\frac{1}{2}$□AGED
$=\frac{1}{2}\times\frac{2}{7}$□ABCD$=\frac{1}{7}$□ABCD
$\therefore$ △ECF$=\frac{1}{7}$□ABCD$=\frac{1}{7}\times56=8(\text{cm}^2)$

학교 시험 100점 맞기 72쪽~75쪽

01 76°	02 ④	03 ③	04 ②	05 72°	06 ③
07 ②	08 14 cm	09 ②	10 ①, ③	11 ③	12 ④
13 ⑤	14 48 cm²	15 ②	16 ⑤	17 ②	18 $\frac{3}{2}\pi$ cm²
19 ②	20 ②	21 ③	22 ②	23 90°	24 18 cm²
25 $\frac{75}{2}$ cm²		26 80 cm²			

01 $\overline{OB}=\overline{OC}$이므로 ∠OBC=∠OCB=38°
따라서 △OBC에서 ∠x=38°+38°=76°

02 $\overline{AD}=\overline{BC}$, $\overline{AD}=\overline{BC}$이므로 사각형 ABCD는 평행사변형이다.
그런데 ∠C=90°이고, $\overline{AC}\perp\overline{BD}$인 평행사변형 ABCD는 정사각형이 된다.

03 $\overline{AD}/\!/\overline{BC}$이므로 ∠BCO=∠DAO=52°(엇각)
마름모는 두 대각선이 서로 직교하므로 ∠AOD=90°
$\therefore$ ∠ADO=180°−(52°+90°)=38°

04 대각선 AC를 긋고 두 대각선의 교점을 O라 하면 △AFO와 △CEO에서
∠AOF=∠COE(맞꼭지각),
$\overline{AO}=\overline{CO}$, ∠FAO=∠ECO(엇각)

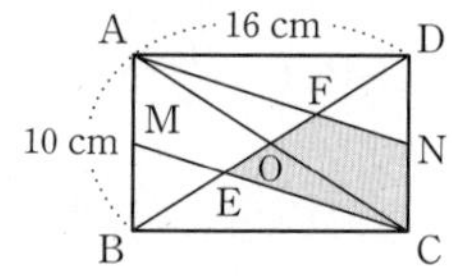

(∵ □AMCN은 평행사변형)이므로 △AFO≡△CEO(ASA 합동)
$\therefore$ □ECNF=△ACN$=\frac{1}{2}\times5\times16=40(\text{cm}^2)$

05 △PBC와 △PDC에서
$\overline{BC}=\overline{DC}$, $\overline{PC}$는 공통, ∠PCB=∠PCD=45°이므로
△PBC≡△PDC(SAS 합동)
따라서 ∠PDC=∠PBC=27°이므로 △PDC에서
∠x=27°+45°=72°

06 $\overline{AE}=\overline{AD}=\overline{AB}$이므로 ∠AEB=∠ABE=30°
∠BAE=120°이므로 ∠EAF=120°−90°=30°
$\therefore$ ∠AED=∠ADE$=\frac{1}{2}\times(180°-30°)=75°$
$\therefore$ ∠DEF=∠AED−∠AEF=75°−30°=45°

08 점 D를 지나고 $\overline{AB}$에 평행한 직선을 그어 $\overline{BC}$와 만나는 점을 E라 하면
□ABED는 평행사변형이므로
$\overline{BE}=\overline{AD}$=7(cm)

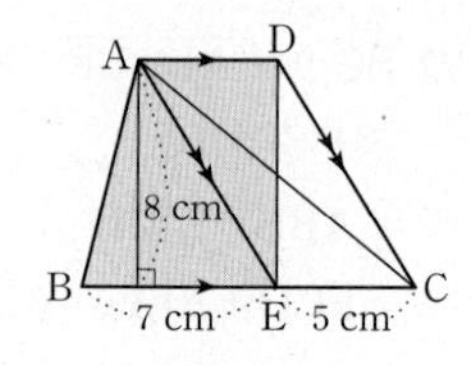

또, ∠DEC=∠B=∠C=60°이므로 ∠EDC=60°
따라서 △DEC는 한 변의 길이가 7 cm인 정삼각형이므로
$\overline{EC}$=7(cm) $\therefore \overline{BC}$=7+7=14(cm)

09 ② 마름모

10 두 대각선의 길이가 서로 같은 사각형은 직사각형, 정사각형, 등변사다리꼴이다.

11 마름모의 각 변의 중점을 차례로 연결하여 만든 사각형은 직사각형이다.

12 직사각형의 각 변의 중점을 연결하여 만든 사각형은 마름모이다.
④ 마름모의 한 내각이 직각이면 정사각형이 된다.

13 $\overline{AC}/\!/\overline{DE}$이므로 △ACD=△ACE
$\therefore$ □ABCD=△ABC+△ACD=△ABC+△ACE=△ABE

14 $\overline{AC}$를 그으면
□ABED=△ABE+△AED
=△ABE+△AEC
=△ABC
$=\frac{1}{2}\times(7+5)\times8=48(\text{cm}^2)$

15 $\overline{AQ}$를 그으면

$\triangle AQC=\frac{2}{3}\triangle ABC=\frac{2}{3}\times 36=24(\text{cm}^2)$

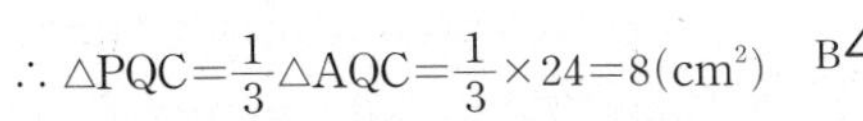

$\therefore \triangle PQC=\frac{1}{3}\triangle AQC=\frac{1}{3}\times 24=8(\text{cm}^2)$

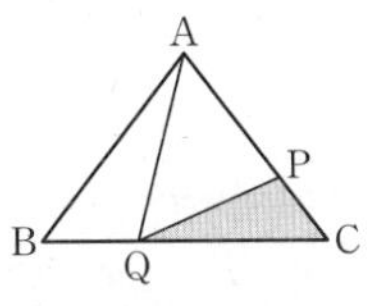

16 $\overline{AD}/\!/\overline{BC}$이므로 $\triangle APD=\triangle ABD=\triangle ACD$

□ABCD가 평행사변형이므로

$\triangle ABD=\triangle ACD=\triangle ABC=\triangle BCD$

17 $\angle EAF=90^\circ-22^\circ=68^\circ$

$\angle AEF=\angle EFC$(엇각), $\angle EFC=\angle AFE$(접은 각)이므로

$\angle AEF=\angle AFE$

따라서 $\triangle AFE$에서 $\angle AEF=\frac{1}{2}\times(180^\circ-68^\circ)=56^\circ$

18 $\overline{AB}/\!/\overline{CD}$이므로 $\triangle DAB=\triangle OAB$

∴ (색칠한 부분의 넓이)=(부채꼴 OAB의 넓이)

$=\pi\times 3^2\times\frac{1}{6}=\frac{3}{2}\pi(\text{cm}^2)$

19 오른쪽 그림에서 종이테이프의 폭이 일정하므로 □ABCD는 평행사변형이다.

또, $\overline{AP}=\overline{AQ}$, $\angle APB=\angle AQD=90^\circ$

$\angle PAB=90^\circ-\angle BAD=\angle QAD$

이므로 $\triangle APB\equiv\triangle AQD$(ASA 합동)

$\therefore \overline{AB}=\overline{AD}$

따라서 □ABCD는 이웃하는 두 변의 길이가 같은 평행사변형이므로 마름모이다.

20 $\overline{AC}$를 그으면

$\triangle ABM=\triangle AMC=\triangle ACN=\triangle AND$

이므로 $□AMCN=2\triangle AMC$

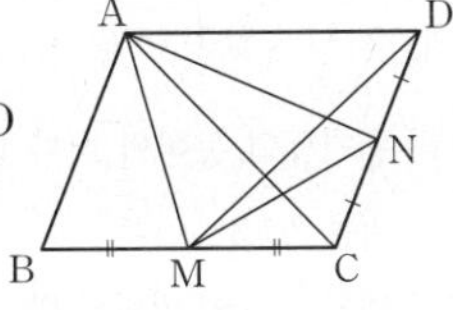

$\overline{MD}$를 그으면

$\triangle AMC=\triangle DMC=2\triangle NMC$이므로 $□AMCN=4\triangle NMC$

$\triangle AMN=□AMCN-\triangle NMC=4\triangle NMC-\triangle NMC=3\triangle NMC$

$\therefore \triangle AMN:\triangle NMC=3\triangle NMC:\triangle NMC=3:1$

21 $\triangle ABP$를 오른쪽 그림과 같이 $\overline{AB}$와 $\overline{AD}$가 겹치도록 $\triangle ADP'$으로 붙이면

$\angle BAP=\angle DAP'$이므로

$\angle BAP+\angle QAD=45^\circ$에서

$\angle DAP'+\angle QAD=\angle QAP'=45^\circ$

$\overline{AP}=\overline{AP'}$, $\overline{AQ}$는 공통

따라서 $\triangle APQ\equiv\triangle AP'Q$(SAS 합동)이므로

$\angle AQD=\angle AQP=180^\circ-(45^\circ+58^\circ)=77^\circ$

22 $\overline{AC}$를 그으면

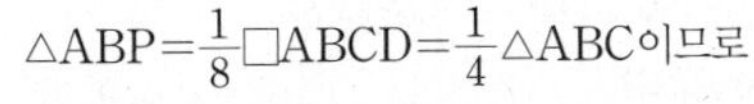

$\triangle ABP=\frac{1}{8}□ABCD=\frac{1}{4}\triangle ABC$이므로

$\triangle ABP:\triangle APC=1:3$

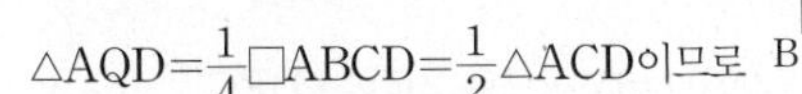

$\triangle AQD=\frac{1}{4}□ABCD=\frac{1}{2}\triangle ACD$이므로

$\triangle AQD:\triangle ACQ=1:1$

$\therefore \overline{BP}:\overline{PC}=1:3$, $\overline{DQ}:\overline{QC}=1:1$

$\overline{BQ}$를 그으면

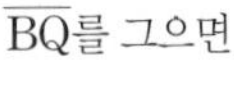

$\therefore \triangle PCQ=\frac{3}{4}\triangle BCQ=\frac{3}{4}\triangle AQD=\frac{3}{4}\times 16=12(\text{cm}^2)$

23 1단계 $\triangle ABH\equiv\triangle DFH$(ASA 합동)이므로 $\overline{AH}=\overline{DH}$

$\triangle ABG\equiv\triangle ECG$(ASA 합동)이므로 $\overline{BG}=\overline{CG}$

$\overline{HG}$를 그으면 $\overline{AH}/\!/\overline{BG}$이고 $\overline{AH}=\overline{BG}$이므로 □ABGH는 평행사변형이다.

2단계 $\overline{AD}=2\overline{AB}$이므로 $\overline{AB}=\overline{AH}$

평행사변형의 이웃하는 두 변의 길이가 같으므로 □ABGH는 마름모이다.

3단계 마름모의 두 대각선은 서로 다른 것을 수직이등분하므로

$\angle FPE=90^\circ$

24 1단계 $\overline{AD}/\!/\overline{BC}$이므로 $\triangle ABD=\triangle ACD$

$\therefore \triangle OCD=\triangle ACD-\triangle AOD=\triangle ABD-\triangle AOD$

$=\triangle OAB=6(\text{cm}^2)$

2단계 높이가 같은 두 삼각형의 넓이의 비는 밑변의 길이의 비와 같으므로 $\triangle ODC:\triangle OBC=1:2$, $6:\triangle OBC=1:2$

$\therefore \triangle OBC=12(\text{cm}^2)$

3단계 $\triangle DBC=\triangle OCD+\triangle OBC=6+12=18(\text{cm}^2)$

25 $\triangle BFE=\triangle BCE-\triangle BCF$ …… ❶

$=\frac{1}{2}\times 15\times 15-\frac{1}{2}\times 15\times 10=\frac{225}{2}-\frac{150}{2}$ …… ❷

$=\frac{75}{2}(\text{cm}^2)$ …… ❸

채점 기준	배점
❶ △BFE=△BCE−△BCF임을 알기	3점
❷ △BCE, △BCF의 넓이를 각각 구하기	2점
❸ △BFE의 넓이 구하기	1점

26 점 D에서 $\overline{BC}$에 내린 수선의 발을 F라 하면

□AEFD는 직사각형이므로

$\overline{EF}=\overline{AD}=5(\text{cm})$ …… ❶

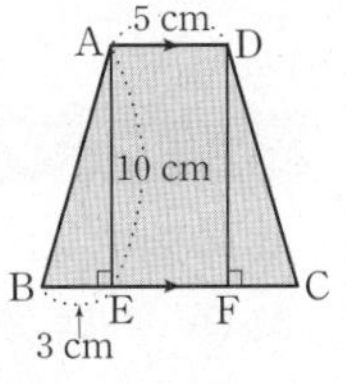

$\triangle ABE$와 $\triangle DCF$에서

$\angle AEB=\angle DFC=90^\circ$, $\overline{AB}=\overline{DC}$

$\angle ABE=\angle DCF$이므로 $\triangle ABE\equiv\triangle DCF$(RHA 합동)

$\therefore \overline{CF}=\overline{BE}=3(\text{cm})$ …… ❷

$\therefore □ABCD=\frac{1}{2}\times(5+11)\times 10=80(\text{cm}^2)$ …… ❸

채점 기준	배점
❶ $\overline{EF}$의 길이 구하기	2점
❷ $\overline{CF}$의 길이 구하기	3점
❸ □ABCD의 넓이 구하기	1점

5. 도형의 닮음

시험에 꼭 나오는 핵심개념 76쪽~78쪽

예제 1 답 (1) ○ (2) × (3) ○ (4) × (5) ×

예제 2 답 (1) 1 : 2 (2) 6 cm (3) 50°

(1) $\overline{BC}:\overline{EF}=4:8=1:2$

(2) $\overline{AB}:\overline{DE}=1:2$이므로 $3:\overline{DE}=1:2$

$\therefore \overline{DE}=6(\text{cm})$

(3) $\angle B=\angle E=50°$

예제 3 답 (1) 3 : 1 (2) 모서리 A′B′ (3) 9 cm

(1) $\overline{BF}:\overline{B'F'}=18:6=3:1$

(3) $\overline{AB}:\overline{A'B'}=3:1$이므로 $\overline{AB}:3=3:1$

$\therefore \overline{AB}=9(\text{cm})$

예제 4 답 (1) SSS 닮음 (2) SAS 닮음 (3) AA 닮음

(1) 세 쌍의 대응하는 변의 길이의 비가 $4:6=10:15=8:12=2:3$으로 같다.

(2) 두 쌍의 대응하는 변의 길이의 비가 $12:16=18:24=3:4$로 같고, 그 끼인각의 크기가 70°로 같다.

(3) 두 쌍의 대응하는 각의 크기가 각각 37°, 100°로 같다.

예제 5 답 (1) 3 (2) 10

(1) △ABC와 △EBD에서

$\overline{AB}:\overline{EB}=\overline{BC}:\overline{BD}=2:1$, ∠B는 공통이므로

△ABC∽△EBD(SAS 합동)

$6:x=2:1$, $2x=6$ $\therefore x=3$

(2) △ABC와 △AED에서

∠A는 공통, ∠ACB=∠ADE이므로

△ABC∽△AED(AA 닮음)

$15:6=x:4$, $6x=60$ $\therefore x=10$

예제 6 답 (1) 6 (2) 10 (3) 8

(1) $\overline{AB}^2=\overline{BD}\times\overline{BC}$이므로 $x^2=3\times12=36$ $\therefore x=6$

(2) $\overline{AC}^2=\overline{CD}\times\overline{CB}$이므로 $x^2=5\times(5+15)=100$ $\therefore x=10$

(3) $\overline{AD}^2=\overline{DB}\times\overline{DC}$이므로 $x^2=4\times16=64$ $\therefore x=8$

유형 격파 + 기출 문제 79쪽~85쪽

01 (1) 점 E (2) 변 DE (3) ∠F 02 모서리 FG, 면 EGH
03 ② 04 ② 05 $a=12$, $b=60$ 06 ② 07 ⑤
08 (1) 1 : 2 (2) $\overline{AD}=7$, $\overline{B'C'}=6$ 09 ③ 10 ②
11 ③ 12 ④ 13 4π cm²
14 △ABC∽PQR, △DEF∽△OMN, △GIH∽△JKL
15 △ABC∽△DEF, SSS 닮음
16 △ABC∽△DEC, AA 닮음 17 ② 18 ⑤ 19 ④
20 12 cm 21 $\frac{3}{2}$ cm 22 $\frac{20}{3}$ cm 23 ⑤ 24 ② 25 ⑤
26 $\frac{9}{2}$ 27 ② 28 $\frac{25}{2}$ cm 29 ⑤ 30 3 cm 31 ③
32 ⑤ 33 ① 34 ③ 35 ④ 36 4.8 cm 37 ③
38 $\frac{25}{2}$ cm 39 ④ 40 ③ 41 3 cm 42 ⑤ 43 ②
44 ① 45 $\frac{15}{2}$ cm 46 $\frac{35}{2}$ cm

03 항상 닮은 평면도형은 모든 정n각형, 직각이등변삼각형, 원 등이 있다.

04 항상 닮은 도형인 것은 두 구, 두 정육면체, 두 정팔각형으로 모두 3개이다.

05 닮음비가 $\overline{BC}:\overline{EF}=2:1$이므로 $a:6=2:1$ $\therefore a=12$

$\angle F=\angle C=60°$ $\therefore b=60$

06 ① ∠B=∠F, ∠D=∠H

③ $\overline{EH}$의 길이는 알 수 없고, $10:\overline{FG}=2:1$에서 $\overline{FG}=5(\text{cm})$

④ $\overline{AB}$의 대응변은 $\overline{EF}$이다.

⑤ $\overline{AB}:\overline{EF}=8:4=2:1$이므로 닮음비는 $2:1$이다.

07 $\overline{AB}:12=2:3$, $3\overline{AB}=24$ $\therefore \overline{AB}=8(\text{cm})$

따라서 △ABC의 둘레의 길이는 $8+14+12=34(\text{cm})$

08 (1) $\overline{AB}:\overline{A'B'}=4:8=1:2$이므로 두 삼각기둥의 닮음비는 $1:2$

(2) $\overline{AD}:14=1:2$ $\therefore \overline{AD}=7$

$3:\overline{B'C'}=1:2$ $\therefore \overline{B'C'}=6$

09 $\overline{AB}:\overline{EF}=\overline{CD}:\overline{GH}$이므로 $x:12=3:6$에서 $x=6$

$\overline{BC}:\overline{FG}=\overline{CD}:\overline{GH}$이므로 $4:y=3:6$에서 $y=8$

$\therefore x+y=6+8=14$

10 ② 서로 닮은 두 평면도형에서 대응하는 변의 길이의 비는 일정하다.

11 원기둥의 높이의 비가 $10:15=2:3$이므로 두 원기둥 A, B의 닮음비는 $2:3$

원기둥 A의 밑면의 반지름의 길이를 x라 하면 $x:6=2:3$

$\therefore x=4(\text{cm})$

12 두 원뿔의 닮음비는 $18:30=3:5$

큰 원뿔의 밑면의 반지름의 길이를 r cm라 하면 $6:r=3:5$

$\therefore r=10$

따라서 큰 원뿔의 밑면의 지름의 길이는 20 cm이다.

13 물이 채워진 부분인 원뿔과 원뿔 모양의 그릇은 서로 닮은 도형이고, 닮음비는 $1:4$이다.

수면의 반지름의 길이를 r cm라 하면 $r:8=1:4$이므로 $r=2$

따라서 수면의 넓이는 $\pi\times2^2=4\pi(\text{cm}^2)$

14 △ABC∽△PQR(AA 닮음), △DEF∽△OMN(SAS 닮음), △GIH∽△JKL(SSS 닮음)이므로 닮은 도형은 3쌍이다.

15 $\overline{AB}:\overline{DE}=\overline{BC}:\overline{EF}=\overline{AC}:\overline{DF}=1:2$이므로

△ABC∽△DEF(SSS 닮음)

16 △ABC에서

$\angle B=180°-(35°+90°)=55°$이므로 ∠B=∠DEC

∠ACB=∠DCE=90°

∴ △ABC∽△DEC(AA 닮음)

17 $\triangle ABC$와 $\triangle EBD$에서
$\overline{AB}:\overline{EB}=15:10=3:2$, $\overline{BC}:\overline{BD}=12:8=3:2$, $\angle B$는 공통이므로 $\triangle ABC \backsim \triangle EBD$(SAS 닮음)
$\overline{AC}:6=3:2$, $2\overline{AC}=18$ $\quad\therefore \overline{AC}=9(cm)$

18 $\triangle ABC$와 $\triangle DEC$에서
$\overline{AC}:\overline{DC}=6:18=1:3$, $\overline{BC}:\overline{EC}=7:21=1:3$
$\angle ACB=\angle DCE$(맞꼭지각)이므로 $\triangle ABC \backsim \triangle DEC$(SAS 닮음)
$\overline{AB}:12=1:3$, $3\overline{AB}=12$ $\quad\therefore \overline{AB}=4(cm)$

19 $\angle A$는 공통, $\overline{AB}:\overline{AE}=\overline{AC}:\overline{AD}=3:1$이므로
$\triangle ACB \backsim \triangle ADE$(SAS 닮음)
$\overline{AB}:\overline{AE}=\overline{BC}:\overline{ED}$에서 $3:1=x:6$ $\quad\therefore x=18(cm)$

20 $\triangle ABC$와 $\triangle ADB$에서
$\overline{AB}:\overline{AD}=8:4=2:1$, $\overline{AC}:\overline{AB}=16:8=2:1$, $\angle A$는 공통이므로 $\triangle ABC \backsim \triangle ADB$(SAS 닮음)
$\overline{BC}:6=2:1$ $\quad\therefore \overline{BC}=12(cm)$

21 $\triangle ABC$와 $\triangle AED$에서
$\angle A$는 공통, $\angle C=\angle ADE$이므로 $\triangle ABC \backsim \triangle AED$(AA 닮음)
$\overline{AB}:\overline{AE}=\overline{AC}:\overline{AD}$에서
$9:6=(6+x):5$, $6(6+x)=45$, $6x=9$
$\therefore x=\frac{3}{2}(cm)$

22 $\triangle ABC$와 $\triangle DEC$에서
$\angle ABC=\angle DEC=80°$, $\angle C$는 공통이므로
$\triangle ABC \backsim \triangle DEC$(AA 닮음)
$\overline{BC}:\overline{EC}=\overline{AC}:\overline{DC}$에서
$5:3=\overline{AC}:4$, $3\overline{AC}=20$ $\quad\therefore \overline{AC}=\frac{20}{3}(cm)$

23 $\triangle AOD$와 $\triangle COB$에서
$\angle OAD=\angle OCB$(엇각), $\angle ODA=\angle OBC$(엇각)이므로
$\triangle AOD \backsim \triangle COB$(AA 닮음)
$\overline{AO}:\overline{CO}=\overline{OD}:\overline{OB}$에서
$4:10=6:\overline{OB}$, $4\overline{OB}=60$ $\quad\therefore \overline{OB}=15(cm)$

24 $\angle C$는 공통, $\angle A=\angle DEC$이므로 $\triangle ABC \backsim \triangle EDC$(AA 닮음)
$\overline{AC}:\overline{EC}=\overline{BC}:\overline{DC}$에서 $6:3=(\overline{BE}+3):4$
$\therefore \overline{BE}=5(cm)$

25 $\triangle ABC$와 $\triangle ADB$에서
$\angle A$는 공통, $\angle C=\angle ABD$이므로 $\triangle ABC \backsim \triangle ADB$(AA 닮음)
$\overline{AB}:\overline{AD}=\overline{AC}:\overline{AB}$에서
$12:\overline{AD}=16:12$, $16\overline{AD}=144$ $\quad\therefore \overline{AD}=9(cm)$

26 $\overline{AD}/\!/\overline{BC}$이므로 $\angle ACB=\angle EAD$(엇각)
$\overline{AB}/\!/\overline{DE}$이므로 $\angle BAC=\angle DEA$(엇각)
$\therefore \triangle ABC \backsim \triangle EDA$(AA 닮음)
$\overline{BC}:\overline{DA}=\overline{AB}:\overline{ED}$에서 $8:6=6:x$, $8x=36$ $\quad\therefore x=\frac{9}{2}$

27 $\triangle ABC$와 $\triangle CDE$에서
$\angle A=90°-\angle ACB=\angle ECD$, $\angle B=\angle D=90°$이므로
$\triangle ABC \backsim \triangle CDE$(AA 닮음)
$6:\overline{CD}=10:15$, $10\overline{CD}=90$ $\quad\therefore \overline{CD}=9(cm)$

28 $\triangle ABC$와 $\triangle AED$에서
$\angle A$는 공통, $\angle B=\angle AED=90°$이므로
$\triangle ABC \backsim \triangle AED$(AA 닮음)
$20:\overline{AD}=16:10$, $16\overline{AD}=200$ $\quad\therefore \overline{AD}=\frac{25}{2}(cm)$

29 $\triangle ABD$와 $\triangle PBE$에서 $\angle ABD$는 공통, $\angle ADB=\angle PEB=90°$
$\therefore \triangle ABD \backsim \triangle PBE$(AA 닮음)
$\triangle ABD$와 $\triangle ACE$에서 $\angle A$는 공통, $\angle ADB=\angle AEC=90°$
$\therefore \triangle ABD \backsim \triangle ACE$(AA 닮음)
$\triangle PBE$와 $\triangle PCD$에서
$\angle EPB=\angle DPC$(맞꼭지각), $\angle PEB=\angle PDC=90°$
$\therefore \triangle PBE \backsim \triangle PCD$(AA 닮음)

30 $\angle ACE=\angle ADE=90°$, $\overline{AE}$는 공통, $\angle EAC=\angle EAD$
따라서 $\triangle AEC \equiv \triangle AED$(RHA 합동)이므로 $\overline{AD}=\overline{AC}=6(cm)$
$\triangle ABC$와 $\triangle EBD$에서
$\angle B$는 공통, $\angle ACB=\angle EDB=90°$이므로
$\triangle ABC \backsim \triangle EBD$(AA 닮음)
$\overline{AB}:\overline{EB}=\overline{BC}:\overline{BD}$에서
$10:5=(5+x):4$, $5(5+x)=40$, $5x=15$
$\therefore x=3(cm)$

31 $\overline{AB}^2=\overline{BH}\times\overline{BC}$이므로 $10^2=5(5+x)$ $\quad\therefore x=15(cm)$

32 $\overline{AH}^2=\overline{HB}\times\overline{HC}$이므로 $6^2=9\overline{HC}$ $\quad\therefore \overline{HC}=4(cm)$

33 $\overline{AB}^2=\overline{BH}\times\overline{BC}$이므로 $5^2=3\times(3+a)$, $3a=16$ $\quad\therefore a=\frac{16}{3}$
$\overline{AC}^2=\overline{CH}\times\overline{CB}$이므로 $b^2=a\times(a+3)=\frac{400}{9}$ $\quad\therefore b=\frac{20}{3}$
$\therefore a+b=\frac{16}{3}+\frac{20}{3}=\frac{36}{3}=12$

34 $\overline{AB}\times\overline{AC}=\overline{BC}\times\overline{AH}$이므로 $40\times30=50\times\overline{AH}$
$\therefore \overline{AH}=24(cm)$

35 $\overline{AH}^2=\overline{HB}\times\overline{HC}$이므로
$\overline{AH}^2=3\times12=36$ $\quad\therefore \overline{AH}=6(cm)$
$\therefore \triangle ABC=\frac{1}{2}\times\overline{BC}\times\overline{AH}=\frac{1}{2}\times15\times6=45(cm^2)$

36 $\overline{AD}^2=4\times16=64$이므로 $\overline{AD}=8(cm)$
점 M은 $\triangle ABC$의 외심이므로 $\overline{BM}=\overline{CM}=\overline{AM}=10(cm)$이고
$\overline{DM}=10-4=6(cm)$
$10\times\overline{DH}=8\times6$ $\quad\therefore \overline{DH}=4.8(cm)$

37 $\triangle AFD$와 $\triangle EFB$에서
$\angle FAD=\angle FEB$(엇각), $\angle ADF=\angle EBF$(엇각)이므로
$\triangle AFD \backsim \triangle EFB$(AA 닮음)
$\overline{AD}:\overline{EB}=\overline{DF}:\overline{BF}$에서 $12:6=\overline{DF}:5$, $6\overline{DF}=60$
$\therefore \overline{DF}=10(cm)$

38 $\triangle AOF$와 $\triangle ADC$에서
$\angle CAD$는 공통, $\angle AOF=\angle ADC=90^\circ$이므로
$\triangle AOF \backsim \triangle ADC$(AA 닮음)
$\overline{AF}:\overline{AC}=\overline{AO}:\overline{AD}$에서
$\overline{AF}:(10+10)=10:16$, $16\overline{AF}=200$ $\therefore \overline{AF}=\frac{25}{2}$(cm)

39 $\triangle AOD$와 $\triangle EOB$에서
$\angle OAD=\angle OEB$(엇각), $\angle ODA=\angle OBE$(엇각)이므로
$\triangle AOD \backsim \triangle EOB$(AA 닮음)
$\overline{OD}:\overline{OB}=\overline{AD}:\overline{EB}$에서 $6:4=9:\overline{EB}$, $6\overline{EB}=36$
$\therefore \overline{EB}=6$(cm)
또, $\square ABCD$는 평행사변형이므로 $\overline{BC}=\overline{AD}=9$(cm)
$\therefore \overline{EC}=\overline{BC}-\overline{EB}=9-6=3$(cm)

40 $\triangle ABE$와 $\triangle ADF$에서
$\angle AEB=\angle AFD=90^\circ$, $\angle B=\angle D$($\because$ $\square ABCD$는 평행사변형)이므로 $\triangle ABE \backsim \triangle ADF$(AA 닮음)
$\overline{AB}:\overline{AD}=\overline{AE}:\overline{AF}$에서 $8:12=\overline{AE}:9$, $12\overline{AE}=72$
$\therefore \overline{AE}=6$(cm)

41 $\triangle ADB$와 $\triangle BEC$에서
$\angle DAB+\angle ABD=\angle ABD+\angle EBC=90^\circ$이므로
$\angle DAB=\angle EBC$
$\angle ADB=\angle BEC=90^\circ$
$\therefore \triangle ADB \backsim \triangle BEC$(AA 닮음)
$\overline{AD}:\overline{BE}=\overline{BD}:\overline{CE}$에서 $2:4=\overline{BD}:6$, $4\overline{BD}=12$
$\therefore \overline{BD}=3$(cm)

42 $\triangle ADC$와 $\triangle BEC$에서 $\angle C$는 공통, $\angle ADC=\angle BEC=90^\circ$
따라서 $\triangle ADC \backsim \triangle BEC$(AA 닮음)이므로 $\angle DAC=\angle EBC$
$\triangle ADC$와 $\triangle BDP$에서 $\angle ADC=\angle BDP=90^\circ$, $\angle DAC=\angle DBP$이므로 $\triangle ADC \backsim \triangle BDP$(AA 닮음)
$\overline{AD}:6=6:4$, $4\overline{AD}=36$ $\therefore \overline{AD}=9$(cm)
$\therefore \overline{AP}=\overline{AD}-\overline{DP}=9-4=5$(cm)

43 $\triangle PBH \backsim \triangle DBC$(AA 닮음)이므로
$\overline{BH}:\overline{BC}=\overline{PH}:\overline{DC}=4:12=1:3$
$\triangle CPH \backsim \triangle CAB$(AA 닮음)이므로 $\overline{CH}:\overline{CB}=\overline{PH}:\overline{AB}$
즉, $2:3=4:\overline{AB}$, $2\overline{AB}=12$ $\therefore \overline{AB}=6$(cm)

44 $\triangle AEF \backsim \triangle DFC$(AA 닮음)이므로
$\overline{AE}:\overline{DF}=\overline{AF}:\overline{DC}$, $3:6=\overline{AF}:8$, $6\overline{AF}=24$
$\therefore \overline{AF}=4$(cm)

45 $\angle PBD=\angle DBC$(접은 각), $\angle PDB=\angle DBC$(엇각)이므로
$\angle PBD=\angle PDB$
따라서 $\triangle PBD$는 이등변삼각형이므로 $\overline{BQ}=\overline{DQ}=10$(cm)
$\triangle PQD$와 $\triangle DCB$에서
$\angle PDQ=\angle DBC$(엇각), $\angle PQD=\angle DCB=90^\circ$이므로
$\triangle PQD \backsim \triangle DCB$(AA 닮음)
$\overline{PQ}:\overline{DC}=\overline{DQ}:\overline{BC}$, $\overline{PQ}:12=10:16$, $16\overline{PQ}=120$
$\therefore \overline{PQ}=\frac{15}{2}$(cm)

46 $\overline{AD}=\overline{ED}=14$(cm)이므로 $\overline{AB}=\overline{AD}+\overline{BD}=14+16=30$(cm)
$\therefore \overline{EC}=\overline{BC}-\overline{BE}=30-10=20$(cm)
$\triangle BED$와 $\triangle CFE$에서
$\angle BDE=\angle CEF$, $\angle B=\angle C=60^\circ$이므로
$\triangle BED \backsim \triangle CFE$(AA 닮음)
$\overline{BD}:\overline{CE}=\overline{ED}:\overline{FE}$, $16:20=14:\overline{FE}$, $16\overline{FE}=280$
$\therefore \overline{FE}=\frac{35}{2}$(cm) $\therefore \overline{AF}=\overline{FE}=\frac{35}{2}$(cm)

학교 시험 100점 맞기 86쪽~89쪽

01 ③	02 ③	03 ①	04 $x=\frac{25}{2}$, $y=\frac{15}{2}$, $z=5$		
05 ④	06 3 cm	07 ②	08 ⑤	09 ②	10 ③
11 ①	12 12 cm	13 ④	14 ⑤	15 ③	16 ④
17 ③	18 ③	19 ①	20 30 cm	21 15 cm	
22 12 cm	23 $\frac{7}{2}$ cm				

01 그림 액자에서 두 사각형의 가로의 길이의 비와 세로의 길이의 비가 같지 않으므로 서로 닮은 도형이 아니다.

02 ③ 두 원기둥은 밑면인 원의 반지름의 길이의 비와 높이의 비가 같아야 서로 닮은 도형이다.

03 닮음비는 $6:4=3:2$이므로 $a=3$, $b=2$
$5:c=3:2$에서 $c=\frac{10}{3}$ $\therefore a+b+c=3+2+\frac{10}{3}=\frac{25}{3}$

04 두 삼각기둥의 닮음비가 $4:10=2:5$이므로
$2:5=5:x$에서 $x=\frac{25}{2}$, $2:5=3:y$에서 $y=\frac{15}{2}$,
$2:5=z:12.5$에서 $z=5$

05 ㉢ AA 닮음 ㉤ SAS 닮음

06 $\triangle ABC$와 $\triangle CBD$에서
$\overline{AB}:\overline{CB}=8:4=2:1$, $\overline{BC}:\overline{BD}=4:2=2:1$, $\angle B$는 공통이므로 $\triangle ABC \backsim \triangle CBD$(SAS 닮음)
$\overline{AC}:\overline{CD}=2:1$, $6:\overline{CD}=2:1$
$2\overline{CD}=6$ $\therefore \overline{CD}=3$(cm)

07 $\triangle ABC$와 $\triangle ACD$에서
$\angle A$는 공통, $\angle B=\angle ACD$이므로 $\triangle ABC \backsim \triangle ACD$(AA 닮음)
$\overline{AB}:\overline{AC}=\overline{AC}:\overline{AD}$에서
$10:8=8:\overline{AD}$, $10\overline{AD}=64$ $\therefore \overline{AD}=6.4$(cm)

08 $\triangle ABD$와 $\triangle ACE$에서
$\angle A$는 공통, $\angle ADB=\angle AEC=90^\circ$이므로
$\triangle ABD \backsim \triangle ACE$(AA 닮음)
$\overline{AB}:\overline{AC}=\overline{AD}:\overline{AE}$에서

$(4+x):10=6:4$, $4(4+x)=60$, $4x=44$

$\therefore x=11(\text{cm})$

09 $20^2=16\times(16+y)$, $16y=144$ $\quad\therefore y=9$

$x^2=16y=144$ $\quad\therefore x=12$

$\therefore x-y=12-9=3$

10 $\angle AEB=\angle CED$(맞꼭지각), $\angle ABE=\angle CDE$(엇각)이므로

$\triangle ABE\backsim\triangle CDE$(AA 닮음)

$\overline{AB}:\overline{CD}=2:3$에서 $\overline{AE}:\overline{CE}=\overline{BE}:\overline{DE}=2:3$

$\triangle ABC\backsim\triangle EFC$(AA 닮음)이므로 $10:\overline{EF}=5:3$

$\therefore \overline{EF}=6(\text{cm})$

$\triangle DCB\backsim\triangle EFB$(AA 닮음)이므로 $\overline{BC}:6=5:2$

$\therefore \overline{BC}=15(\text{cm})$

$\therefore \triangle EBC=\frac{1}{2}\times15\times6=45(\text{cm}^2)$

11 $\overline{BC}^2=x\times18$, $24^2=x\times18$ $\quad\therefore x=32(\text{m})$

12 $\triangle AFD$와 $\triangle CDE$에서

$\overline{AF}/\!/\overline{DC}$이므로 $\angle AFD=\angle CDE$(엇각)

$\overline{AD}/\!/\overline{EC}$이므로 $\angle ADF=\angle CED$(엇각)

$\therefore \triangle AFD\backsim\triangle CDE$(AA 닮음)

$\overline{AD}:\overline{CE}=\overline{AF}:\overline{CD}$, $\overline{AD}:9=8:6$, $6\overline{AD}=72$

$\therefore \overline{AD}=12(\text{cm})$

13 $\overline{EF}=\overline{AF}$, $\overline{AD}=\overline{ED}=7$

$\overline{AB}=\overline{BC}=\overline{CA}=\overline{BD}+\overline{AD}=15$, $\overline{CE}=15-5=10$

$\angle B=\angle C$, $\angle BED=\angle CFE$이므로 $\triangle DBE\backsim\triangle ECF$(AA 닮음)

$\overline{BD}:\overline{CE}=\overline{DE}:\overline{EF}$에서 $8:10=7:\overline{EF}$ $\quad\therefore \overline{EF}=\frac{35}{4}$

$\therefore \overline{AF}=\overline{EF}=\frac{35}{4}$

14 ① 점 C는 $\triangle ADE$의 외심이므로 $\angle DAE=90^\circ$

② $\angle BAD+\angle DAC=90^\circ$, $\angle EAC+\angle DAC=90^\circ$

$\therefore \angle BAD=\angle EAC=\angle BEA$

③ $\angle B$는 공통, $\angle BAD=\angle BEA$이므로

$\triangle ABD\backsim\triangle EBA$(AA 닮음)

④ $\triangle ABD\backsim\triangle EBA$이므로 $\overline{AB}:\overline{EB}=\overline{BD}:\overline{BA}$에서

$\overline{AB}^2=\overline{BE}\times\overline{BD}$

15 $\triangle ADE$와 $\triangle ABC$에서 $\overline{DE}/\!/\overline{BC}$이므로 $\angle ADE=\angle B$(동위각),

$\angle A$는 공통

$\therefore \triangle ADE\backsim\triangle ABC$(AA 닮음)

$\overline{AD}:\overline{AB}=\overline{AE}:\overline{AC}$에서 $x:6=3:5$, $5x=18$ $\quad\therefore x=\frac{18}{5}$

$\triangle ABC$와 $\triangle AEF$에서

$\angle A$는 공통, $\angle B=\angle AEF$이므로 $\triangle ABC\backsim\triangle AEF$(AA 닮음)

$\overline{AC}:\overline{AF}=\overline{AB}:\overline{AE}$에서 $5:y=6:3$, $6y=15$ $\quad\therefore y=\frac{5}{2}$

$\therefore xy=\frac{18}{5}\times\frac{5}{2}=9$

16 정사각형 DBEF의 한 변의 길이를 x라 하면 $\triangle ABC$와 $\triangle FEC$에서

$\angle C$는 공통, $\angle ABC=\angle FEC=90^\circ$이므로

$\triangle ABC\backsim\triangle FEC$(AA 닮음)

$\overline{AB}:\overline{FE}=\overline{BC}:\overline{EC}$에서

$4:x=12:(12-x)$, $12x=4(12-x)$, $16x=48$

$\therefore x=3(\text{cm})$

17 $\triangle ABD$와 $\triangle BCD$에서

$\angle ADB=\angle BDC=90^\circ$, $\angle BAD=\angle CBD$이므로

$\triangle ABD\backsim\triangle BCD$(AA 닮음)

$\overline{AD}:12=3:4$, $4\overline{AD}=36$ $\quad\therefore \overline{AD}=9(\text{cm})$

$12^2=9\overline{CD}$이므로 $\overline{CD}=16(\text{cm})$

$\overline{BC}^2=16\times(16+9)$ $\quad\therefore \overline{BC}=20(\text{cm})$

18 $\angle BAD=a$, $\angle CBE=b$, $\angle ACF=c$라 하면

$\angle EDF=\angle ABD+a$, $\angle DEF=\angle BCE+b$, $\angle DFE=\angle CAF+c$

$\therefore \triangle ABC\backsim\triangle DEF$(AA 닮음)

$\overline{AB}:\overline{DE}=\overline{BC}:\overline{EF}$에서

$4:2=6:\overline{EF}$, $4\overline{EF}=12$ $\quad\therefore \overline{EF}=3(\text{cm})$

19 $\angle EA'D'=90^\circ$이므로 $\angle CA'G=90^\circ-\angle EA'B=\angle BEA'$

$\triangle EBA'$과 $\triangle A'CG$에서

$\angle EBA'=\angle A'CG=90^\circ$, $\angle BEA'=\angle CA'G$이므로

$\triangle EBA'\backsim\triangle A'CG$(AA 닮음)

$\overline{A'E}=\overline{AE}=13(\text{cm})$, $\overline{A'C}=18-12=6(\text{cm})$

$\overline{EB}:\overline{A'C}=5:6$이므로

$\overline{BA'}:\overline{CG}=5:6$, $12:\overline{CG}=5:6$, $5\overline{CG}=72$ $\quad\therefore \overline{CG}=\frac{72}{5}(\text{cm})$

$\overline{A'E}:\overline{GA'}=5:6$, $13:\overline{GA'}=5:6$, $5\overline{GA'}=78$

$\therefore \overline{GA'}=\frac{78}{5}(\text{cm})$ $\quad\therefore \overline{CG}+\overline{GA'}=\frac{72}{5}+\frac{78}{5}=30(\text{cm})$

20 (1단계) $\overline{BC}:\overline{EF}=18:12=3:2$

(2단계) $\overline{AB}:\overline{DE}=3:2$, $12:\overline{DE}=3:2$, $3\overline{DE}=24$

$\therefore \overline{DE}=8(\text{cm})$

(3단계) $\triangle DEF$의 둘레의 길이는 $8+12+10=30(\text{cm})$

21 (1단계) $25^2=20\times\overline{BC}$ $\quad\therefore \overline{BC}=\frac{125}{4}(\text{cm})$

(2단계) $\overline{CH}=\overline{BC}-\overline{BH}=\frac{125}{4}-20=\frac{45}{4}(\text{cm})$

(3단계) $\overline{AH}^2=20\times\frac{45}{4}=225$ $\quad\therefore \overline{AH}=15(\text{cm})$

22 $\overline{BD}=\overline{AB}-\overline{AD}=9-5=4(\text{cm})$ …… ❶

$\triangle ABC$와 $\triangle CBD$에서

$\overline{AB}:\overline{CB}=9:6=3:2$, $\overline{BC}:\overline{BD}=6:4=3:2$, $\angle B$는 공통이므로

$\triangle ABC\backsim\triangle CBD$(SAS 닮음) …… ❷

$\overline{AC}:\overline{CD}=3:2$, $\overline{AC}:8=3:2$, $2\overline{AC}=24$

$\therefore \overline{AC}=12(\text{cm})$ …… ❸

채점 기준	배점
❶ $\overline{BD}$의 길이 구하기	1점
❷ $\triangle ABC\backsim\triangle CBD$임을 설명하기	3점
❸ $\overline{AC}$의 길이 구하기	2점

23 $\triangle BOQ$와 $\triangle BCD$에서

$\angle B$는 공통, $\angle BOQ=\angle BCD=90^\circ$이므로

$\triangle BOQ \backsim \triangle BCD$(AA 닮음) ...... ❶

$\overline{BQ}:20=10:16$, $16\overline{BQ}=200$ $\therefore \overline{BQ}=\frac{25}{2}$(cm) ...... ❷

또, $\triangle BQO \equiv \triangle DPO$(ASA 합동)이므로 $\overline{DP}=\overline{BQ}=\frac{25}{2}$(cm) ...... ❸

$\therefore \overline{AP}=\overline{AD}-\overline{DP}=16-\frac{25}{2}=\frac{7}{2}$(cm) ...... ❹

채점 기준	배점
❶ $\triangle BOQ \backsim \triangle BCD$임을 설명하기	3점
❷ $\overline{BQ}$의 길이 구하기	2점
❸ $\overline{DP}$의 길이 구하기	2점
❸ $\overline{AP}$의 길이 구하기	1점

싹쓸이 핵심 기출 문제 92쪽~95쪽

01 ⑤ 02 ①, ④ 03 ③ 04 36° 05 ③ 06 ⑤
07 ⑤ 08 ⑤ 09 ③ 10 ③ 11 31 cm 12 108°
13 ①, ⑤ 14 ④ 15 ②, ④ 16 90° 17 ④ 18 ⑤
19 40 cm^2 20 40 cm^2 21 ①, ④ 22 ③ 23 $\frac{15}{2}$ cm
24 $\frac{19}{2}$ cm 25 4

01 $\triangle ABC$에서
$\angle B=\angle ACB=180°-112°=68°$
$\therefore \angle A=180°-(68°+68°)=44°$

02 $\overline{AB}=\overline{AC}$인 이등변삼각형 ABC에서
$\angle BAD=\angle CAD$이면 $\overline{BD}=\overline{CD}$, $\overline{AD}\perp\overline{BC}$

03 $\triangle ABC$에서 $\angle A=180°-(90°+30°)=60°$
$\triangle DAB$에서 $\overline{AD}=\overline{BD}$이므로 $\angle DBA=\angle DAB=60°$
$\therefore \angle ADB=180°-(60°+60°)=60°$
따라서 $\triangle DAB$는 정삼각형이므로 $\overline{AD}=\overline{BD}=8$(cm)
또, $\triangle DBC$에서 $\angle DBC=90°-60°=30°$이므로
$\overline{CD}=\overline{BD}=8$(cm)
$\therefore \overline{AC}=\overline{AD}+\overline{CD}=8+8=16$(cm)

04 $\triangle ABD$에서 $\angle DBA=\angle DAB=\angle x$
$\angle BDC=\angle DAB+\angle DBA=\angle x+\angle x=2\angle x$
$\triangle BCD$에서 $\angle BCD=\angle BDC=2\angle x$
$\overline{AB}=\overline{AC}$이므로 $\angle ABC=\angle ACB=2\angle x$
삼각형의 세 내각의 크기의 합은 180°이므로 $\triangle ABC$에서
$\angle x+2\angle x+2\angle x=5\angle x=180°$ $\therefore \angle x=36°$

05 ① RHA 합동 ② RHS 합동 ④ SAS 합동 ⑤ ASA 합동

06 $\triangle DBA$와 $\triangle EAC$에서
$\angle BDA=\angle AEC=90°$, $\overline{AB}=\overline{CA}$
$\angle DAB=90°-\angle EAC=\angle ECA$
따라서 $\triangle DBA \equiv \triangle EAC$(RHA 합동)이므로
$\overline{DA}=\overline{EC}=8$(cm), $\overline{AE}=\overline{BD}=10$(cm)
$\therefore \overline{DE}=\overline{DA}+\overline{AE}=8+10=18$(cm)

07 $\triangle ODB \equiv \triangle ODA$, $\triangle OEB \equiv \triangle OEC$, $\triangle OFC \equiv \triangle OFA$(SAS 합동)

08 점 O는 직각삼각형 ABC의 외심이므로 $\overline{OA}=\overline{OB}=\overline{OC}=4$(cm)
$\therefore \overline{BC}=\overline{OB}+\overline{OC}=4+4=8$(cm)

09 $\angle x+20°+25°=90°$ $\therefore \angle x=45°$

10 $\angle IBC=\angle IBA=35°$, $\angle ICB=\angle ICA=24°$이므로
$\angle x=180°-(35°+24°)=121°$

11 점 I는 $\triangle ABC$의 내심이고, $\overline{DE}/\!/\overline{BC}$이므로
$\triangle ADE$의 둘레의 길이는
$\overline{AD}+\overline{DE}+\overline{EA}$
$=\overline{AD}+\overline{DI}+\overline{EI}+\overline{EA}=\overline{AD}+\overline{DB}+\overline{EC}+\overline{EA}=\overline{AB}+\overline{AC}$
$=14+17=31$(cm)

12 $\angle A=180°\times\frac{3}{5}=108°$이므로 $\angle C=\angle A=108°$

13 ① 두 쌍의 대변의 길이가 각각 같으므로 평행사변형이다.
⑤ 두 대각선이 서로 다른 것을 이등분하므로 평행사변형이다.

14 ④ 평행사변형이 마름모가 되는 조건이다.

15 ①, ③, ⑤ 평행사변형이 직사각형이 되는 조건이다.

16 $\angle ABD=\angle ADB=30°$, $\angle DBC=\angle ADB=30°$이고
$\angle C=\angle ABC=60°$이므로 $\triangle DBC$에서
$\angle BDC=180°-(30°+60°)=90°$
다른 풀이 $\angle ADB=\angle ABD=30°$이고 $\angle D=120°$이므로
$\angle BDC=120°-30°=90°$

17 직사각형, 정사각형, 등변사다리꼴은 대각선의 길이가 같다.

18 ① 직사각형 ➡ 마름모 ② 평행사변형 ➡ 평행사변형
③ 마름모 ➡ 직사각형 ④ 정사각형 ➡ 정사각형

19 $\triangle ACD=\triangle ACE$이므로
$\square ABCD=\triangle ABC+\triangle ACD=\triangle ABC+\triangle ACE=40(cm^2)$

20 $\overline{OB}:\overline{OD}=2:1$이므로 $\triangle OAB:\triangle AOD=2:1$
$\triangle OAB:10=2:1$이므로 $\triangle OAB=20(cm^2)$
$\triangle ACD=\triangle ABD$이므로 $\triangle OCD=\triangle OAB=20(cm^2)$
$\overline{OB}:\overline{OD}=2:1$이므로 $\triangle OBC:\triangle OCD=2:1$
따라서 $\triangle OBC:20=2:1$이므로 $\triangle OBC=40(cm^2)$

21 두 원과 두 정육각형은 항상 닮은 도형이다.

22 ③ $5:3=\overline{AB}:\overline{A'B'}$, $5:3=12:\overline{A'B'}$ $\therefore \overline{A'B'}=\frac{36}{5}$(cm)

23 $\triangle ABC \backsim \triangle EBD$(SAS 닮음)이고 닮음비가 $12:8=3:2$이므로
$3:2=\overline{AC}:5$
$\therefore \overline{AC}=\frac{15}{2}$(cm)

24 $\triangle CAB \backsim \triangle EAD$(AA 닮음)이므로
$9:4=(4+\overline{BE}):6$, $4(4+\overline{BE})=54$
$\therefore \overline{BE}=\frac{19}{2}$(cm)

25 $x^2=2\times8=16$ $\therefore x=4$

싹쓸이 핵심 예상 문제 96쪽~99쪽

01 ②	02 ③	03 ③	04 105°	05 4 cm	06 30 cm^2
07 ②	08 ③	09 ④	10 ③	11 14 cm	12 ⑤
13 ⑤	14 ②	15 ②, ⑤	16 ②	17 ③	
18 직사각형		19 36 cm^2	20 27 cm^2	21 5개	22 (1) 45°
(2) 4 : 3	23 12	24 $\frac{25}{8}$ cm	25 4 cm		

01 $\overline{AB}=\overline{AC}$이므로 $\angle C=\frac{1}{2}\times(180°-70°)=55°$
따라서 $\overline{AD}/\!/\overline{BC}$이므로 $\angle DAC=\angle C=55°$(엇각)

02 $\angle BAD=\angle CAD$이므로 $\overline{BD}=\overline{CD}$, $\overline{AD}\perp\overline{BC}$
$\triangle PBD$와 $\triangle PCD$에서
$\overline{BD}=\overline{CD}$, $\overline{PD}$는 공통, $\angle PDB=\angle PDC=90°$이므로
$\triangle PBD\equiv\triangle PCD$(SAS 합동)

03 $\triangle DBC$에서 $\overline{BD}=\overline{CD}$이므로
$\angle DBC=\angle DCB=180°-(60°+90°)=30°$
$\angle ADC=\angle DBC+\angle DCB=30°+30°=60°$이므로
$\angle ACD=180°-(60°+60°)=60°$
따라서 $\triangle ADC$는 정삼각형이므로 $\overline{AD}=\overline{CD}=5$(cm)
또, $\overline{BD}=\overline{CD}$이므로 $\overline{BD}=5$(cm)
$\therefore \overline{AB}=\overline{AD}+\overline{BD}=5+5=10$(cm)

04 $\triangle ACD$에서 $\overline{AC}=\overline{DC}$이므로 $\angle CAD=\angle CDA=70°$
$\triangle ABC$에서 $\overline{AB}=\overline{AC}$이고 $\angle CAD=\angle ABC+\angle ACB$이므로
$\angle ABC=\frac{1}{2}\times70°=35°$
$\therefore \angle DCE=\angle ABC+\angle CDA=35°+70°=105°$

05 $\triangle ABC\equiv\triangle DEF$(RHA 합동)이므로 $\overline{EF}=\overline{BC}=4$(cm)

06 $\triangle DBA\equiv\triangle EAC$(RHA 합동)이므로
$\overline{DA}=\overline{EC}=6$(cm)
$\therefore \overline{DB}=\overline{EA}=\overline{DE}-\overline{DA}=16-6=10$(cm)
$\therefore \triangle DBA=\frac{1}{2}\times6\times10=30$(cm^2)

07 $\triangle OCA$에서 $\angle OAC=\angle OCA$이므로
$\angle x=\frac{1}{2}\times(180°-126°)=27°$

08 점 O는 직각삼각형 ABC의 외심이므로 $\overline{OA}=\overline{OB}$
따라서 $\angle OAB=\angle OBA=44°$이므로
$\angle x=44°+44°=88°$

09 $28°+25°+\angle x=90°$ $\therefore \angle x=37°$

10 $\angle IBC=\angle IBA=25°$이므로
$\triangle IBC$에서 $\angle x=180°-(120°+25°)=35°$

11 점 I는 $\triangle ABC$의 내심이고, $\overline{DE}/\!/\overline{BC}$이므로
$\overline{DI}=\overline{DB}=8$(cm), $\overline{EI}=\overline{EC}=6$(cm)
$\therefore \overline{DE}=\overline{DI}+\overline{EI}=8+6=14$(cm)

12 $2x+1=3x-2$이므로 $x=3$
$\therefore \overline{BC}=3x-1=3\times3-1=8$(cm)

13 ⑤ 평행사변형이 되는 조건이 아니다.

14 $\triangle ABM\equiv\triangle DCM$(SSS 합동)이므로 $\angle A=\angle D$
그런데 $\angle A+\angle D=180°$이므로 $\angle A=\angle D=90°$
$\therefore \angle A=\angle B=\angle C=\angle D=90°$
따라서 □ABCD는 직사각형이다.

15 $\angle DAC=\angle BCA$(엇각)이므로 $\triangle ABC$는 $\overline{AB}=\overline{BC}$인 이등변삼각형이다.
따라서 □ABCD는 마름모이다.

16 점 D를 지나면서 $\overline{AB}$에 평행한 선분이 $\overline{BC}$와 만나는 점을 E라 하자.

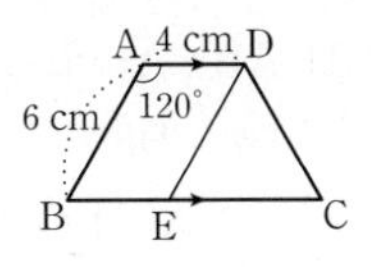

□ABED는 평행사변형이고
$\angle B=\angle DEC=\angle C=60°$이므로 $\triangle DEC$는 정삼각형이다.
$\therefore \overline{BC}=4+6=10$(cm)

17 마름모, 정사각형은 두 대각선이 서로 다른 것을 수직이등분한다.

18 $\triangle APS\equiv\triangle CRQ$(SAS 합동)이므로 $\overline{PS}=\overline{RQ}$
$\triangle BQP\equiv\triangle DSR$(SAS 합동)이므로 $\overline{PQ}=\overline{RS}$

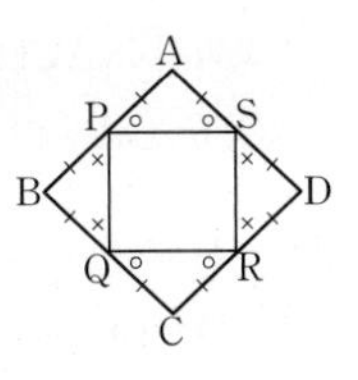

이때 □PQRS에서
$\angle P=\angle Q=\angle R=\angle S=180°-(\circ+\times)$
이므로 □PQRS는 직사각형이다.

19 $\triangle AED=\triangle AEC$이므로
□ABED$=\triangle ABC=\frac{1}{2}\times12\times6=36$(cm^2)

20 $\overline{OB}:\overline{OD}=3:2$이므로 $\triangle AOD$의 넓이를 $2S$라 하면
$\triangle OAB=\triangle OCD=3S$이다. 또, $\triangle OBC:3S=3:2$이므로
$\triangle OBC=\frac{9}{2}S$
따라서 $2S+3S+3S+\frac{9}{2}S=75$이므로 $S=6$(cm^2)
$\therefore \triangle OBC=\frac{9}{2}\times6=27$(cm^2)

21 항상 닮은 도형인 것은 ㄱ, ㄴ, ㅁ, ㅂ, ㅅ으로 모두 5개이다.

22 (1) $\angle C'=\angle C=180°-(60°+75°)=45°$
(2) $\overline{BC}=8$(cm), $\overline{B'C'}=6$(cm)이므로 닮음비는 4 : 3

23 $\triangle ADE\backsim\triangle ACB$(SAS 닮음)이고 닮음비가 $5:10=1:2$이므로
$1:2=6:\overline{BC}$
$\therefore \overline{BC}=12$

24 $\triangle ABC\backsim\triangle ACD$(AA 닮음)이므로 $8:5=5:\overline{AD}$
$\therefore \overline{AD}=\frac{25}{8}$(cm)

25 $6^2=\overline{BD}\times9$ $\therefore \overline{BD}=4$(cm)

중간고사 대비 실전 모의고사

1 회

100쪽~103쪽

01 ③	02 ③	03 ②	04 ②	05 ③	06 ③
07 ②	08 ①	09 ⑤	10 60°	11 ①	12 ②
13 ⑤	14 ⑤	15 ⑤	16 ④	17 ②	18 ⑤
19 ⑤	20 ⑤	21 ③	22 ②	23 120°	24 65°
25 60 cm^2					

01 $\angle ACB=180°-140°=40°$
$\triangle ABC$는 이등변삼각형이므로 $\angle ABC=\angle ACB=40°$
$\therefore \angle x=180°-(40°+40°)=100°$

02 $\overline{AB}=\overline{AC}$이므로 $\angle ABC=\angle ACB=50°$
$\overline{DC}=\overline{DE}$이므로 $\angle DCE=\angle DEC=70°$
$\therefore \angle ACD=180°-(50°+70°)=60°$

03 ① 이등변삼각형의 두 밑각의 크기는 서로 같다.
③, ④, ⑤ $\triangle ABD\equiv\triangle ACD$(SAS 합동)이므로 이등변삼각형의 꼭지각의 이등분선은 밑변을 수직이등분한다.

04 $\triangle ABC$에서 $\angle ACB=60°-30°=30°$이므로 $\overline{AC}=\overline{AB}=5(cm)$
따라서 $\triangle ACD$에서 $\angle CDA=180°-120°=60°$이므로
$\overline{CD}=\overline{CA}=5(cm)$

05 직사각형 모양의 종이를 접었으므로 $\angle GEF=\angle FEC$
$\overline{AD}/\!/\overline{BC}$이므로 $\angle GFE=\angle FEC$
따라서 $\angle GEF=\angle GFE$이므로
$\angle GFE=\frac{1}{2}\times(180°-40°)=70°$

06 ① SAS 합동 ② ASA 합동 ④ RHS 합동 ⑤ RHA 합동

07 $\triangle DBA\equiv\triangle EAC$(RHA 합동)이므로
$\overline{DA}=\overline{EC}=6(cm)$, $\overline{AE}=\overline{BD}=4(cm)$
따라서 $\overline{DE}=6+4=10(cm)$이므로
$\square DBCE=\frac{1}{2}\times(4+6)\times10=50(cm^2)$

08 점 O가 $\triangle ABC$의 외심이므로 $\overline{AD}=\overline{BD}$, $\overline{BE}=\overline{CE}$, $\overline{AF}=\overline{CF}$
따라서 $\triangle ABC$의 둘레의 길이는 $2\times(6+5+4)=30(cm)$

09 $\angle AOB=360°\times\frac{2}{2+3+4}=80°$
따라서 $\overline{OA}=\overline{OB}$이므로 $\angle ABO=\frac{1}{2}\times(180°-80°)=50°$

10 점 O는 직각삼각형 ABC의 외심이므로
$\overline{OA}=\overline{OB}=\overline{OC}$
$\triangle OBC$는 이등변삼각형이므로 $\angle OBC=\angle OCB=30°$
$\therefore \angle AOC=30°+30°=60°$

11 ① $\angle BIC=90°+\frac{1}{2}\angle A=90°+30°=120°$
② 정삼각형이므로 내심과 외심의 위치가 같다.
$\therefore \overline{IA}=\overline{IB}=\overline{IC}$

12 $\angle ABD=\angle CDB$(엇각), $\angle CBD=\angle ADB$(엇각)이므로
$\triangle ABD$와 $\triangle CDB$는 모두 이등변삼각형이다.
즉, $\overline{AB}=\overline{BC}$이므로 $\triangle ABC$는 이등변삼각형이다.
$\therefore \angle x=\frac{1}{2}\times(180°-84°)=48°$

13 $3x-3=2x+5$이므로 $x=8$
$\therefore \overline{AD}=\overline{BC}=4\times8-8=24$

14 ⑤ $\angle OAB=\angle OCD$이면 엇각의 크기가 같으므로 $\overline{AB}/\!/\overline{CD}$이고 같은 방법으로 $\angle OAD=\angle OCB$이면 $\overline{AD}/\!/\overline{BC}$이다. 따라서 두 쌍의 대변이 각각 평행하므로 $\square ABCD$는 평행사변형이다.

15 $\triangle PAB+\triangle PCD=\frac{1}{2}\square ABCD$이므로
$\square ABCD=2\times(14+35)=98(cm^2)$

16 직사각형의 두 대각선의 길이는 서로 같으므로 $\overline{AC}=\overline{BD}=18(cm)$
$\therefore \overline{AO}=\frac{1}{2}\overline{AC}=9(cm)$

17 $\triangle ABD\equiv\triangle CBD$(SSS 합동)이므로 $\angle ABD=\angle CBD=30°$
또, $\overline{CB}=\overline{CD}$이므로 $\angle CBD=\angle CDB=30°$
$\therefore \angle C=180°-(30°+30°)=120°$

18 ⑤ $\overline{AC}=\overline{BD}$이면 직사각형이다.

19 ⑤ 등변사다리꼴의 각 변의 중점을 연결하면 마름모가 만들어진다.

20 닮음비가 $12:8=3:2$이므로
$15:\overline{HG}=3:2$ $\therefore \overline{HG}=10(cm)$

21 $\triangle AED\backsim\triangle ACB$(AA 닮음)이므로 $\overline{AE}=x$라 하면
$25:30=x:(x+4)$, $30x=25(x+4)$ $\therefore \overline{AE}=x=20(cm)$

22 $20^2=16\times\overline{BC}$이므로 $\overline{BC}=25(cm)$ $\therefore \overline{CD}=9(cm)$
$\overline{AC}^2=9\times25=225$ $\therefore \overline{AC}=15(cm)$

23 $\angle ABC=\angle ACB=\frac{1}{2}\times(180°-100°)=40°$ …… ❶
$\angle CDA=\angle CAD=180°-100°=80°$ …… ❷
$\therefore \angle x=\angle DBC+\angle CDB=40°+80°=120°$ …… ❸

채점 기준	배점
❶ $\angle ABC$의 크기 구하기	3점
❷ $\angle CDA$의 크기 구하기	2점
❸ $\angle x$의 크기 구하기	2점

24 $\angle BAC=\frac{1}{2}\angle BOC=\frac{1}{2}\times100°=50°$ …… ❶
$\angle BIC=90°+\frac{1}{2}\angle A=90°+25°=115°$ …… ❷
$\therefore \angle BIC-\angle BAC=115°-50°=65°$ …… ❸

채점 기준	배점
❶ $\angle BAC$의 크기 구하기	3점
❷ $\angle BIC$의 크기 구하기	3점
❸ $\angle BIC-\angle BAC$의 크기 구하기	2점

25 $\triangle AOD:\triangle ABO=2:3$이므로
$\triangle ABO=\frac{3}{5}\triangle ABD=\frac{3}{5}\times40=24(cm^2)$ …… ❶

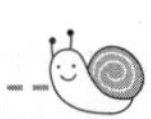

또, $\triangle CDO : \triangle BCO = 2 : 3$이고, $\triangle CDO = \triangle ABO = 24(cm^2)$
이므로 $24 : \triangle BCO = 2 : 3$, $2\triangle BCO = 72$ $\therefore \triangle BCO = 36(cm^2)$
…… ❷

$\therefore \triangle ABC = \triangle ABO + \triangle BCO = 24 + 36 = 60(cm^2)$ …… ❸

채점 기준	배점
❶ △ABO의 넓이 구하기	3점
❷ △BCO의 넓이 구하기	3점
❸ △ABC의 넓이 구하기	2점

중간고사 대비 실전 모의고사

2회

104쪽~107쪽

01 ① 02 ② 03 10 cm 04 ③ 05 4 cm 06 ③
07 ① 08 ④ 09 ⑤ 10 ① 11 ③ 12 3
13 ④ 14 ⑤ 15 ⑤ 16 ③ 17 ② 18 ⑤
19 $27\ cm^2$ 20 $64\pi\ cm^2$ 21 ③ 22 6 cm 23 4 cm
24 14 cm 25 $\frac{8}{5}$ cm

01 $\angle ACB = 180° - 100° = 80°$
$\triangle ABC$는 이등변삼각형이므로 $\angle B = \angle ACB = 80°$
$\therefore \angle x = 180° - (80° + 80°) = 20°$

02 $\overline{AB} = \overline{AC}$이므로 $\angle ABC = \angle C = \frac{1}{2} \times (180° - 32°) = 74°$
$\angle ABD = \angle DBC$이므로 $\angle DBC = \frac{1}{2} \times 74° = 37°$
따라서 $\triangle BCD$에서 $\angle BDC = 180° - (37° + 74°) = 69°$

03 $\triangle ABC$는 이등변삼각형이고 $\angle BAD = \angle CAD$이므로 $\overline{AD}$는 $\overline{BC}$를 수직이등분한다. 따라서 $\overline{BD} = \overline{CD}$이므로
$\overline{BC} = 2\overline{CD} = 2 \times 5 = 10(cm)$

04 $\angle CAD = \angle BAD = 43°$이고 $\angle ADC = 90°$이므로
$\angle ACD = 180° - (43° + 90°) = 47°$

05 $\angle C = 180° - (68° + 44°) = 68°$
$\angle A = \angle C$이므로 $\triangle ABC$는 $\overline{AB} = \overline{BC}$인 이등변삼각형이다.
$\therefore \overline{AB} = \overline{BC} = 4(cm)$

06 $\triangle ADE \equiv \triangle ACE$(RHS 합동)이므로 $\angle DAE = \angle CAE = 18°$
$\therefore \angle B = 180° - (18° + 18° + 90°) = 54°$

07 $\angle OAB = \angle x$라 하면 $4\angle x + 2(\angle x + 15°) = 180°$, $6\angle x = 150°$
$\therefore \angle x = 25°$
따라서 $\angle OBC = \angle OCB = 25° + 15° = 40°$이므로
$\angle BOC = 180° - (40° + 40°) = 100°$

08 $\angle x + 20° + 22° = 90°$ $\therefore \angle x = 48°$

09 $\angle x + \angle y + \angle z = 90°$이므로
$\angle y = 90° \times \frac{3}{2+3+4} = 30°$
$\therefore \angle ABC = 2\angle y = 2 \times 30° = 60°$

10 $\angle B = 180° - (70° + 50°) = 60°$이므로 $\angle IBC = \frac{1}{2} \times 60° = 30°$
$\angle BOC = 2 \times 70° = 140°$이고 $\overline{OB} = \overline{OC}$이므로
$\angle OBC = \frac{1}{2} \times (180° - 140°) = 20°$
$\therefore \angle IBO = \angle IBC - \angle OBC = 30° - 20° = 10°$

11 $\angle B = 180° \times \frac{1}{3} = 60°$이므로 $\angle D = \angle B = 60°$

12 $\overline{AB} = \overline{DC}$, $\overline{AD} = \overline{BC}$이면 사각형 ABCD는 평행사변형이므로
$4x - 2 = 2x + 4$ $\therefore x = 3$

13 ④ $\angle BQD$

14 $\triangle CDO = \frac{1}{4}\square ABCD$이므로
$\square ABCD = 4 \times 8 = 32(cm^2)$

15 $\angle OCD = \angle OAB = 58°$(엇각)이고 마름모의 두 대각선은 서로 다른 것을 수직이등분하므로 $\angle COD = 90°$
$\therefore \angle ODC = 180° - (90° + 58°) = 32°$

16 $\triangle ABP \equiv \triangle ADP$(SAS 합동)이므로 $\angle ADP = \angle ABP = 10°$
$\square ABCD$가 정사각형이므로 $\angle DAP = 45°$
$\therefore \angle x = 10° + 45° = 55°$

17 $\angle ADC = 180° - (36° + 36°) = 108°$이므로
$\angle x = \angle BAD - \angle DAC = 108° - 36° = 72°$

18 ⑤ 등변사다리꼴 – ㄴ

19 $\square ABCD = \triangle ABC + \triangle ACD = \triangle ABC + \triangle ACE$
$= 12 + 15 = 27(cm^2)$

20 닮음비가 $9 : 12 = 3 : 4$이므로 큰 원뿔의 밑면의 반지름의 길이를 x라 하면 $3 : 4 = 6 : x$ $\therefore x = 8(cm)$
따라서 큰 원뿔의 밑면의 넓이는 $\pi \times 8^2 = 64\pi(cm^2)$

21 ㄷ과 ㅁ은 두 쌍의 대응하는 각의 크기가 각각 같으므로 AA 닮음이다.

22 $\triangle ACB \backsim \triangle DCA$(SAS 닮음)이고 닮음비가 $2 : 1$이므로
$2 : 1 = \overline{AB} : 3$ $\therefore \overline{AB} = 6(cm)$

23 점 D에서 $\overline{AB}$에 내린 수선의 발을 E라 하면 …… ❶
$\triangle AED$와 $\triangle ACD$에서
$\angle AED = \angle ACD = 90°$, $\overline{AD}$는 공통
$\angle EAD = \angle CAD$이므로
$\triangle AED \equiv \triangle ACD$(RHA 합동) …… ❷
$\overline{ED} = \overline{CD} = x$라 하면 $\triangle ABD = \frac{1}{2} \times 12 \times x = 24$
$\therefore x = 4(cm)$ …… ❸

채점 기준	배점
❶ 점 D에서 $\overline{AB}$에 내린 수선의 발 E를 그리기	1점
❷ △AED≡△ACD임을 설명하기	3점
❸ $\overline{CD}$의 길이를 구하기	3점

24 △ABE와 △DFE에서

$\overline{AE}=\overline{DE}$, ∠BAE=∠FDE(엇각), ∠AEB=∠DEF(맞꼭지각)

이므로 △ABE≡△DFE(ASA 합동) …… ❶

∴ $\overline{DF}=\overline{AB}=7$(cm) …… ❷

따라서 $\overline{CD}=\overline{AB}=7$(cm)이므로

$\overline{CF}=\overline{CD}+\overline{DF}=7+7=14$(cm) …… ❸

채점 기준	배점
❶ △ABE≡△DFE임을 설명하기	3점
❷ $\overline{DF}$의 길이 구하기	2점
❸ $\overline{CF}$의 길이 구하기	3점

25 점 M은 직각삼각형 ABC의 외심이므로

$\overline{AM}=\overline{BM}=\overline{CM}=\frac{5}{2}$(cm), $\overline{MG}=\frac{5}{2}-1=\frac{3}{2}$(cm) …… ❶

△AMG에서 $\overline{MG}^2=\overline{AM}\times\overline{MH}$이므로 $\left(\frac{3}{2}\right)^2=\frac{5}{2}\times\overline{MH}$

∴ $\overline{MH}=\frac{9}{10}$(cm) …… ❷

∴ $\overline{AH}=\frac{5}{2}-\frac{9}{10}=\frac{8}{5}$(cm) …… ❸

채점 기준	배점
❶ $\overline{AM}$, $\overline{MG}$의 길이 구하기	3점
❷ $\overline{MH}$의 길이 구하기	3점
❸ $\overline{AH}$의 길이 구하기	2점

중간고사 대비 실전 모의고사

3회 108쪽~111쪽

01 ④	02 51°	03 ③	04 ⑤	05 8 cm	06 50 cm²
07 66°	08 ⑤	09 ①	10 7 cm	11 ④	12 ⑤
13 ③	14 ③, ⑤	15 ③	16 ①	17 ④	18 ②
19 ②	20 ②	21 ②	22 5 cm	23 14 cm	24 114°
25 18 cm					

01 ∠x=∠B(동위각)이므로

∠x=∠B=∠C=$\frac{1}{2}\times(180°-50°)=65°$

02 ∠ABC=∠ACB=$\frac{1}{2}\times(180°-76°)=52°$

∠ABC=4∠DBC이므로 ∠DBC=$\frac{1}{4}\times52°=13°$

∠ACE=180°−52°=128°이므로 ∠ACD=$\frac{1}{2}\times128°=64°$

따라서 △BCD에서 ∠BDC=180°−(13°+52°+64°)=51°

03 ∠ACD=180°−142°=38°

∴ ∠x=∠CAD=180°−(90°+38°)=52°

04 △EBD≡△ECD(SAS 합동)이므로 $\overline{BE}=\overline{CE}=5$(cm)

05 ∠EGF=∠C′GF(접은 각)

$\overline{AC'}$ // $\overline{BD'}$이므로 ∠C′GF=∠EFG(엇각)

따라서 ∠EGF=∠EFG이므로 △EFG는 $\overline{EF}=\overline{EG}$인 이등변삼각형이다.

∴ $\overline{EG}=\overline{EF}=8$(cm)

06 △ADB≡△BEC(RHA 합동)이므로

$\overline{DB}=\overline{EC}=6$(cm), $\overline{BE}=\overline{AD}=8$(cm)

∴ △ADB=$\frac{1}{2}\times6\times8=24$(cm²)

따라서 △ADB=△BEC이므로

△ABC=□ADEC−2△ADB

$=\frac{1}{2}\times(8+6)\times(6+8)-2\times24$

$=98-48=50$(cm²)

07 △PAO와 △PBO에서

∠PAO=∠PBO=90°, $\overline{PO}$는 공통, $\overline{PA}=\overline{PB}$이므로

△PAO≡△PBO(RHS 합동)

∴ ∠POA=∠POB=$\frac{1}{2}\times48°=24°$

∴ ∠x=180°−(90°+24°)=66°

08 유물의 중심은 △ABC의 외심이므로 $\overline{BC}$, $\overline{CA}$의 수직이등분선의 교점이다.

09 $\overline{OC}$를 이으면 $\overline{OB}=\overline{OC}$이므로

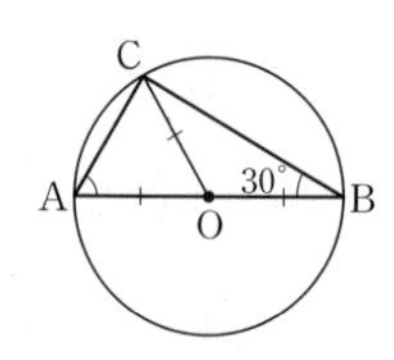

∠OCB=∠OBC=30°

∴ ∠AOC=∠OBC+∠OCB

=30°+30°=60°

따라서 $\overline{OA}=\overline{OC}$이므로

∠A=$\frac{1}{2}\times(180°-60°)=60°$

10 점 I가 △ABC의 내심이므로 $\overline{DI}=\overline{DB}$, $\overline{EI}=\overline{EC}$

따라서 △ADE의 둘레의 길이는 $\overline{AB}+\overline{AC}$이고, △ABC의 둘레의 길이는 21 cm이므로 $\overline{BC}=21-14=7$(cm)

11 내접원의 반지름의 길이를 r라 하면

△ABC=$\frac{1}{2}\times r\times(8+9+7)=12r$(cm²)

△IBC=$\frac{1}{2}\times r\times9=\frac{9}{2}r$(cm²)

∴ △ABC : △IBC=$12r:\frac{9}{2}r$=24 : 9=8 : 3

12 ∠C+∠D=180°, ∠D=180°−105°=75°이므로

∠x=180°−(35°+75°)=70°

13 $\overline{AO}=\frac{1}{2}\times16=8$(cm), $\overline{OD}=\frac{1}{2}\times18=9$(cm)

$\overline{AD}=\overline{BC}=14$(cm)

따라서 △AOD의 둘레의 길이는

$\overline{AO}+\overline{OD}+\overline{AD}=8+9+14=31$(cm)

14 ③ 한 쌍의 대변이 평행하고, 그 길이가 같으므로 평행사변형이다.

⑤ 두 대각선이 서로 다른 것을 이등분하므로 평행사변형이다.

15 $\triangle PAB + \triangle PCD = \frac{1}{2}\square ABCD = 28(cm^2)$이므로

$\triangle PAB = 28 - 12 = 16(cm^2)$

17 $\triangle ODE \equiv \triangle OBF$(ASA 합동)이므로 색칠한 부분의 넓이는 $\triangle OBC$의 넓이와 같다.

따라서 색칠한 부분의 넓이는 $\frac{1}{4} \times 16 \times 16 = 64(cm^2)$

18 $\triangle AED = \triangle BED = 32 - 20 = 12(cm^2)$,

$\triangle AFD = \triangle BFE = 8(cm^2)$이므로

$\triangle DFE = 12 - 8 = 4(cm^2)$

19 $\overline{BD} : \overline{DC} = 3 : 2$이므로 $\triangle ABD = \frac{3}{5}\triangle ABC = \frac{3}{5} \times 30 = 18(cm^2)$

20 항상 닮은 도형인 것은 ㄱ, ㄹ, ㅂ의 3개이다.

21 $\triangle ADE \backsim \triangle CAB$(AA 닮음)이므로 $2 : 7 = \overline{AD} : 9$

$\therefore \overline{AD} = \frac{18}{7}(cm)$

22 $6^2 = 4(4 + \overline{BD})$이므로 $\overline{BD} = 5(cm)$

23 $\angle BAC = 180° - (30° + 90°) = 60°$이므로 $\angle ACD = 60°$

따라서 $\triangle ADC$는 한 변의 길이가 7 cm인 정삼각형이다.

$\therefore \overline{AD} = 7(cm)$ …… ❶

$\angle DCB = 90° - 60° = 30°$이므로 $\overline{BD} = \overline{CD} = 7(cm)$ …… ❷

$\therefore \overline{AB} = \overline{AD} + \overline{BD} = 7 + 7 = 14(cm)$ …… ❸

채점 기준	배점
❶ $\overline{AD}$의 길이 구하기	2점
❷ $\overline{BD}$의 길이 구하기	3점
❸ $\overline{AB}$의 길이 구하기	2점

24 $\angle BAD + 48° = 180°$이므로 $\angle BAD = 132°$

$\therefore \angle BAE = \frac{1}{2} \times 132° = 66°$ …… ❶

$\angle A = \angle C$이므로 $\angle FAE = \angle ECF$ …… ㉠

$\angle AEB = \angle FAE$(엇각), $\angle DFC = \angle ECF$(엇각)이므로

$\angle AEB = \angle DFC$ $\therefore \angle AEC = \angle AFC$ …… ㉡

㉠, ㉡에서 $\square AECF$는 평행사변형이다. …… ❷

$\therefore \angle x = \angle AEC = \angle BAE + \angle ABE = 66° + 48° = 114°$ …… ❸

채점 기준	배점
❶ $\angle BAE$의 크기 구하기	2점
❷ $\square AECF$가 평행사변형임을 설명하기	4점
❸ $\angle x$의 크기 구하기	2점

25 $\triangle ABC$와 $\triangle EBD$에서

$\overline{AB} : \overline{EB} = 24 : 12 = 2 : 1$, $\overline{BC} : \overline{BD} = 16 : 8 = 2 : 1$, $\angle B$는 공통이므로 $\triangle ABC \backsim \triangle EBD$(SAS 닮음) …… ❶

$\overline{AC} : 9 = 2 : 1$ $\therefore \overline{AC} = 18(cm)$ …… ❷

채점 기준	배점
❶ $\triangle ABC \backsim \triangle EBD$임을 설명하기	5점
❷ $\overline{AC}$의 길이 구하기	3점

중간고사 대비 실전 모의고사

4회

112쪽~115쪽

01 ②	02 $\angle x = 21°$, $y = 6$	03 10 cm	04 ②	05 ⑤
06 57°	07 ②, ④	08 17π cm	09 ②	10 ②
11 ②	12 4 cm	13 ③	14 ②	15 6 cm²	16 ③
17 ④	18 ②	19 ②	20 ④	21 ②	22 ②
23 65°	24 40°	25 12 cm		

01 $\triangle ABC$에서 $\angle ACB = \angle B = 34°$이므로

$\triangle CDA$에서 $\angle CDA = \angle CAD = 34° + 34° = 68°$

따라서 $\triangle BCD$에서 $\angle x = \angle B + \angle CDA = 34° + 68° = 102°$

02 $\angle ACD = 180° - 111° = 69°$

$\therefore \angle x = \angle CAD = 180° - (90° + 69°) = 21°$

또, $\overline{BD} = \overline{CD}$이므로 $y = \frac{1}{2}\overline{BC} = \frac{1}{2} \times 12 = 6$

03 $\angle A = 180° - (56° + 62°) = 62°$

$\angle A = \angle C$이므로 $\triangle ABC$는 $\overline{AB} = \overline{BC}$인 이등변삼각형이다.

$\therefore \overline{BC} = \overline{AB} = 10(cm)$

04 $\triangle ABC$에서 $\angle B = \angle C$이므로 $\overline{AB} = \overline{AC}$

$\therefore \overline{AB} = \frac{1}{2} \times (22 - 8) = 7(cm)$

05 빗변의 길이와 다른 한 변의 길이가 각각 같은 두 직각삼각형이므로 $\triangle ABC \equiv \triangle DEF$(RHS 합동)

06 $\triangle BMD \equiv \triangle CME$(RHS 합동)이므로 $\angle B = \angle C$

$\therefore \angle B = \frac{1}{2} \times (180° - 66°) = 57°$

07 ②, ④ 삼각형의 내심에 대한 설명이다.

08 직각삼각형의 외심은 빗변의 중점이므로 $\triangle ABC$의 외접원의 반지름의 길이는 $\frac{17}{2}$ cm이다.

따라서 $\triangle ABC$의 외접원의 둘레의 길이는 $2\pi \times \frac{17}{2} = 17\pi(cm)$

09 $\angle BOC = 2\angle A = 2 \times 54° = 108°$

따라서 $\overline{OB} = \overline{OC}$이므로

$\angle DBC = \frac{1}{2} \times (180° - 108°) = \frac{1}{2} \times 72°$

$= 36°$

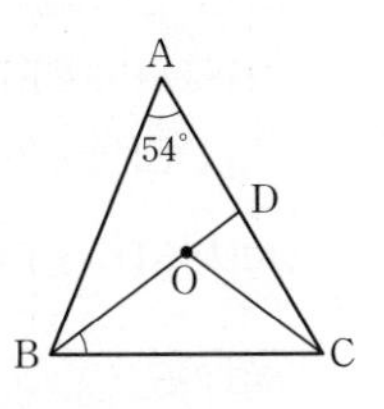

10 점 I가 $\triangle ABC$의 내심이므로 $\overline{DI} = \overline{DB}$, $\overline{EI} = \overline{EC}$

따라서 $\triangle ADE$의 둘레의 길이는

$\overline{AD} + \overline{DE} + \overline{EA} = \overline{AD} + (\overline{DI} + \overline{EI}) + \overline{EA}$

$= (\overline{AD} + \overline{DB}) + (\overline{EC} + \overline{EA})$

$= \overline{AB} + \overline{AC} = 3 + 4 = 7(cm)$

11 $\overline{BE} = \overline{BD} = 5(cm)$

$\overline{AF} = \overline{AD} = 2(cm)$이므로 $\overline{CE} = \overline{CF} = 6 - 2 = 4(cm)$

$\therefore \overline{BC} = \overline{BE} + \overline{CE} = 5 + 4 = 9(cm)$

12 $\angle ABF = \angle FBC = \angle BEC$이므로 $\triangle BCE$는 이등변삼각형이다.
따라서 $\overline{CE} = \overline{BC} = 12(cm)$이므로 $\overline{DE} = 12 - 8 = 4(cm)$

13 $\angle A = 180° \times \frac{7}{9} = 140°$이므로 $\angle C = \angle A = 140°$

14 ② $\overline{BD}$의 길이는 알 수 없다.

15 $\square MPNQ = 2\triangle MPN = 2 \times \frac{1}{4}\square ABNM = \frac{1}{2} \times \frac{1}{2}\square ABCD$
$= \frac{1}{4} \times 24 = 6(cm^2)$

16 $\angle BAD + \angle ADC = 180°$이므로 $\angle QAD + \angle ADQ = 90°$
$\triangle AQD$에서 $\angle PQR = 180° - 90° = 90°$
같은 방법으로 하면 $\angle QRS = \angle RSP = \angle SPQ = 90°$
따라서 $\square PQRS$는 직사각형이다.

17 ④ 평행사변형의 두 대각선이 서로 직교하면 마름모가 된다.

18 ① 직사각형 - 마름모 ③ 마름모 - 직사각형
④ 등변사다리꼴 - 마름모 ⑤ 사각형 - 평행사변형

19 $\overline{AC} /\!/ \overline{DE}$이므로 $\triangle ACD = \triangle ACE$
$\therefore \square ABCD = \triangle ABC + \triangle ACD = \triangle ABC + \triangle ACE$
$= 24 + 18 = 42(cm^2)$

20 닮음비는 $6 : 12 = 1 : 2$
$x : 16 = 1 : 2$이므로 $x = 8$, $5 : y = 1 : 2$이므로 $y = 10$
$\therefore x + y = 18$

21 $\triangle ABC \backsim \triangle EBD$(SAS 닮음)이므로 $\triangle ABC$와 $\triangle EBD$의 닮음비는
$4 : 6 = 2 : 3$

22 $\overline{AH}^2 = 9 \times 4 = 36$이므로 $\overline{AH} = 6(cm)$
$\therefore \triangle ABC = \frac{1}{2} \times 13 \times 6 = 39(cm^2)$

23 $\triangle DBE$와 $\triangle ECF$에서
$\overline{BD} = \overline{CE}$, $\overline{BE} = \overline{CF}$, $\angle B = \angle C$이므로
$\triangle DBE \equiv \triangle ECF$(SAS 합동) …… ❶
$\angle B = \angle C = \frac{1}{2} \times (180° - 80°) = 50°$이므로
$\angle BED + \angle CEF = \angle BED + \angle BDE = 180° - 50° = 130°$
$\therefore \angle DEF = 180° - 130° = 50°$ …… ❷
따라서 $\overline{ED} = \overline{EF}$이므로 $\angle EDF = \frac{1}{2} \times (180° - 50°) = 65°$ …… ❸

채점 기준	배점
❶ $\triangle DBE \equiv \triangle ECF$임을 설명하기	2점
❷ $\angle DEF$의 크기 구하기	3점
❸ $\angle EDF$의 크기 구하기	2점

24 $\triangle ABP$와 $\triangle CDQ$에서 $\angle APB = \angle CQD = 90°$, $\overline{AB} = \overline{CD}$,
$\angle BAP = \angle DCQ$(엇각)이므로 $\triangle ABP \equiv \triangle CDQ$(RHA 합동)
…… ❶
따라서 $\overline{BP} = \overline{DQ}$, $\overline{BP} /\!/ \overline{DQ}$이므로 $\square PBQD$는 평행사변형이다.
…… ❷
따라서 $\angle PQB = \angle QPD = 50°$이므로
$\triangle PBQ$에서 $\angle x = 180° - (90° + 50°) = 40°$ …… ❸

채점 기준	배점
❶ $\triangle ABP \equiv \triangle CDQ$임을 설명하기	3점
❷ $\square PBQD$가 평행사변형임을 설명하기	3점
❸ $\angle x$의 크기 구하기	2점

25 $\angle BCA = \angle BDE$, $\angle B$는 공통이므로 $\triangle ABC \backsim \triangle EBD$(AA 닮음)
…… ❶
$\overline{EC} = x$라 하면 $9 : 3 = (3 + x) : 5$, $3(3 + x) = 45$ …… ❷
$\therefore \overline{EC} = x = 12(cm)$ …… ❸

채점 기준	배점
❶ 닮음인 삼각형을 찾아 닮음조건 구하기	4점
❷ 비례식 구하기	2점
❸ $\overline{EC}$의 길이 구하기	2점

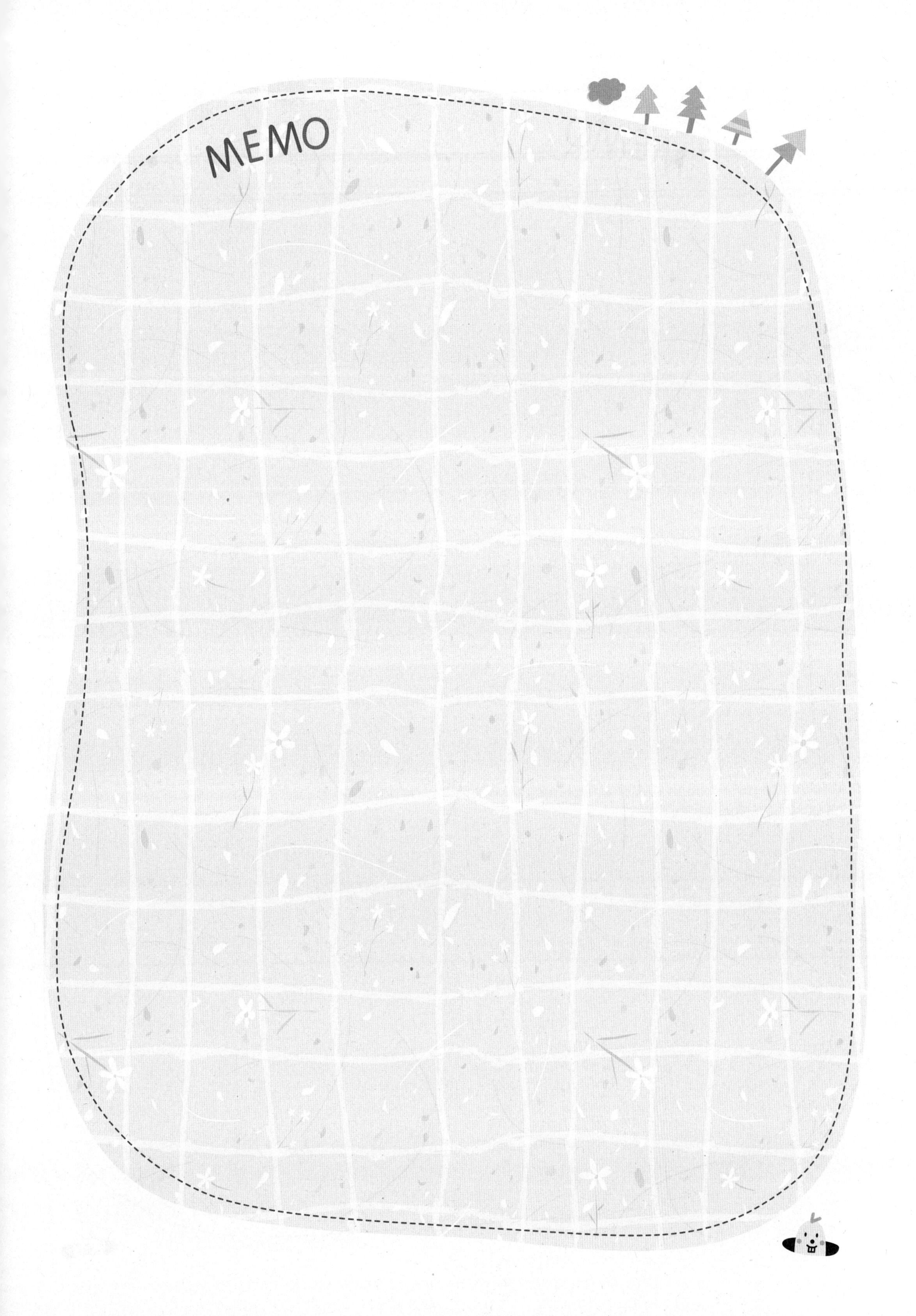
MEMO

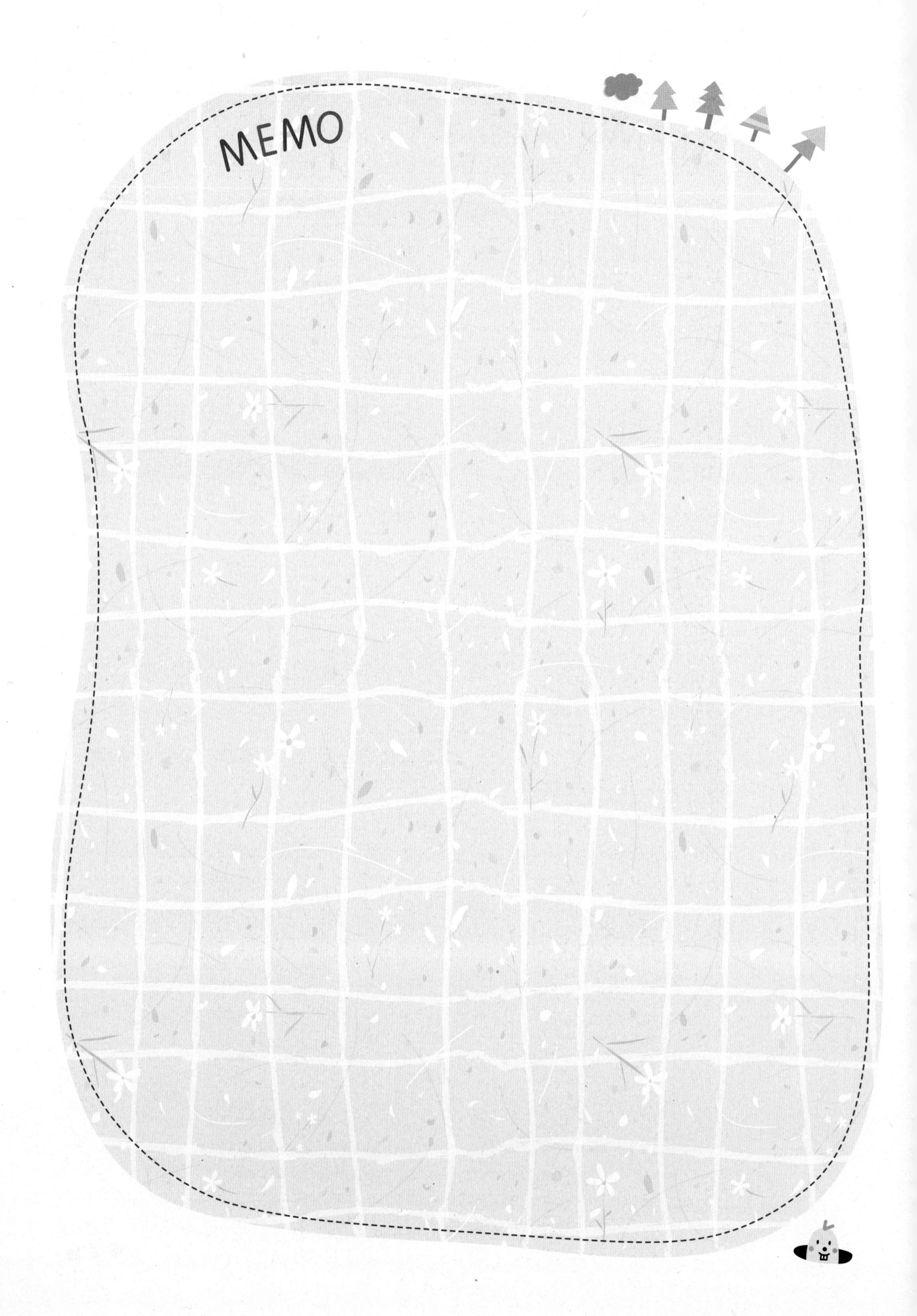
MEMO

새로운 개정 교육과정 반영

중간고사
정답 및 해설

중간고사대비

절대공부감각 내신업

www.왕수학.com

실전에 강한 절대 공부 감각
절대 공부 감각

중등,고등 수학 시리즈의 구성과 특징

절대공감 자신감 중학수학

구성 | 중등 1~3학년 학기용

특징 | 교과 단원별 기초 연산 및 필수 개념 Drill용 교재

절대공감 중학수학

구성 | 중등 1~3학년 학기용

특징 | 개념과 다출제 필수 유형을 수록한 내신 만점 대비 교재

자신감 고등수학(상)

구성 | 고등 1학년 1학기용

특징 | 교과 단원별 기초 연산 및 필수 개념 Drill용 교재

자신감 고등수학(하)

구성 | 고등 1학년 2학기용

특징 | 교과 단원별 기초 연산 및 필수 개념 Drill용 교재

자신감 고등수학 I

구성 | 고등 2학년용

특징 | 교과 단원별 기초 연산 및 필수 개념 Drill용 교재

자신감 고등수학 II

구성 | 고등 2학년용

특징 | 교과 단원별 기초 연산 및 필수 개념 Drill용 교재

새로운 개정 교육과정 반영

절대공감 내신UP 중학 수학 중간고사 대비 (주)에듀왕
펴낸곳 (주)에듀왕 | **펴낸이** 박명전
주소 경기도 파주시 광탄면 세류길 101
출판신고 제 406-2007-00046호 | **내용문의** 1644-0761

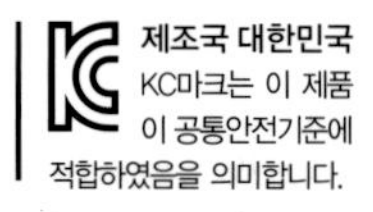

ISBN 978-89-259-2257-7
정가 9,000원